# POUR NE RIEN VOUS CACHER

Maquette de la couverture: **Tibo**

ISBN 2-7609-5127-8
© Copyright Ottawa 1989 par Lémeac Éditeur
Dépot légal — Bibliothèque nationale du Québec
4ᵉ trimestre 1989

CLAUDE JASMIN

# POUR NE RIEN VOUS CACHER

# Du même auteur

*La Corde au cou* – roman, (1960), C.L.F.
*Délivrez-nous du mal* – roman, (1961), Stanké, 10/10
*Blues pour un homme averti* – théâtre, (1964), Parti pris
*Éthel et le terroriste* – roman, (1964), Stanké, 10/10
*Et puis tout est silence* – roman, (1965), Quinze
*Pleure pas Germaine* – roman, (1965), Typo
*Les Artisans créateurs* – essai, (1967), Lidec
*Les Coeurs empaillés* – nouvelles, (1967), Guérin littérature
*Rimbaud, mon beau salaud* – roman, (1969), Éditions du Jour
*Jasmin par Jasmin* – dossier, (1970), Langevin
*Tuez le veau gras* – théâtre, (1970), Leméac
*L'Outaragasipi* – roman, (1971), Actuelle
*C'est toujours la même histoire* – roman, (1971), Leméac
*La Petite Patrie* – récit, (1972), La Presse
*Pointe-Calumet boogie-woogie* – récit, (1973), La Presse
*Sainte-Adèle-la-vaisselle* – récit, (1974), La Presse
*Revoir Éthel* – roman, (1976), Stanké
*Le Loup de Brunswick City* – roman, (1976), Leméac
*Feu à volonté* – recueil d'articles, (1976), Leméac
*Feu sur la télévision* – recueil d'articles, (1977), Leméac
*La Sablière* – roman, (1979), Leméac
*Le Veau d'or* – théatre, (1979), Leméac
*Les Contes du sommet bleu* – (1980), Québécor
*L'Armoire de Pantagruel* – roman, (1982), Leméac
*Maman-Paris, Maman-la-France* – roman, (1982), Leméac
*Le Crucifié du sommet bleu* – roman, (1984), Leméac
*L'État-maquereau, l'État-maffia* – pamphlet, (1984), Leméac
*Des Cons qui s'adorent* – roman, (1985), Leméac
*Une Duchesse à Ogunquit* – roman, (1985), Leméac
*Alice vous fait dire bonsoir* – roman, (1986), Leméac
*Safari au centre-ville* – roman, (1987), Leméac
*Une Saison en studio* – récit, (1987), Guérin littérature
*Pour tout vous dire* – journal, (1988), Guérin littérature

## Liminaire

# BIBLIOTHÈQUE
## MANOIR BOIS DE BOULOGNE

*Au moment où j'écris ces lignes, ces pages sortent de la composition et s'en iront à l'imprimerie, je sors d'une brève expérience en politique qui m'a secoué pas mal. Ce sera, peut-être, pour le prochain tome de mon journal, la narration du choc avec la parole invertie, les mots bafoués, les cachettes, les masques, « le silence au peuple » comme l'écrivait Henri Guillemin. Vous lisez un morceau hors-journal en ce moment mais vous allez vous plonger dans des centaines de journées, celle de l'an dernier, et vous allez naviguer sur des eaux tantôt agitées tantôt calmes, la vie ordinaire, quoi! Vous allez m'accompagner sur des embarcations variées, pauvres chaloupes, barques folles ou radeaux perdus dans un marais... de joncs mauvais. Merci, Félix Leclerc.*

*La publication de mon premier tome,* Pour tout vous dire, *me fut une expérience stimulante. C'était la première fois que je recevais tant de bonnes lettres, un courrier différent, le romancier que je suis aussi en était surpris, des aveux, des confidences, un ton de confiance et d'amitié... C'est qu'un journal (je le découvrais) est un exercice littéraire d'un ordre curieux. Le journal intime autorise naturellement une sorte d'intimité entre le publiant et les personnes qui découvrent la vie privée d'un auteur. C'est le jeu. Il y a des risques. Beaucoup. Tant que je reste incapable de promettre avec certitude qu'il y aura un troisième tome. Il ne faut pas y voir de la coquetterie, du caprice, non, je conjure mes lecteurs de me croire: publier son journal est une aventure dérangeante. Pour soi-même, pour ceux qui nous entourent, que nous aimons et, bien entendu, pour les adversaires. Il n'en reste pas moins que ce genre d'entreprise est comme magique, excitante: on s'y fait des amis solides, des liens se tissent et, au bout du compte, on ne peut plus s'empêcher de vouloir tout noter, au jour le jour si possible, de rester attentif, nerveux, ouvert.*

Voici donc toute une année dans ma petite vie, avec ses déceptions, ses petits bonheurs, des moments de joie, de tristesse aussi et voici les mots pour dire que la vie, malgré tout, malgré nos faiblesses et les coups bas de certains, demeure une aventure excitante. Ici, je ne raconte pas d'histoires plus ou moins fictives, je n'invente pas des héros pathétiques ou formidables, je ne fais que narrer, petite semaine après petite semaine, les couleurs d'une existence en apparence tout ordinaire et normale; cependant nous savons bien, tous, que le temps qui file toujours trop vite sculpte certaines heures en un moment chargé d'émotion. Le journal intime se fabrique avec les sentiments; c'est cela qui le rend fragile, vulnérable et, à mes yeux, si précieux. Tous ceux qui pratiquent cette bizarre monomanie, tenir un journal en le publiant ou pas, savent exactement de quoi je veux parler. Tentez l'expérience et vous serez fort surpris de constater qu'un léger chagrin est tout ce qui reste d'une immense peine au moment où vous notiez vos éphémérides, qu'une joie fragile a pris la place d'un grand bonheur quand cela vous advenait. Oui, un métier insolite que de noter sa vie au fil des mois, des saisons, ce n'est pas un vrai métier, c'est le besoin de marquer sa vie, c'est l'envie de résister... à quoi? À la mort évidemment, la hideuse « camargue » qui, pourtant, donne son sens véritable à la vie.

Claude Jasmin

Jasette, colporteur, élevage, le temps immobile...

Devoir tourner encore une page du calendrier. Ne reste que 21 jours et ce sera le printemps officiel... Oeuf mangé, café bu, journaux lus, je monte aussitôt rédiger ce premier feuillet en vue du deuxième volume de mon journal. Avec grande hâte. Ce qui me surprend moi-même, m'étant dit qu'après avoir expédié chez l'imprimeur les 500 pages du premier volume, je voudrais stopper, au moins pour quelques jours. Un répit? Mais non. J'espère qu'il s'agit désormais, le journal chaque jour, d'une bonne habitude prise pour le reste de mes jours. Résolution bien facile, même si on songe que, dès demain, on pourrait mourir. Un accident de la rue, de la route, est si vite arrivé. On dit ça sans y croire n'est-ce pas? On se sent quasi immortel. C'est pour ça qu'on ose en parler, de la sordide Faucheuse. Elle passe toujours pour les autres, n'est-ce pas?

Hier, dernier jour de février, Raymonde m'annonce en rentrant du travail: «Ça y est! Un autre de piqué! L'animateur Daniel Pinard m'a annoncé qu'il commençait, lui aussi, à tenir son journal pour publication.» Eh, la confrérie s'agrandit? Bientôt, serons-nous des mille et des mille? J'aimerais bien, je l'ai déjà dit. Comment faciliter les canaux d'une telle diffusion? Comment rendre cette «monomanie» facile d'accès? J'en rêve toujours, le soir venu, d'éteindre le cher «petit écran» et lire les secrets, misérables ou non, de tant de nos contemporains, connus ou pas. Délices! Ça ne se fera pas, hélas. La machine éditrice coûte trop cher. Des manuscrits seraient refusés. Misère! Vite! Je dois partir pour CBF FM, jasette de 5 minutes à *En toutes lettres* sur le bonheur d'être réédité. Ensuite, mon topo hebdomadaire à Quatre Saisons avec la Marguerite blonde. Ensuite? Achever les illustrations de ce roman pour la jeunesse, «Partir?». Hier soir, j'ai mieux vu la façon «journal» de Claude Mauriac. Bonne idée, il semble qu'il a regroupé, dans ses tomes, des dates. Par exemple, tous ses Noëls depuis toujours. Ça devrait donner du merveilleux. J'ai hâte d'y replonger... Je pars pour la Tour de la radio-télé publique. Bye!

Une petite honte...

Coucou! Suis revenu des caves de CBF FM. Marie-Claire Girard: «Vous êtes venu, jadis, à mon école, *Regina Mundi*. Mon premier écrivain, vivant, venu nous visiter! Vous veniez, en 1969, de publier *Rimbaud, mon beau salaud*. J'ai encore votre copie dédicacée.» Ça ne rajeunit pas le bonhomme! Miracle, une intervieweuse qui ne demande pas en fin d'entrevue: «Après ce livre, qu'allez-vous publier?» Chaque fois, c'est si fréquent, un agacement. Les créateurs (théâtre, chansons, films, etc.) vont aux micros pour parler du bébé naissant et on leur demande toujours des nouvelles du bébé pas encore né. J'ai revu, à CBF FM, Fafard, le réalisateur. Il prendra sous peu sa retraite et il a hâte, me confie-t-il, de se débarrasser *du chronomètre sans cesse*. Ai croisé le réalisateur Picard. Il a subi une attaque cardiaque, m'a semblé pourtant en forme rare, croisé aussi le «spleeneur» Gilles Archambault, toujours son tout gris faciès de doux désespéré de l'état du monde. Aussi, Roch Poisson à ce *En toutes lettres*, recenseur des revues de tous les horizons littéraires. Amaigri terriblement, mon petit

Poisson! Vieux cheval, ai profité de ma visite dans l'écurie du boulevard René-Lévesque pour remettre, dédicacés, des exemplaires de mon livre *Les cœurs empaillés* à deux importants directeurs de la SRC. Précaution (peut-être futile) afin qu'ils puissent apprécier aussi l'auteur du projet *Coulisses*. Une petite honte m'a envahi dans les couloirs, celle du démarcheur. Nous sommes tous, les auteurs, des «peddlers-en-textes». De misérables colporteurs à ces officines où on a sans doute envie d'afficher, comme jadis aux logis de ma rue St-Denis, «NO PEDDLERS — PAS DE COLPORTEURS». Dans le numéro de mars de *Nos livres*, un article pour mépriser à fond mon dernier polar: *Safari au centre-ville*. Ça ne fait presque plus mal. L'habitude. La signataire me reproche des personnages «peu décrits, donc pas attachants». Le risque du «policier», ça, quand l'action doit primer. Je crois que je ne ferai plus jamais de polar. L'union des «écrevisses» m'expédie des choses: la longue liste des prix littéraires, quelle manne surréaliste, et des annonces diverses, Tisseyre offre une aubaine aux éventuels clients des tomes du journal de son Guay, annonce d'un cinéclub au Musée, avec des films de «classe». Invitation aussi aux auteurs qui souhaitent voyager aux frais de l'État. Et autres mirages...


Un chroniqueur chasse l'autre...

Après ces deux feuillets, pour le deuxième volume (peut-être) de journal, c'est décidé, je continuerai. J'aime ça! Coucou encore! Je reviens du studio de *Marguerite et compagnie* à Quatre Saisons. Après 13 jours, le congé-neige des écoles, plaisir de retrouver les coéquipiers, la régisseure, le maquilleur, la coiffeuse si gentille avec moi: «Gardez vos cheveux en bataille, c'est tout à fait vous, c'est la tête qui vous convient!» Hum! moi qui songe, aux premiers jours du printemps prochain, à une coupe radicale. J'en ai souvent assez de ma tignasse de bâbord et de tribord défiant le sommet-chauve! Topo sur «l'élevage des enfants», encore une fois. À la fin, j'ai offert mon bel album, *Les cœurs empaillés* et, en ondes, l'animatrice a lu ma dédicace: «À la bien jolie marguerite des champs et des studios», puis elle a filé, un peu encombrée par le livre, vers Claude Bisaillon, le «protecteur-du-consommateur». Un chroniqueur chasse l'autre à ces carrousels fourre-tout de la télé d'après-midi.

Rentré, j'écris une lettre («enregistrée», comme on ne devrait pas dire) pour le P.d.g. de Leméac qui ne me verse plus de *royalties*. Le milieu des «lettres» et *Le Devoir* répandent la rumeur que la faillite guette M. Rochette. Je le regrette, l'homme est courtois, affable et, tous les deux, nous avions négocié amicalement il y a deux ans. Cette fois, c'est grave, et on m'a recommandé de signifier clairement à ce Président-au-bord-de-la-banqueroute que je dois être payé ou bien je reprends tous mes droits sur mes livres édités là depuis quasiment dix ans. C'est fait mais je n'ai pas aimé cela. Ensuite, j'ai posé les derniers intertitres du premier tome de mon journal. Maintenant, très lourd paquet, ça va partir pour la révision. Hier soir, Raymonde se décide subitement à chercher son nom dans mon manuscrit. Elle proteste. Ici, mollement. Là, plus sérieusement. Je consens volontiers à des modifications ici et là. Faut garder «la paix du ménage»! Raymonde, je ne le répéterai plus, est le suc de mon existence. Au soleil sur le balcon vitré de l'étage, je me plonge dans *Le temps immobile*, tome 7, de Claude Mauriac. Vraiment captivante, sa façon «monteur de cinéma». Ce volume porte en sous-titre: «Signes, rencontres et rendez-vous». Je regarde défiler l'immense kaléidoscope d'images bourgeoises d'un temps à jamais aboli. C'est le doux Paris des années 30, ses Pavillons d'expositions. Un jeune homme se trouve bien laid et a un papa omniprésent, François Mauriac. Décidément, je ne lirai plus que du journal, des confessions, des biographies. Dans ces écrits, il n'y a pas de ces incessants et laborieux efforts pour faire « littéraire ». La dureté, du moins la sécheresse de ces témoignages vécus me convient. Le cru? Oui, toujours. Sans être dupe, devinant que Claude Mauriac, tout de même, choisissait bien les bons mots. Il le fait, c'est de famille. Le fils Mauriac signait ses articles de jeunesse « Claude *Cairuam* », Mauriac à l'envers, quoi. Il a une plume très sentimentale, et sensible surtout: des éphémérides très anecdotiques. Je suis ravi. Vers 16h30, le soleil disparaît dans la rue De L'Épée. Je rentre pour le dernier feuillet du premier jour du nouveau volume. À la manière Mauriacienne, père et fils: « Mon Dieu, faites que le volume premier décolle assez des comptoirs des libraires pour que je puisse continuer à publier mes annotations *du temps qui passe*. En vérité de la mort qui viendra (le plus tard possible, mon Dieu!). »

*2 mars 88*

Des Cris, la charogne et l'ange-maman...

Froid de canard pour ce mardi de mars, comme hier. Fine neige par périodes brèves, comme si le ciel hésitait à jouer la carte de « l'hiver-qui-dure ». Hier soir, on a mangé à *L'imprévu*, rue Bernard. Cervelle aux câpres, mes délices! Avant souper, comme c'est devenu une chère habitude, conversation des deux amoureux, avec apéros, au salon. Depuis que je tiens journal, il m'est devenu bien plus facile, vrai *happy hour*, de raconter ma journée avec les bons détails, et Raymonde imite chaque jour mon « résumé ». Deux pies bavardent. Merveilleux moments d'avant la montée du soir. Jeune, on fait fi de ces récapitulations journalières, je le sais bien. On vit surtout pour l'heure qui vient. On éprouve une certaine détestation à regarder en arrière, même pour l'heure qui a précédé le

13

moment présent. Loi de la nature humaine convenant à cet âge où ce qui compte est le présent seulement. Et le proche avenir. «Qu'est-ce qu'on fait? Où va-t-on?», seul intérêt quand on ne sait pas encore qu'il est bienfaisant d'examiner le temps qui vient de s'écouler en un seul jour. Raymonde venait de passer son mardi enfermée dans la régie du studio, elle était vannée. Un repas au restaurant la «recrinque» chaque fois, mais, à 10h: «Tu vas m'excuser, Claude, je tombe de sommeil.» Je regarde le journal télévisé seul et c'est le perpétuel rouleau de, forcément, mauvaises nouvelles. Quelle drogue néfaste, mais qui veut rester ignorant de l'état-du-monde? On regarde le sang, la violence, les chicanes, les scandales, on écoute les cris, les pleurs, les regrets, la hargne, et on va dormir... On est loin des contes charmants d'avant le dodo, quand on était des innocents bienheureux sans le savoir. Adieu, candeur enfantine! Je suis un «grand» et il faut que je sache que mille conflits de tous ordres règnent sur la planète bleue!


Bourassa-le-petit...

Ce matin, c'est la «fête» à Foglia, *La Presse* publie des protestations enragées. Le clown sarcastique et surdoué a osé faire un reportage sauvage sur les Cris: «des ivrognes, des racistes et des entretenus de l'État». Les «chefs», rouges comme blancs, sont furieux de sa caricature. On l'attaque si raidement que j'ai eu tout de suite l'envie d'écrire au journal pour le défendre, clamer bien haut qu'il fait des écrits d'humeur, qu'il n'a jamais prétendu être un «honnête reporter ennuyeux». Mais non. Il va se défendre habilement, Pierre Foglia n'a nul besoin de Don Quichotte. Il l'est lui-même.

Dans le même journal, une éclatante sortie de Gérald Leblanc. Le vétéran-journaliste n'y va pas de main morte face aux hystériques et racistes d'*Alliance-Québec*, sub-

ventionnés par Ottawa massivement, de *The Gazette*, l'en-
treteneuse de cette hystérie anglomaniaque et du PSBGM,
ces Protestants protestataires qui rêvent du retour du bon
vieux Québec bien dominé par sa minorité raciste. Leblanc, comme d'autres, voit lucidement l'effilochage du
Québec français depuis l'élection-retour de Bourassa-le-
petit. Trouver le temps de rédiger, tel Victor Hugo face au
« petit » Napoléon numéro 3, un pamphlet vitriolique
contre ce pusillanime qui osait faire des promesses suicidaires à ses électeurs anglos. C'est si triste de s'enrager. Je
résiste. Je lis ceci dans un coin surréaliste de l'épais quotidien de la rue St-Jacques: une fillette est morte d'être tom-
bée dans une fourmilière à Navarre, près de Pensacola en
Floride! Les « fourmis de feu » (fire ants) de Bourassa-le-
petit seront les patriotes réveillés recouvrant sa sordide
officine à concessions tragiques envers la minorité choyée
et hypocrite que vous savez. Dans ma fascinante page 3
du cahier B: (1) Le frère Desbiens parle d'un syndicat des
foetus (!), d'un pape qui aurait pu vivre une aventure galante, de la pureté exigée partout, de la culpabilité-
brouillard, bref, du fait que nous sommes, tous, des
« petites charognes » (sic). Parlez pour vous, mon révé-
rend frère! Charogne vous-même, si ça vous plaît, je refuse cet héritage morbide du judéo-christianisme, je ne suis
pas sans défaut, mais charogne... Ouow! (2) L'ex-tout-ce-
que-vous-voudrez, Gérard Pelletier, lui, annonce pour
bientôt le déclin total et final de la puissance USA et nous
juge bien sots de vouloir, avant tout, commercer avec l'ex-
géant agonisant, selon tant de profs d'histoire à la Paul
Kennedy; la complaisance maso de ces histrions est un
leurre, en américain, cela se nomme du « whishful thin-
king ». Gageons que la grande chute des USA, c'est pour
l'an des quatre jeudis et l'époque des poules qui auront
des dents! (3) La « belle Hélène » de *La Presse,* Pelletier-
Baillargeon, nous prévient: le pieux Claude Ryan, heureux
dans l'« illégalisme » de son magistère, signe en cachette

15

des tolérances par milliers en faveur des résistants à l'école en français. Lui, avec ses pouvoirs discrétionnaires, il favorise le refus raciste des anglos, des néos, des allos. Pour eux, le français semble une lèpre!

*À la demande générale*, comme on dit, voici une lettre ouverte lue par la comédienne Louise Rémy, lors d'une émission au canal 10, *En toute amitié*. Ma mère est morte quelques semaines après cette lecture publique et des correspondants m'ont écrit pour avoir une copie de « À ma mère qui va mourir ».

À ma mère qui va mourir

« Chère maman, je t'écris cette lettre par un samedi pluvieux de l'an 87. Tu pourras la lire quand tu voudras. Même devenue toute vieille, toute menue, je te vois toujours jeune femme, jeune mère débordée à l'époque où nous passions nos étés à danser le boogie-woogie sur les rivages du Lac des Deux-Montagnes. En ce temps-là, maman, je ne m'inquiétais pas le diable de mon âme. Ça allait de soi l'éternité promise à tous les Croyants. Et toi aussi, tu avais bien d'autres soucis que celui de requestionner ta foi apprise. Tu nous menais au pied de la Croix-de-chemin d'Ubald Proulx pour la neuvaine de l'Assomption de la Très Sainte Vierge. Tu surveillais la Confession du premier vendredi du mois. Et quoi encore? L'obéissance aveugle était la règle commune.

« Chère maman, lors d'une récente visite à ta « Résidence St-Georges » de la petite rue Labelle, tu t'es mise à pleurer avec de longs sanglots de petite fille punie! Ce fut très bref. Comme une de ces ondées subites, l'été. Je me suis penché sur ton lit, je t'ai dit: « Pleure pas, Germaine, tu vas retrouver bientôt ton papa, ta maman et toutes tes sœurs. » Tu m'as alors regardé, sérieuse comme lorsque j'étais l'espiègle à gronder au chalet de Pointe-Calumet.

Tu m'as dit: «Claude, est-ce que tu y crois encore au ciel, à l'enfer?» Et tu as détourné la tête aussitôt pour observer sur ton téléviseur de robustes avironneurs dans des torrents africains. Je t'écris donc cette lettre ouverte pour répondre à «ce que je crois».

«Tu sais bien que je me suis détourné des enseignements du «petit catéchisme» de notre jeunesse. Il me reste quoi, maintenant? Maman, je crois en Dieu. Je crois qu'il n'est pas quelqu'un, une personne. Qu'il n'est ni punisseur, ni vengeur, que c'est un «lieu». Ce n'est pas le bon terme mais on n'a que nos mots humains. Je crois en une «lumière». Je n'ai pas d'autres mots. Je crois, maman, que tu iras vers cette «lumière» après ta mort. Tu l'as tant méritée, toi. Moi? Je crains de patienter un peu. Où donc? Disons dans «les limbes», les mots pour nommer ce en quoi nous espérons, ce que nous croyons, sont approximatifs. Maman, je suis sans église, sans clergé, mais je crois au ciel, tu vois! Il n'est ni en haut, ni en bas, il est hors de notre géographie humaine. Le ciel des défunts, c'est cette «archi-lumière», et ton esprit délivré de ton corps ira s'y installer, maman. Ce sera justice.

«Est-ce que je vais te surprendre, maman? Je crois aussi aux anges. Sans les ailes des illustrateurs du «petit catéchisme». Je crois aux «bons» anges, qui sont les esprits des morts amoureux, et aux «mauvais» anges, esprits des défunts haineux. Toi morte, maman, tu me feras un bon ange de plus à invoquer, à évoquer, à prier. Tu te souviens, maman, on nous parlait des «enfants de la lumière» et «des enfants des ténèbres» dans les écrits religieux. J'y crois, maintenant. Tu vois bien que je n'ai pas tout jeté par-dessus les moulins. Tu peux bien nommer ces «enfants des ténèbres» démons ou diables. Je crois que le mal existe, orchestré par eux, et qu'en ce moment même ils enragent et clament dans certains esprits égarés: *Éteignez! Éteignez la lumière! Éteignez!*» Les «esprits de

17

noirceur» nous détestent, toi et ta foi pure, candide, moi et ma foi d'iconoclaste anticlérical. Maman, je voulais te répondre «ce que je crois». Faut plus me chicaner, je suis trop vieux, tu es trop vieille à 88 ans. Fini, les gros yeux mauvais, maman, tes cris d'antan: «Demain la communion, ne mangez pas! Ne buvez pas!» Chez moi aussi, désormais, c'est fini, les sarcasmes du jeune protestant farouche: «Lâchez-nous donc, les vieux, avec ces simagrées de religion de bonne femme.» J'ai changé. Ne me gronde pas si je te dis qu'aucune religion humaine ne m'intéresse, qu'aucune assemblée gnostique ne me satisfait plus. Je reste le petit sauvage individualiste de mon temps de collégien-en-révolte. Mais je crois en cette «lumière-des-lumières» qu'on peut bien nommer Dieu, Allah, Bouddha, Jéhovah ou Yahvé. Je me tiens loin des dogmes du catholicisme, de l'hindouisme ou de l'islam. Je crois à l'immortalité de l'esprit. Que l'on peut bien nommer «âme». Je crois à la communion et à la collaboration des morts et des vivants, à la communion des saints avec nous. Je sais qu'il y a une force noire très militante pour nous tromper, nous embrouiller, nous inviter à la violence ou à la haine. J'y ai déjà succombé, maman.

«Que tous nos mots sont fragiles en n'importe quel langage! Ne te fâche pas: je n'aime guère les formules mécaniques, ton chapelet, ces prières machinales, répétitives. Je pourrais me tromper. Je crois en la prière et je comprends que tu puisses avoir besoin d'un prêtre, et d'autres, d'un pasteur, d'un yogi ou d'un rabbin. Des cérémonies, des liturgies, d'un temple, d'une mosquée, d'une synagogue, d'une modeste chapelle ou d'une vaste basilique. J'ai tourné le dos aux symboles, aux signaux. Je pourrais me tromper. Est-ce que je me désincarne en vieillissant? Je me méfie de l'ashram comme des processions. Je prie parfois. J'invoque cette «lumière-des-lumières», nos morts, les «grands enfants de lumières», François D'Assise, Thérèse de Lisieux et les «pas notoires», les «pas connus», l'oncle-missionnaire Ernest, notre sainte grand-mère Jasmin. Toi morte, je te prierai de m'aider dans mes détresses. Tu vois comment je suis, maman, moderne et ancien à la fois. Libre-penseur et conservateur à la fois. Tu t'en offusquais jadis. Maintenant tu vas sourire de cette «tête de pioche» que je ne cesse pas d'être. Je prie parfois, je récite encore ce «Notre père» enseigné par ce très grand prophète, Jésus le Galiléen, témoin révolutionnaire qui se disait, et nous disait, «fils de Dieu», fils et filles de la «lumière-des-lumières». Rien de neuf, maman. En soutane, à dix ans, les litanies en latin que nous psalmodions: «Lumen dé luminé». Rien de nouveau. Je prie tous nos morts «enfants de lumière» de t'accueillir quand ton heure sonnera, je les prie aussi pour papa qui ne va pas bien du tout ces temps-ci. Qui a vieilli «subitement», comme on dit «mourir subitement». (Quand Télé-Métropole diffusa l'émission, papa était mort. Le 29 mai 1987.)

«Tout ça parce que je t'ai vue pleurer, toi qui n'avais jamais le temps de pleurer. Je te comprends, maman, la vie est si belle à l'occasion, notre planète si jolie parfois, tu as été si heureuse... Pas assez souvent. On s'attache, pas vrai? À ceci et à cela. À elle. À lui.

«Et puis comme on meurt une seule et dernière fois, on a un peu peur. Papa m'a dit: «C'est que, je ne sais pas ce que c'est, que de mourir.» Vous allez vous retrouver bientôt, toi, lui et tous les autres. Bonne lumière, maman!

Claude, ton plus vieux.

Post-scriptum:

«Toi partie et moi te priant de me secourir, si tu pouvais me faire un petit signe quand je t'invoquerai, presque rien, maman, un petit souffle de vent dans le cou, seulement la feuille regardée qui bougerait, une fleur sauvage qui s'ouvrirait sous mes pas, une goutte de pluie, de celle qu'on se demande, le nez en l'air, d'où elle peut bien venir. Un petit signe tout discret que je sache que c'est vrai ce que je crois.

Claude.»

Regard des débuts du monde...

Rue St-Denis, enfants, nous avions droit au bain d'eau chaude une seule fois par semaine, le samedi. De là, peut-être, depuis si longtemps, l'immense plaisir de me tremper longuement dans ma baignoire comme je viens de le faire par ce beau vendredi matin, le soleil bienfaisant arrosant toute la salle de toilette. J'étais rentré si fourbu hier soir, vers minuit. En même temps que Raymonde, après sa journée de mixage et de montage (pour *L'héritage* son bien-aimé feuilleton-télé), épuisée et bienheureuse à la fois. Un jeudi épique encore pour « le vieux papi », pas trop vieux pour amener galoper, tout le matin, les deux petits Barrière à Éliane dans les nombreuses pistes de lièvres au boisé Sophie-Barat, boulevard Gouin. Après le lunch, j'ouvre mon cabriolet rouge, ils aiment tant ça!, et je vais les conduire, le David à sa maternelle, le Laurent à sa pré-maternelle. Ensuite, je tente d'amuser jusqu'à 3h, Gabriel, le benjamin de la rue Chambord, et je m'émerveille toujours de l'énergie inépuisable des bambins; il

20

m'apportera, un à un, tous ses animaux et *catins* de gue-
nille, de peluche, d'acrylique frisé! Ses arrêts fréquents
pour aller ouvrir le frigo et chuinter: «A faim! Veut 'an-
ger! A faim!» Quel goinfre! Je tente vainement, dans la
haute berçante, de l'endormir puisque Éliane m'a dit: «Il
doit absolument faire sa sieste!» Inutiles efforts, il me regarde très attentivement chantonner. Ce regard des débuts du monde m'intimide quasiment. Il s'étire, se secoue,
se contorsionne et se rétracte, se sauve de mes bras, de
mes jambes et grimpe sans cesse au piano pour y battre
des cadences barbares qu'il est bien le seul à apprécier.
Tintamarre sauvage qui l'excite énormément. À 3h, ma
fille revient des provisions hebdomadaires au supermarché et le papi part alors en vitesse récupérer les deux écoliers. De 4h à 5h, longue marche le long de la rivière des
Prairies toute glacée encore. Je regarde sur l'autre rive, à
l'est du Pont Viau, le vieux séminaire des Prêtres des Mis-
sions étrangères, filiale de celui de la rue du Bac à Paris.
Je songe à l'oncle Ernest, frère de papa. Ses 20 ans en
Asie. Son étrange sacrifice. Mes visites, dans les années
50, à sa chambre-cellule, jouant l'adolescent prometteur,
ses initiations à l'apôtre Paul qu'il traduisait du grec ancien, ses écureuils noirs qu'il apprivoisait, son panto-
graphe «home made», ses albums de photos, exotisme
qui me faisait rêver, sur la Mandchourie, son vélo jaune
qu'il m'avait légué de son vivant... Le temps a passé. Au
bout de la presqu'île du Marigot, un tas de tours neuves à
appartements! On a dévasté le joli boisé, ses sentiers, sa
grotte primitive. La vie moderne?

Pendant que *je me souviens*, je dois, avec mes gamins, poursuivre mon histoire des «bons» Hurons, de la
grosse carpe mangeuse de petits brochets, du baleineau
égaré dans la rivière toute proche: «Écoutez! est-ce qu'on
n'entend pas ses cris?»; un peu plus loin: «Voyez, mes
amis, cette longue fissure sur la glace, son ouvrage?» Ils
s'excitent. Ils rient. Ils ramassent des branches et tracent

des signes sur la fine neige du sentier glacé: « Ça va faire peur aux Peaux-Rouges s'ils veulent suivre nos pas!» Fatigués, eux et moi, à 5h, nous entrons dans l'édifice municipal pour le cours de natation aux «tout-petits». Je les accompagne au vestiaire, le déshabillage, la douche, et puis, petit répit, je vais poursuivre la lecture, sur un banc du hall d'attente, de *Banlieue sud-est* par René Fallet. Que d'argot, que d'invention langagière, bon tonique verbal, avec ces jeunes Parisiens pourtant de milieu fort modeste. Ils savent s'exprimer avec tant de vitalité. C'est sa «petite patrie», à Fallet. Ça m'amuse de voir «le monde» qui sépare ses zazous de Paris des nôtres, dans Villeray! Par intervalles, avec d'autres parents, je vais regarder nager et plonger les deux garnements. La monitrice beugle des ordres et des conseils. Elle rit souvent car les enfants font de ces essais... les «belly flats» de notre propre enfance. Les sourires, derrière les vitres, des tuteurs aux yeux rivés sur leurs seuls galopins, les imaginant sans doute, devenus bientôt de formidables athlètes olympiques. Le pathétique des géniteurs toujours enclins à voir dans leur progéniture la crème de l'espèce humaine. Je rigole.

À 6h, retour au bercail, lasagne-alla-Éliane pas piquée des vers et j'en redemande, c'est bon mais il y a surtout le ventre creusé par toutes ces déambulations. Raymonde prise dans ses «cabines» diverses de la SRC, je garde les «mioches» (influence de Fallet, ce mot?), le couple part en visite à Ste-Thérèse et à un bazar-tombola. Après ma longue histoire-à-dormir (avec comme héros deux robots bien puissants), c'est enfin le silence et le vrai repos. À la télé, deux émissions sur la délinquance, une toute fictive, *Roch*, et une autre, «docu-drama» comme on dit aux USA. Une jeune petite-bourgeoise se prostitue. Mère ahurie, père lâcheur. Une faune «punkiste». Je suis si loin de ce douillet nid de la rue Chambord où je goûte la bière brassée par le gendre, qui est fameuse. Je songe: on devrait maintenant nous expliquer longuement le pourquoi, non de ces jeunes victimes vénales mais de tous ces bonshommes dragueurs qui ont absolument besoin de ces adolescents (vicieux souvent par nécessité). O Freud! Ne pouvoir jouir qu'avec des « petites salopes »? L'incapacité, l'impuissance, avec des femmes normales? Assez jasé, en médias, sur les putes! Il y a, en bien plus grand nombre, tous ces « maquereaux » à filles et à garçons. Qui sont-ils donc, ces braves salariés qui roulent en « char de l'année » dans certaines rues du centre-ville?

Le temps presse...

Courte lettre ce matin. Alain Stanké. Il me lance un bon bouquet de solide amitié, me dit que les gens de sa firme ont beaucoup aimé mon petit « topo » à propos du « *Premier amour* », enregistré rue Querbes, lundi matin. J'ai certains points communs avec cette dynamo, jeune garçon de Lithuanie, qu'on a affamé dans un camp de concentration (lire son *J'aime encore mieux le jus de betterave*), qui s'est exilé ici, qui est reporter d'abord et puis devient animateur en canulars. Qui cherche sans cesse, et encore, des moyens d'« étonner » selon *la* règle de Diaghilev. Qui, parfois, n'hésite pas à jouer le ratoureux exploitant des conneries du commun. Je suis pour les « farces et attrapes ». Je suis pour, aussi, cette juvénilité, chez Stanké, à tout casser. Courrier encore? Je reçois beaucoup de factures et bien peu de chèques: des taxes, Vidéotron-le-câble, Visa-la-carte, un trop gros paquet de ces T-4 signifiant que le fisc va me demander de gros comptes bientôt. Brrr! Empilées, ces formules dépassent les 35 000 dollars alors que j'ai eu l'impression, à partir (en mars 87) de mon congédiement de « Claude, Albert et les autres », d'avoir vivoté plutôt chichement côté « revenus ».

Daniel Baril, dans le journal du quartier, résume habilement la causerie que le célèbre Hubert Reeves est venu donner récemment aux écoliers de la rue voisine. L'astro physique a toujours le don de me plonger comme en extase. J'en ai fourré un, de ces astronomes barbus, dans *Le gamin saisi par le monde*. Pouvais pas faire autrement. Je rêve de pouvoir aller regarder un jour dans un de ces gros télescopes d'observatoire. Mais quand? Mais où?

Plus ma fille parle des écoles sérieuses à dénicher pour ses mômes, plus j'ai envie de joindre le Parizeau de l'indépendance urgente. Militer encore? Sinon, être logique. Recommander vite les écoles anglaises pour ces petits Québécois. Le temps presse: ou bien on vivra vraiment en français, on s'y épanouira normalement selon ses talents, ou bien, en toute logique, consentons rapidement à l'assimilation américaine environnante. Nous sommes entourés de rêveurs, militants abusés du fédéralisme, hall d'attente d'avant l'intégration totale. L'hésitation vient de là: est-ce que ça vaut le coup de tenter, une fois encore, la logique essentielle de notre combat? Etre français au Québec, fidèles à l'ancestrale résistance ou bien abdiquer. Les temporisations des politiciens-administrateurs du présent sont un grave leurre. Une fatale utopie. Je jure que je parle d'instinct, que je ne suis d'aucun parti politique et sans intérêt d'aucune façon.

*5 mars 88*

L'amour, l'argent et Dieu...

Vous vous levez, il fait clair, le ciel est si lumineux, c'est bête, mais vous croyez alors que le temps est doux. Non, on gèle en ce samedi matin. C'est mars, quoi. On a tant hâte au printemps en ce pays à l'hiver de cinq mois, qu'on le devine avant même qu'il arrive, le paresseux. Pour une fois, peu de goût pour les cahiers culturels du samedi. Sorte de lassitude? Je ne sais pas. Envie de rouvrir, café à la main, *Le dernier bloc-notes* de Mauriac. Grande surprise chez moi. Je me disais que je n'allais pas tout le lire ou, du moins, que j'allais passer des pans entiers de ces années 68, 69, 70. Mais non, j'y suis pris. Très captivé, même. Il y a le ton de ce vieux monsieur (83 ans), c'est celui d'un «accroché» terrible. Sa drogue? L'Église catholique romaine, ses sacrements, sa vieille morale et tout le reste. Alors ça devient fascinant de voir ce «résistant à tout» piaffer de dégoût, de honte, de colère face aux mœurs de ses alentours. Avouons-le, ici et là, vous partagez volontiers son désespoir. C'est celui d'un esprit libre. Comme il dit: «restant sur le quai et regardant passer les trains en vogue (dadaïste, surréaliste, etc.).» Je vois dans une gazette un jeune et joli minois, celui de la sérieuse et toute jeune directrice-conservatrice d'un musée d'art actuel. Je songe à deux folies. Une fois, invité par une dame Gadoury et Jean-Paul L'Allier, j'accepte de poser ma candidature pour «Les Musées réunis du Canada». L'interview devant des notables pincés! Une vraie farce. Et mon anglais approximatif dut les amuser un brin car l'anglais importe au domaine fédéral, on le sait tant que des anglos s'énervent chaque fois qu'on parle bilinguisme. Deuxième tentation? Postuler, un coup de tête, pour diriger-animer le désert du Musée d'art contemporain étêté temporairement. On m'avait invité à grimper vite à Québec pour tests et examens chez les gradés du fonctionnarisme. J'avais stoppé à temps, assumant mon autodidactilité (sic). Inventons des mots. De nos jours, pas de diplôme, pas de job. Pas de doctorat (cette ennuyanterie), pas de «haute fonction». Dans *le Devoir,* je vois le profil d'Éthier-Blais, vieux matou madré, qui écrit avoir aimé un roman haïtien, *La reine Soleil-levé* mais, comme son collègue Martel, il écrit une sorte de lettre, confidentielle et ouverte à la fois, à l'auteur. Ces critiques ne s'adressent jamais au public. Ils n'y songent même pas. Leur rôle pourtant. Encore un article élogieux qui restera justement lettre morte pour l'auteur et n'entraînera pas le public lecteur dans les librairies puisqu'on ne lui parle pas directement.

À la radio, tantôt, l'ex-tribun nationaliste, Bourgault, blâme sévèrement Jean-Pierre Guay « de ne parler que de lui » dans son *Journal IV*. Bien plaisantin! Bourgault, qui ramène tout à lui durant ses heures-radio, qui ne parle bien que lorsqu'il parle de lui, justement. L'Amerloque dirait: « Look who's talking! » Ce qui est grave, chez mon Guay journalier de Beauport, c'est qu'il cause trop de l'Union des écrivains et pas assez de lui-même. Je pense donc le contraire de Bourgault là-dessus. Je répète qu'après 4 gros tomes, on ne sait rien de la personne humaine de Guay. Pas même s'il est « en amour » ces temps-ci. Or, l'amour me paraît une question vitale dans un journal intimiste. L'amour et le reste. Suis-je un indécrottable romantique? Ça se peut bien. L'acteur Lionel Villeneuve, lui, annonce qu'il va jouer *Le chien* de Dalpé. Encore (et j'en suis) la question du match d'une vie entre « le père » et « le fils ». Un père de quatre enfants, tiens, Pierre Lacroix, joue au Québec la sauce « télévangéliste ». Ça marche. Béliveau, de *La Presse*, le questionne. Il n'y a que Jésus. Le fils! Dieu? Connaît pas! Son organisation se nomme pourtant *La cité du père*. Ses propos cristallisent (sans jeu de mots) uniquement ce « fils de Dieu », Jésus. Plus facile sans doute de rassembler des foules avec l'aspect « humanoïde » de la religion « de nos pères ». Ce Lacroix (nom prédestiné!) fut d'abord un laïc en mission religieuse lointaine (comme Jacques Godbout jeune). Il a animé ensuite l'émission *La Maison Jésus-ouvrier*. Quel vocable, franchement! Via le câble, de cette façon, plein de pauvres candides esprits disposés à quêter avec Lacroix un père, un fils-père, Jésus, une image « très humanisée »

26

d'un protecteur, tuteur, parrain. Il déclare: «Avant, j'étais un coke «sans gaz», une bière «flat»...» (Ben qu'iens! on veut parler au peup't'sé!) Ailleurs, Lacroix litanise, crétinisé sans doute par son prêche démagogique: «Un Dieu qui est fin, qui est bon. Qui est fin, beau et bon et il a des oreilles, il entend et il sourit, il a un grand cœur.» Infantilisme théiste désespérant! Mais ça «pogne» à CHLT-TV. En fin d'interview, Lacroix parle de sa conversion, lors d'une vision. Je crois au supranaturel, mais hélas, dans le cas de Lacroix, c'est d'un mystique bien plat: «J'avais comme une image en arrière des paupières. Jésus qui pleurait et qui me disait: «Est-ce que tu me permets de t'aimer comme tu es? J'ai besoin de toi.» Permission accordée! Il avoue soudain: «Aux personnes chavirées, je dis, je suis peut-être un bien grand pêcheur.» Oh! espérons qu'il ne nous fera pas le coup d'une autre «star» en télé-religion, un Michael Agnello qui, à la suite des autres, vient de se confesser publiquement lui aussi et de démissionner de son «Église de la nouvelle vie».

Pas trop parler de Dieu, de spiritualité? Allons donc, c'est Henri Guillemin qui a raison, trois thèmes cernent un homme à connaître: L'amour, donc aussi la sexualité, l'argent, donc la matière; et Dieu, donc la spiritualité. J'y crois. Guillemin, avec cette grille, a su nous raconter complètement et brillamment autant Victor Hugo que Napoléon Bonaparte.

Linda McQuaig publie un livre montrant la bonne entente dégueulasse entre les richards des grosses firmes et le fisc. Pour «fins de recherches», les gros bonnets évitent d'énormes impôts. Et nous, les écrivains? Notre existence n'est que cela, une longue recherche. Ah ben, je vais exiger aussitôt un remboursement d'impôts pour toutes ces décennies à rédiger ma recherche perpétuelle! À propos des écrivains, Mauriac s'indigne: «Cinquante ans après la mort d'un auteur, son travail ne vaut plus rien, ce qu'il a édifié avec ses sueurs à lui, sans exploiter des ouvriers, doit retourner au domaine public.» Pour les bâtisseurs de compagnies diverses, pas question que «le domaine public» s'empare de leurs installations. Injustice criante, non? Décidons-nous à protester, écrivains du monde entier! Unissons-nous, à Rome ou à Genève ou à La Haye. Vite! C'est Marc Lalonde qui organisait, au fait, ces aimables lois complaisantes «fisc-recherches». Un joli fiasco selon Linda McQuaig. Le même Lalonde qui hantait CKAC lors de la crise d'octobre 70 pour essayer de censurer et contrôler l'information! Beau monde!

Hier soir, j'ai regardé la lune. Si ronde, si lumineuse. Un sentiment étrange m'a envahi, une sorte de connivence entre elle et moi. Si souvent, depuis moi-enfant, l'avoir fixée ainsi, sans raison. Ému par sa solitude dirais-je, voulant un rapport spécial, personnel. Comme si, au même moment, il n'y avait pas mille millions d'yeux tournés vers elle. J'ai fini par détacher mon regard de cette belle boule muette, si distante, au bout d'un très long moment, presque triste, sans raison précise. Je la connais tant. Tout change autour de soi à mesure que les ans passent, ici-bas. Sauf elle, fidèle et vaine. Elle nous est quoi, au juste? Une balise? Un témoin privilégié? Elle accompagne nos vies, inchangée, têtue. Je suis rentré avec mes deux barres de chocolat au lait du dépanneur du coin et, au cœur, une petite barre. Un point. L'idée qu'un jour, je ne verrai plus rien, pas même la lune toute ronde, toute pâle, avec sa bizarre face blême et son air de «ne me touchez pas» depuis que des astronautes lui ont mis le pied dessus, en dansant, les irrespectueux!

Ingrédients mystérieux...

Un petit lundi. Pourquoi on dit ça? Parce qu'il fait un vrai temps gris de lundi. Enfants, nous préférions voir un temps maussade quand il fallait, les lundis, retourner chez les dompteurs (dixit Rimbaud). Doux temps cependant et je songe à enlever quelques fenêtres dites doubles, dans la chambre, dans mon bureau. Le fils «unique», Daniel, s'en vient avec les dernières pages, dactylographiées par sa Lynn, du premier volume de mon journal. Raymonde tient à avoir une copie des épreuves... Je tremble. Crainte de sa grande pudeur, elle qui n'a rien de l'extroverti que je suis. Au téléphone, Daniel: «Tu aurais du temps? J'aimerais jaser de deux ou trois petites choses?» Il m'amuse. Souvent, ainsi, il annonce qu'il a des sujets en réserve pour nos rencontres. Parfois, il m'a même montré des notes avant d'entamer nos jasettes. Peur d'oublier? Besoin d'ordre? Vieux malaise de tous les temps. Justement, ce matin, papier plutôt élogieux d'Alain Pontaut dans *Le Devoir* pour *Le chien*, pièce de Dalpé, traitant, comme je l'ai dit, de la question père-fils. Vraiment un sujet dans l'air cette année, même au cinéma d'ici avec le film de Jean-Claude Lauzon: *Un zoo la nuit*. Raymonde me répète souvent que je ne suis pas tout à fait le même quand il s'agit de mes deux enfants. D'abord, je bondis et puis j'avoue qu'en effet, face à ceux qui sont nés de vous, il y a une façon de voir, de juger, de parler, de se comporter qui n'a rien en commun avec nos attitudes en face de l'amante, d'amis ou de camarades. Rien à faire. Il y entre sans doute des ingrédients mystérieux. Responsabilité? Oui, beaucoup chez moi. Amour inconditionnel? C'est certain. Gêne aussi? Probablement. Le «rôle» joué (je ne trouve pas d'autre mot) quand vous êtes une mère ou un père, fait que les rapports ne peuvent pas être ordinaires. Quoi qu'il en soit, tout ce que je veux, c'est être ouvert, chaleureux, attentif à ce que mes « grands enfants partis » peuvent vouloir me confier. Je dois jouer aussi le rôle de la « mère » puisque ma première femme est morte il y a maintenant plus de cinq ans. Je sais bien cependant qu'un homme ne peut pas efficacement jouer le rôle de « la maman ». L'homme ne sait pas bien comment. Une mère, elle, peut tenir ce langage tout à fait spécial, plus humain (?), incarné, dirais-je plus terre à terre? Oh, je dis des sottises probablement. Ce sera long avant que je puisse y voir plus clair.

J'ai vu la fin de François Mauriac. J'ai terminé hier son « dernier » drôle de journal, le *bloc-notes* célèbre. Je l'ai donc vu s'éteindre tout doucement. Brr... Ce « noteur » émérite a bien raison de se moquer des « vieux » tout excités lors de mai 68, espérant tout de cette jeunesse dépavant les rues de Paris. Il répète que la jeunesse n'est qu'un état provisoire et qu'il est imbécile de s'y ancrer. Tel jeune, révolté à 20 ans, finira bien vite par se ranger, pris par les responsabilités que l'on sait. On a vu ce qui est arrivé en effet des gueulards-héros des années 60, aux USA comme en Europe. La plupart de ces meneurs de révoltes sont devenus de bons bourgeois bien sages cadres « meneurs » des travailleurs-ouvriers. Parlant de gueulard: Patrick Straram vient de mourir. J'avais aimé, du temps de notre « taverne royale », ce Parisien plein de vitalité, téméraire, portant la ferveur à bout de bras comme c'est si fréquent chez les intellos de Paris. Je m'y étais attaché. Ça n'a pas été long avant qu'il m'abreuve d'insultes. Son vocabulaire injurieux à mon égard, comme à l'égard de tous ceux qui réussissaient le moindrement, me fit prendre beaucoup de distance. Hélas, pris d'alcoolisme, Straram ne put tenir les vastes promesses de sa jeunesse. Il vieillissait accroché à ses idoles, parisiennes bien souvent. Pour lui, au cinéma, il n'y avait que Jean-Luc Godard. Point final. N'empêche,

30

je peux témoigner que ce jeune émigrant était un garçon doué, qu'il aurait pu, parmi nous (lui si capable de s'intégrer), jouer un fameux rôle. Maudite dive bouteille! Je l'ai aimé et il le savait. Je l'ai rencontré, en novembre dernier, au Salon du livre, nous nous sommes salués avec des allures de chat et chien. Nous aurions pu jaser du bon vieux temps mais ni lui ni moi ne sommes vraiment des nostalgiques. Merde, il est mort et je prie mon Dieu-lumière qu'il soit vitement accueilli, qu'il retrouve la merveilleuse lumière des esprits, le sien braillait tant pour la ferveur partout. Qu'il puisse enfin y accéder dans l'hors-temps, l'hors-espace. Il a mérité ce repos lumineux, cette béatitude. Je lis que chez Gallimard-NRF, on avait coupaillé le premier livre de Claude Mauriac: *Jean Cocteau, la vérité du mensonge*. Il s'est laissé faire et, devenu vieux, il le regrette encore. Et son livre « méchant » et cette censure acceptée.

Deux cinéastes, à propos de « coupaillages », se sont présentés devant le Sénat de Washington. Spielberg et Lucas se plaignent, avec raison, des coupes faites quand leurs ouvrages cinématographiques passent à la télé. Ils souhaitent, après un Fellini, une loi pour protéger l'intégralité des œuvres. Bravo! Certes, ils l'admettent, les financiers, sans qui ils ne pourraient s'exprimer, ont certains droits. Mais... Un éditeur est un financier pour l'écrivain. Pourtant l'éditeur d'un livre conçoit qu'on ne peut charcuter un manuscrit sans l'approbation de son auteur. Au cinéma, évidemment, il y va de sommes fabuleuses. Ce qui n'autorise pas pourtant ces tripotages honteux en vue d'insérer les spots publicitaires.

Hier soir, visite de grand'maman Yvonne, rue Querbes. Je la vois diminuer. Cela me chagrine profondément. J'ai vu ma mère et puis mon père, tout à coup, vieillir à toute vitesse. C'est terrible. On sait bien, un jour, qu'elle n'est pas loin la terrible Faucheuse. La saudite.

Personne ne se console de vieillir. Certainement pas moi. François Mauriac, j'y reviens, en est tout décontenancé et ses pathétiques sursauts (il songeait même à une suite de son *Adolescent d'autrefois*) m'ont serré le cœur. Lui, un catholique pratiquant, un croyant fervent, lui aussi, il s'accrochait désespérément à la vie terrestre, faisant mentir sa belle certitude pieuse « qu'il n'y a que le ciel » qui compte. Avec le temps, le ciel, on n'en veut pas vraiment, c'est la terre qui nous fascine encore et toujours. Cet attachement, malgré nos clameurs, nos protestations, nos critiques violentes, nos reproches incessants, est en fin de compte le seul lien très fort. J'écris tout cela en sachant bien que ce qui fait le prix de la vie c'est cette affreuse échéance et que si nous vivions, disons un millier d'années, ce serait peut-être intolérable, le taux des suicides pourrait bien être effarant. N'empêche! Que l'Achéron, ou le Styx, soit une rive invisible, lointaine, et que la barque funèbre ne se montre pas de sitôt. Je me sens si jeune encore!

*8 mars 88*

Se faire avaler...

Il est 2h, j'arrive de Quatre Saisons, de mon topo hebdomadaire en « vagabond », en « papi ». En ondes, j'ai raconté mon jeudi dernier, la découverte concrète de l'effrayant labeur d'une maman à trois marmots, Éliane, puisque j'avais passé toute cette journée en « gardien » bénévole. Marguerite Blais, qui a deux enfants mais qui poursuit aussi une carrière d'animatrice, doit partiellement échapper à ces corvées. N'empêche, mon laïus terminé, elle me demande de saluer bien bas, face à la caméra, les anonymes héroïnes que sont ces mères jeunes et déjà surchargées. Il fait beau temps, un mardi à belles échappées de soleil bien brillant. Les cœurs s'allègent. On le sent, à des riens. Certains sourires nouveaux de la part des coéquipiers de l'émission.

Hier, à l'heure de la soupe, téléphone de Raymonde: «Si tu venais nous retrouver au restaurant? Il y aura le jeune réalisateur Drouin et mon auteur, Beaulieu.» J'y consens volontiers. Nous nous sommes croisés cent fois V.L.B. et moi, nous ne sommes pas du tout, comme on dit, des intimes; chaleureux tout de même, il m'accueille à la table du fond, éclairée à la chandelle, du *Barbizon* de la rue Wolfe. On jase métier, télé, éditions, santé, famille et de son «cher» Trois-Pistoles. Mais ça n'est pas long que le jeune Drouin installe au milieu de la table ses doutes, son introspection méticuleuse face à son avenir de réalisateur (à la SRC) qu'il remet complètement en question. Nous voilà transformés, Raymonde, Victor et moi, en conseillers... métaphysiques. C'en est comique et bientôt assommant, je tente de faire diversion craignant que le repas et la soirée-aux-digestifs tournent au soliloque de cette jeune âme perdue. Rien à faire, notre jeune commensal tient à investiguer tous ses soubassements. Vers 10h, je lève la séance para-thérapeutique mais mon Beaulieu donne le signal qu'il consent à rester pour soigner notre gaillard barbu blond et dérivant. Drouin, diplômé d'une université (en communications), me semble être le prototype parfait de tous ces jeunes «instruits» qui craignent (non sans raison) d'être enrégimentés dans un job pas très gratifiant. Je préfère me taire. J'ai eu tant de chance. D'une part, il a bien fallu que j'endure, trente années durant, un second métier pas bien enthousiasmant; d'autre part, je sais bien que les aspirants-créateurs sont fort nombreux désormais et que l'espace culturel ne s'est pas vraiment agrandi. Le jeune Drouin a quitté la co-réalisation de *L'héritage* et explique sans vergogne à son auteur qu'il craignait de se faire avaler, englober, anéan-

33

tir dans le dévouement à ses scénarios feuilletonnesques. J'en reste plutôt interloqué mais Victor, lui, ne s'en formalise pas. Raymonde, devant tant d'ambition naïve, garde un certain sourire. Beaulieu rétorque à Drouin que, du temps qu'il était aussi éditeur, il a pris mille soins pour ses auteurs et qu'il n'a jamais eu l'impression de s'y perdre ou de nuire à ses propres travaux de création. Drouin comprend-il? Je ne sais trop. Il dit qu'il souhaite faire «son» film, qu'il veut écrire «son» scénario. Alors, je note, par-devers moi, que plein de jeunes gens souhaitent travailler fort mais pour leur propre monde imaginaire. En attendant, le Drouin démissionnaire s'est vu offrir de réaliser le quizz *Génies en herbe*. Il est déçu et amer. Il songe à plaquer sa jeune famille (il a deux garçonnets), à s'exiler en un lieu secret et lointain. Aussitôt, et j'applaudis intérieurement, Beaulieu affirme sa conviction que la soi-disant solitude n'est pas, à coup sûr, le bon moyen de pondre, et que même un Marcel Proust, en fin de compte, vivait dans une solitude plutôt «entourée».

Confidences sur la mort...

Téléphone de Luce de chez Guérin: «Pour un placard dans *Le Devoir*, on a besoin d'une photo de vous, Claude. Urgent!» Je n'en ai pas! Que ce paquet de «posters» du temps de *Claude, Albert et les autres* à Quatre Saisons. Je descends à l'atelier-sous-sol et je graphite quelques auto-portraits au lavis et à l'encre de Chine. Ouais! Bof! Je glisse ces essais dans une enveloppe et Dubé décidera. Sensation curieuse que de poursuivre mon journal au moment où Dubé me disait au téléphone: «Tu as fini? Bien. Tu es content de ta fin? Bien. Ça devrait paraître fin avril pour le Salon de Québec.» Il me parle de l'«autre» journal, du premier volume, alors que je suis plongé dans le mois de mars, naviguant en solitaire vers un hypothétique volume deux. Bizarre effet, je vous jure. Hier soir, Beaulieu: «J'ai lu le *journal IV* de Guay, pas très captivant, l'UNEQ, ses petits déplacements, son recopiage des lettres envoyées et reçues et, le plus grave, lui, un auteur, pas un mot sur ses lectures. Pas un seul mot sur un seul auteur québécois, étrange pour un ex-président d'Union, non?» Je glisse: «C'est qu'il a tourné le dos aux littéraires, «tous des bluffeurs», tu sais bien!» Il hausse les épaules. Je songe alors que je ne parle pas souvent, moi-même, des livres des collègues. Beaulieu me recommande le journal de Kafka et celui de Paul Valéry où, dit-il, il n'y a aucune familiarité, pas de ces intimités oiseuses... Brrr... Il détestera le mien, peut-être? Avant de nous quitter, il me confie: «Je voudrais bien avoir ton *Maman-Paris*... et surtout une copie de *L'État-maffia*, je paie tellement d'impôts qu'il me semble qu'il pourra me causer du soulagement. J'ai bien hâte de lire ton journal, tu sais.»

Ce matin, je suis allé attendre l'envoyée du *Soleil* de Québec, en vain. J'ai vérifié dans mon mini-agenda, c'est jeudi matin la rencontre. Quelle cloche je fais! Rue Laurier: beaucoup de constructions en demi-érection. Des boutiques luxueuses de plus sans doute. Dans mon courrier, encore une de ces invitations «circulaires» pour un de ces vains bottins mondains. Flatterie: «Félicitations! Vous êtes invité à entrer dans notre dictionnaire des intellectuels du monde.» Ou encore: «Bienvenue dans notre encyclopédie des sommités!» Quel curieux commerce à attrape-vaniteux! Au panier! Le «Who's who» me suffit! Une facture de plus: nettoyage de dactylo, 75,00$. Encore de ces satanés T-4 à fisc. Une dénommée Gisèle Bertin me fait de longues et délicates confidences sur la mort de sa maman. L'Union des artistes m'invite à remplir encore des formulaires pour «sécurité, pension, Croix-Rouge, bleue, etc.» Ma haine des formulaires, de la paperasse à numéros civiques. La «socialite» corporatiste est déchaînée partout, on le sait bien. Vivre sur une île. Redevenir sauvage. Vieux songe creux évidemment. On gueule pour un robinet brisé, on chiale pour un frigo trop bruyant. On veut tout, la sainte paix, mais aussi tous les gadgets, déglingables, du confort contemporain. Grands bébés en Occident-le-riche. Qu'est-ce que j'ai ces jours-ci, je suis anxieux? Pourquoi donc? Je me fouille. Le journal, tome I, rendu public dans un mois? Non. Alors quoi? L'hiver trop long? Non. Quoi? Quoi? Comme un picotement à l'esprit. Un sale sentiment de perdre mon temps. De ne pas vivre à plein. Des regrets vagues: je devrais revoir l'Italie, ou Paris, ou aller au soleil, dans le sud... Capricieux que nous sommes. Tiens, je vais me replonger dans le Paris-sous-les-bombes de 1942 décrit par un jeune Claude Mauriac, taraudé entre le jouir ou la Résistance, *Le temps immobile*, tome 8. Je saurai mieux que je fais une belle vie. Ce soir: Strindberg (*La danse de mort*) vu et corrigé par Dürrenmatt, au TNM. Hâte! Le jeune Yves Desgagné, de la troupe de Raymonde, signe la mise en scène. Raymonde a très hâte.

*10 mars 88*

Le journal sur Raymonde...

Ça y est, je perçois certains silences tactiques dans mon entourage à cause du journal. Prudence. J'ai l'impression de découvrir sans cesse de nouveaux «journaliers» chez les glorieux littéraires d'antan, trouvaient-ils autour d'eux cette retenue, ces «certains silences» que je commence à remarquer? J'entends trop souvent de ces: «Va pas mettre ça dans ton journal.» Ou «Ce que je vais te dire maintenant n'est pas pour ton satané journal.» C'est clair. Je respecte du mieux que je peux la source de certaines révélations. Le plus drôle? Se voir confier des insignifiances avec le précautionneux avertissement: «Tu

36

gardes ça pour toi, hein?» Souvent, le fait n'a absolument rien de captivant pour un journal et je tente de rester intéressant pour l'éventuel lecteur. Ce qui est pénible, j'y reviens, c'est l'ami ou le vieux camarade de route qui amorce un sujet et qui, très soudainement, se tait. Vous pouvez alors palper son hésitation. Un manque de confiance? C'est rare, Dieu merci. Ce matin, un jeudi plein de lumière solaire avec de ridicules légers flamants roses ouatés au fond de l'horizon à l'est. Hier, pluie torrentielle entre 11h et 2h de l'après-midi alors que je suis en «partie de sucre» avec un petit-fils. Dégoulinante expédition, au milieu des bambins et de quelques parents. Pour la première fois, je m'installe d'abord dans un de ces autobus «jaunes» à convoyage d'enfants. Pas d'un grand confort, ces machines grondantes aux amortisseurs bien claqués. N'empêche, belle joie naïve des bambins «qui partent», qui s'en vont enfin ailleurs, hors de la serre-familière: foyer, école, quartier. Là-bas, dans un boisé derrière St-Eustache, promenade vite avortée dans un sentier de glace vive. On bifurque et on rentre dans la salle-loisirs. Chants de nouveau, comme dans le bus «orangé». Danses-rondes. J'y participe volontiers. Plusieurs adultes-accompagnateurs restent de glace, assis. Voyeurs ennuyés de ces farandoles échevelées. Vient l'heure du repas traditionnel: fèves au lard, omelette, jambon, et le sirop de l'érable coule partout. Après, c'est la classique visite à la vraie «cabane». Ses bouilloires géantes, le sirop étendu sur la neige, les bâtonnets. Et vive la tire sucrée! Laurent se régale. Tout ce jour, il est resté sage, pas comme son grand frère David, il est presque muet mais sans véritable autisme. C'est un sobre. Avec lui, pas de cris, pas de gestes fous, un petit «sage».

Arrive l'heure de la (classique aussi) balade en traîneau tiré par de gros chevaux de labour. Immense plaisir des enfants malgré la pluie battante. Les «grands», eux, sont navrés. J'ai le derrière tout humide malgré mon pantalon de nylon pour ski de randonnée. Au milieu des bois, je fais crier un peu Laurent quand je lui apprends que son cousin Simon habite pas loin, à l'ouest de cette petite forêt. «Simon? M'entends-tu? Simon?» Trempés, tous, nous rentrons vite pour danser, chanter encore, et faire sécher le linge mouillé autour de la grande cheminée de *Chez Constantin*. Pas grand-chose tout ça? Pour l'adulte, c'est sûr. Pour ces petits, c'est un autre grand souvenir à engranger, une exploration grandiose. S'il avait fait le même soleil que ce matin, le souvenir de cet hier en aurait été sans doute agrandi.

Avant-hier, Yves Dubé est venu, en vitesse, chercher les derniers feuillets pour le premier volume (le dernier aussi, peut-être?) Toujours pressé le cher Dubé, toujours distrait par ses autres productions. Je m'efforce, chaque fois, de l'amener à se concentrer sur mon seul ouvrage. De bonne humeur, nous jasons cinq minutes sur la question «Raymonde et le journal», ses craintes, son impuissance à bien superviser la part qui la concerne. Dubé la rassure. Vainement. Il parle alors d'engager un témoin neutre, petit tribunal d'arbitrage. En riant, Raymonde refuse et le rassure à son tour. Les deux m'expliquent que ce qui les dérangerait le plus, ce sont les «entre parenthèses», les propos supposément dits par eux. Je tente de m'expliquer. Comment citer correctement? Chacun de nous a déjà expérimenté la chose. On répète ce que X ou Y a dit et il sursaute: «Mais non! C'est pas ça. J'ai seulement voulu dire ceci...» On n'en sortirait jamais. Je déclare à mes peureux: «Écoutez, c'est le droit à la subjectivité. Je me le garde.» On pourrait élaborer longtemps sur «perception personnelle et vérité». Ils le savent bien. Demain, je pourrai bien ouvrir un journal et lire: «Ai rencontré Jasmin, hier, m'a paru toujours aussi fou et aussi bavard, même plutôt fat!» Qu'y faire? J'aurais beau crier: «Mais non, au contraire, j'étais pas fou cette fois-là! J'étais plutôt triste et cafardeux.» Inutile. Chacun perçoit l'autre, ses attitudes, ses paroles, au travers de son propre filtre. On n'y peut rien. Liberté, liberté chérie! Pas simple tout ça. Je finis: «Écoute Raymonde, tu es le sujet vital, essentiel, dans ma vie. Alors?» Dubé opine du bonnet très affirmativement. Raymonde grimace quand je blague: «Je songeais même à l'intituler: *Le journal sur Raymonde*». Elle sait bien qu'elle est toute ma vie. Ce qu'elle n'aime pas? C'est que cela se sache. Sa discrétion à elle, son grand bonheur d'être du métier des «ombres», sa satisfaction d'être dans les coulisses. Je n'y peux rien, hélas, tenir mon journal en l'oubliant, comme elle le souhaitait tant, aurait été un mensonge colossal.

Le suicide juvénile...

Tantôt, en vitesse, j'ai quitté Raymonde-coulisse pour aller rencontrer cette dame Girard du *Soleil* de Québec. Elle m'attendait. J'ai failli oublier l'heure. Enfin un journaliste qui ne me raconte pas sa vie! Qui fait simplement son métier de questionneuse. Qui est chaleureuse, normalement curieuse comme se doit de l'être une intervieweuse dans un grand quotidien. J'ai donc hâte de lire son «papier» samedi matin le 19 qui vient. Je lui ai tout raconté de mes activités présentes, à partir de ma mésaventure du printemps dernier à Quatre Saisons jusqu'à ce journal et ce manuscrit de roman tout neuf qui dort dans un carton, guettant la venue de l'auto-correcteur. Reçu une lettre de Pierre Tisseyre qui va avoir 79 ans bientôt! Si je veux bien me discipliner et mettre un peu de rigueur dans ce que j'écris, il ne désespère pas, m'écrit-il sans que je le sollicite, de publier un nouveau roman de Jasmin. Il est bon! Conditions impossibles. Je serais un autre si je me disciplinais et le rigorisme n'est pas mon fait. Il sied bien ailleurs. Chez les essayistes. Ajouterais-je que je publierais chez Tisseyre s'il daignait mieux voir à la promotion de ses auteurs et s'il cessait de vouloir jouer au co-rédacteur. Bon. On ne se croisera plus jamais en tant qu'auteur et éditeur. Je garde néanmoins une grande affection pour lui à cause de *La corde au cou*, à l'époque, le Prix du CLF était une essentielle borne à franchir pour aborder la carrière littéraire. À la fin de sa lettre, lui aussi, me dit son affection pour moi. Longtemps Tisseyre a tenu, de façon brillante, le rôle d'animateur-éditeur, on l'a oublié bien facilement, hélas. Gazettes du 10 mars (anniversaire de mon frère Raynald, on va se voir samedi soir). (1) La jeune troupe *Acte-3* va fêter encore Cocteau. Un temps, on me faisait avoir un peu honte d'admirer tant ce saltimbanque-touche-à-tout. Désormais, il semble que Jean Cocteau a droit à toute l'admiration due aux grands créateurs. Tant mieux! (2) Mon jeune metteur en scène de 1963 pour *Le veau d'or*, Yves Gélinas, confie à Bouvier de *La Presse canadienne* qu'il est inutile de gaspiller ses énergies à se poser trop de vaines questions métaphysiques et que partir-en-solitude (son fameux voilier) fait qu'au retour, on rencontre les mêmes difficultés. On doit, continue-t-il, changer le bonhomme d'abord, les circonstances extérieures (voyage-fuite-exil) sont inutiles. Eh ben! Le jeune fils de Gratien s'était donné tant de mal, avait pris des risques graves, affronté des périls maritimes extrêmes et, revenu, il nous enseigne brutalement ceci: peine perdue! Avis aux aspirants-fuyards de la réalité têtue, hein? (3) Louis Morissette, médecin spécialiste de la question « suicide des jeunes » dénonce avec raison les faciles accusations courantes du type « c'est la faute à la vile société ». Il dit qu'il faut plutôt regarder l'aspect « médical » de la question. Que le suicide juvénile est, avant tout, une maladie de l'esprit (une aliénation, quoi). Ce ne serait que le facteur de déclenchement que ces déceptions d'ordre affectif, social, ou autre. Fallait, je crois, clamer haut cette réalité. Elle va de pair avec les « gentils visiteurs des prisons » qui encouragent les internés des pénitenciers à croire que leur échec est imputable à la « maudite société ». Ce rousseauisme est une foutaise répandue par des romantiques impénitents. (4) L'animateur André Arthur se confesse face au curé-Bureau du CRTC. Il se dit un caricaturiste excessif, qui court de gros risques par ses excès à la radio, qu'il devrait être plus vigilant et qu'il a déjà payé pour ses erreurs. Quel tableau touchant! En fait, cet assommoir d'une franchise, disons viscérale, déréalisée, embête surtout les preux chevaliers si ennuyeux d'une radio bien courtoise. En réalité, les auditeurs ordinaires de ce gueulard intempestif et démagogique savent bien faire la part du caricaturiste en mal d'auditoire. Pas fou, le citoyen radiophile de son spectacle haut en couleurs, semble-t-il. Les endormeurs des ondes en profitent pour le charger à mort. Nous méfier des jaloux? Continuons d'observer le bouffon-Arthur au verbe mordant d'un populisme iconoclaste. Pierre Foglia, lui aussi, fait de graves embardées pour piquer son auditoire de *La Presse.* Comme ses dérapages concernent surtout nos aristocrates déphasés, les élites conservatrices, il est moins attaqué par la mince horde des gauchistes bien-pensants du territoire.

*11 mars 88*

Une sorte de honte...

Rien de bien plaisant à se laver, en fait, c'est peut-être même contre nature. Non, le plaisir, c'est d'être plongé dans l'eau. Barboter. Un enfant! Ce matin, vendredi bien frisquet, soleil dans ma baignoire. Cette lumière, c'est curieux, me fait me souvenir de Surfside, au nord de Miami, de l'hôtel, *The Palms,* si rococo, rénové en 1985, avec plein de marteaux-piqueurs, raseurs, décapeurs, etc.

41

On avait loué là pour le temps des fêtes de 1986. À notre étage, jolie terrasse donnant sur cour intérieure et piscine et, au-delà, sur la mer. Sur l'éternité? Mais oui Rimbe! Soudain, au bout de la première semaine, envahissement soudain par une horde d'amateurs de football, venus de leur far-west pour le match de début d'année, le célèbre Orange bowl. Fanfare, cris, ébats dans la cour aux palmiers jusqu'à bien tard dans la nuit. Raymonde et moi, d'abord plutôt révoltés de perdre notre «sainte paix», finissons par vouloir mieux observer ces collégiens en goguette. Fous braques! Des balais! *The Palms* c'est aussi de longues galeries, style « tropical », où on va siroter, sous des parasols de raphia, apéritifs ou digestifs. Il y a aussi un restaurant intégré à l'édifice, utile pour les petits déjeuners. La plage, à Surfside comme à Bal Harbour, a été rallongée avec des tonnes de sable et de coraux, puisés au large dans la mer. Longs jours dans les transats de bois cru à lire des bouquins. Le bonheur! L'été, frais, retrouvé en décembre, c'est fameux!

Toujours dans mon bain, je songe aussi à ce sport viril, le football! À huit ou neuf ans, c'est la fin des jeux dans la cour, mes amis et moi envahissons un champ de notre ruelle et c'est le début du base-ball. J'y suis plutôt nul. Je joue «à vache». Déception de ma maladresse. C'est un débat entre les équipes pour ne pas m'avoir parmi eux. Humiliation! Heureusement, à onze ans, grand-mère morte, ça va être le début de la location d'un chalet d'été. Adieu donc le base-ball avec Devault, Morneau, Dubé, Vincelette et les Italiens fougueux du marché Jean-Talon. Je change, je me transforme alors en moniteur de jeux, bénévole, pour mon cadet, Raynald, et sa bande de Pointe-Calumet. J'ai illustré tout ça dans *Mario, la sablière*!

Poursuivant, hier soir, ma lecture du volume 8 de *Le temps immobile*, cet étonnant journal-montage, je découvre un Claude-fils-à-papa-Mauriac qui, lui aussi, est une nullité dans le domaine des sports virils! Ses humiliations à lui. Étrange connivence alors entre ce gringalet-dandy et moi-même! Son père, François Mauriac, me fait un peu songer au mien de père. Tous les deux perdent, trop jeunes, leur papa. Tous les deux sont des « calotins », de vrais curés-laïcs! Claude Mauriac, comme moi, tentera de se débarrasser de ce père archireligieux. En cours de lecture, une autre découverte, son affreux sentiment d'être le fils d'un personnage public. Il en souffre, le Claude, il écrira dans son immense journal: « Sembler un rien. Un moins que rien. On ne s'intéresse pas à moi, on s'intéresse seulement au fils de François Mauriac. » Alors, je songe à mon cher Daniel. A-t-il souffert, lui aussi, d'avoir un père « connu » comme on dit. Je ne sais pas. Faudrait que je lui en parle un de ces jours. En 1950, mon père n'était pas le céramiste-du-dimanche bien coté qu'il va devenir. Oh non! Il est le « Chinois bizarre » du sous-sol-restaurant: *Au caboulot*. Adolescent, je me cachais de lui. Je me sauvais quand il tentait de venir converser avec moi et mes camarades du collège Grasset. Une sorte de honte! Aussi la crainte qu'il se livre avec mes amis à sa manie de moraliser et de prêcher l'évangile. Pourtant, vers l'âge de 19 ans, c'est plutôt bizarre, je décide de publiciser ce paternel qui brossait des tableautins d'un bon art naïf dans le fond de sa cave, entre la fournaise et le « carré » à charbon. Je me suis démené, ai rédigé des articles sur lui et ai fait en sorte qu'un reporter du très populaire hebdo, *Le petit journal*, vienne lui consacrer un premier reportage. Était-ce le besoin d'avoir un père intéressant? Connu? Très curieuse démarche. Je sais qu'à partir de 1951, j'avais 20 ans, papa en sera stimulé et fera soudain des pieds et des mains pour exposer son art « primitif » dans des expos collectives et y réussira. Il deviendra même « le » céramiste le mieux coté, chez les naïfs, aux USA comme en Ontario. Ce que, moi, diplômé en céramique, je n'ai pas pu devenir du tout, égaré (!) en littérature et en scénographie! Inutile d'ajouter que la stupide honte de mon adolescence se changera en admiration vive pour l'ex-restaurateur de *La petite patrie* à qui des magazines d'art prestigieux consacreront, à la fin de sa vie, des articles fort élogieux. Un prof de céramique d'ici, Léopold Foulem, le prendra pour ainsi dire en charge et veillera à le mieux faire connaître, y mettant un zèle exemplaire. Papa est mort subitement, fin mai 1987. À l'église Sainte-Cécile, devant son cercueil, j'ai lu cette oraison funèbre:

Il était une fois... notre père...

« Il était une fois un jeune soldat français à qui on avait offert un long voyage dans un pays vierge, tout neuf. Le jeune soldat, prénommé Aubin, une fois l'Atlantique traversée, accepta de s'installer comme jeune fermier dans ce pays encore sauvage. Aubin obtint, comme les autres jeunes soldats, un grand lot de terre boisée. Il s'installa bien loin de Montréal, au-delà de la Côte des Neiges, au nord du Mont-Royal, sur la rive de la rivière dite des Prairies. Il vécut probablement heureux et eut de nombreux enfants.

« Un petit-fils de l'un de ses petits-fils, notre grand-père, fut baptisé Josaphat. Quand il eut vingt ans, il épousa Albina qui venait de l'autre côté de la rivière, du lieu dit Des Rapides dans le Parc Laval. Ils essayèrent de vivre heureux, à St-Laurent, dans le rang dit du Bois-Franc et eurent trois garçons: Ernest, Léo et notre père, Édouard, qui vient de mourir.

« Il était donc une fois un petit garçon, nommé Édouard, qui regardait pleurer sa mère, Albina, dans l'église neuve de St-Laurent. Son grand frère, Ernest, pleurait aussi. Papa a 5 ans, et ne comprend pas trop ce qui lui arrive. C'était en 1910. Un jeune père était mort sur sa ferme, laissant trois petits garçons et leur jeune maman, qui dut quitter son foyer. Elle se réinstalla chez ses parents à Laval-des-Rapides. Papa n'a jamais su ce que c'était que d'avoir un papa. Que d'être un père. Il a donc été un drôle de père.

« Il était une fois un jeune garçon, notre père, qui préférait la nature de Laval, les prés de St-Elzéar, les champs de St-Martin, aux salles de cours du collège de Montréal, puis de celui de Ste-Thérèse. À 16 ans, fini les études! Il préfère le commerce. Ou n'importe quoi. Dessiner, par exemple. À 19 ans notre père dit adieu à son grand frère Ernest qui partait évangéliser les petits Chinois et s'en alla ouvrir, lui, son premier commerce rue Victoria. Il y vendait du thé, du café et des épices. Il épousa Germaine Lefebvre, la fille d'un client venu de Pointe-St-Charles, de la petite rue Ropery. Ils vécurent plutôt heureux et eurent de nombreux enfants, dans l'ordre, Lucille, Marcelle, Claude, Marielle, Raynald, Nicole et Marie-Reine.

« Il était une fois un jeune homme des années 30 qui dut oublier les beaux-arts pour songer de plus en plus sérieusement au commerce. Il se fit restaurateur, rue St-Denis, fit moins de bricolage et de peinture et davantage de « sundaes » pour les gars-des-vues, ceux des cinémas Rivoli et Château. Il avait neuf bouches à nourrir.

« Il était une fois un artiste qui dut oublier d'être un artiste. Son petit *Au caboulot* de la rue St-Denis n'avait rien à voir avec les bois sauvages d'Aubin Jasmin, venu en 1715 du Poitou, n'avait rien à voir non plus avec la ferme paternelle, devenue aéroport de Cartierville et avionnerie de la Canadair. Un petit restaurant qui n'avait rien à voir avec les prairies de Laval quand le petit garçon se sauvait du collège Ste-Thérèse en suivant les rails du Canadian Pacific. Ce restaurant, il y passa de longues heures chaque jour et durant de longues années. Il y passa toute sa vie d'adulte, sortant de son souterrain, balai à la main, de temps en temps, pour respirer l'air de la rue

St-Denis, pour entendre le tintamarre des tramways de toutes les couleurs.

« Il était une fois un homme, qui, voyant partir un à un ses enfants grandis, se décida enfin à sortir de nouveau ses pinceaux et ses couleurs. Édouard, enfin libre, se jeta dans la confection d'images sur terre cuite avec fougue. On aurait dit que cet homme, modelant tous ses plats décoratifs, voulait reprendre le temps perdu, celui de ses rêves de jeunesse. Édouard, le céramiste, était un esprit indépendant. On aurait voulu l'aider, mais, sauvage, il nous repoussait. On aurait voulu mieux l'aimer, mais il restait muet, comme intimidé. Peut-être était-il resté un petit garçon, orphelin trop tôt, avare de tendresse et peureux d'affection?

« Il était une fois notre père, un homme heureux et libre et qui s'éloignait de nous peu à peu. Il marchait, content, fier, isolé, s'en allant secrètement seul, dans son monde de signaux sur glaise cuite. Apparemment indifférent, même à nous, ses enfants, et aux autres, à tout le monde. Il ne voulait pourtant peiner personne. Il n'avait besoin que de sa foi. Celle qui lui avait été enseignée, et celle qu'il avait su conserver en ses pouvoirs fulgurants d'imagier naïf et primitif. Cela lui suffisait. Il a vieilli en accrochant, tout autour de lui, en de drôles de colliers, de grandes soucoupes d'une poterie étonnante et qui a été appréciée. Une réussite de fin de vie et il ne s'en étonnait pas vraiment.

« Il était soudain une bonne fois, une mauvaise fois, une fois pour toutes, un petit vieux amaigri, malade subitement pour la première fois de sa vie, mais toujours rétif et sauvage. Il posa ses outils, le 13 mai dernier. Un jour de grand soleil pourtant. C'était un mercredi du si joli mois de mai. Il est allé saluer son frère cadet, Léo, et puis il a enfin consenti à aller s'étendre, pour la première fois de son existence, dans un lit d'hôpital, rue Jean-Talon. Les

gens de science médicale ont trouvé le potier primitif bien
mal en point! Ils ont voulu le garder, mais lui, au bout
d'une seule semaine, insistait qu'il avait encore de l'ouvrage à faire, que son four à argile l'attendait. Trop tard!
Ce n'était pas possible. Plus praticable. C'était la fin.
Alors, le descendant d'Aubin, venu de Nervan, au Poitou,
celui qui a grandi à Laval-des-Rapides, s'est enfin déraidi
les bras et a dit «très bien». Et il s'en est allé loin. Très
loin. On ne le reverra plus rôder de sitôt dans Villeray. Il
est parti dans la grande lumière où il doit déjà peindre de
grandes assiettes d'argile, en paradis promis, avec des figures imaginaires pour faire rire les saints et les fidèles,
ses morts, sa pieuse mère, son grand frère, Ernest-le-Mis-
sionnaire et surtout, ce papa Josaphat qu'il avait perdu
trop tôt, enfin retrouvé. Ce papa méconnu qui lui apprendra peut-être comment être un père dans l'éternité des esprits des enfants de lumière. Nous savons bien alors que,
désormais, il va veiller sur nous, ses enfants et ses petits-
enfants, à jamais.»

Antoine Lefebvre...

Tantôt, en faisant des courses dans le quartier, je revois mon petit monde, le Tit-Coune, bassin devant, le
Jacques Neufeld, juif intégré dans la Résistance du Midi,
un étonnant sosie d'Antonine (celle de l'Avenue Antoni-
ne-Maillet), la vaillante «institutrice» Madeleine, les
semi-punks de l'école Gérin-Lajoie, des Hassidim toujours pressés. Et un gros ours bien vieux, tout enveloppé
de peaux de ratons laveurs, de la tête aux pieds, qui avance, bien droit, vers la rue Fairmount, canne à la main. Une
dignité seigneuriale! Je m'arrête longuement devant les
vitrines d'un magasin, fraîchement installé, rue St-Viateur. Des stocks joyeux pour les enfants chéris de mes voisins juifs orthodoxes. C'est rempli à ras bord de ces

commodités plutôt luxueuses offertes à ceux qui veulent gâter leurs rejetons. Quel spectacle bizarre que ces accessoires divers, en blanc et en rose, pailletés d'argent et d'or, pouvant meubler luxueusement le «coin des petits». Je songe un peu à la pauvreté de nos chambres d'enfants au 7068 St-Denis. Aucun de ces objets au design moderne, juste l'essentiel du nécessaire. Nous avions notre espace dans de vieux lits à deux places, en fer, un seul tiroir de commode. Un seul. Longtemps, à six dans deux mini-chambres, nous avons vécu le temps de la «crise», celle des années 30. Une frugalité acceptée sans rechignage puisque c'était le sort commun de la plupart des enfants de Villeray. Les temps changent. Voici donc plein de coli-fichets, babioles et bagatelles, comme j'en vois d'ailleurs dans les jolies chambrettes de mes petits-fils David, Laurent, Simon, Gabriel et Thomas. L'enfant est roi? Hum... Au coin de Hutchison, ces si jeunes bambinos avec, déjà, leur boîte à lunch, attendant le bus jaune, devant aller s'enfermer dans des garderies puisque maman, elle aussi, veut avoir droit au boulot-cachot, au stress des consommateurs effrénés. Ouais! Silence, vieux schnock! Le progrès est en marche partout.

*La Presse* m'apprend ce matin qu'environ 20,000 Français, parmi les 100,000 «câblés» là-bas, lisent à la télé mon pseudonyme, chaque lundi soir: Antoine Lefebvre! J'avais pris le prénom de mon parrain et le nom de fille de ma mère pour rédiger clandestinement durant trois ans les dialogues de la série ultra-populaire *Dominique*. Ça passe en France sur la nouvelle Chaîne-5 associée au réseau Télé-Métropole d'ici. Ça ne me rapporte rien. Pas un token! Comment protester? Suis sans contrat écrit. Que la bonne foi. J'avais accepté de dialoguer les squelettiques mais brillantes synopsis de Réal Giguère et ce dernier m'a brutalement fait comprendre, récemment, que les dérisoires forfaits payés jadis étaient finals et sans appel. Qu'il garde la monnaie, mais je m'en souviendrai!

Le poison de la culpabilité...

Samedi aussi polaire que les deux jours précédents. Endurons. Les Québécois, mars venu, se taisent. Ils savent que le plus dur de l'hiver est derrière eux, qu'avril va enfin venir, que ce sera bientôt fini ce froid arctique. Au ciel de ce matin, débat tenace entre nuées opaques et dégagement partiel, selon les cocasses termes des météorologues. Les jours passent et je repense souvent au brillant trio du TNM jouant *Play Strindberg* de Dürrenmatt, mardi dernier. Quel bon spectacle! Le jeune Desgagné signait, avec génie, une machine coulissière (on a vu les mobiliers, les costumes descendre et monter sur cintres). Un mouvement! Énergique, ironique. Frénétique parfois. Caricatural aussi. Avec un Paul Hébert plein de sarcasmes débridés, une Monique Mercure déchaînée, un Gilles Renaud à facettes multiples. Quel bon souvenir! Quand le théâtre offre ce dynamisme, cet humour, alors oui, je renie mes fréquentes bouderies sur ce vieil art trop souvent ennuyeux.

Je n'avais pris que deux volumes, le 7 et le 8, de *Le temps immobile* du fils Mauriac. Hier soir, je me suis plongé dans le 7, oui, j'y vais à reculons!, ayant fini le 8 hier midi. Même intérêt. Je me demande si je ne vais pas ramener de la municipale les six premiers volumes. J'hésite. Il y a un paquet de romans qui attendent sur les tables d'appoint, partout dans le logis. À la fin du volume 8, je lis: «Aubin, imprimeur, Poitiers». Curieux: du Poitou, en 1715, Aubin Jasmin partait pour le lointain Canada et faisait commencer notre longue chaîne jasminienne au «village-St-Laurent» qui s'étendait alors du Parc Jarry (une ferme) dans la paroisse Ste-Cécile, jusqu'à l'actuel aéroport de Dorval, et de la rivière des Prairies jusqu'au flanc nord du Mont-Royal. Mauriac (Claude), j'y reviens, agnostique, convient qu'il réagit sans cesse en chrétien, vu sa jeunesse et «ce» père quasi curé. Il invoque ses morts, dont cet illustre papa décédé, souhaitant vraiment des apparitions, puis se moquant aussitôt de ce désir. Il est septuagénaire, quitte son job au Figaro et s'inquiète alors de son sort de pigiste aux revenus incertains. Il va rôder dans les anciennes demeures «à vendre», remue des souvenirs d'heureuse jeunesse et, soudain, j'en arrive mal à retenir mes propres sanglots quand il prend conscience de la dévastation de son passé. On accompagne sans méfiance un narrateur, on s'accroche à ses pas, nos souvenirs se mêlent aux siens et crac, les larmes aux yeux! La découverte qu'en effet, vieillir c'est devoir se détacher de tout. Ce qu'on a tant aimé. Un lieu, un tableau niais sans valeur marchande, des meubles, des bibelots même. Voilà mon Claude tout encombré, suffoquant. C'est terrible: ses enfants grandis, partis, qui n'ont pas d'espace, qui lui ramènent encore d'autres souvenirs des maisons bradées, à Malabar, à Vémars, rue Théophile-Gauthier où il a grandi ce fils-de-l'autre! Le Mauriac de *Le temps immobile* se dit timide, clame ses incapacités de se livrer rapidement, de pouvoir s'exprimer oralement. Il s'en veut, se juge paresseux, parfois lâche, hésitant trop souvent, soupesant tout, discutant sans cesse avec sa raison et ses envies vives. Sa jeunesse de privilégié ignare, son insouciance durant la nazification de la France (de 1939 à 1944) le tue. Il est empoisonné de culpabilité. Ça ne passe pas! Il chiale. Il a peur. De tout. De lui. Des Français si oublieux comme tous les peuples de la terre. Par-dessus tout, il sait qu'il glisse sur le dernier versant de son existence. Cela le mortifie (sa surdité, sa vue diminuée), le cloue à une croix bizarre, celle de l'incroyant qu'il est devenu. Son journal se remplit d'idées avant tout, de politique, de pensées bien sombres. Pas assez souvent hélas (et il le dit lui-même à l'occasion), il décrit Paris, des sites, des visages humains (ceux des célébrités chez les intellos). J'en suis si satisfait somme toute que je me questionne: ne lirai-je plus que des correspondances? Des autobiographies? Des journaux? Fini, la fiction? Ça se pourrait bien.

La franche camaraderie...

Hier, ai pris un rendez-vous pour le jeudi 24, avec la directrice actuelle des programmes à Télé-Métropole. J'en informe aussitôt Daniel. Espérance folle? J'expédie un « urgence-décision » au service des dramatiques de la SRC. Je m'excite et je sais bien pourtant que Sylvie Lalande pourrait n'avoir à me dire que des «Ce n'est pas assez ceci ou cela. Si vous changiez ceci et cela.» Brrr! Vite que vienne le 24 mars. À propos du fils-e-que: deux points forts émergent de notre tête-à-tête de lundi dernier. Je suis très content qu'il m'ait amené à préciser des choses en m'invitant à cette conversation de débroussaillage de sentiments réciproques. D'abord, premier point, Daniel me dit qu'il souhaitait plus de franchise de ma part et moins de gentillesse comme «obligée». Il me donne un exemple: «Tu vois, je travaillerais sur le terrain à Fresnière, je me dirais que tu aimerais peut-être te joindre à ces travaux d'extérieur. Eh bien, j'hésiterais à t'inviter, craignant de te voir dire «j'arrive» alors qu'au fond tu n'aurais peut-être pas du tout envie de monter chez moi.» Fort bien. Je lui explique carrément que je ne serai jamais tout à fait franc, naturel, neutre avec lui. Ou avec sa sœur. Il paraît surpris. Je lui fais comprendre qu'un père (de ma sorte, il y en a qui ont oublié complètement leurs rejetons vieillis) est dans la totale incapacité d'avoir une relation ordinaire, adulte, amicale, avec un être dont il se sait, se sent, à tort ou à raison, responsable. Il sourit. Il apprécie ma franchise et je crois qu'il adhère à mon opinion, même quand je lui avance un « tu verras, toi, avec ton Simon ou ton Tho-

51

mas, tu auras 50 ans, plus encore, tu les considéreras encore comme tes chers « petits » enfants. J'ajoute encore que s'il lui arrivait d'exprimer un avis erroné, une considération, à mes yeux, absolument idiote, je ne répliquerais pas raidement comme en compagnie de mes amis. Non, je chercherais des détours pour, tout doucement, corriger son opinion. Le « papa-poule » que je suis est ainsi fait. Combien sommes-nous? Je l'ignore. Je ne voudrai jamais le contrecarrer rudement, le faire douter de son jugement, ou le faire désespérer sur quelque sujet que ce soit. Est-ce une erreur? Je n'en sais trop rien. Je suis comme ça. Un deuxième point est abordé, qui se relie au premier. Daniel me dit qu'il aimerait plus de simplicité dans nos rapports, une simple camaraderie, qu'il puisse moins se sentir comme « en visite » avec moi, son père. Que je me laisse aller moi aussi avec lui. Je devine bien ce qu'il laisse entendre. Je perçois en effet qu'il y a une distance entre lui et moi. Il veut de la franchise? Je lui en sers aussitôt, je lui fais comprendre qu'il y a un monde entre lui et moi. Sur tant de plans. D'abord il y a le « père-fils ». Mais aussi l'âge. Aussi les différences entre nous sur les critères, les intérêts, les valeurs, bref, le fait qu'il a été un enfant et un adolescent dans les années 50-70 et moi dans les années 30-50. Un monde nous sépare. Emporté dans mon élan d'explications, je vais jusqu'à lui confier qu'il fait mieux de compter, pour la franche camaraderie et l'amitié sans ambages, sur les vieux copains de sa bande d'amis. Encore là, je vois bien qu'il est un peu surpris d'abord par mes assertions, puis il conçoit qu'en effet nos « éducations-instructions-cultures » diffèrent grandement. Daniel me dit croire qu'il y aura moins de différences entre lui et ses fils, qu'il y a eu moins de changements radicaux entre sa jeunesse à lui et celle que vont vivre ses deux garçons. Je lui dis que cela se peut bien, qu'il est vrai que le monde occidental a changé du tout au tout dans le virage 60-70 et qu'il a probablement cessé de tant se transformer. Quoique... Le temps qui vient nous donnera peut-être tort à tous les deux, on sent poindre, depuis quelques années, le retour de certaines valeurs conservatrices. Cela pourrait bien aller au-delà de cette mode du «Return to basics». Personne ne peut prédire exactement les mœurs futures. Avant qu'il me quitte, apparemment autant satisfait que moi de notre libre conversation, je lui affirme que je vais m'exercer à des relations entre nous deux moins empreintes d'une certaine déférence. Que je tenterai d'être naturel, plus franc. En vérité, mon paternalisme m'encombre autant qu'il l'encombre. Avant qu'il parte, je lui dis que je doute qu'il s'intéresse à mes lectures actuelles, par exemple, que ce simple fait amenait peut-être ces relations de surface, de conventions, pas assez intimes. Il m'interroge alors sur ces lectures. Je lui parle des deux Mauriac, de Cocteau, de Fitzgerald et d'Hemingway. Voulant encore préciser mon idée, je lui raconte soudain tout le contenu de *Lettre à ma mère* de Léautaud, et le voilà pris par cette tragique et pénible histoire de l'orphelin-misanthrope. Je découvre alors que j'ai eu tort, en partie. Mon fils ajoute: «Je me souviens de tes capsules-cours d'histoire quand j'étais jeune. Ça m'emballait, tu sais. Parmi mes «chums», je pouvais passer pour plus savant que j'étais quand je transbordais tes récits au milieu de nos haltes-loisirs.» Intérieurement, je me promets alors de ne plus me retenir sur ce plan-là. On a tort sans doute de se convaincre qu'il y a un tel mur entre nos sujets d'intérêt et ceux des cadets. Vraiment, ce fut une rencontre des plus stimulantes.

La vaillante picouille...

Si joli mardi de mars ensoleillé ce matin et pourtant je vais « croche ». Ça va revenir? J'espère. Surtout qu'on ne sait jamais trop pourquoi on file de ces « mauvais cotons » soudainement. Biorythmie prévisible, affirmait-on dans les années 60. Il y a ce Claude, l'autre, le fils de Mauriac et son journal si triste par grands pans. François Mauriac engendrait, on le sait, des héros bien tristes, bien pécheurs, or, quelle constatation!, il aurait engendré aussi des enfants tristes? Claude Mauriac, dans le tome 7 de *Le temps immobile*, ne cesse plus de voir la mort devant et ça doit déteindre sur moi. Ah! les bons « moines » du Grasset nous le disaient tant: « Surveillez vos lectures, jeunes gens! » À force de me plonger dans les affres de l'anxiété métaphysique de C. M., j'en suis à me substituer à l'autobiographe. Mon père devient François Mauriac. J'y pense très souvent. Je veux dire que je revis trop un deuil, celui de mai 87, depuis quelques jours. Rien pour m'alléger. Raymonde l'a remarqué ce matin, elle me questionne, semble croire que je rumine du gris fer. Avec raison. Je vais me secouer. Je crois que je ne lirai pas les tomes 1 à 6 de *Le temps immobile*. Trop déprimant, le Claude M.

Ça m'agace, je reçois des livres (en service de presse) de différents éditeurs et je devine que « Le nouveau masculin » ne se publie plus. Devoir en avertir les relationnistes de la gent éditrice? Pas le temps. Oh! avant que je l'oublie, prendre bien note que lundi matin, Martel, dans *La Presse,* dénonce crûment « la maffia des jurés-profs » se distribuant les prix littéraires entre collègues universitaires. Je l'ai crié, à mes dépens, il y a assez longtemps et ça fait du bien de voir enfin un observateur patenté de ces corporatismes entonner le même cri d'alarme. Avertis, ces

« pions-doctorifiés » vont-ils revenir à l'honnêteté? En douter?

Longtemps sorte « d'anchorman » à la SRC, Raymond Laplante vient de mourir à 71 ans. C'est jeune, non? Vieux de genre, alors qu'il était encore tout jeune, ce gaillard placide, croyant et pratiquant, passait pour un petit monument archaïque mais donnait bien plus le change en modernité d'esprit que bien des jeunes reporters « queues-de-veau » de son entourage. Je devrais essayer d'être présent, jeudi matin, à ses obsèques à Ste-Odile de Bordeaux.

Oui, je me sens embrouillé ce matin. Je voudrais mettre en ordre mes activités des derniers jours. Ces topos à TQS m'incitent involontairement au mélange des faits. J'y tiens journal là aussi en réalité. J'en viens à ne plus bien savoir si j'ai parlé, ici même ou chez « Marguerite Blais », de tel ou tel incident. Bête. Dimanche après-midi, ai passé quelques heures, sans ma brune, chez la branche jasminienne de La Fresnière. Raymonde? Toujours en retard sur ses découpages, une scie! Là-bas, balade en vieux traîneau à cheval tout le long des terres à maïs avec Lise, la voisine d'en face du fils-e-que, avec le petit Simon tout content de tenir les guides de la vaillante *picouille* aux côtés de la fillette Maryse, sa « grande amie ». Au retour des champs encore enneigés, Lynn sirote une bière (avec de la Miller) et jase avec Bruno Barrière, le jeune frère de mon gendre. Je découvre alors que les jeunes ont un langage à eux. Daniel, en effet, jase comme plus librement, il me semble, avec ce jeune papa. Oh! les codes langagiers selon les générations! Raymonde m'annonce alors qu'on est invités subitement chez les amis Fasano dans leur Ile des Sœurs. Bon petit gueuleton de la France-à-Ubaldo et puis « les cartes ». Le 500 que j'aime tant. On perd. On verse nos 6 piastres et on s'en va dormir après avoir retraversé ce Montréal-du-dimanche-soir, tout illuminé (comme en vain, peu de piétons, peu de voitures au centre-ville). Que

de sorties! Samedi soir, dans Rosemont, fête de sœur-Mar-
celle et de frère-Raynald. Tout le clan y est réuni avec
conjointes et conjoints. Du monde! Bon buffet de la cadette Nicole. Rigolades franches mais peut-être trop de ces
réminiscences de «la toute petite patrie», celle qui concerne seulement ce nostalgique 7068 de la rue St-Denis.
Chaque fois, ma crainte d'ennuyer une Raymonde hors-
tribu.


Vieux clichés de mon enfance...

Claude Mauriac, un saint laïc et agnostique? Il s'oc-
cupe un peu de marginaux, d'ex-maoïstes repentis et de
prisonniers de droit commun. Je lis qu'il recommande
toujours aux inquiets d'écrire, et il a bien raison. Je la fais
souvent, cette recommandation: écrire est une thérapie et
voilà que je lis (encore) dans une gazette que les artistes
sont le plus souvent des névrosés qui se soignent intelligemment en créant. En laissant des traces, quoi!

Yves Dubé téléphone enfin. Je m'inquiétais. «Tu rece-
vras, Claude, les premières «épreuves» de ton journal la
fin de semaine prochaine. Il faudra faire très vite si tu
veux voir ton bouquin au Salon du livre de Québec.» De
plus, il nous invite jeudi soir à un dîner d'amitié, Raymonde et moi. C'est «oui». Il me répète que ça va plutôt
mal chez son ex-employeur, Leméac. Il me fait penser que
j'ai envoyé une lettre «urgence» au PDG Rochette de Leméac, l'informant que s'il ne me versait pas, d'ici la fin du
mois, mes droits d'auteur, retardés mystérieusement, je
rentrerais alors en possession exclusive de ma douzaine
d'ouvrages publiés là. Il y a une limite à écrire pour rien.
Je refuse d'être pénalisé plus longtemps à cause de leurs
difficultés financières, rue Durocher. Ce matin, Royer raconte justement les craintes légitimes d'Antonine Maillet,
éditée par cette même maison. Elle songerait, elle aussi, à

quitter. Viendra Michel Tremblay, édité chez Leméac, lui aussi? Probable. Quelle tristesse en fin de compte, personne chez les écrivains n'a envie de se réjouir de cette banqueroute littéraire imminente, sauf certains éditeurs, peut-être.

Qui l'eût cru? Ce matin, Foglia et le pape sont sur la même longueur d'ondes. Ou presque. Avec des farces, Foglia parle d'une « amie de sa fille » courant les avortements comme une autre courrait les « bingos »! C'est cela aussi, l'avortement rendu facile et « à la carte ». C'est-à-dire payé par nos taxes et impôts. Autre chimère? Au Forum de Montréal, dimanche, grand show évangéliste, sauce USA. Alleluia! « Envoye, Jésus, t'es capab' » Cette religiosité infantile de foule me répugne. Lacroix, le prêcheur-animateur, dont j'ai déjà parlé, avoue ce matin: « Oui, je manipule, mais c'est en vue du bien! » Ouash! Il ajoute: « À la télé, c'est la manipulation pour le mal, songez aux meurtres dans les séries que regardent les enfants! » Ce mélange de contre-vérités et de faits réels m'énerve toujours. Oh! les affreusetés des faciles amalgames! Tout le peuple veut des miracles et, en fin de « parties » à ces rassemblements, on invite les infirmes à des « lève-toi et marche »! Trop facile? Certains paralysés se lèvent. Auto-hypnotisme et tout ce qu'on voudra... La foi déplaçant la montagne! Vieux clichés de mon enfance, religieux à satiété, revenus en force? Des porte-parole de la hiérarchie catholique d'ici se montrent réticents à commenter ce « monde merveilleux des miraculés ». Du « Disneyworld » religieux quoi! On les comprend. Je crois fermement aux notions de Bien et de Mal. Je crois qu'il y a des agents actifs de l'un et de l'autre. La difficulté réside ailleurs. Par exemple, qui fait le Mal consciemment? Avec malice? Pour le plaisir d'être du côté démoniaque de l'existence? Oh! longs débats! Je crois pourtant qu'il s'en trouve, rares, de ces lucifériens dépravés cherchant à répandre les ténèbres dans les vies des autres. Un exemple?

Un gros. *La Presse* nous révèle ce matin les confessions d'un tueur-soldat mexicain. Zacarias Osorio Cruz a fait le mal absolu, allant jusqu'à défigurer les cadavres de prisonniers politiques mexicains fusillés. Il regrette. Il cherche refuge au Québec. À tout péché miséricorde? Claude Mauriac, agnostique comme moi, admet pourtant volontiers qu'il pense en chrétien encore, je l'ai dit. À cause de sa jeunesse imbibée dans le catholicisme. Quel Québécois peut nier cet... atavisme spirituel?

*16 mars 88*

Etre drôle ou crever...

Pleins feux et bon temps doux sur ce mercredi du milieu de mars, alors, Raymonde, ce matin, part souriante et ravie. Sa haine de l'hiver. Je m'en vais, derrière elle, rapporter les livres empruntés. À pied! Jour limite aujourd'hui. Le grand bien-être: accroupi sur un tabouret mobile, entre les rayonnages débordants de bouquins. Même joie qu'à 14 ans, à Shamrock, au Marché Jean-Talon quand j'allais à cette succursale de la Municipale, rue St-Dominique plusieurs fois par semaine. J'y passais tous les mardis et jeudis après-midi (congés mais avec «devoirs» quand on est en «études classiques»). Avec un rai de soleil sur une des tables de chêne, c'était le bonheur, de lire un livre, librement. Je pigeais partout (encore aujourd'hui). Un livre de François Hertel ou de Claudel. Un roman-scout ou un Jules Verne. Un essai sur la poésie ou un autre sur la découverte récente (en 1947) des plastiques. Cette matière me fascinait, je ne sais trop pourquoi. Sa transparence? La solidité de ce matériau, résidu du pétrole? Sorte de récupération surprenante. Mystère. Tantôt donc, tout au bout de la rue Davaar, impulsivement, j'ouvre et referme des livres dans la section des biographies. Je palpe du Claudel, et puis un immense Camus. Je grignote dans un Danton, dans Camilien Houde (tiens! né rue Logan près de la Visitation, comme le vieux maire Médéric Martin, comme Marcel Dubé, et Yves). Enfin, après plus d'une heure d'hésitation, je sors avec la vie d'Émile Ajar (alias Romain Gary) et celle de Sartre. Plus de mille pages. Merde! dehors, ennuagement soudain. Je retraverse le grand Parc Beaubien. J'ai décidé que, désormais, je marcherais davantage. Hier soir, quinze minutes en tour du quartier, seul. Raymonde souhaitant plutôt « comparer » un feuilleton au sien de téléroman, sa douce et plaisante manie. Rien de bon pour sa santé. Un sentiment d'urgence ne me quitte plus. Qu'est-ce que c'est? J'hésite! Je perds du temps. Je n'avance à rien. Je dois réagir.

J'ai peur de ce journal, il a pris une place trop importante, je crois. Le reste de mon temps, depuis quelques jours, je le passe allongé dans le trop confortable fauteuil que m'a offert récemment ma brune. Il y aurait tant à faire. Est-ce que je vais finir mes jours en lisant les livres de toutes les bibliothèques? Hier, après mon topo à Quatre Saisons, brève rencontre chez Dame Michèle Raymond dans son étroit bureau. Non, elle n'a même pas lu encore le projet *Coulisses*. Il y en a trop. Je me moque de son excuse et j'ironise sur l'ordre alphabétique. Elle n'a que son sourire placide, presque absent. Je la devine tout accaparée par sa besogne de surveillance, puisque le réseau emploie tant de compagnies-filiales dites privées. Elle m'apprend que TQS cherche du « sitcom ». Traduire par « de la comédie ». Elle a lu des tas de projets. Cinq sont bons. Deux, meilleurs. Et si je m'y mettais? Sa réponse: « Si vous aviez une idée géniale, pourquoi pas? » Je sors vite de là. Le rire, donc! Rire partout et sans cesse. C'est évident, par le rire viendra la foule, en prime. La course aux auditoires? J'en doute, puisque les feuilletons les plus populaires ne sont pas des comédies. Je communique au fils de La Fresnière ce piètre résultat. Je lui répète: «Ils veulent du comique. Faut être drôle ou crever.» Daniel, perplexe et déçu, marmonne un «oui, bon, je veux bien songer à un projet en milieu bouffon.» Au fond de moi, j'ai une grande envie d'oublier ces velléités de rédaction de feuilleton. La paix et mon journal. Et lire à cœur de jour. Mais le facteur, ce matin, déverse encore des factures. Taxes, assurances, et quoi encore? Oh! oh! trop tôt encore pour passer mes jours à seulement journaliser et lire des vies. Quoi faire? Me dénicher pour septembre 88 un job de prof? En communications? À l'UQAM ou bien où? Fonder un studio de dessin? De céramique? Une école de scripteurs privée? Une maison d'édition modeste? Tiens, un magazine, un truc inédit, excitant... Basta! Je vais aller m'étendre dans mon lazy-boy miniature et lire Gary ou Sartre, leurs ébats et débats quand ils étaient jeunes et ambitieux. Me grouiller? Plus tard!

Stanké au téléphone. Il veut revenir chez moi demain après-midi. Cette fois, il *vidéotise* sur «comment écrivent les auteurs». Il me parle du «à la main» de Victor Beaulieu, Dubé, Maillet, etc. Des ordinateurs de Bersianik, de Michel Tremblay... Ouais! Je n'ose pas lui dire que ça lui fera des rubans de bien peu d'intérêt. On n'a jamais envie de décourager un de ces types (comme lui) en ébullition perpétuelle. Toujours tout feu tout flamme. De façon permanente, excités par leurs divers projets. Se taire et dire «oui, viens!»

En lisant Claude Mauriac, tout jeune, ses images parisiennes disparues, je me suis souvenu de notre joueur d'orgue de Barbarie, quêtant rue St-Hubert, et de cette si laide, si vieille gitane, vêtue d'un burnous vert, avec dans une cage, son affreux et criard perroquet qui, pour cinq sous, piquait de son bec «votre avenir en cinq lignes». Notre frayeur d'enfant et notre attirance à la fois pour ces

60

hurluberlus du quartier. Ce misérable cul-de-jatte, dans sa voiturette, avec deux pesées de plomb dans ses paumes pour se mouvoir. Et qui encore? De nos jours, les rues sont mystérieusement nettoyées de ces «quêteux» qui nous intriguaient tant. Ils étaient, à mes yeux de gamin en santé, la lie des malchanceux. On nous avait prêché et répété que «Dieu ne permettait rien, pas même la chute d'un seul cheveu, sans son approbation». Eh bien! on en venait à croire que tous ces éclopés, ces hobos déclassés, devaient sans doute payer, de leur vivant, pour quelque crime inavouable. Belle mentalité, belle charité des petits catholiques de Villeray!

Depuis deux jours, à chaque regard dans le miroir, je me trouve très vieilli. Plutôt laid. Déglingué, quoi. Soudain, Raymonde: «Eh! que t'es beau, Claude!» Elle vient d'apercevoir une photo de moi dans une gazette. Trop flatteuse photo va! Je sais bien que l'ex-don-Juan adolescent de la paroisse Ste-Cécile se fane définitivement, qu'il ferait fuir et rire, se moquer, les jolies vendeuses des bric-à-brac de la rue St-Hubert, lui qui, à quinze ans, savait comment les enjôler d'un seul regard. Satanée vieillesse! Est-ce l'influence du spleen de ce Claude Mauriac, qui se plaint tant de vieillir? Il s'est toujours trouvé laid. Comme Sartre. Moi? Je me trouvais irrésistiblement beau! Riez, moquez-vous! Je suis franc. J'étais beau garçon et toutes les filles me souriaient. Pourquoi ne pas l'écrire puisque je sais que ce fait (être beau, être laid, jeune) forge une existence.

Une trop belle vie...

Jeudi matin ensoleillé et pourtant, des larmes. Raymonde s'en va au boulot pleurnichante. Avec raison. Mes complaintes depuis hier soir. Je tente de la consoler. Hier soir, elle pleurait aussi en regardant un de ses propres épisodes de *L'héritage*. Mon étonnement: «Tu y as travaillé à froid et en pièces détachées!» «Justement, m'explique-t-elle, au fond, le soir de la diffusion, je le vois vraiment avec les yeux d'un spectateur ordinaire.» Je suis plutôt ému moi-même, cette histoire de fille engrossée jadis par son père trop admiratif, qui consent, après 14 ans d'absence, à le revoir parce qu'il va mourir... Tristesse! Victor Beaulieu fait parler ainsi ce père désabusé sur son lit de mort: il voit sa fille mais aussi une autre, Myriam, comme s'il s'agissait d'une autre personne. De deux filles différentes! Il a aimé *l'autre* Myriam? Premier et seul amour de sa vie de protestant frustré? Le puritain? Fascinante morale beaulieusienne, tout de même. Mais ce matin, Raymonde pleure de me voir si excédé par... Par tout. Mais principalement par les lenteurs bureaucratiques infernales dans le dossier de ma mère, morte il y a déjà quasiment 5 mois, dossier que l'on s'acharne à compulser mystérieusement chez les fonctionnaires en Curatelle du Québec. Je m'agite et expédie des lettres «recommandées» aux mille petits-patrons de cet organisme public. Je songe souvent à tant de citoyens plus démunis, qu'on manipule, qui sont aux prises dans les filets des lentes procédures de ces tortuesques services publics. Je songe, par exemple, à la patience des citoyens aperçus, en plusieurs occasions, dans les salles d'urgence (!) des hôpitaux. Mon impatience à moi, chaque fois, ouvrant le bec pour récriminer, essayant de soulever les si sages «patients» en étant pris sans doute pour un énergumène, un râleur. L'État-maffia? Oh oui! Sans cesse. Tantôt, justement, le facteur me jette un de ces rappels à verser des acomptes provisionnels à fisc-et-police! Victor Beaulieu insistait l'autre soir: « J'aimerais avoir une copie de ton pamphlet *L'État-maffia*. » C'est fait. J'ai mis: « Ce temps de l'an 2084, espérant que tes enfants ne connaîtront pas tout cela. » J'avais publié ma fable en 1984.

Éliane me téléphone: ne pas oublier que demain je suis de garde toute la journée, rue Chambord. J'ai un peu peur. Trois bambins à bien surveiller, à nourrir, à amuser, à endormir après le bain. Courage, le papi! Le couple Barrière, halte bien méritée, ira en ski dans les Laurentides, vendredi. Stanké s'en vient avec son équipe et je n'ai rien pour le lunch. Je verrai. « Il n'y a pas de hasard », répète Claude Mauriac dans son journal-montage. Vérité? Il semble en douter un peu quand même, pourtant il souhaite visiblement que son axiome soit fondé. Ce matin, roulant vers la Caisse, le garage et le bureau de poste, je trouve sur le macadam de Fairmount un foulard *rouge*, 100% laine. Or, j'ai perdu mon foulard tricoté *rouge* il y a peu de temps. Merci, O hasard!

Je me suis jeté, hier, dans *Romain Gary*, une biographie de Dominique Bora, quasi hagiographique. La captivante histoire de ce petit réfugié Juif-Polonais-Russe, né de père inconnu, élevé à Nice par une maman juive qui l'idolâtrait. Elle l'imaginait riche et célèbre et un jour, il le sera. Je découvre un homme ambitieux, amateur d'un certain bluff, cabotin, mais aussi un respectable fonctionnaire de la Carrière. Il a été, à Sofia, à New York, à Los Angeles, un consul zélé, gaulliste, plutôt obéissant. Tout un voyage dans la vie d'un romancier célèbre, deux fois Prix Goncourt, cinéaste-amateur malchanceux, et qui va se suicider dans son logis-atelier de la rue du Bac, à Paris, désolé de vieillir. Je lis beaucoup entre les lignes trop aimables de sa biographie. C'est, au fond, le récit d'un petit garçon pauvre (lire son merveilleux *Le grand vestiaire*), devenu riche mais inconsolable de n'être pas tout à fait un Français à part entière et de n'avoir pas su qui fut son géniteur. Macho, bambocheur, ripailleur, il fait penser un peu à Ernest Hemingway, par leur amour commun de l'Afrique (lire *Les racines du ciel*) et des éléphants innocents. Son besoin d'esbroufe et ce carriérisme fringant. Un homme, plutôt dur et froid, venu de la pauvreté, autodidacte, qui deviendra l'intime des V.I.P. du jet set de son temps mais qui ne cessera jamais («Harpagon», comme l'appelait sa deuxième épouse, l'actrice Jean Seberg) de calculer. Oui, de calculer, comme le lui avait enseigné sa maman pauvre quand il n'était qu'un jeune commis de petit hôtel à Nice. Je raffole des biographies, c'est clair? Comment font les autres?

Je me fais la promesse de quitter ma déraisonnable désolation de ces derniers jours. En vérité, il n'y a que le bonheur de Raymonde qui m'importe. Je vais me secouer. Je sais bien ce qui me chicote. C'est ce mauvais sentiment de ne plus rien faire. Ce matin, en revenant de mes courses, je me dis que c'est la faute de ce journal à tenir tous les jours. Je dois m'habituer à le faire avec plus de détachement. Noter seulement, dans un carnet, les faits divers de ma petite vie et, plus tard, rédiger un peu de prose autour de mes notes. Bonne idée? J'en doute. Il faut bien pourtant que je travaille mieux. Si c'était de la mauvaise conscience judéo-chrétienne? Je le crains aujourd'hui. Je vois Raymonde, toujours active, devant aller à son bureau chaque matin. Et moi? Moi, je tiens journal une heure, puis je vais lire dans le solarium de l'étage. Une trop belle vie? Je lui en ai parlé et elle s'est exclamée aussitôt: «Et pis quoi? Bravo. Tant mieux. Tu l'as gagné, ce temps de loisirs, de farniente. Merde!, tu y as droit, tu as bossé 30 ans dans les décors. Pourquoi ne pas te laisser aller et jouir en paix de ta retraite?» Au moment où elle le dit, je suis toujours d'accord, mais le lendemain, ça me reprend, les démons du « travail, famille, patrie » m'assaillent de nouveau. Je suis bête. Certes, il y a que je n'ai pas réellement conscience de vieillir. Je bous. Je m'énerve. Je me sens si plein d'énergie, si capable encore d'entreprendre mille choses. Aussi, si on me répondait « oui » pour un téléroman. Je m'attellerais bien vite à cette ponte, ce goût de distraire intelligemment les foules de la télé. Mais non, silence compact chez les décideurs des réseaux. Je préférerais un « non » partout? Ma foi oui. Je me retournerais. Je me dénicherais un job plaisant. De pigiste. Une petite voix toute faiblarde me chuchote en ce moment: « Pourquoi ne pas accepter de ne plus rien faire? La vie passe si vite. Repos, bonhomme! Manger, lire, dormir, faire l'amour.» Non, pas déjà? Plus tard. Je suis encore trop jeune à 57 ans. C'est pas possible. Incorrigible, je me vois, à 77 ans, encore en train de pondre des textes. Romain Gary: « C'est pour moi une nécessité, écrire tous les jours. C'est comme un besoin d'éliminer.» Hé!

*19 mars 88*

Une forte stimulation...

Une fois, j'avais appris les noms des nuages selon leur forme. Oublié. C'est bien vrai qu'on ne retient pas les vaines notions. Au fond, je m'en foutais bien du nom des nuages. Ce samedi matin, c'est plein de cumulus? Sur fond bleu bien tendre, mais « il fait encore si froid », comme chantait l'attendri Tino Rossi avec « petit papa Noël ». J'ajoute à l'habituel paquet du samedi matin le journal *Le Soleil* de Québec. La reporter Anne-Marie Voisard recrache aux lecteurs de la vieille capitale sa rencontre au Café Laurier avec l'auteur des

*Cœurs empaillés*. Sur six colonnes, elle résume plutôt bien notre longue conversation. Comme toujours, agacement. Le ton? Légèrement sarcastique et plutôt frais. Même ironie pour sa mini-recension de mon recueil de nouvelles en bas de page, ici et là, quelques chaudes lignes d'appréciation et du bonhomme et du livre. Je suis convaincu que tous les écrivains restent plutôt insatisfaits lors d'entrevues. Mes anciennes interviews ne devaient pas, du temps où j'étais à *La Presse,* satisfaire mes... victimes, d'Alfred Pellan à Riopelle, de Jacques De Tonnancour à Albert Dumouchel. Le créateur souhaite vainement que tout ce qu'il vous confie trouve son écho exact. Je connais trop bien les limites des imprimés. «Pas trop long, besoin de quatre feuillets, pas un mot de plus!» C'était le métier, partout où j'ai pratiqué le journalisme. C'est ma fête aujourd'hui? Sur quatre belles colonnes, dans *Le Devoir,* Jean Éthier-Blais livre un peu de son âme à propos de *Les cœurs empaillés*. Une fois de plus, comme d'autres observateurs le firent jadis, il se demande: «Pourquoi Claude Jasmin n'a-t-il pas consacré sa vie à son écriture?» Seigneur de miséricorde! Mon journal va lui répondre. En 1967, j'étais encore bien moins libre, j'avais charge de famille, moi l'autodidacte, sans études consistantes proclamées par des parchemins, je n'étais pas du tout, moi, un éminent prof d'université aux horaires libres. Oh! que non! N'empêche, l'article d'Éthier-Blais, louangeur le plus souvent, m'apporte une forte stimulation. Il y avait longtemps, depuis *Mario La sablière* en 1980, que *Le Devoir* n'avait pas jeté de fleurs au vilain littérateur de vilains polars.

Très amusante et exténuante journée, hier. Douze heures entières auprès de ce trio hurleur, galopeur, quémandeur, chahuteur de la rue Chambord. Tout s'est bien passé. Quand ma fille et mon gendre sont rentrés, tard, du Mont-Gabriel, ce furent des regards inquiets: «Pis? Ça va? Oui? Pas trop...» Je crois qu'ils s'attendaient à me trouver crevé, étendu avec une bouillotte de glace concassée sur le crâne. J'ai ri. Certes ce n'est pas une sinécure que de surveiller, distraire et instruire trois petits garçons choyés. J'y ai pris, une fois de plus, un grand plaisir. Observer des hommes en friche, c'est une source des plus instructives, grâces et défauts, manies, caractères futurs, tout y est déjà et c'est fascinant!

Il est 3h et Raymonde se «pomponne», nous allons revoir le chalet loué, c'est l'anniversaire de belle-maman et de son fils aîné, Pierre. Dans une quinzaine, nous allons réintégrer le site laurentien, ce sera le début du printemps et j'ai hâte. Je suis stimulé aussi par un fait nouveau à propos du projet *Coulisses*. Le réalisateur émérite, Roland Guay, a reçu mission d'étudier notre feuilleton encore inédit. Je touche du bois. J'hésite à lui envoyer des mots d'encouragement. Le ferai-je? Les textes, et une présentation détaillée, devraient suffire à arracher l'adhésion du futur complice. Oui, mais... J'ai téléphoné au fils la relative bonne nouvelle. Le voilà, lui aussi, tout espoir. «En route pour les pays d'en haut!» proclame ma si belle brune!

*23 mars 88*

Pas trop de pression...

Hier, mardi, le ciel comme le cyclorama d'un studio de variétés: d'un bleu bien parfait. Pas un pli dans ce rideau. Ce matin, mercredi, rideau de divers gris, en coton matelassé et triste! Les jours se poussent. J'arrive mal à noter chaque jour les incidents de parcours de ma petite existence. Je ne sais trop où reprendre le fil. Impasse. Pourquoi donc? Une certaine lassitude ou bien le sentiment, une fois de plus, de la vacuité d'un tel ramassis de feuillets. Mais non! On vient de publier les carnets de Gustave Flaubert et il semble que c'est un outil merveilleux pour suivre les pistes du grand romancier. Allons, courage, Tit'Claude. Hier, j'ai fini par assister aux funérailles de Sartre. Cohen-Solal m'a très efficacement promené dans toute une vie. Sartre m'a été raconté et ce n'est pas du tout un conte de fées. Que non! Que d'erreurs, de renonciations, de vestes retournées. Ce célèbre penseur, activiste forcené, se trompait souvent, comme chacun de nous, mais lui, romancier, dramaturge, philosophe et polémiste entraînait dans l'erreur des centaines de milliers de ses fidèles, zélotes aveuglés. Pas seulement en France mais dans tous ces pays où il était allé prêcher la liberté, posant au libérateur intellectuel. N'empêche, cette biographie, jamais ennuyeuse, m'a donné toutes les perspectives utiles pour encore mieux savoir qui a été ce personnage public immense, dérangeant, petit «protestant» roublard, petit-bourgeois sadomasochiste, artiste surdoué à l'occasion, pétitionnaire parfois ultra-courageux et, en fin de vie, anarcho plutôt pathétique. C'est dit, une fois de plus, je ne lirai plus que des biographies. Fiction, que j'ai tant aimée, pardonne-moi cette défection. Suicide? Mes proses inventées? À la poubelle? Mon manuscrit qui dort dans une chemise, ce *Gamin*... que j'ai tant aimé raconter. Yves Dubé me secoue au téléphone: «Si tu veux que je te trouve un éditeur parisien, fais vite, corrige et montre-le-moi!» Il a bien raison.

Me voilà avec une commande nouvelle: songer à faire, vite, la couverture du recueil de contes d'André Cailloux. Et encore? Téléphone de Raynald Tremblay: «Jasmin, nous partons un magazine littéraire et on compte sur vous. Vous aurez 20 feuillets. Librement. Des commentaires ou des textes inédits, comme vous voudrez.» Diable! Vive la liberté. Date limite: le 1er juin. Bon, bon: je verrai. Ce matin, pour ce *Le Québec littéraire* (qui aura

150 pages, trois fois l'an, directeur Jean-Claude Germain), songer déjà à des *entretiens*. Influence d'un Sartre s'entretenant avec son petit secrétaire Victor Lévy. Ou celle des « entretiens » célèbres là-bas, pour la radio, avec Léautaud, Mauriac et cie. Oui, je devrais faire cela, jaser, pour 25 feuillets, avec un collègue. Bien le choisir et bien encadrer les thèmes de la discussion littéraire, c'est la bonne idée, avec un cadet, Victor Beaulieu? ou bien avec un aîné, Éthier-Blais?

Dans *Le Devoir* de ce matin, Jean Royer, le rancunier intellectuel, s'efforce laborieusement de nouveau à ne pas me nommer ni pour *Premier amour* chez Stanké ni pour la collection « poche » 10/10, aussi chez Stanké, où j'ai plusieurs romans. Bel exemple d'éthique, trouvez pas? Dans un magazine « pop », *Téléromans*, un articulet vante « le génie » de l'idée de base pour le projet *Coulisse*. C'est pas long que la cheftaine Roberge va s'exclamer au téléphone: « Aïe, là! Pas trop de pression, hein? » La journaliste qui publie cet éloge dithyrambique était libre, non? Hélène Roberge, mystérieusement, me dit: « Le réalisateur Roland Guay a ton projet mais j'ai des doutes, ça n'est pas vraiment son genre, je te préviens, et oublie pas, impossible pour septembre 1988. Et même pour 1989, les ateliers à décors débordent... » Fâcheuse impression de son pied sur les freins. Alors je lui dis: « Si Guay désire le faire, y aura qu'à aller à l'extérieur, dans le « privé » ? » Réponse désarçonnante d'Hélène: « Oh, tu sais, eux aussi, ils n'ont plus de grands moyens. » Alors, je fais: « Voyons, avec votre lettre d'intention positive, Téléfilm ouvrira vite sa bourse, non? » Silence. Donc, attendre le verdict du lecteur-réalisateur. « Tu peux aller montrer *Coulisse* où tu veux, aux autres chaînes! », ajoutait la « boss » des dramatiques de la SRC. Impression désagréable qu'elle n'aime pas vraiment notre « génial » projet. J'ai dit: « Bien sûr, c'est certain », en songeant au rendez-vous de jeudi après-midi au canal 10. Oh! l'effrayant dédale pour auteurs!

Qu'est-ce que ça doit être pour le jeune néophyte? Malheur! En tout cas, vous pouvez bien avoir «un nom» comme on dit, vous serez traité comme un débutant anonyme partout. Je l'ai vu souvent. Sachez-le, jeunes gens.

Je devrais peut-être cesser de lire des biographies, à la réflexion, c'est forcément toujours le cheminement fatal d'une personnalité vers sa mort. Je me remets un peu mal de la mort violente de Romain Gary et de celle, humiliante à bien des égards, de Jean-Paul Sartre. Deux hommes, très différents certes, se sont débattus comme des diables dans l'eau bénite, pour réinventer et recréer le monde en ce XXᵉ siècle et, rien à faire, ils se sont fait tuer par la vie. Horreur! Inévitable horreur: la mort au bout de tant de débats, d'efforts, parfois gigantesques, pour laisser des traces. Je me console: Gary comme Sartre vivent encore. Ils étaient bien en vie durant toutes ces dernières heures quand je progressais dans la narration de leurs existences de «fous d'écrire». Il n'y a donc qu'un sujet, en fin de compte, qu'une seule histoire: nous allons tous quitter notre petite planète bleue. C'est infiniment triste. Voyons, il s'agit de ne pas y penser. De faire comme la majorité des voyageurs sur terre. Le meilleur moyen ne serait-il pas de cesser cet acharnement à laisser des marques. Sortir, voyager, ne plus songer à cet échéancier de douleur, s'activer, bûcher à maints travaux, parfois si vains. Ne plus se regarder aller, surtout. Ah oui! si je me décide, je ferme tous mes cahiers, je fourre mes machines à écrire au fond de la cave et je me jette, comme la plupart des vivants, dans ce désordre normal, anarchique et subconscient, de la vie sans tant de réflexion par écrit. Qui disait: «Je ne pense pas, c'est trop triste»? Et pourtant, c'est le propre de l'humain, penser.

Les pieds blancs...

Avant-hier, jeudi, journée d'été en mars. Hier, une autre journée exaltante, temps doux et lumière printanière stimulante; des bistrots sortaient tables et chaises, rue St-Denis. Ce matin, en ce samedi plutôt blanchâtre, le temps reste tout doux. Jeudi, tel que promis, j'ai accompagné le David-à-Marc vers une érablière en haut de Joliette. Voyage fou hurlant, une fois encore. Autobus jaune aux ressorts fichus. On me colle cinq autres hurleurs et je deviens un gardien inquiet, énervé par ces six petites vies fragiles. En début d'excursion, David n'est pas trop content de devoir partager ainsi son papi avec ses copines et copains; il s'y fera et cessera de bouder. Je reviendrai à 3h, très exténué, de ces bois de Ste-Julienne. Dès 4h, je me pointe chez la directrice des projets du canal 10, rue Alexandre de Sèves. À Sylvie Lalande, étonnée de me voir ainsi harassé et mal habillé, j'explique mon débarquement du bus scolaire. Elle rigole et, avec son adjoint, elle se met à expliquer son grand dessein: que les futurs feuilletons de sa boîte deviennent plus vrais, plus réalistes, moins *out of this world*. Moi, je veux bien. Ensuite, l'adjoint, seul à avoir lu *Coulisses,* me déclare tout de go: «Un: la vie d'artiste intéresse le grand public seulement s'il s'agit de «stars» et vos héros de *Coulisses* sont, hélas, quatre jeunes débutants. Deux: leur tout petit théâtre est un lieu sans *glamour*. Pourquoi donc?» J'explique: «C'est moins encombrant et moins cher à produire. Si mes héros sont des grosses «vedettes» et que, de plus, ils préparent un long métrage fastueux, ou un supershow, ça impliquerait des frais «hénaurmes» pour vous, les producteurs du feuilleton.» Il acquiesce mollement. En somme, une rencontre plutôt confuse, un peu vide et qui me laisse fort perplexe quand je m'en retourne vers la rue Chambord, car Raymonde, jusqu'à minuit, se livre à du mixage-montage à la SRC.

Tantôt, journaux du samedi plein la table, café sur café, cigarette sur cigarette, je dis à Raymonde: «Je ne veux pas devenir parano mais il y a trois points qui s'alignent dans l'incertitude. 1 - Au canal 2, mercredi, Roberge ne m'a pas semblé très chaude à l'idée de voir naître *Coulisse*; 2 - Au canal 10, hier, c'était plutôt mou et très vague, leurs intentions; et 3 - Vendredi midi, au Café de l'opéra, Yves Dubé m'a questionné: «Tu continues ton journal pour mars, oui ou non?» J'ai dit: «Mais oui, je continue.» Et il m'a semblé légèrement embarrassé. Bref, à tort ou à raison, je me sens refoulé, repoussé et refusé: «Raymonde! on veut plus de moi, ma foi du bon yeu!» Elle: «Moi, je te veux, mon Claude,» rigole-t-elle. Alors je dis: «Écoute, c'est pas drôle, je dois me trouver des revenus.» Raymonde rit de plus belle: «Je suis là, je vais te payer, te faire vivre, mon grand amour!» Bon. Essayons d'en rire, en effet.

Hier soir, au petit salon rouge de l'étage, pendant qu'à la télé, la chanteuse Ginette Reno interprétait, et bien, du Janette Bertrand et, qu'en même temps, je lisais les confessions du Baron Empain (l'industriel-financier-otage à qui on a coupé une phalange), soudain, une idée m'est venue que j'ai notée. «Écrire une sorte d'*Ashini* de la même eau lyrique que Thériault et qui s'intitulerait *Les Pieds blancs*. Nous autres. Faire délirer l'Aubin Jasmin, colon-défricheur et pionnier de notre modeste dynastie. Un livre bref, plutôt poétique, à publier en France pour que l'Hexagone sache bien et mieux que nous avons tous été, au Québec, des *colons français* se débrouillant sans aucune aide de la métropole colonisatrice.» On verra bien. Ayant lu sur la question algérienne, sur les «pieds noirs», j'ai pensé à «pieds blancs». Là-bas, les indigènes triompheront des colons. Ici, les « pieds rouges » vont céder leur territoire pour toutes les raisons que l'on sait. Un récit dynamique où je dresserais un pathétique portrait du colon abandonné par l'empire français qui tombera en lambeaux. Nous, des orphelins débrouillards en diable mais arrivés, en 1988, à une certaine impasse.

Chez Guérin, vendredi midi, commande d'une illustration pour un inédit de Françoise Kayler sur les meilleurs restaurants d'ici. C'est pressé, comme toujours. J'ai remis 4 illustrations pour la couverture des contes d'André Cailloux. Un amusant vendeur de ballons multicolores! Isabelle Pothier-Ferland, leur relationniste, examine ma ponte et hésite à élire le « gagnant ». Je lui laisse tout pour aller luncher avec « monsieur le directeur ». Dubé est débordé, et heureux, je crois, de l'être. Cette dynamo éditrice, me semble-t-il, raffole de nager dans tant d'ouvrages à mettre au monde. Sur un napperon de table, il jette des noms, les gens qui accepteraient peut-être le jeu populaire du « biencuit » lors du lancement prochain du premier tome de mon journal. Je suis ravi. J'aime bien me faire *tirer la pipe* et puis rétorquer. « J'ai envie d'inviter ton fils, Daniel, et crois-tu que ta Raymonde acceptera de faire partie des rôtisseurs? » Là est la question! Il la lui posera, je croise les doigts. Envie d'ouvrir les fenêtres, cette nuit étonnante, si douce pour un 25 mars.

Ça y est: de nouveau enterré sous des tas de notes, du « clipping » partout, partout, sur ma table à écrire. Impossible d'utiliser tout ça, mon journal en deviendrait d'une épaisseur éléphantesque. Je fais donc le ménage. Je jette les « actualités » du jour? Tant pis. Je ne dois raconter que l'essentiel de ce qui m'arrive. Oh! Vite! Dubé l'exige, corriger *Le gamin...* pour qu'il puisse en mai prochain le montrer, tel que promis, à ses camarades des maisons d'édition parisiennes. Dur boulot, le temps, Seigneur!

Le Montréal des écrivains...

On rit, on est bien, la chaleur nous est revenue! C'est un mercredi de toute beauté. On se croirait en mai. Ici, rue Querbes, la machine gronde. On la force? J'ai corrigé trop vite *Le gamin...*, roman encore inédit. Il le fallait puisque mon « agent spécial » en France veut rencontrer l'éventuel co-éditeur. Dubé songe à Grasset, à Belfond, à Julliard. Je lui fais confiance. Ayant donc relu *Le gamin...*, j'en suis content et, ouais, le lendemain, des craintes: ça va peut-être trop vite en actions terroristes, ça pourrait mélanger des lecteurs pas trop attentifs. Faire vite, saudite manie. Relu aussi la première masse de feuillets du journal après une révision bien faite par Michèle Lavoie, prof au collège du Vieux-Montréal. Elle a su nettoyer efficacement ma prose en vrac. Cela sans trahison, sans trop gommer mes tics scripturaux. Qui n'en a pas? Ça doit rester, une marque de commerce, je dirais. Reçu tantôt une carte postale de Claude Mauriac à qui j'avais envoyé des mots gentils, très ému par des passages de *Le temps immobile*, son étrange journal-montage. Son écriture indéchiffrable, hélas! La carte? Une photo de Proust et Claude M. écrit dessus: « l'oncle Marcel ». Ce qui est vrai et qui doit le flatter grandement. Me ferais-je des cartes du genre? Une photo de l'illustre Judith Jasmin, j'écrirais: « ma cousine ». Ou, mieux, un portrait de ce Jasmin, poète de langue d'oc longtemps cité dans les pages roses du vieux petit Larousse. Jeune, j'en tirais une grande fierté. Ce Jasmin *régionaliste* connut jadis une grande dévotion à Paris, au début du siècle, quand la mode « provençale » y déferlait. De là sans doute cette rue et cette station de métro, à Paris, près de la Maison de la Radio.

Je me soigne. De l'eau et du sommeil prolongé. Une grippe tenace depuis quelques jours, depuis cette «partie de sucre» suante et ces beaux jours où, encore en mars, je n'aurais pas dû me «découvrir d'un seul fil». Ça coule! Kleenex à gogo partout autour de moi.

Hier, Raymonde prenait les cornes du «taureau-journal». J'ai eu peur. Mais non, elle ne me suggère que quelques cinq ou six remaniements et adoucissements aux passages du journal la concernant. C'est fait. Tout va donc partir bientôt pour les presses «guériennes». Ouf! En attendant? Faire la couverture du Françoise Kayler, je songe à une terrasse de restaurant haute en joyeuses couleurs avec un homard s'échappant de la table! Et quoi encore? Envoyer des petits mots de stimulation aux deux réalisateurs qui étudient *Coulisses*, Roland Guay pour la SRC et Claude Colbert (plutôt enthousiaste, lui) de Télé-Métropole.

L'acheteur de la maison natale devient soudain plus pressé de conclure enfin la transaction. C'est pas trop tôt. Je suis même allé leur signer une procuration pour que «BTM, inc.» puisse voir aux loyers des locataires à partir de juillet qui vient. Bonne surprise de recevoir ce matin un chèque d'Ottawa, quatre mille «tomates» pour ces prêts (mes quarante livres) dans les bibliothèques publiques. Le rapport indique: *onze mille dollars en droits mais la limite fixée ne peut dépasser ce quatre mille dollars.* C'est sept mille dollars perdus en droits véritables? Un système curieux! Se taire, l'État veille sur moi, sur vous tous. Silence et dites merci à *Big Brother*.

J'ai accepté de participer à un autre collectif, pour l'UNEQ, *Le Montréal des écrivains*. Sept feuillets où je raconte mon Montréal à tous les âges, de décennie en décennie jusqu'à aujourd'hui. Plutôt satisfait... quoique... En vérité, jamais satisfait, mais il faut avancer, aller toujours ailleurs, plus loin. Cohen-Solal décrivait le logis de

75

Sartre, rue Bonaparte, puis boulevard Raspail, comme une immense machine à produire du texte. Vérité. Ces temps-ci, j'ai aussi l'impression d'actionner une énorme machine à textes. Je me fais pourtant la promesse, le doux temps venu enfin, de ralentir.

Nous avons, Raymonde et moi, regardé à la télé publique anglaise, soir après soir, la mini-série sur MacKenzie-King. Pas bien fort. Un narrateur se chargeait utilement des raccourcis inévitables quand on veut raconter la vie entière d'un ex-premier ministre en quelques épisodes, tous hachés, hélas, de spots publicitaires! Pas un seul mot de français, ça sonnait donc bien vrai, cet Ottawa du temps, unilingue, où nos élus québécois n'avaient qu'à se trahir culturellement et suivre docilement les vrais « chefs » de ce drôle de pays, les Blokes. Un Ernest Lapointe, renieur, en mourra plutôt subitement!

Dans les journaux, sans cesse, d'autres conflits, encore des cadavres « politiques » et encore des menaces terrifiantes venant d'horizons divers. La crainte, déjà, que *Le gamin...* ne s'en trouve dépassé étant donné que ce roman veut illustrer, justement, ces chamailles internationales. Il reste mon petit David, 10 ans, héros-enfant trimballé. Avec lui, aucun danger, il restera le solide symbole de l'innocence. Qu'il faut bien perdre? Hélas, oui.

J'ai lu des entretiens avec Yves Thériault par Carpentier. C'est trop court. J'y ai trouvé néanmoins des anecdotes extrêmement révélatrices sur mon vieux camarade qui se proclamait modestement un simple *conteur d'histoires*. À chaque chapitre, sa bataille perpétuelle pour ramasser des sous. Yves désirant, comme on dit: « vivre de sa plume ». Ce qui le conduira à pondre comme un engin déréglé et même des « romans à dix cents », aussi des centaines et des centaines de contes brefs, pour la radio, pour des journaux et des magazines. Un forçat? J'ai donc bien fait de persévérer dans mon job de décorateur de télé durant trois décennies. Sinon? Le bagne de «pisser de la copie», inspiré ou pas inspiré. Grande tristesse qu'il soit mort. Il était un être fort attachant, fier mais sans aucun snobisme, d'une humilité étonnante, un vaillant pionnier-défricheur, avec Lemelin, Gabrielle Roy et quelques autres quand «notre» littérature était tant méprisée par les intellectuels d'ici dans les années 50. Vive Thériault!

*31 mars 88*

Premier amour...

Demain, avril, vraie fin de l'hiver?, ça se pourrait: aujourd'hui, jeudi, dernier jour de mars, donc. Beau temps. 12 degrés Celsius! Sur le trottoir ce matin, cinq petits enfants avec véhicules en tout genre, signe indubitable d'un changement de saison. Rencontre comme toujours de mon Tit-Coune, de mes deux vieilles Asiatiques et, sempiternellement, de ces silhouettes toutes de noir vêtues, les orthodoxes juifs du quartier. Des longs, si maigres. Des gras joufflus et de ces patriarches à longues barbes blanches qu'on imagine volontiers être des sages venus du fond de l'Orient tant persistent les images gravées des histoires saintes de notre jeunesse. Ce sont, tous ces mages hassidim, marcheurs pressés, absorbés, des réincarnations de prophètes bibliques. Je souris de ma naïveté. S'ils daignaient connaître le français, comme j'aimerais alors jaser avec ces curieux endeuillés circulant en tous sens dans la rue St-Viateur. L'intuition de conversations d'un ordre sacré, archaïssantes sans doute, peut-être pleines d'enseignements solides venus du fond des âges. Folie?

Hier, en fin d'après-midi, grand rassemblement des auteurs de la collection 10/10, chez Stanké, pour le lancement du.collectif *Premier amour*, petit livre de poche d'apparence misérable, papier gris, avec un tas de récits amoureux dont le mien. Au bar, rue St-Denis, là même où Jacques Hébert ouvrait sa maison (Le Jour), quelques barbus au coude à coude: Michel Tremblay, Gratien Gélinas, Victor Lévy Beaulieu (avec un chapeau de guenillou) et Jacques Languirand, mais rasé de frais, lui! Palabres légers, piques et blagues et, une fois de plus, le regret vif de n'avoir pas un quelconque café littéraire où nous pourrions parfois aller causer un peu moins brièvement, un peu plus solidement. Raymonde, désormais, se sent tout à fait à l'aise lors de ces regroupements circonstanciels. Je constate néanmoins l'inutilité de ces cérémonies: peu de gens des médias, donc efforts vains sur le plan publicitaire. De vieux camarades me saluent: Robert Choquette, jadis la coqueluche de nos salons snobinards, Roger Lemelin, un temps seigneur du milieu littéraire québécois, Jean Simard, que je croisais adolescent à son École des Beaux Arts, où il enseignait, rue St-Urbain. Et un tas de cadets, dont Jean-Yves Soucy qui vient de publier *La grue et l'araignée* et qui semble bien se relever de la féroce démolition du Martel de *La Presse*. Mercredi aux *Belles heures* de CBF, il défendait la «pornographie» de ses enfants-héros. Deux «pervers polymorphes» répéterait Freud. Ce matin, le même Soucy (sans souci d'ordre moral, oh!), réagissait tant bien que mal à l'indignation (amusée) de Suzanne-CKAC à *Touche-à-tout*. Je sens que son livre fera jaser vertueux et défenseurs de la liberté d'explorer le thème d'enfants vicieux. Miss Lévesque lui dit carrément que même la fiction n'est pas innocente et mon Soucy d'admettre qu'il le sait bien. Ouf! Cette satanée psychanalyse amènera-t-elle un jour l'autocensure? Hier, Tremblay me disait au sujet des textes *Premier amour* qu'il y a du bel ouvrage pour les analystes de tout poil. Pensez donc, pour Simard par exemple, son premier amour est une jument, pour Beaulieu, la robe à pois de sa maman, pour lui, Tremblay, ce fut un ourson de peluche! Moi, ayant pris la commande Stanké-Carrier au pied de la lettre, j'ai narré mon vrai «premier amour», à seize ans, Micheline de Pointe-Calumet. Aurais-je dû plutôt raconter ma «fixation» de bambin mâle, sur la «fente» dans la plantureuse poitrine de ma mère? Je croyais que de cette craque charnelle abyssale (qui me fascinait tant) sortaient les petits bébés! Un tas d'auteurs n'ont pas joué le jeu et l'éditeur a remplacé alors ces refus par des extraits de romans déjà parus. Ces refus du *Premier amour*, avec excuses, mensongères probablement, sont révélatrices. Le signe d'une indicible pudeur? Ouais, ouais, assez, freudiens!, inlassables fouilleurs des coulisses secrètes! Dehors, rue St-Denis (nous décidons d'aller bouffer à *La Diva*), plein de jeunesses ravigorées par le temps si doux, nous allons conduire Michel Tremblay au lancement d'un Festival de films gais.

Hier soir, Raymonde-la-patiente s'est acharnée longuement à vouloir décoder la carte postale de Claude Mauriac et n'y est pas arrivée tant l'écriture mauriacienne n'est que fions illisibles. Bizarre, cette cachotterie! Volonté avouée de ne pas se livrer? C'est curieux de vouloir écrire à quelqu'un et s'arranger pour qu'il ne puisse pas comprendre. Des mots «merci», «chaleur», «avec vous», «tout cœur» comme des crottes... de perruche! Constipation, ou retenue, peut-être, comme tant de ces célébrités parisiennes craignant de trop se livrer? Passons.

Foglia, ce matin, brillant une fois de plus, dénonce intelligemment les artistes ultra-sensibles face à la moindre critique. Il parle de Claude Meunier (du duo célèbre *Ding et Dong* et de tant de «pepsieries» folichonnes) qui, bien plus fragile qu'on croit sous la carapace du cynique rigoleur, lui a avoué son incapacité d'avaler une critique négative. Foglia conclut rapidement que les artistes ont le moi «tordu, fucké, trop gros». Mais lui? Oh! comme il se défend, diable en eau bénite, chaque fois qu'un lecteur l'égratigne le moindrement. Aussitôt c'est sa volée d'injures basses. Sommes-nous tous, créateurs en tous genres, des écorchés vifs? Je crois que oui.

Avec le retour du beau temps, Raymonde et moi devenons nerveux. Crainte de ne pas assez profiter de l'existence à venir. Bon. Résolution encore: je m'en vais porter tantôt le manuscrit corrigé du journal et celui du *Gamin saisi*, aussi trois illustrations faites hier pour le livre de Kayler, et puis après, stop! Ne rien faire. Arrêter la machine. Le goût de ne plus rien produire et ce, jusqu'au prochain hiver. Jardiner, lire, rêver, aimer Raymonde. Oui, oui, je dois tenir le coup, je devrai absolument m'en tenir à mon idéal: ne plus rien faire. Réussir à me transformer en bonhomme retraité du travail, de *l'action*, cette folie dénoncée par le poète Rimbaud. J'y arriverai. Adieu, table à dessin, machine à écrire, Tit-Claude prend congé pour de longs mois à venir. Juste noter chaque matin, ici, des petites choses.

*1<sup>er</sup> avril 88*

Le petit Chaplin...

Je viens de lire cent pages d'*Histoire de ma vie* par le célèbre Charlie Chaplin. C'est un effrayant récit de vie que cette enfance misérable à Londres. J'ai rarement lu «un début d'existence» aussi sinistre. Souvent, j'en avais les larmes aux yeux. Ainsi, celui qui va devenir la *star* du cinéma comique naissant avait donc vécu un sort extrêmement cruel? J'ai songé au petit Oliver Twist, au Gavroche des *Misérables* de Hugo. Chaplin s'est fait voler son enfance. Sa mère, une actrice déchue, vite internée pour démence, son père, un cabot ivrogne et absent du foyer. Son sort a été celui d'un petit être ballotté d'hospices sordides en orphelinats crasseux, incapable de s'instruire de façon minimale, voué à l'indigence, obligé même de quêter dans les rues sales de son sinistre quartier, se cachant des adultes, craignant d'être emprisonné à jamais. Ce petit garçon arrivera à survivre par miracle, arrivera à s'engager tout jeune dans des troupes à burlesque minable mais, à force de talent et s'exilant aux USA, deviendra (avant l'âge de trente ans) l'heureux concepteur de ce vagabond romantique, applaudi aussitôt qu'inventé par tous les cinéphiles de tous les pays du monde, s'enrichissant soudainement.

Ce matin, Vendredi Saint, j'ai pensé à ce petit misérable de Londres en examinant les vitrines cossues du magasin *Enfance heureuse* rue St-Viateur. Dans tous les «suds» de tous les continents mille milliers d'enfants condamnés d'avance à la misère! Charlot-enfant, lui, avait l'*horrible chance* de voir, tout autour de lui, des richards en quantité. L'Angleterre, à la fin du XIX$^e$ siècle, affichait en même temps et l'opulence «impériale» et l'horrible misère du plus grand nombre, tous ceux à qui ne profitaient point les enrichissements d'un colonialisme britannique déferlant partout. C'est pire, peut-être? Devoir mendier en un pays et dans une mégalopole, où vivent côte à côte les «Crésus» et l'immense foule des malchanceux.

Mon directeur littéraire est un sacré bougre toujours en état d'urgence. Il me fait me dépêcher pour la remise («c'est urgent, vite!») du manuscrit du journal, puis il disparaît. Il était à Ottawa, avant-hier. Hier, il était à Québec. Aujourd'hui? Un coup de fil: «J'ai pas pu passer prendre tout ça, tes illustrations et tes manusses... mais je te téléphone un peu plus tard, ne bouge pas.» Je ne bouge pas. Il est maintenant midi et rien à signaler. Nulle part. Je jette un coup d'œil aux sept cents feuillets du manuscrit révisé qui attendent sur un calorifère. C'est sans doute une histoire familière à tant d'auteurs. Un doute: mon journal, premier tome, sortira-t-il pour le Salon du livre de Québec dans quinze ou vingt jours? Impossible! Tant pis. Je m'évade, je visite ce Hollywood du début de notre siècle en compagnie de l'hilarant «Charlot» qui est devenu maintenant un producteur important. Un bonhomme sérieux et entreprenant. Il sait négocier, avec l'aide de son frère unique Sydney, des contrats importants. Rien à voir avec son clochard dingue, ce cinéaste très organisé, très «businessman». Incroyable, la métamorphose du petit orphelin affamé en ce déjà puissant personnage (il n'a pas trente ans j'insiste), déjà capable de dicter ses quatre volontés aux magnats du cinéma muet! Oui, je m'évade. La lecture, c'est aussi cela. L'écriture, elle? C'est «la lutte contre le temps, contre la mort», la jeune auteure de *La place* et de *Une femme*, Annie Hernault, reprend cette indiscutable assertion dans le journal de ce matin. Vérité que tant de scribouilleurs camouflent tant bien que mal, les uns en inventant de rocambolesques aventures, d'autres en se confiant sans fard: en tenant journal. Ils souhaitent s'attacher des lecteurs-complices, voulant, dérisoirement peut-être, s'accaparer des tas de confidents. Ils se questionnent souvent, comme moi, ça captivera qui? Ça intéressera qui? Pourquoi moi? Pourquoi aussi, quand personne ne vous l'a demandé, se livrer à nu. Drôle de métier? Un métier? Non. Bien sûr que non. Alors quoi? Un besoin? Nous en sommes arrivés, de nombreux auteurs depuis quelques décennies, à vouloir absolument que les autres sachent qui on a été, qui on est et qui on devient. Bizarreries d'un exhibitionnisme que d'aucuns jugeront déplacé, voire malsain. Déclarez à des connaissances: « Je tiens un journal et je vais le publier. » Vous verrez, certains vous regarderont avec l'air de dire: « Mais pourquoi donc déballer ses secrets intimes? » Rien à faire, cela doit venir de loin. Chez moi, d'où au juste? Je cherche des réponses. De m'être fait bousculer, à quatorze mois, par l'arrivée d'un autre enfant, Marielle, quasi-jumelle? D'avoir voulu conserver à tout prix l'intérêt que mon père me portait à quatre et cinq ans quand il m'apprenait à dessiner, lire et écrire avant les autres? Et quoi encore? D'avoir senti que je devrais me débattre dans ce milieu indigent, si pauvre spirituellement. On finit par se taire. La frontière est si mince entre l'affirmation qu'on désire « s'en sortir » et les jugements sur l'environnement qui pourraient blesser vos proches. D'où vient que certains enfants pauvres mais insoumis se débattent tant? On s'accroche à des illusions? On cherche des raisons d'espérer? Cet oncle exilé en Chine, si brillant, cette marraine riche, exilée en France, invisible... Le petit Chaplin, dans son autobiographie, raconte lui aussi ses espoirs malgré son milieu déliquescent: il a un oncle célèbre au fond de l'Afrique, une tante riche, perdue de vue, aux États-Unis. Pauvres de nous, petits enfants déjà déprimés, qui se secouent et s'imaginent qu'une bonne fée apparaîtra un jour ou l'autre avec son beau carrosse doré et sa promesse de vous arracher à la pauvreté. On finit vite par renoncer à trouver une explication pour ces efforts précoces en vue d'accéder à plus de lumière. À la célébrité. On se dit, c'est les chromosomes, les gènes, c'est un mystère, certains vont jusqu'à jongler avec les théories de la réincarnation. Ou bien, comme moi, affirment qu'ils ne sont que les dévoués secrétaires des voix des esprits défunts. Une drôle de modestie, bien louche!

La vie sera-t-elle bonne...

Il a fait si doux ces jours derniers, et aujourd'hui encore, premier mardi d'avril, que je me suis éloigné de ma satanée et indispensable machine à écrire. Enfin un peu libérée de son boulot, ma brune reste à la maison tout ce long congé pascal. Hélas, un rhume de cerveau me transforme depuis quasiment plus de dix jours en une fontaine. C'est bien le temps de la coulée des érables, la boîte de mouchoirs me suit partout. Au lancement de *Premier amour*, Michel Tremblay me disait, goguenard: « Pis? Quand vas-tu publier une nouvelle attaque polémique? » Il prétend (a-t-il raison?) que cela me prend, la « lettre ouverte polémique », à tous les six mois. Eh bien oui, ça y est! Je viens d'expédier un court pamphlet aux gazettes pour dénoncer la licence, non la liberté, des farceurs souvent grossiers de *Rock et belles oreilles*. Ainsi, ce matin, lesté de mon venin d'imprécateur, j'ai donc la mine du chat qui a gobé une souris et Raymonde me questionne. J'avoue donc et la voilà plutôt inquiète sur le contenu de cette « lettre-opinion-du-lecteur ». Chaque fois, ce qui l'ennuie, c'est qu'on la tourmente. Comme si elle devait être nécessairement solidaire de mes abruptes déclarations. « Ne faites pas comme avec Alice Parizeau que l'on questionne sur son homme, Jacques! », voilà ce qu'elle rétorque aux camarades qui la harcèlent chaque fois que je l'ouvre publiquement. Je sais bien qu'il est impopulaire de critiquer des comiques à succès. Rien à faire. Chacun ses manies. Il me faut crier « gare » quand on dépasse des bornes qui me semblent salutaires, intelligentes. L'abus de la liberté, on ne le sait pas assez, fait toujours naître, à moyen ou à long terme, des réactionnaires s'écriant alors: « Vive la censure! » Ce que je crains justement. Pour faire rire le populo, trop d'humoristes plongent dans le pipi-caca! Tenez, j'ai achevé l'autobiographie de Chaplin, j'y ai découvert un bouffon brillant qui, sans cesse, voulait faire réfléchir par la drôlerie, critiquer efficacement des us et coutumes blâmables. Cette critique sociale, via la comédie, celle du grand Molière, est essentielle. Le caricaturiste doit fustiger surtout les exploiteurs du bon peuple. Il est plus facile, évidemment, de se moquer des malheureux, des victimes souvent inconscientes, qui n'ont pas eu la chance de s'instruire, de se cultiver. Un créateur digne de ce nom n'a pas à peser lourdement sur ces indigents, à les écraser, à les ridiculiser, au contraire, il devrait sans cesse dénoncer ceux qui ont des intérêts à garder la foule des «malchanceux du sort» dans la crasse ambiante. Assez. Je verrai bien les réactions à mon court pamphlet dans les jours qui viennent, sachant pourtant qu'en faisant mouche, il arrive souvent qu'un silence de gêne, de prudence, accable le dénonciateur. Inutile alors d'attendre du soutien.

Samedi après-midi, grand rassemblement familial à une cabane à sucre de Saint-Joseph du Lac. Quelle joie de voir une quarantaine de parents, dont une quinzaine d'enfants issus des unions de mes sœurs. Ce fut un samedi ensoleillé, de toute beauté. Au fond de moi, toujours le sale petit démon de l'angoisse: que deviendront-ils? La vie sera-t-elle bonne pour tous ces rejetons de ma Germaine et de mon Édouard. J'ai chassé cette noire pensée, cette inquiétude vague. Voyons, l'anxieux, me disais-je, ils vont se débrouiller, ils vont s'en sortir, l'existence n'est pas qu'un monstre de cruauté. Je me suis calmé et suis allé en excursion dans le boisé des collines environnantes. Je suis rentré chez moi plus enrhumé que jamais. Épuisé. Des mouchoirs souillés dans toutes les poches de mon blouson. Raymonde: «Tu n'es pas raisonnable, Claude! Tes parents n'en reviennent pas de cette exténuation volontaire avec les petits-enfants.» Je n'y peux rien. C'est plus fort que moi. Essayer sans cesse de faire rêver, et rire, tous les galopins de mon entourage. Une maladie, ça? Je refuse de me soigner alors. C'est bien vrai que l'enfant qu'on a été (j'étais le moniteur de jeux) reste en nous à jamais!

Je me suis senti très débarrassé, soulagé, vendredi dernier en remettant à mon éditeur plus de sept cents feuillets manuscrits (le journal et le roman *Le gamin...*). J'ai eu envie alors de fermer boutique. De prendre de longues vacances. Comme un docile écolier qui a fait tous ses devoirs et qui part musarder, le nez au vent. Il n'y a plus rien à faire dans mon horizon d'auteur. Seulement attendre le verdict des réalisateurs Roland Guay (SRC) et Claude Colbert (T-M). Lundi matin, téléphone du président de mon «fan club» fictif: «J'ai pas pu le lâcher, mon salaud! Tout le congé pascal à lire ton *Gamin saisi...*! C'est bon. Meilleur encore que *Mario La sablière* mais j'ai un peu peur, en France, on n'aime guère les enfants comme héros d'un livre, je vais essayer néanmoins de te dégotter un co-éditeur à Paris, en mai.» Je parle à Yves Dubé du garçonnet de Romain Gary dans *La vie devant soi* et je lui ai même suggéré comme titre, *La mort devant soi*: «Non, Claude, ce serait trop triste.» Mon histoire avec le jeune David Lange se termine plutôt bien. Dubé, de toute façon, aime beaucoup mon titre: *Le gamin saisi par le monde*.

J'ai donc terminé la vie du célèbre Charlot. Incroyable, la popularité universelle de ce clown cinématographique. Il raconte ses rencontres avec tous les puissants du monde durant l'après-guerre de 39-45. Esquisses vivantes de tous ces personnages puissants. Cela va de Khrouchtchev à Einstein (qui a pleuré en voyant *Lumières de la ville*, de Churchill à Nehru. L'ex-petit miséreux de Londres a fini par devenir l'homme qu'on veut absolument rencontrer. Très aigri par les enquêtes du F.B.I. sur les «gauchistes» aux USA, il s'exilera à Vevey en Suisse, avec sa quatrième et ultime épouse, la fille d'Eugène O'Neil. Oona O'Neil lui fera une ribambelle d'enfants et Charlot, riche retraité, coulera des jours paisibles en nourrissant de vagues projets: opéra, musique, ballet, théâtre nouveau, films impraticables. C'est l'image émouvante d'un vieux mime surdoué, mis à la retraite par le cinéma parlant et qui est à l'abri de tout, de tous, dans son petit village, ne jouant plus que le bon papa-gâteau. Mélange de contentement et de regrets, en somme. Comme au bout de toute vie, réussie ou non. Mort en 1977.

*8 avril 88*

Licence stupide...

Il a fait bien beau tous ces jours derniers, mais mon affreux rhume s'attache solidement à moi. Suis-je donc si attachant? Je ris de moi. Aujourd'hui, ciel de grisaille. Hier, jeudi, service bénévole hebdomadaire chez ma fille. Avant-hier, longue causerie avec un voisin, Jean-Claude Rinfret, longtemps chef de la programmation à la télé publique. Il a fondé (lui aussi?) sa mini-compagnie. En cas de bonnes idées de programmes. Il m'a laissé entendre que cela n'allait pas bien fort. Des projets. Peu d'échos positifs chez les éventuels acheteurs-diffuseurs. Il en va de même avec mes « fers au feu », je me sens donc plutôt libre, je ne m'en plains presque plus, mais voilà que ce voisin retraverse la rue, alors que je nettoyais la pelouse des mille scories de l'hiver. Il me dit que je serais l'auteur tout désigné pour une série qu'il souhaite réaliser sur les émigrants, et que ce sujet brûlant ira en s'amplifiant, que le problème « émigration versus dénatalité d'ici » deviendra davantage chaque année, « le » sujet. Ce à quoi je souscris volontiers. Raymonde rentrée du boulot, je lui

87

fais part de l'offre du voisin: «Ouais, c'est sûr que c'est un sujet provocant, captivant, inévitable, mais il faudrait que tu lui trouves «le» bon angle.» C'est vrai. Tout sujet a besoin qu'on l'aborde de façon dynamique. *Amadeus* vu par le rival *Salieri* est un bon exemple d'abordage d'un sujet. Je ne trouve pas. Est-ce mon rhume? Je suppose qu'on ira au chalet ce week-end, qu'il fera un soleil tonifiant et que, grâce à celui-ci mon rhume disparaîtra par enchantement et le projet «émigrant d'ici» y trouvera, par miracle, son bon angle!

J'ai lu une courte biographie du célèbre Carl Gustave Jung par Colin Wilson. Quel curieux analyseur d'âmes malades! Wilson n'y va pas de main morte et souligne ses contradictions, ses folies douces, ses manies bizarres, son «machisme» et son besoin de dominer. J'ai enfin pu m'instruire un peu mieux sur les fameuses querelles de l'ex-élève (Jung) avec Freud. Contrairement à ce dernier, Jung, romantique et plutôt artiste, affirmait que tout être humain n'est pas qu'objet sexuel et a soif de transcendance. De religion. On connaît ses théories sur l'inconscient collectif et les archétypes primitifs d'ordre mythologique, qui seraient comme enfouis dans nos gènes. Son ex-mentor, Freud le réaliste, grimaçait en face des théories spiritualistes de ce «fils de pasteur». Selon la glose thérapeutique de Freud, tout était sexuel, la moindre névrose comme la pire des psychoses et même justement le mystique, le religieux. Freud n'hésitait pas à nommer cet appel de transcendance religieuse chez ses patientes ou patients, détournement, effet de transposition hypocrite, bref, ce qu'il appelait «la sublimation». Freud fit donc enrager tous les esprits chrétiens de son époque. De nos jours, Freud est partout très contesté. Jung? Lui aussi. Pourtant, ses défrichages en cette matière délicate, le besoin du sacré, sont encore étudiés aujourd'hui.

À vingt ans, nous étions, les étudiants en art, très excités par tous ces balbutiements de la psychologie moderne. Par la psychanalyse. On y allait « à gogo » entre nous, s'analysant mutuellement et férocement en toute fantaisie. Le monde trouble du subconscient, les profondeurs de l'inconscient, tous ces mystères de la folie ordinaire ou de la démence exhibitionniste nous excitaient grandement. Jeunes artistes ambitieux et irréalistes, coincés dans une société scrupuleuse et répressive, quelle joie nous avions à décortiquer les « vieux », les « chefs », les « introvertis », les « frustrés », les « délirants », les « sublimeurs pathétiques »! Une bête cruauté! Sans aucun enseignement solide sur ces questions, je jouais, moi aussi, au juge intraitable des âmes misérables en distribuant de folichons diagnostics sur tout le monde. Nous faisions voler les « ça », « surmoi » et « moi ». Accablés de qualificatifs injurieux, certains jeunes esprits tourmentés nous fuyaient. Au fond, nous avions peur, notre avenir n'était qu'un incertain point oméga noir. Nous tentions de secouer les tabous. Freud et Jung, lus de travers et en surface, devenaient d'utiles collaborateurs pour « changer la vie ».

La biographie de Jung refermée, on est évidemment déçu. Comment se fait-il que ce médecin si audacieux, ce savant si curieux, ce chercheur si doué, ce brillant disciple de la psychiatrie la plus novatrice ait été un homme plutôt misérable, accablé de si laids défauts? Il faut donc, une fois de plus, admettre que de grands esprits en une quelconque matière peuvent néanmoins être de piètres humains dans les choses ordinaires de la vie, auprès de leur entourage. J'ai toujours souhaité être quelqu'un d'équilibré. Un homme avec *un axe* bien centré, comme ceux de nos tours de potiers-étudiants dans l'Avenue des Pins!

Ce matin, publication dans « lettres du lecteur » de mon petit pamphlet contre les farces scatologiques du groupe *Rock et belles oreilles*. Satisfaction. Même si mon article ne soulève aucun autre écho. Comme un devoir accompli, et dans *Le Devoir*, tiens! Oui, je me sens soulagé. J'ai sonné l'alarme. Le danger: la licence stupide peut faire naître de farouches censeurs très réactionnaires, la liberté est fragile. Ces imposteurs, ces déboussolés qui pataugent dans la scatologie sont des irresponsables. Il me semble que les décervelés libertaires font accoucher autour d'eux, à moyen ou à long terme, un ultra-conservatisme déplorable.

J'ai commencé à lire une vie de Napoléon Bonaparte. Un hasard de vorace bibliophile. Pas vraiment un choix. Une envie subite. Si, en cours de lecture, cela me lasse, j'abandonnerai l'Empereur en chemin. J'aime bien lire ainsi sans aucun plan. Ce satané rhume fait de moi un lecteur mou, paresseux et sans cesse distrait. Je me sens diminué. Je regarde partout, j'erre dans la maison, je reviens à ma table. Factures encore et toujours. Plein de petites notes comme: «vitre à réparer», «un mot à expédier chez Untel».

Yves Dubé, hier, au téléphone, bien énervé: «perte de vingt pages du manusse-journal!» Ce matin, ça va mieux, il a retrouvé les pages! Leméac n'a pas payé, tel que promis, les *royalties* en retard. Devrais-je m'enrager? Vraiment reprendre tous mes droits dans cette maison qu'on dit au bord de la banqueroute? Sais plus. La Curatelle? Un papier officiel annonce qu'on va enfin fermer, après six mois de lenteur, le dossier de notre mère morte. Il y aurait 21 700 $ à nous partager tous les sept. Oh! Je vais me coucher, tiens. Je n'en peux plus. Je suis exténué de tant tousser et renifler. Sale bête, au lit!

Dans quoi me jeter...

Je vais gagner sur la maladie. Mon nez coule moins
et je tousse beaucoup moins aussi. Diable! traîner ça si
longtemps. Résultat? Une certaine fatigue puisqu'on sait
bien que la toux épuise son homme à la longue. Hier, dimanche, à Sainte-Adèle, six heures au beau soleil, médi-
tant sur tout et rien en regardant le lac tout couvert d'une
glace grise, du mâchefer. Raymonde aussi se faisait bron-
zer la figure. À dix-neuf heures, soleil couché, nous avons
ri avec satisfaction de cette première cuisson solaire, de
nos teints rougeâtres. Le printemps est vraiment survenu.
Ce matin, un lundi blême. À la radio, promesse d'éclair-
cies, de ces «périodes ensoleillées». On verra bien. À dix-
huit heures, j'irai faire un saut de politesse à *La Lucarne*,
rue Laurier, où le voisin «parisianiste enflammé» lance
un recueil. *Silhouettes...* sera sans doute un florilège des
grandes interviews, faites à Paris par cet ex-reporter sportif, Louis Chantigny. Ce bonhomme, au verbe haut, à la
fois matamore et tout rentré, m'est plutôt sympathique. Il
me semble un dinosaure du journalisme du temps de ma
jeunesse, quand on pouvait encore rencontrer de ces nostalgiques «cultivés», gros buveurs et grognards, insatisfaits de la contemporanéité montante. Ces grands
braillards pathétiques exercent encore sur moi une sorte
de fascination.

Ainsi, je vais mieux, et bien des choses m'apparais-
sent plus claires alors que vendredi... Brr! Raymonde, elle
aussi, filait vendredi soir du bien mauvais coton: «Une
journée ratée, moche, allons manger dehors, chez Marleau, tiens!» *Chez Marleau*, bonne bouffe: elle, de
l'agneau tout rose, moi, du filet mignon sur longue bro-
che. La viande rouge, à peine cuite, a la vertu de me revi-

gorer. L'acteur Marleau, le proprio du restaurant, nous apparaît. Il a peu estimé la dernière revue de «Ding et Dong». Il y est allé avec, caché dans son blouson, un caniche nain (cadeau de son amie Dominique Michel) et qui, affirme-t-il, ne le quitte plus. C'est, exactement, un chien de poche! On rigole. Le lendemain, samedi, nous sommes partis reprendre possession du chalet des Laurentides, avec une joie anticipée. Nous allions comme au devant de la belle saison!

Ce jour-là, j'ai songé sérieusement à abandonner ce journal. La veille, j'avais reçu le bilan de l'éditeur pour ce quasi-journal *Une saison en studio*. Six cent cinquante acheteurs seulement, malgré un assez bon battage publicitaire. Rien à voir, évidemment, avec le battage promotionnel pour un film, un disque ou même une pièce de théâtre, mais... tout de même, grande déception! Ainsi, à trois lecteurs par volume acheté, pas même deux mille au total. Je songe qu'il en ira de même, c'est probable, pour le premier volume de ce journal actuellement en train de se faire mettre en pages à l'imprimerie. Ouais! L'impression alors de tourner en rond, d'écrire pour rien. Ce fut une de mes mille petites méditations au soleil laurentien de dimanche. Quoi faire? Comment devenir un communicateur avec un public un peu important? Rien à faire, c'est toujours la télé qui me semble une manière efficace de rejoindre des foules. Je l'aime peu car, comme pour ciné et théâtre, il faut tellement se restreindre, calculer, tenir compte de tout: devis du budget, nombre de personnages, de lieux. Bon sang!, ne plus rien faire, alors? Y aller, carrément, dans une veine plaisante et oublier tout auditoire? La peinture, la sculpture, revenir à mes premières amours quand je barbouillais, à dix-huit ans, sur du papier-feutre des fresques surréalistes ou que je coulais dans le sable de la plage des formes folles, mythiques, à la Henry Moore que je vénérais. Je ne savais plus, dimanche, quoi devenir, «dans quoi me jeter» (cher Arthur Rimbaud). Je m'amu-

92

sais à faire défiler sur l'écran de ma mémoire mille stations de ma petite vie. Les moments de joie (les cloches de Sainte-Cécile, sonnant à toute volée, les mille drapeaux de la Fête-Dieu à tous les balcons, une fanfare à l'église italienne), les moments de doute aussi (à douze ans, perplexe et angoissé de devoir rompre avec les voyous-amis du quartier, pour entrer en études prétentieusement classiques). En pensée, je me baladais pendant que le soleil radieux de cette mi-avril me bronzait. À huit ans, sioux-rampeur dans la ruelle à cow-boys, à neuf ans, au chalet du père Masson de Saint-Placide, à dix ans, à celui du père Demers sur un banc de sable couvert de bouleaux blancs, à treize ans, égaré dans le « west-island » sur mon vélo tout neuf, à quatorze ans, pédalant dans les collines d'Oka, à quinze ans, suant dans cette manufacture, rue de la Gauchetière, juillet torride, à seize ans, serveur émérite au Baronnet... je n'en finissais plus de jongler. De me souvenir. Je cherchais, bien vaguement, un lien, un cordon solide, du sens à ma bousculade existentielle. Je m'imaginais qu'en repensant à toutes ces périodes, à ce que je fus, je finirais bien par trouver un canal unique, une motivation claire. Bref, je souhaitais par cette rêverie à n'en plus finir, mieux comprendre où j'allais, d'où je venais et ce que je faisais. La vieille et essentielle question du peintre Gauguin me hante encore. Était-ce l'influence de Jung dont je venais de lire la vie? Probable. L'auto-analyse vaine!

J'ai enfin terminé hier soir la vie de Napoléon. Quel tueur enragé! Un démon! Satan! Quelle horreur que ce Bonaparte, Corse, vire-capot, guerrier certes surdoué, mais féroce querelleur. Mégalomane aliéné. Tant de morts! Tant de jeune sang versé! C'est l'histoire d'un fou, d'un Hitler, d'un aventurier suicidaire, un monstre que des foules ignares et irresponsables acclamaient, enivrées par leur propre instinct de mort. Ah! Entendez-vous, Freud? Pour me laver de ce récit infernal, j'ai lu ensuite *Le grand ca-*

*hier*, une brève et merveilleuse fable enfantine d'Agota Kristof. Rafraîchissement salutaire. Pourtant c'est le conte plutôt sinistre de deux enfants qui apprennent à s'endurcir. C'est un très proche cousin de mon inédit *Gamin saisi par le monde*. C'est un petit livre utile qui illustre, lui aussi, l'enfance saccagée délibérément.

*16 avril 88*

La parole à des méprisés...

   Les jours passent, je m'absente beaucoup du journal. Je ne peux dire exactement pourquoi. Essayons: le fait que le premier volume tarde un peu à paraître? Pas sûr. La belle saison revenue? Peut-être. La peur? Oui. Celle de répéter, trop uniformément, le contenu de journées où il ne se passe pas toujours des faits solides? Sans doute. Alors je m'engage à noter le quotidien, désormais, avec des espaces. Me rendre à la toute fin de cette année 1988. Publier, le printemps prochain, tout 88, autrement dit ne pas sortir deux volumes par année. On verra bien, non? Fringale de lectures diverses ces derniers jours. Une boulimie. Toujours se questionner? Pourquoi tant lire, de tout et n'importe comment? Réponse? Euh... allez donc savoir la ou les raisons de cette fuite (en est-ce bien une? Pas sûr). Lire, par exemple, un étrange Christian Chavanis, *Pour ceux qui ne croient en rien, ni en personne*, relève non pas d'une fuite, mais il me semble, au contraire, d'une tentative de stopper le courant. D'abord, j'ai lu le dernier chapitre, où Chavanis se range sous Dieu-le-père et davantage encore sous Dieu-le-fils, ce fameux Jésus de Nazareth. Aussitôt, je me rebiffe. Ma grande lassitude et

94

aussi mon embarras puisque je refuse désormais de croire en un Dieu humanoïde et paternaliste et, davantage encore, en un Dieu «ouvriériste», fils de menuisier, fils d'une vierge, voyant et médium, accomplisseur de miracles et monté au «ciel» sous les yeux de ses zélotes. Non, je ne peux plus croire à ces archaïques témoignages (apocryphes?) dont tout un chacun (les Pères de l'Église) tire ses profondes et personnelles réflexions. J'ai traversé cette phase, disons évangéliste. Je ne crois qu'à la communion des *saints êtres humains*. À la pérennité des âmes défuntes et à l'éternité des esprits des «enfants de lumière». Surtout, à cette Lumière paradisiaque où nous irons tous baigner, après la mort, si on a eu une conduite pas trop moche sur cette terre bleue. C'est peu? C'est beaucoup? C'est trop, dira l'athée et l'agnostique de toutes les gloses et les gnoses. Tant pis pour eux. Ou tant pis pour moi si, mort, je constate (esprit bien chagrin) qu'il n'y a pas de lumière, ni de paradis. Que c'est le néant tout de noir vêtu.

Il est 3h, il est samedi, il fait un temps opalin, d'une grisaille bien triste. Pour la première fois depuis six mois, je suis installé dans mon modeste «look-out» du chalet laurentien, content de revoir le lac, plat plan d'asphalte, morne *plaine-bitume* pas encore «calée». Raymonde vient de partir à ses courses du samedi en bas de la côte Morin. J'ai parcouru les cahiers culturels ce matin. La «Francion» du Devoir, Lisette Morin vante, elle aussi, *Le Grand cahier* et *La preuve* d'Agota Kristof (presque Agatha Christie!) Le fascinant laconisme de cette Hongroise, réfugiée en Suisse désormais, pourrait bien venir du fait que le français n'est pas «sa» langue. Comme chez Cioran, le taciturne nihiliste roumain, qui se tuait récemment. Lui aussi, quittant sa langue maternelle, se devait d'utiliser, comme avec parcimonie, cette langue apprise studieusement. Il s'en explique un peu, avec une franchise rare, au reporter Chantigny qui vient de publier ses *Silhouettes très parisiennes.* Quoi? Un émigrant ne pourrait s'ébrouer librement dans une langue étudiée sur le tard? Et nous, Québécois dont le français fut tant malmené, rapetissé, bafoué? Tordu même. Il n'en va pas souvent autrement. Mon énorme prudence dès mon deuxième roman (*La corde au cou*) avec (pourtant) «ma» langue maternelle mal enseignée, mal apprise, mal parlée. Insécurisé, oh oui!, je m'étais jeté dans des histoires aux héros bafoués. Je donnais la parole à des méprisés. Ainsi je pouvais délibérément, librement, laconiquement, raconter des vies menacées, des existences précaires. Je m'y enfonçais avec notre français minimal. Pas question de sortir les subjonctifs, pas fou!

Je reviens à ce Chavanis-le-croyant. Décidé de l'abandonner après son dernier chapitre, je vais tout de même lire son premier chapitre pour mieux vérifier mon bonhomme. Me voilà tout pris, voilà que Chavanis fonce à bride abattue sur les exploiteurs et manipulateurs de l'homme. Vif plaisir alors! Chavanis est journaliste, il ne jargonne pas, il parle plutôt vrai. Je vais sans doute lire tout son curieux pamphlet. Ensuite, je lirai un Glusksmann qui traque, lui aussi, la bêtise des célèbres ténors en socio-philo-politique.

J'ai passé une journée dehors, en labeurs bienfaisants, mardi, à La Fresnière. J'ai vu «petit-Thomas», déjà grandi, grossi et très rieur. Il me tendait sans cesse ses petits bras dodus et c'est encore un coup de cœur. J'aimerai cet enfant, c'est certain, et j'aurai pour lui aussi cette vague angoisse: que deviendra-t-il, l'adulte Thomas Jasmin? Mystère des destinées. Simon, lui, son grand frère de deux ans, m'a adopté depuis longtemps. Nous nous aimons. Quelle joie de le voir farfouiller nerveusement dans son vocabulaire, trop limité, s'efforçant de me raconter sa jeune vie. J'aime ce jeune couple, Lynn et Daniel, j'aime les lieux, tous ces cabanons autour de la vieille maison de briques anciennes, même cette plus modeste rivière Du Chêne aux eaux vertes ou brunâtres selon la lumière du jour. Daniel m'a dit qu'il y a vu, le week-end dernier, deux groupes de canotiers. Ils revenaient d'en aval, de Mirabel, et descendaient vers le lac des Deux-Montagnes à Saint-Eustache. Rêve aussitôt d'aller en canot, moi aussi, à l'embouchure de cette petite rivière. Avons-nous dans nos gènes ce goût vif de parcourir le moindre cours d'eau, imitant ainsi nos lointains ancêtres pour qui l'eau était la route unique?


Fascination un peu malsaine...

Jeudi chez Éliane et Marc, rue Chambord, anniversaire des deux « chevaliers », David et Laurent. Gâteaux et chandelles. Cadeaux. Le benjamin, Gabriel, gigotait sans cesse dans mes bras protecteurs, voulant se sauver et courir librement dans tous les parterres et les cours voisins. Toutes ces jeunes vies débordantes d'énergie vitale et qui me font prendre mieux conscience de mes essoufflements quand je veux les suivre de trop près.

Hier soir, rue François-Xavier (le Centaur), Raymonde et moi nous ennuyons un peu à *Faisons un rêve* du bavard galantin, Sacha Guitry. On sourit, on sursaute (en riant) face à une misogynie toute rentrée, allusive, mais on rentre finalement chez soi sans avoir reçu cette bienfaisante stimulation que procure un spectacle théâtral qui n'est pas qu'un divertissement rétro, mondain et banal. Bientôt, nous irons voir quelques Shakespeare puisque le grand Barde est à tant d'affiches montréalaises ce temps-ci. Je voudrais voir aussi le Bertolucci, ce film rafleur de tant d'Oscars à Hollywood, *Le dernier empereur*. Demain soir peut-être au *Rex* de Saint-Jérome? « Bonne idée, me fait Raymonde, s'il n'y a rien de valable à la télé. » Raymonde méprise moins que moi la télé, c'est clair.

Des jours et des jours sans un seul appel de mon bien cher directeur littéraire. C'est louche! Quand sortira le journal? Quand me payera-t-on ces illustrations fournies et acceptées? Et l'autre, ce bon monsieur Rochette, président de Leméac, qui me promettait dans une lettre courtoise de régler mes *royalties* avant le début d'avril! Que de silences! Pour obtenir mes loyaux efforts, alors là, oui, ce sont des «Dépêchons!» Après? Le silence. Je refuse de m'enrager. J'aime ma bonne paix retrouvée. J'ai lu des pans et des pans d'un recueil de Victor-Lévy Beaulieu *Entre la sainteté et le terrorisme*, un florilège d'anciennes chroniques publiées ici et là. Le meilleur? Quelques bribes d'un journal tenu durant quelques mois seulement quand il avait dix-neuf ans et qu'il se promettait bien de devenir un écrivain d'importance. Ici et là, plus loin, soudain, de vilaines piques à mon adresse! Par exemple, après *Pleure pas Germaine*, en 1965, et *Les cœurs empaillés*, en 1967, quand j'avais déclaré publiquement que je voulais lâcher la fiction, «Plus jamais de roman!», voilà Beaulieu qui voit rouge et me traîne dans la boue, je devenais un tiède, un mou, un renégat, un sordide abandonneur. Beaulieu, en 1970, se noyait volontiers dans sa fureur d'écrire des romans noirs qui devaient nous illustrer, par le bas, par le pire misérabilisme, le plus décadent. Sacré bonhomme va! Il en est revenu, j'espère, comme moi je reviendrai à la fiction en 1976. Cinq ans en somme, à jouer la non-fiction avec le succès (en septembre 1972) de *La petite patrie*. Qui n'était pas un roman, mais, comme on sait, un récit de mon enfance, rue Saint-Denis. Ce que je tiens à souligner: mon Beaulieu s'est décrété jeune génie, avec un dur devoir, souhaitant de plein gré que la littérature lui tienne lieu de vie. Jamais, pour ma part, je n'ai osé chevaucher ce songe dangereux. Des contempteurs vont s'écrier bien sûr que c'est la raison de tant de faiblesses dans certains de mes ouvrages. Qu'ils aillent au diable! Par instinct, j'ai senti, tout jeune, qu'il ne fallait pas que l'illusion (n'importe laquelle) prenne toute la place. Je craignais trop, par pure intuition, d'y être engouffré, emprisonné et puis déçu. On éprouve pourtant une sorte de fascination un peu malsaine pour ces fous, filles ou garçons, qui se dévouent à un art, à un métier d'art, en osant prétendre que tout le reste n'est rien. J'en ai vu de ces mordus forcenés se réveillant, bien tard, avec l'horreur de la plus grave déception. La « folie des lettres » est belle à voir? Ce délire rameute quelques applaudisseurs, qui, eux, se gardent bien de sombrer dans cette vocation totalitaire. Ils examinent le monstre avec passion sachant bien au creux d'eux-mêmes que c'est de l'aliénation. Des enfants ont été sacrifiés, des femmes aussi, oh combien!, par ces « mystiques » voués, telles des carmélites, aux démons de la création intempestive. Non, je ne regrette pas de n'avoir consacré qu'un mois ou deux par année à la plupart de mes romans. La vie, sa dure réalité mais aussi ses immenses et fréquents petits plaisirs, vaut toujours mieux que cette pathétique névrose des renfermés dans leur art, se consumant, drogués par leur espoir de grand œuvre. C'est dit. De plus, le « grand œuvre » en question, le plus souvent, n'est point advenu! Alors? Alors vive la vie! J'ai toujours eu un certain mépris pour les despotiques tyranneaux dérisoires, dévots de la littérature pure.

Des amis vont descendre du *Mont Chanteclerc* tantôt pour prendre l'apéro. Nous irons au resto *La Scala* ensuite. Nous rirons. Nous dirons des niaiseries, nous ferons des critiques et puis des éloges. La vie sera douce, je le pressens. Je serai, une fois encore, le simple et joyeux compagnon d'une femme que j'aime tant. Ce sera la vie. Je l'aime, la vie ordinaire, celle qui permet aux êtres humains de ne pas toujours songer à éperonner la postérité, cette vaine lubie. Une fois enterré, que sert à l'homme d'avoir gagné l'univers concentrationnaire des « saintes écritures laïques » s'il en est venu à perdre le sens de l'ordinaire humanité? Bien vrai? Est-ce que je me console ainsi de n'avoir pas de génie, de me contenter de la lueur sporadique de mes simples talents? Le mieux est l'ennemi du bien? On dit ça, on se retourne et puis, par-devers soi, on songe: pourtant, j'arriverai bien un bon jour à pondre un chef-d'œuvre! Sacré bonhomme, va! À faire l'ange...

*17 avril 88*

Jean-Jules Richard...

Il est 2h, il y a un charretier dans le ciel de Sainte-Adèle; pleines brouettes de nuages qu'il transborde à toute vitesse. Hier soir, reprise de contact avec les deux auteurs du feuilleton *Robert et compagnie*, Dumont et Grégoire, il y a aussi la jolie compagne de l'ex-« Monsieur-le-ministre » (que réalisait ma brune), Manon Bellemare, et c'est des jasettes à perdre haleine. Devinez un peu sur quel sujet? Eh oui, la télé! Ça n'a pas été long qu'on a revisité cette petite planète qui préoccupe notre bande. Grosses charges sur la bureaucratie. Dans tous les domaines, elle se doit d'être fourbe, cachottière et par conséquent victime toute désignée de nos sarcasmes et de notre impatience. Nous avons beaucoup ri aussi. De certains souvenirs communs du temps de nos mercredis soirs au *Barbizon*, du temps où craques et piques volaient en tous sens quand on vidait nos bonnes bouteilles de rouge autour d'une Solange Chaput-Rolland tout étonnée de s'être transformée de député libéral battue en feuilletoniste à succès!

Presque quatre heures donc à *La Scala* d'à côté et nous sommes rentrés, cœurs légers, pour un sommeil réparateur. J'ai fait un rêve curieux: j'étais dans le hall de l'édifice de la télé publique, il y avait des ronds-de-cuir qui tentaient d'animer, avec nous, les artistes, une séance surréaliste. Voltigeaient des tas de graphiques plus ou moins animés et le glorieux dessinateur de films d'animation, Frédéric Back était du spectacle. On grognait contre cette foire improvisée. C'était un moment bien vilain à passer. Il fallait faire la démonstration, aux visiteurs de la Tour du boulevard René-Lévesque, que nous pouvions encore créer de l'imaginaire bien juteux. Le public présent était froid, désintéressé de nos efforts pathétiques. J'étais malheureux dans ce drôle de songe, je ne sais au juste pourquoi. Au réveil, j'ai cherché un sens à ce petit cauchemar symbolique. Je ne regrette pourtant pas d'avoir quitté prématurément cette usine. Les rêves, je le sais bien, sont un montage capricieux, d'ordre émotionnel, sur des sujets mal classés à l'état de veille. Oh! je renonce à ma psychanalyse. Petit déjeuner pris tard ce matin, ensuite Raymonde a envie d'aller «boutiquer» à Saint-Sauveur. Moi, je cours prendre du soleil mais... nuages fréquents et qui passent trop lentement. Je rentre. Subitement, envie de revoir le seul ruban conservé de ma série: *Claude, Albert...* Je fais démarrer le magnéto et, vous pouvez vous moquer, j'ai trouvé ça bon. C'était avec Plume Latraverse, Pierre Vallière et les poètes Boulerice et Piazza. Cela m'a paru une excellente émission littéraire. Le chagrin? Encore? Oui. Finirai-je par m'en consoler de cette période d'août 86 à mars 87? Je l'espère. J'aimais tant ce boulot d'animateur-promoteur de livres (d'ici pour la plupart). La vie va et il faut sans cesse tourner les pages. Comme ici même. Demain ce sera lundi, ce sera la mise en ordre dans mes petites affaires, l'envoi d'un article que j'ai enfin rédigé sur le Félix Leclerc triomphant partout en France et que je voudrais bien placer au *Devoir* ou à *La Presse*. On m'a répété encore récemment que notre illustre premier poète-chanteur était gravement malade. J'ai l'idée que mon bon petit «papier» lui fera quelque bien. J'ai tant aimé, adolescent, ses chansons, rugueuses comme sa voix. Son ap-

101

parition écrasait à nos yeux les « susurreurs » de fades romances qui accablaient les ondes radiophoniques des années 50.

À propos de ma lettre-véhémente-ouverte contre les facéties scatologiques du groupe *Rock et belles oreilles*, me sont parvenus quelques commentaires, tous positifs. Lise Payette aurait parlé de « mon courage » pour cette protestation et des acteurs, des actrices ont déclaré à ma brune que j'avais bien fait de m'élever contre la grossièreté de ces humoristes en panne d'inspiration pour caricaturer les vraies cibles. J'aimerais bien savoir comment a été reçue ma lettre (privée cette fois), envoyée ensuite au groupe pour mieux leur expliquer comment ils devraient charger à fond de train, non plus sur les crétinisés-victimes mais sur les bourreaux-profiteurs. Cet adoucissement, en deuxième mouvement, me vient sans doute de mon reste d'esprit charitable. *Chrétien* diraient d'autres. J'ai pourtant été mauvais chrétien trop souvent. Capable d'écœurer un adversaire avec une grosse batte quand, à l'occasion, une tapette-à-mouches aurait suffi. Mon côté vitupérateur et plutôt violent. Je voudrais, peu à peu, devenir plus nuancé, moins catégorique. Il me semble que l'âge venant, le pourfendeur public doit être capable de bien choisir le calibre de son fusil. Je reste, trop souvent, amateur d'écrabouillage.

Il me paraît clair que le magazine *Au masculin* est mort. En silence. Adieu donc chronique des livres reçus? Je continue à en recevoir des tas. Dans la boîte postale, hier, deux grosses briques, une avec plein de « Fantomas » et une autre avec plusieurs Jack London. Ce dernier envoi m'excite assez puisqu'il y a longtemps que je voulais mieux connaître ce hobo, célèbre « tramp » désormais, qui devait inspirer les Jack Kerouac d'un peu partout, dont notre Jean-Jules Richard d'ici, lui qui fut un « jumper » de trains longtemps. Richard? Drôle de gaillard. Que j'ai rencontré quelques fois. Qui semblait bien sauvage, on aurait dit intimidé, plutôt malheureux de ne pas réussir à se gagner un large public alors que ses livres de «bum-voyageur» auraient dû lui attirer un imposant public populaire. Les critiques d'ici, longtemps, le boudèrent. Il passait pour le renard sauvage dans le joli poulailler littéraire de la fin des années 50... Il est mort, lui aussi, ce bourlingueur, ce Louis Hémon du milieu de ce siècle, avec sa chemise à carreaux, ses bottines d'ouvrier de la construction, son allure d'iconoclaste mal peigné, mal rasé. Je revois son bon sourire, sa timidité lors de certains lancements publics des livres des autres. Il se tenait dans son coin, méfiant peut-être, toujours très embarrassé si on lui faisait des compliments sur son dernier ouvrage, souriant en silence, toujours avare de commentaires sur ce qu'il publiait.

On a hissé sur le pavois, ici, tel romancier ou tel poète alors que d'autres pas moins doués restaient dans l'ombre, au bas du Temple mou de la renommée littéraire. Beaucoup d'injustice parfois. Moi, le célébré des années 60, en face de Richard, je restais mal à l'aise. Je ne comprenais pas du tout que certains auteurs soient ainsi tenus dans une sorte d'anonymat. C'était inexplicable, mystérieux! Quelques solides prosateurs, ainsi, n'ont pas réussi à briser le curieux mur de silence dont on les entourait. Il n'y avait probablement pas complot, juste un concours malheureux de circonstances. Jean-Jules Richard sortira peut-être un jour de son long purgatoire, on fait parfois une fête soudaine à des disparus et alors est corrigée, réparée, cette bizarre bouderie formée par on ne sait jamais trop quoi. L'injustice est partout parmi ceux qui inventent, qui créent. J'ai été chanceux. C'est tout. Jean Hamelin (lors de la publication de ses *Rumeurs* sur son Hochelaga natal) m'avait dit ça: «Tu as eu beaucoup de *chance* et tant mieux pour toi.» Bon sujet de glose: le *mérite* et la *chance* dans notre Landerneau littéraire!!!

L'image inconsciente du corps...

Me voici enfin à ma machine à écrire. Trois jours passés dehors. Tout mercredi à Fresnière, besognant sur le petit domaine du fils, râteau et pelle, grand feu joyeux des détritus de la nature quand l'hiver, enfin, débarrasse la place. Mardi et jeudi à Ahuntsic, chez Éliane, excursions diverses, dont une dans la jolie petite île Perry, à Bordeaux. Le grand plaisir des petits à escalader une ruine d'énormes pierres qu'on a bien fait de laisser là, au bord de la rivière des Prairies. Je parle aux gamins d'une grotte d'anciens pirates, devenue une caverne-cachette où peut-être ont dormi, cet hiver, des ours énormes. Les gamins s'excitent et creusent du regard ces trous noirs sous les amoncellements pierreux. Michel, un petit copain de Laurent et David, nous accompagne. Il est d'une maigreur à faire peur et pourtant, avec une énergie rare, il grimpe sur les blocs en pyramides tronquées, ne se lassant pas d'accomplir des prouesses d'acrobate et, comme les deux petits-fils, cherchant chaque fois mes appréciations de son courage. Grande joie de faire jouer, dehors, des garçonnets toujours en manque d'exercices et d'audace.

Passage au domicile, toujours en trombe, d'Yves, hier soir. Enfin, il me remet les galées du journal. «Ça devrait sortir en début de mai. J'espère! On est débordés ces temps-ci.» Il y aura donc un mois de retard malgré ses promesses de l'hiver. Tant pis. *Pour tout vous dire*, en son premier tome, sera donc un livre de vacances? À lire sur les plages? Ouais... Il me remet un curieux et court manuscrit de roman et me charge de dessiner la couverture de cette *Villa du désir*. C'est ultra-urgent évidemment. Je descends au sous-sol, je fais (le roman y fait allusion) deux arbres fleuris à la manière japonaise. Suis bien content. Ça sèche! Soudain (le manuscrit contient des séquences se déroulant à Rome), je sors d'un cadre une aquarelle où j'avais voulu symboliser ma chère «Roma», en vert, blanc et rouge. Ce sera le choix spontané de Dubé et il repart content avec mon petit ouvrage italianiste, plein de dessins évoquant des architectures romaines anciennes blotties dans la verdure.

Hier après-midi, débat de deux heures avec le bizarre animateur Jean-Luc Mongrain à la radio de CJMS, boulevard René-Lévesque. Mon mini-pamphlet anti-grossièretés télévisuelles du groupe *Rock et belles oreilles* est la cause de la rencontre. En face de moi, le «sauvage» des débuts de Quatre Saisons, Guy Fournier. C'est la dispute avec bonne humeur, Fournier et moi aimant bien rigoler, n'étant ni l'un ni l'autre pudibonds, bégueules ou puritains. La longue chicane radio-diffusée finira donc par prendre les allures d'une controverse piquante mais sans aucune agressivité. Ce qui m'a bien plu. Ce matin, toujours en écho à ma charge publique (dans *Le Devoir* et *La Presse*), sept lettres de lecteurs dans *La Presse*. Quatre correspondants me donnent raison, cinq sont contre ma prise de position. Est-ce bien vrai? Impossibilité de vérifier. Le trieur anonyme du courrier, au journal de la rue Saint-Jacques, peut bien favoriser qui il veut. C'est le jeu. Serge Rivest, journaliste (?), déclare: «*Un curé des années 60 dénonçant les Cyniques.*» Il ne croit pas si bien dire. J'avais, en effet, dénoncé la «dernière manière» de ces caricaturistes disparus quand ils sombraient bêtement dans le racisme-pour-faire-rire! Paul Tougas, un musicien: «Jasmin prétend que la verdeur conduit au crétinisme (c'est faux, je ne prétendrai jamais cela). Rabelais aurait donc fait de nous des idiots complets.» Il tire de travers, notre musicien! Fausse note: j'aime Rabelais. Isabelle Monast dit qu'elle préfère «Rock et...» à Raymond Devos. Eh! on a bien le droit de préférer des poltrons à un génie co-

105

mique comme Devos! Trois autres lecteurs de *La Presse* (Daudelin, Dorais et Filion) en profitent pour faire allusion au *piètre* animateur que je fus à *Claude, Albert et les autres*! Qu'ils sont élégants comme polémistes! Ils avouent pourtant avoir bien apprécié mon (trop facile) jeu de mots avec cotes d'écoute et crottes d'écoute. Fixation funeste! Ah, que j'aime la polémique, le sentez-vous? Guy Fournier, hors-ondes, admettait qu'à cinq ou six reprises (quand «le sauvage» régnait à TQS), il lui était arrivé de convaincre amicalement ce groupe de changer son tir à gogo. «J'ai l'impression, lui dis-je, qu'il n'y a plus de pilote auprès d'eux, plus aucun coach.» Fournier resta muet là-dessus.

C'est le raminagrobis, Michel Tremblay, qui devait rigoler, se disant: «Ça y est, mon Jasmin, après son attaque anti-ghetto-homo, a eu encore une crise de lettreouvertisme!» (Tremblay fait partie intégrante d'un festival du film-lesbien et gay. Le ghetto.) Et moi? Jean-Claude Lord n'a-t-il pas réalisé (péché de jeunesse) une émission où on voyait un couple (avec les acteurs Yvon Deschamps et Guy Godin) s'aimant d'amours déchirées? Il est vrai que ce fut un demi-navet, la firme Cooperatio (disparue aujourd'hui) n'avait que des moyens dérisoires. Et un enthousiasme furibond.

Je lis enfin du Françoise Dolto: *L'image inconsciente du corps*. Grande source d'étonnement pour moi. Dolto fournit, pour illustrer ses méthodes de psychanalyse d'enfants, des cas précis. Ce sont presque des mini-romans policiers! Fascinant à lire. J'en ai causé (mon cinq minutes hebdomadaire à TQS) avec Marguerite Blais et je sens que je vais réitérer au cours de ma lecture doltoïenne. Ah oui, j'aurais aimé pouvoir aider les enfants, les parents d'enfants; être psychanalyste! Délivrer de jeunes esprits tourmentés, quel beau métier! Assez... Je dois vite aller extirper les coquilles des 400 pages de PTVD (PTVD pour: *Pour tout vous dire.*),

106

si je veux que ça sorte en mai qui vient. Au boulot, bon-homme, au boulot!

*25 avril 88*

Me trouver mille fautes...

« Percées de soleil aujourd'hui », répète la météo de ce lundi à la radio. C'est peu, mais c'est mieux que tout ce week-end embrumé. Raymonde est allée à l'église Saint-Viateur, rue Laurier, assister aux obsèques du grand Jean Gascon et moi (obligation d'exécuteur testamentaire), chez notre notaire Desjardins, Plaza Saint-Hubert. Encore des paperasses à gros sceaux de cire rouge. La farce, mais pourtant, je sais bien que *l'Ordre* exige, en nos sociétés policées, que des papiers timbrés témoignent de tous nos actes. En fin d'après-midi, je serai au lancement d'un collectif « *19 janvier de* » par la revue trifluvienne *Le Sabord*, un numéro où j'ai ma petite part. Après souper, j'ai rendez-vous au studio de Michel Jasmin. Son recherchiste Jacques Couture m'a questionné d'abord par téléphone, histoire de « prémâcher » un peu le sujet de ma visite. Or, il n'y a pas de motif spécial et je ne sais trop pourquoi on me fait venir aux micros du cousin-fesse-gauche. N'empêche, nous rigolons fort tous les deux. Je lui propose l'angle du « gars raté ». J'en ai déjà jasé ici même. Nos utopies, nos songes creux, nos grands rêves *de départ* quand on a vingt ou trente ans et puis... les déceptions inévitables. Ça lui plaît bien. Couture m'avertit aussi qu'il y sera question du Jasmin-Don-Quichotte, de celui qui part en guerre contre des... moulins. Pourquoi pas? J'ai plutôt hâte aussi à demain après-midi. Après mon topo à Quatre

107

Saisons, il y aura *caucus* avec Jean-Claude Germain pour fonder *Le Québec littéraire*, ce nouveau magazine où je suis invité à collaborer. À CBF, samedi, Pierre Bourgault a fait longuement allusion à ma charge contre *Rock et belles oreilles* et dimanche, Daniel Lemay en parle lui aussi, dans *La Presse*, sur six colonnes. Parlez-moi d'un article qui fait ainsi de bonnes grosses vagues. Rien de pire qu'une attaque publique qui n'aurait point sa houle. Ah! Que ne me nomme-t-on pas éditorialiste quelque part? J'en jouirais un coup! On les préfère «drabes»?

Tout le week-end pluvieux (heureusement!) passé en face à face, Raymonde et moi, à tenter d'améliorer les galées-épreuves de *Pour tout vous dire*, tome 1. Ouvrage énervant en diable. Jamais vu tant de coquilles d'imprimeur et, d'autre part, Raymonde, en excellente réviseure, n'en finit plus de vouloir me faire mieux préciser mes petites pensées confiées au journal. Après chaque longue séance de correction, je me suis juré chaque fois de lâcher la littérature. C'est trop difficile. Je me promets (chaque fois) que désormais ce ne sera plus que le dessin et la peinture avec un peu de céramique, ça m'est si facile! Foin d'arguties, je sais bien que j'y reviendrai (impossible de faire autrement) à cette *torture d'écrire*. Je corrige: *torture de publier*.

Petit congé des deux correcteurs samedi soir pour aller au cinéma du village voir *Moonstruck* avec Cher, le film italo-newyorkais de Norman Jewihson. Pas mauvais du tout mais on y a vu une sorte d'amateurisme curieux. Avant le ciné, j'ai bouffé trop vite et me voilà pris d'indigestion grave en sortant de ce *Clair de lune*. Toute la nuit de samedi à dimanche à veiller sur mon estomac bloqué. Je ne trouverai le sommeil qu'à l'aube. Je me lèverai donc bien mal en point dimanche, à midi. Je ne le dirai pas à ma zélée correctrice mais j'ai la nette impression que mon mal vient surtout de ceci: Raymonde n'a pas cessé de tout ce samedi de me trouver mille fautes et mauvaises manières d'écrire ce que je veux exprimer. Vraiment, Seigneur!, pourquoi est-ce que je continue de publier? (Oh, mes contempteurs vont jouir de cet aveu, les salauds!) Oui, certitude que ces incessantes remarques sur mes maladresses scripturaires m'ont mis l'estomac à l'envers. Raymonde ferait une très fameuse correctrice chez un éditeur. Je le lui ai dit et elle a fait: «C'est une bonne idée. Quand je prendrai ma retraite.»

Tout dire dans un journal intime? Oui. Le lecteur est en droit de connaître ce grand secret: au moment du nettoyage d'un livre, avant le *bon à tirer*, eh bien, il arrive que la matière même de ce livre imminent vous répugne (c'est le mot), que vous ayez envie de jeter le tas de feuilles au premier panier rencontré. Oh, ça ne dure pas trop longtemps, heureusement, rien qu'un mauvais moment à passer. Ce merveilleux premier jet, ce fabuleux manuscrit, soudain, vous paraît un sordide torchon. Toutes ces ratures, à pleines pages, vous désolent. C'est dégoûtant! C'est déprimant! C'est dans ces moments-là qu'il vous prend une telle nausée de tout, des livres, des éditeurs, des auteurs. Et même des lecteurs. Vous gueulez, vous êtes à l'envers, vous jurez que c'est fini, qu'on ne vous reprendra plus jamais à oser offrir une histoire à un éditeur. C'est vraiment physique. Assez de ces confidences suicidaires.

Encore une très longue conversation téléphonique avec un voisin juif, Jacques Neufeld. Il s'imagine (à tort) que je peux le secourir. Le voilà à nouveau très inquiet. Il se fait accroire que son éditeur va lui jouer des tours dans le dos. Il en devient mesquin. Il a la trouille. Lui aussi, et il a 75 ans, il imagine son livre (un récit vécu, la Résistance à Nice) se transformant en un fabuleux succès mondial et alors il craint d'être exploité. Il grelotte d'un froid plein de suspicion. Je m'autocensure et évite de lui dire carrément: «Et si c'est un four? Un *bide* total, votre fameux récit de vie?» Non. Se taire. Par charité, par fraternité, par connivence avec ce nouveau venu (tard) dans le monde des livres qui rêve et qui est bien convaincu qu'il vient d'accoucher d'un bouquin unique, formidable. Ah, quelle pitié que ces illusions! Suffit! Je dois me préparer pour le lancement du *Sabord*, luncher d'un sandwich, aller me pointer ensuite à Quatre Saisons pour causer sur «le raté» avec Michel Jasmin qui vient d'apprendre, lui aussi, que le réseau ne le veut plus pour l'an prochain. Belle perspective de causerie sur les «virages» à TQS.

Raymonde, ma divine fée, m'a sorti du linge convenable et l'a pendu à la poignée de mon placard. Elle est unique, savez-vous bien ça?

*27 avril 88*

Plonger en moi-même...

Bon, ben tant pis! Le printemps refuse de s'installer. Encore un mercredi brumeux, frisquet... si triste. Raymonde, hier soir, achevait de corriger le gros manusse qui paraîtra dans une ou deux semaines. Elle m'a dit (enfin!) avoir trouvé mon journal fort intéressant et même très captivant en certaines journées. Un regret: «Tu fais de moi une compagne plutôt affairée et pas toujours des plus aimables avec son grand amour!» Je proteste. Je me défends. Je lui dis qu'elle ne remarque que les piques et pas les beaux aveux sur son compte. Je lui redis qu'à cause, justement, de ses obligations de forcenée, j'ai pu tant produire cette année... Enfin, me voilà tout désolé et lui repromettant que je n'écrirai plus. Que c'est terminé. À son tour de protester et on se réconcilie. On s'embrasse et je finis par balbutier que je suis maladroit quand j'essaie de proclamer qu'elle est toute ma vie, mon suc. Mon sel et mon... miel.

J'ai vu et entendu ce fameux chef d'extrême-droite à la télé du canal français, 99. Eh ben, pourquoi ne pas l'écrire?, j'ai trouvé le célèbre Jean-Marie Le Pen, le plus souvent, rempli de gros *bon sens*. Eh oui! Je me fiche bien des clameurs des petits camarades de la gauche. Un esprit bien libre (ce à quoi j'aspire toujours) ne peut décemment refuser de très bons points à ce tribun, plaisant à voir et à entendre, qui ne dit pas que des énormités racistes. Pas du tout. Je ne partage pas son idéologie. C'est impossible. Je resterai toujours un de ceux qui croient que l'organisation étatique d'une société évoluée se doit de secourir les mal-pris, les malchanceux, la foule des exploités. Je reste, dans mon cœur, un socialiste. C'est dit. N'empêche que ses charges à fond de train contre les parasites syndiqués de la bureaucratie, ses éloges au courage des *entreprenants*, ses encouragements au monde des marchands, des commerçants, à tous ceux qui créent des emplois, sont d'une logique indiscutable. Pourquoi alors cette haine viscérale de la part des gens de la gauche officielle? Un mystère? Non! La lutte féroce pour obtenir le pouvoir. Je vois d'ici l'agacement des « socio-professionnels » (expression de Glucksmann) quand un « artisse » ose donner son opinion. Dans *La bêtise*, Glucksmann dénonce tous ceux qui se scandalisèrent, en 1982, quand Yves Montand (un *artisse*) éclatait en reproches fondés sur la « gauche » française. Comme, ici, un Gérard Pelletier montait soudain sur ses grands chevaux parce qu'un « littéraire », Jean Éthier-Blais, osait accorder un peu de bénéfice à l'ex-dictateur espagnol, Franco. On voudrait, chez les « patentés » en opinion politique, que le monde des arts se contente d'amuser, de divertir, comme si les amuseurs du populo n'avaient aucune cervelle. Quel snobisme et quelle connerie, quel corporatisme scrupuleux, quel mépris envers les littérateurs!

Hier soir (contraste avec le lancement modeste du *Le Sabord*, rue Ontario), lancement pétillant du *futur* magazine de Jean-Claude Germain *Le Québec littéraire*. Petite foule bruyante des intellos et des divers animateurs du territoire, rue Sainte-Catherine est. Une fête! Avec Gilles Derome, Daniel Pinard, Réginald Hamel et d'autres, ce furent de bons moments agrémentés de farces et piques vicieuses, arrosés de vin rouge. Mium! Ou blanc. Pour les autres. Nous serons vingt-six bonimenteurs dans cette revue qui accepte volontiers de singer *Lire*, le magazine parisien de Bernard Pivot. Je me cherche (première de mes interviews), un auteur jeune. Je voudrais un dialogue piquant entre deux pondeurs de générations bien différentes. Je songe au jeune Bouchard, le créateur des *Feluettes*. On verra bien.

Tantôt, j'irai à Fresnière. Miss Gonthier, du *Journal de Montréal*, prépare un reportage (avec photos) sur les enfants des auteurs qui s'embarquent aussi dans le métier de rédiger. Il y aura la fille de Lise Payette, le fils de Guy Fournier, etc.

Chantons: « Travailler, c'est trop dur et voler c'est pas bien...» Je guette la venue du doux temps pour stopper net mes projets d'écriture. Ah oui, la fainéantise totale me guette. Que viennent les jours chauds et c'est la promesse de tourner carrément le dos aux écritures. Je croise les doigts, en espérant qu'aucune géniale (!) idée ne vienne m'envahir subitement. Hâte et joie dans la perspective d'aller planter des sapins chez Daniel-le-fils, d'aller réorganiser le terrain de Sainte-Adèle, y achever mon terrain de pétanque, prévoir une cabane dans le vieux saule du rivage pour les petits-fils (semblable à cette fabuleuse cabane à la fin de *Le gamin saisi...*), planter des fleurs nouvelles, installer des bosquets de vivaces. Et quoi encore? Réparer le gouvernail du pédalo, installer deux nouvelles terrasses, un meilleur foyer extérieur pour les feux de branches, etc.

Je n'ai pas achevé *La bêtise* de Glucksmann. Trop de lexique philosophique. Perdu. Je vais plutôt me plonger dans *Une femme*, la vie de la sœur (une sculpteure) de Paul Claudel, aussi dans Françoise Dolto, l'«explicatrice» fascinante et freudienne de l'enfance, ensuite dans les «Fantomas» réunis. Dans les Jack London aussi. Aussi plonger dans... moi-même. Je veux, au retour des beaux jours, me reprendre en main. Un livre du docteur Victor Pauchet, *En route...* (d'une grande clarté), m'a ouvert les yeux sur la bonne alimentation, l'hygiène et la tenue morale appropriées pour mieux continuer de bien vieillir. Au fond, mon seul souci. Moins facile qu'on croit de vivre comme du monde! J'y arriverai bien. Hier, le Daniel Pinard tonitruant et rigoleur, m'a fait (sans qu'il le sache?) un portrait-charge de mon petit personnage. En dehors des exagérations de mon «agaceur», j'y ai vu des choses vraies. Je veux retrouver plus de franchise, moins de pose, moins de cette quête pour être aimé, admiré et, à la fois, craint. Je me fais la promesse d'une transformation (lente peut-être) où je redeviendrai l'enfant, l'adolescent que j'étais. Contre vents et marées, il arrive toujours qu'il faut savoir mieux qui on était, extirper les méchantes manies qu'on a été forcé d'adopter en cours d'existence. Oui, *je serai un autre*, Arthur Rimbaud, promis!

*28 avril 88*

À Rome fais comme les Romains...

Midi. Jeudi morne. Toujours l'hésitation de la nature à inaugurer vraiment le printemps. Impatience partout dans l'air québécois. Hier après-midi, randonnée dans un boisé proche de Saint-Augustin avec fils et petits-fils, trois Jasmin rôdant dans la petite forêt de la fille d'une certaine Léa Jasmin, épouse du cultivateur Larivière, hôte accueillant qui nous autorise volontiers à arpenter librement sa mini-forêt. Bonheur! Simon, enthousiaste, fouille avec son bâton, sous des rochers et dans des troncs d'arbres tombés, pour voir (sur mes suggestions) s'il n'y aurait pas des cachettes d'ours, de loup ou de lièvre.

Je découvre dans les journaux de ce matin que le «Brillant» Mulroney me ressemble! Lui, à Washington, n'attire qu'une cinquantaine de députés pour l'entendre jaser sur les pluies acides alors qu'il y a 550 représentants élus! Moi, hier soir, à la bibliothèque de Ville d'Anjou? Moi aussi, je n'ai attiré qu'une cinquantaine de *fans* pour m'entendre jaser sur l'*acidité* du métier d'écrire. N'empêche, nous avons bien rigolé, mon groupuscule et moi, dans le *far east* montréalais. Mettez-vous à ma place, n'est-ce pas humiliant en diable? Avoir publié tant de livres depuis tant de décennies, être allé *performer* si souvent à la télé populiste, me signaler fréquemment sur la place publique et... me retrouver devant un cruchon d'eau plate et si peu de liseurs-amateurs. Quel gaspillage d'argent public que ces organisations de rencontres avec les auteurs. Je n'en reviendrai jamais. Pas de publicité adéquate évidemment, aucune sorte de promotion sur nos déplacements, alors un résultat affligeant, l'argent des contribuables qu'on jette inutilement. Ma résolution? Je devrais dire (plus souvent encore) *non* à ces vaines rencontres en bibliothèques.

Rentrant d'Anjou, nouvelles télévisées et poursuite de ma lecture de la captivante Françoise Dolto. Fascinants propos de l'analyste de la petite enfance. Je l'envie, oui, être psychanalyste ou rien! Trop tard, bonhomme, t'as pas voulu t'instruire, reste un simple amateur de ces âmes en friche, les enfants.

114

J'ai parlé, à mes rares *fans* d'Anjou, de mon intention de faire une nouvelle *sortie* publique à ma manière. *Un sujet délicat*, concédaient mes disséminés partisans; je veux rédiger un petit pamphlet, cette fois, sur *le racisme des Juifs*. Ceux d'Outremont. Celui des Hassidim. Il y a un bout à ne parler, avec sondages à l'appui, que de *notre* racisme. Marcel Adam, ce matin, en jase de cette maladie et proteste lui aussi. Il a ouvert son Robert. Le racisme? «Ensemble de réactions sur la théorie de la hiérarchie des races, concluant à la nécessité de préserver la race dite supérieure de tout croisement...» Définition qui convient exactement à mon projet de pamphlet. À nos côtés, très nombreux, vivent des gens d'une secte juive qui se font enseigner (en ghettos-écoles privées) qu'ils sont supérieurs. Les Juifs de mon quartier refusent non seulement tout croisement, mais même le plus minimal comportement amical. Ils font abstraction complète des « autres », nous. C'est simple, ils ne nous voient pas! Ils vivent complètement à part. Nous n'existons pas, c'est clair. Nous sommes rayés. Comme invisibles! Ils nous nient avec une superbe qui confine au pire racisme. C'est un fait indiscutable. Assez! Je rédigerai mon texte bientôt. Bien entendu, ça fera de grosses étincelles puisqu'on sait bien que la moindre vérité embarrassante sur la communauté juive soulève chaque fois d'*hénaurmes* tollés (vous verrez) de toutes les organisations juives *séparatistes* (à la lettre). Le fameux *À Rome fais comme les Romains* semble toujours un adage répugnant pour le Juif. À cause de l'absolument écœurant génocide-holocauste des nazis, c'est l'autocensure *ad nauseam* sur n'importe quel erratique comportement juif. Ça suffit! Le mot chien ne mord pas? Bien. Le mot juif non plus. Ce qui me surprend et me désole, c'est aussi de constater que des citoyens vivant cette situation méprisante depuis des lustres n'ont jamais osé élever la moindre protestation. Une anomalie, un comportement niais, nuisible aux deux parties en cause. Toujours optimiste, j'ose déjà imaginer qu'il doit y avoir quelques *chefs* d'Hassidim qui trouveront le courage de m'appuyer, décelant lucidement que ce total isolement prétentieux ne peut qu'engendrer, tôt ou tard, une montée de racisme nuisible. Nous verrons bien.

Juin s'en vient. Je tente de me convaincre qu'il me faudra voir à faire se rompre le silence trop tenace à propos du projet *Coulisses*. Des reporters, jugeant l'idée *Coulisses* stimulante, me questionnent souvent: «Où en êtes-vous? Ça va se faire?» Seigneur, il me semble qu'on devrait nous donner un «go», à Daniel et à moi. Je ne suis pas sans une solide expérience, très positive, en matière de rédaction de feuilletons populaires, après tout. Un photographe, du *Journal de Montréal*, est même venu nous portraiturer, hier midi, à Fresnière. Édition de samedi le 30. Suzanne Gauthier, je l'ai dit, voulait faire un reportage sur le fils-Fournier, la fille-Payette, la petite fille-Riddez... et le fils-Jasmin. Curieux, mais je garde tout de même confiance, assuré que *Coulisses* finira par se concrétiser, sûr que c'est un trop bon sujet pour que les diffuseurs, tôt ou tard, n'ouvrent pas les yeux.

Raymonde, la générosité de l'amoureuse? révise ce matin les toutes dernières galées de *Pour tout vous dire*, tome 1. Elle me répète que c'est du bon journal. Mon bonheur! Cette *première* lectrice m'importe tant. Après ça, ce sera le grand ménage du printemps partout dans notre cabane! Cette fois, je voudrais vraiment me rendre utile et je me vois à l'avance en homme de ménage utile, fougueux, chassant partout les poussières accumulées par le long hiver. J'ai rassemblé, dans la cave, torchons divers, éponges, seaux et serpillières: je suis prêt!, ma commandante. Ça me fera du bien pour une fois de ne m'agiter que physiquement loin des tortures scripturaires ou graphiques! Hygiène mentale! Et puis, ça se peut plus, il finira par faire vraiment beau et chaud et ce sera la vie dehors! J'irai chez un pépiniériste, j'achèterai des tas de plants divers, je me ferai, autour du chalet, semeur et planteur de beauté naturaliste et je serai léger, si bien. Rêvons!

Le sexe des anges littéraires...

C'est à n'y pas croire, le soleil est parti vraiment en exil d'ici. Ce long temps blafard, aux grisailleries persistantes, est le sujet de toutes les conversations. De ma fenêtre de *look-out*, je vois le lac avec ses rides à rebours sous un vent du nord entêté repoussant l'eau vers sa source principale du sud-ouest. Spleen. De nouveau, le rhume. Misère! Exténué par une toux persistante; et la boîte de mouchoirs qui me suit... Vraiment! Guetter si longtemps la fin de l'hiver pour en arriver à ce premier jour de mai très sinistre. Allons, secouons-nous, pauvres humains, les progrès technologiques n'ont pas encore pu entamer notre totale impuissance en matière de climat. Hier soir, sommes descendus au pied de la côte Morin sous un crachin honni pour voir *La vie est un long fleuve tranquille*, un film plein de vie, drôle souvent mais dont le scénario vacille sans cesse entre la déréliction affligeante et une moquerie bien cynique sur les efforts de bons parents (catholiques) d'une banlieue menaçante puisque habitée par des émigrants pauvres. On rit là où il faudrait sans doute pleurer de tant de bêtise, n'empêche, le bon naturel de tous les protagonistes (dont les jeunes enfants) sauve ce film et *La vie...* tient l'affiche depuis des mois et des mois.

Vendredi soir: *La tempête*, selon Shakespeare, à *L'espace Go*, rue Clark, dans notre voisinage. Un *show* plein de mouvements comiques, d'une joyeuse mascarade. Un Shakespeare bien proche des Molière à bouffonneries désopilantes. Bonne soirée et Raymonde a tenu à aller en coulisses pour féliciter l'amie Françoise Faucher et ses compagnons. Je résiste toujours un peu à aller fouiner derrière le décor. Une sorte de gêne, je ne sais trop, un dédain à aller voir la magie scénique sous ses jupons. Me préserver des désillusions? Peut-être. On me répète que les acteurs estiment beaucoup ces séances de félicitations personnelles. Faisons donc notre devoir. Hier matin, avant de monter au chalet, deux visites «commerciales» au centre-ville, Raymonde cherchant un tapis de salle à manger pour la rue Querbes. Elle ne trouve pas. Sa patience, que j'admire. J'achèterais n'importe quoi, je me connais. Elle sait attendre, se retenir, pas moi, hélas!

Ce matin, Roch Côté, dans *La Presse*, nous présente une sculpteure, Léa Vivot. Elle est descendue au chic Ritz de la rue Sherbrooke. Elle a quatre ateliers dans l'Occident! Elle dit que «Montréal est *the apple* de la culture» ici. Ouais! Coïncidence, j'ai achevé hier soir la biographie d'une autre femme-sculpteur: Camille Claudel, sœur aînée de Paul-le-poète, et maîtresse bafouée du célèbre sculpteur Auguste Rodin. Un récit de vie accablant. Rien à voir avec cette Léa Vivot que cette loque humaine, internée la majeure partie de sa vie dans un asile pour aliénées, complètement abandonnée par Rodin, un peu par le frère Paul, les collectionneurs et les amateurs. Pensez donc, une femme-artiste en cette fin du XIX$^e$ siècle, qui fait un métier d'homme: la sculpture! Elle crèvera de faim, elle vendra tout, son mobilier, ses moindres affaires pour tenter de survivre et crac!, en 1913, ce sera la démence et ses cris d'impuissance dans des lettres pathétiques où elle crie «au secours» à son petit frère Paul, en train de devenir un auteur estimé mais exilé en Chine, où il se transformera en agent efficace de la France culturelle.

Quelle horreur! Je suis monté dormir avec un point à l'âme. Désolation!

C'est toujours vrai. C'était terriblement vrai à cette époque, ce « Rien ne pousse de bon sous les grands arbres », aussi, quelle funeste erreur que cette décision familiale d'envoyer étudier et travailler cette toute jeune fille surdouée à l'atelier du grand homme Rodin. Une leçon. Jeunes créateurs aux désirs brûlants, fuyez la tutelle, fuyez le mentor, fuyez l'*école* du célèbre. Camille Claudel? On va la ridiculiser, s'en moquer: « Elle copie son amant », « C'est son amant-initiateur qui fait ses ouvrages », et autres allusions diffamatoires. La jeune Camille, mise à l'école ordinaire des beaux-arts, aurait peut-être mieux montré ses dons exceptionnels. Évidemment, aujourd'hui, on expose l'œuvre de « la folle » et c'est la cote à la hausse. Bien tard pour Camille qu'on a jetée en fosse commune en 1943, vieillarde ayant rattrapé son propre modèle, cette hagarde petite vieille en haillons, sculptée jadis par elle!

J'ai lu cette semaine *Journal de mille jours* d'André Carpentier. J'y ai trouvé trop de citations d'intellectuels divers et bien peu de sentiments. Or, samedi matin, le feuilletoniste littéraire du *Devoir* lui massacre allègrement son ouvrage. Jean Éthier-Blais parle d'un « robot ». D'un *crâne* sec! Il se moque cruellement de ce scripteur des nouvelles générations, instruit, cultivé, au courant des dernières recherches linguistiques ou sémiologiques. Dans mon jeune temps, les mêmes Éthier-Blais, parfois, se moquaient de notre ignorance totale en matière littéraire. Les temps ont changé? Voici qu'on accuse désormais les jeunes écrivains de trop bien faire voir qu'il n'ignorent rien de la recherche de pointe en « haute-littérature ». Eh ben! Ici et là, dans son *Journal de mille jours*, le jeune Carpentier, trop rarement, parle humainement. Par exemple, l'étonnant passage où il relate ce funeste accident quand la mère de sa compagne fut littéralement emportée dans une terrible tempête de neige. Hélas, le plus souvent, en effet, le diariste jase *ad nauseam* sur *le sexe-des-anges-littéraires*. C'est plutôt frisquet alors! En fin de lecture, je me promets d'afficher davantage mes sentiments, mes émotions, mes humeurs quotidiennes. Le monde de l'idéologie ne suffit pas dans n'importe quel écrit, à moins de rédiger un traité de philosophie ou d'ethnologie, un manuel scolaire.


Pervers polymorphes...

Ce matin, *La Presse*: un curé du Venezuela est jeté en prison. Trafic de coke! Il plaide: «C'était pour mes bonnes œuvres.» Vérité sans doute. Comme le Vatican-spéculateur: «C'est pour nos bonnes œuvres.» L'exemple venant de haut... Passons, jetons le manteau de Noé là-dessus. Quoi encore? Oh, le P.d.g. de la SDA, François Champagne, dit au MIP de Cannes, à propos du romancier Roger Fournier qu'il a engagé: «Il n'a pas su faire le saut du roman au téléroman.» On le déplace carrément! Quel saut? On l'a ou on l'a pas. Une Lise Payette, même pas ex-romancière, l'a eu. Il n'y a pas de «saut» à faire, monsieur Champagne. Et puis quoi? Aux États-Unis, grande peur de l'envahissement hispano-américain. Un mouvement s'agrandit: *US english*. Il veut empêcher la montée d'*une autre* langue chez l'Uncle Sam! Belle tolérance n'est-ce pas, messieurs les admirateurs inconditionnels des amerloques! Intégrez-vous ou bien partez? Eh oui! Et si le Québec combat pour le «Français seulement, chez nous», alors ce sont des accusations de chauvinisme. Allez comprendre! Vérité là-bas, racisme ici. Les ténors des journaux américains crachent et bavent sur *la loi 101* du Québec raciste! Les salauds, les vrais raciste, ce sont eux.

Je réfléchis sombrement, face au lac ridé: comment continuer? tout tiraillé que je suis. Moi contre surmoi? Je ne sais. D'une part, mon besoin de communiquer efficacement. D'autre part, mon goût d'écrire pour moi d'abord. En me fichant bien des autres. Le combat classique des écrivains. Je voudrais jaser là-dessus mardi matin avec Gérard-Marie Boivin, de CBF AM, qui a accepté de m'interviewer toute une heure aux micros de «Il fait toujours beau...». Je ferai des aveux, je me connais. Ces temps-ci j'ai besoin d'être archi-franc, de me regarder sans plus aucune complaisance. De dire la vérité nue. Par exemple, ce petit pamphlet anti-racisme sur les Juifs de mon quartier que je viens de jeter à la poste. Même intention de dire le vrai. Mardi, à CBF, parler vrai. Raconter par exemple, qu'au départ avec *Le gamin...*, je voulais faire un livre pour moi tout seul. La mort et rien d'autre. Un enfant au bord de perdre la vie. Et puis, le surmoi?, mon récit qui a dérapé à cause du tribun, du raconteur d'histoires? Mon roman qui vire au baroque encore, qui transporte mon petit héros dans des aventures rocambolesques. C'est là tout mon conflit? Là-dessus, je songe à Jean-Yves Soucy. Il vient de publier les actes pornographiques de deux enfants. On dit que c'est un roman «cochon». On l'assomme. Martel lui a fait un sinistre sort il y a peu de temps. Je connais ce sombre bonhomme ricaneur, Soucy. Président du «Salon du livre», j'avais côtoyé un Soucy inquiétant, je le sentais rageur, bouillonnant, excédé par la non-reconnaissance. Bribes d'un discours qui indiquaient que mon Soucy mijotait peut-être un grand coup. *La buse et l'araignée*? Deux gamins vicieux malades d'amour? Un ouvrage de désespéré? Comment, en effet, retenir l'attention dans cette immense foire aux publications incessantes. Tel est notre dilemme à tous peut-être. De là à composer une histoire porno, à salir l'enfance... Oh, on sait bien qu'il y a de ces jeunes pervers polymorphes (l'enfant selon Freud) rôdant dans des coins mal aérés. On

121

en a fait bien d'autres histoires. Tiens, un exemple réaliste et actuel, dans le Gatineau, à l'inverse du Soucy, une sinistre histoire judiciaire comprend un tas d'adultes sodomisant un gamin de cinq ans et son frère de dix-huit mois. L'horreur même! Et, hélas, pas fictive!

Soucy était-il las d'assister à l'enterrement prématuré de ses romans? Il a sorti la perversion la plus abominable et, s'est-il dit, on verra bien les remous, chez les bien-pensants. Quelle bizarre attitude! C'est que le créateur, je connais cette tentation, veut absolument que son ouvrage fasse parler. Au *Devoir*, Jean-Roch Boivin écrit à propos d'autre chose: «La beauté insupportable des passions obscures.» La sordide attraction de Thanatos sur Éros. Pulsion mortelle s'il en est. La mort de l'âme? L'assassinat d'enfants purs et durs, certes souvent *amoraux* puisque l'éducation (n'est-ce pas) n'a pas encore complété son ouvrage d'humanisation. C'est la brillante Françoise Dolto qui a toujours raison quand elle explique que les *cinq stades de castration* sont acceptés (plus ou moins) harmonieusement parce que le petit de l'homme n'a qu'une ambition: ressembler au plus tôt aux adultes. Aux grands. Mais le créateur, presque toujours *sensationnaliste*, s'il veut des audiences massives, tourne le dos à la normalité et, pour satisfaire son ambition de notoriété, il exhibe le monstre puisque celui-là seul attire la foule; on le sait trop. Alors, mon Soucy peint ses deux démons juvéniles précocement «pornocrates». C'est triste. Avec mon *gamin* déjà nostalgique de sa plus petite enfance, je ferai certainement figure de «demeuré» aux yeux des applaudisseurs irresponsables des monstruosités à la mode du jour. Tant pis pour moi. Tenez, ce pauvre Serge Lama charriant ses images d'Épinal sur «son» Napoléon, aurait-il mieux fait d'illustrer plutôt ce monstre *nazi* que fut ce Corse sanguinaire? N'obtiendrait-il pas plus grande foule encore? Mais il n'a peut-être pas lu, lui, cette biographie farouche qui montrait bien ce sinistre *Hitler* du début du XIX$^e$

siècle, ce totalitaire matamore mégalomane. Oui, un monstre!, ah! le mot lâché, qui fait accourir au cirque les badauds qui s'ennuient tant dans la normalité. Fin du sermon d'un innocent.

*4 mai 88*

Préjugés du bon petit gauchiste...

Hier, enfin, retour de l'Astre! L'héliotrope que je suis va s'installer sur le balcon de la cour arrière pour soigner un peu ce nouveau rhume. Ce matin? Ciel hésitant. La chaleur normale de mai nous est arrivée. Fiou!, c'est pas trop tôt. J'ai sorti de l'ex-carré à charbon les quelques plantes vertes, il y régnait une odeur de moisi atroce. Il était temps, donc! Tantôt, corvée printanière: remiser les fenêtres d'hiver au sous-sol et puis laver toutes les autres.

Raymonde a raison de dire, au sujet de notre déception face au film *La vie est un long fleuve*: «C'est que le cinéaste n'a aucune tendresse pour ses personnages, les bourgeois comme les misérables.» Exact!, Raymonde vient de mettre le doigt sur la... plaie d'un cinéaste sans aucune compassion. Résultat? Malgré toute l'énergie dépensée pour «révéler», c'est un récit fort animé, mais sans humanité, hélas. Je dis à ma brune: «Serait-ce le nouveau regard de tant de jeunes artistes qui n'espèrent plus, qui ne croient à aucun avenir, qui n'ont aucune vision?» Allan Bloom ne me contredit pas là-dessus quand il dénonce le «relativisme» et «l'historicisme», ce qui fait, dit-il, que l'éducation des jeunes n'a plus aucun humanisme. Il n'y a plus, écrit-il dans son célèbre et récent essai, de notion de mal, de bien. Le faux, le vrai. Le modernisme actuel, toujours selon Bloom dans *L'âme désarmée* (ou *The closing of the american mind*), installe dans les jeunes esprits la pernicieuse idée qu'il faut vivre cyniquement, à courte vue puisqu'il n'y a pas de passé valable. Ni avenir sûr. Françoise Dolto parle aussi avec cette même anxiété et recommande que nous dressions pour le petit enfant son arbre généalogique, afin qu'il sache qu'il n'est ni un objet, ni une chose, mais une personne valable. Dans une continuité. Qu'il puisse mieux saisir le sens de sa venue au monde. Vaste débat, n'est-ce pas? Shakespeare, dans *La tempête*, fait voir, à sa façon dynamique, qu'il existe un passé avec des racines pour ses insulaires échoués au bout du monde. Qu'ils ont même un avenir, un destin. Ouvrage des écrivains, cela: donner du sens aux destinées humaines, même chez les démunis, surtout chez les jeunes, angoissés par nature.

Lundi, avant-hier, visionnement au théâtre Port-Royal du deuxième volet de l'autobiographie de Neil Simon: *Biloxi Blues*. Un spectacle cousu «Duceppe», professionnel donc, où un tas de jeunes talents font voir des dons déjà solides. La relève? Il fait bon d'admirer cette juvénile ardeur sur les planches de la *Compagnie Jean Duceppe* dont c'était la fête, lundi, puisqu'on venait de recueillir près de cent mille dollars en dons divers. Raymonde et moi, dans le hall, avec vin d'honneur, y avons fait des tas de rencontres avec les gens du milieu. J'ai taquiné Michel Tremblay en lui révélant ma petite part d'admiration pour le chef de la droite dure et pure en France, Jean-Marie Le Pen. Il a joué l'horrifié comme il se doit et s'est éloigné en ricanant, bien dégoûté, victime d'un certain conformisme. Je me suis amusé ferme et Raymonde s'est un peu inquiétée de mon besoin viscéral de provoquer les autres invités.

Hier matin, mon *heure* de confidences, à CBF, avec Gérard-Marie Boivin, lui et ses grands yeux amicaux, ses oreilles bien tendues. Il donne envie de tout lui dire spontanément. Le soixante minutes en ondes m'a paru durer un quart d'heure. Raymonde, au retour, bien contente de son grand bavard: «Très bon. Tu étais calme et décontracté. Cela a donné de bons et amusants propos. Bravo!» Moi? satisfait, et pourtant, ce matin, je ne cesse pas de me faire des reproches: j'aurais dû répondre ceci à cela, j'aurais pu rétorquer cela à ceci... C'est la loi du genre. Ça va vite, pas le temps de peser et soupeser, il faut enchaîner. La crainte bête des silences. Pas grave. Les interviews sont comme une chaîne de bribes de conversations toujours *à suivre*. On vient justement de me réinviter pour Michel Jasmin de TQS, le mardi, vingt-quatre mai. Le recherchiste: «Tu auras des copies de ton journal, oui?» Vite, téléphone chez Guérin, où Luce me dit: «Ah! Je ne sais pas. C'est très bientôt, ça, le vingt-quatre mai. Je vais questionner l'imprimeur.» Dire que *Pour tout vous dire* devait paraître le premier avril! Misère des promesses d'éditeur qu'on n'arrive pas à tenir.

Coup de fil de mon frère Raynald: «J'ai songé, mon Claude, à un «bien cuit» pour notre réunion tribale de la Saint-Jean-Baptiste! Qu'en dis-tu?» Mon Raynald, une fois de plus, cherche toujours «comment *spectaculariser* nos rencontres clanesques.» Je sens qu'on va bien s'amuser. Quelle cible choisir pour ma rôtisserie? Ma quasi-jumelle, Marielle? Ou bien notre *deuxième mère*, Lucille, l'aînée? Je verrai. Dans les grosses familles, on ne se connaît pas tous de la même manière. Raynald n'avait que quatorze ans quand j'ai plié bagage du foyer maternel à vingt ans! Ainsi j'ai encore plus mal connu les cadettes, Nicole et Marie-Reine. Je crois que je vais faire «rôtir» Marcelle, la grande épivardée qui a tant angoissé mes parents. Une libertaire précoce, celle-là!

Coup de fil tantôt d'un certain monsieur Bélanger, designer. Pour collaborer à faire de Madeleine Arbour, pionnière étalagiste et co-signataire du *Refus global* de Borduas, une «Grande Montréalaise», mon interlocuteur

125

souhaite obtenir de moi une belle lettre d'appréciation sur Madeleine. Un temps, prof comme moi à l'Institut des arts appliqués, elle était adorée par ses élèves. Je témoignerai là-dessus. Autre appel téléphonique: Christine Martin, publicitaire pour la Brasserie O'Keefe qui souhaiterait utiliser des images de *La petite patrie* contre émoluments et, bien entendu, avec mon autorisation. Je lui explique que mes héros étaient tous des non-buveurs, que le «papa» du feuilleton était aussi un non-buveur. «Et vous, jeune?», me fait-elle. Ah! Moi? Eh oui, j'allais vider quelques *draughts* dans certaines tavernes. Et bien jeune! Pour faire *l'homme*. «On va vous soumettre le texte auparavant, n'ayez crainte», dit-elle. Bon, j'attendrai. Nous en sommes tous là, créateurs à divers titres? Le *vacarme marchand* tient à infiltrer nos inventions artistiques. Des parasites ou des paresseux, ces publicitaires? Y résister fermement? Bah, il y a mes traites hypothécaires pour la maison... Maudit argent, va! Ce pauvre Claude Léveillée prêtant sa si belle chanson aux marchands d'hamburgers MacDonald!

*9 mai 88*

Résoudre l'Oedipe...

Coup de massue hier soir. Nous fêtons l'anniversaire de Raymonde chez l'amie Josée et Françoise Faucher, qui y est, me jette: «Avouez, cher Claude, un journal en vue de publication, c'est mensonger. Vous devez faire très attention à ce que vous nous confiez, non?» Je grimace. Elle a raison et je le lui dis. Il y a forcément autocensure. Françoise ajoute: «Un vrai journal intime doit être fait en vue d'être publié cinquante ans après la mort de son auteur.

Sinon, ce n'est pas vraiment un livre de vrais aveux.» Eh oui! Et voilà, que je me dis, à quoi bon continuer? En effet, je ne peux pas vraiment tout dire à mon journal. Lecteurs, sachez qu'avec un peu plus de résolution et ce matin je refusais de continuer... Vous l'avez échappé belle? Mais non. J'ai songé aux journaux de Green, de Claudel, de Claude Mauriac, de Jouhandeau ou de Gide, même à ceux de Léautaud. Des confidences évidemment très sincères mais presque jamais de révélations déplacées. D'une part, je me refuse à faire un journal ne concernant que le monde des lettres, d'autre part, il est certain que je voudrai, un jour ou l'autre, tenir une sorte de *journal parallèle*. «Le beau titre en effet, s'exclamait Jean Faucher hier soir, il faut faire ça!» En attendant, j'ai besoin de garder le *livre de bord* de mon petit bateau. Oui, il m'est devenu une nécessité, ma foi. Je continue donc. Ici même.

Quelle chaleur! Oh, les beaux jours, depuis mercredi dernier. Me voilà tout bronzé. C'est suffisant. Avoir voulu combattre mon rhume par les rayons solaires, à pleine gueule, durant des heures, jeudi et vendredi dans la cour arrière. Samedi et dimanche sur la berge du lac. On me répète de prendre garde: Le cancer de la peau! Brr! Souvenir du temps de l'adolescence au bord du lac des Deux-Montagnes quand c'était comme un vaste concours où les plus chocolatés ne gagnaient rien. Il m'en est resté cette vague ambition de paraître tout *grillé* et au plus tôt!

Dans ma boîte postale encore des livres en *service de presse*. Le plus souvent de ces belles *briques* à couvertures luisantes et multicolores, de ces romans-sagas populistes. Un certain Dulac me téléphone justement: le magazine «Au masculin» reprendrait son cours normal. Bien. Je navigue entre un Dolto essentiel, et un récit de vie hollywoodien *Elysabeth Taylor dit tout*. Ça m'est souvent un bon divertissement que ces vies de grandes stars des USA. Une récréation instructive aussi. Une fillette dont on va *s'emparer*, à l'instar d'une Judy Garland, et qui deviendra « la plus belle femme du monde », contractera une demi-douzaine de mariages, les rejetons éparpillés, qui doit lutter constamment, dit-elle, contre « son » image de superstar, contre les indiscrétions des médias, qui va sombrer dans l'alcoolisme, dans la manie d'engraisser, une boulimie de désespérée. Un récit plein d'épisodes navrants. Longues confessions avec, au bout des tunnels, cette lumière bien connue: « Je dois redevenir une personne humaine. Je dois recouvrer ma propre identité, mon intégrité. » Vieille histoire. Celle de refuser de se perdre de vue quand la bousculade médiatique tente sans cesse de vous changer en un mirage offert aux goûts malsains des populaces friandes de scandales. Je viens de lire aussi deux brefs romans. D'abord, de Daniel Gagnon, *O ma source*. Bizarre psalmodie sur « la chair est triste ». Un conte narrant le défroquage pathétique d'un pasteur quittant ses ouailles, se réfugiant avec des filles de joie dans le minable hôtel du lieu, de l'autre côté de la rue, en face de son presbytère. Gagnon réussit à capter l'intérêt du lecteur. On tourne sans cesse les pages. La curiosité morbide du voyeur d'une déchéance? Ou bien l'ambition légitime de vouloir comprendre les raisons profondes de son coulage volontaire? Les deux. C'est bien fait. Gagnon est très doué. Et puis j'ai lu *Vendredi-Friday*, d'Alain Poissant. Un jeune père de trois enfants qui fait une étrange fugue. Il va rouler, errer plutôt, sur des autoroutes américaines, sans but, déboussolé, torturé, perdu. Longue fable quasi ésotérique. Novella? On songe au curieux premier film de Spielberg, *Duel*. Un climat psychologique et géographique familier: cette envie de déserter tout des *choses-de-la-vie* et ces routes modernes, rubans adhésifs des voyageurs sans bagages, les émules d'un Jack Kerouac. Rubans goudronnés qui mènent partout et nulle part dans un continent dit moderne mais où tout est semblable et *fast*. *Fast life* comme *fast food*! Un bref roman, avec un punch affreusement noir. C'est mené solidement.

Ce midi, je suis allé livrer mon avant-dernier topo à Quatre Saisons avec Miss Blais-blondinette d'humeur toujours joyeuse. Mes sujets: comment résoudre l'*Oedipe* selon F. Dolto, et ce récit autobiographique de E. Taylor se débattant avec ses images publiques. Dans le hall d'entrée, j'ai croisé Michel Jasmin avec ses cannes, tout penché, de bonne humeur malgré son renvoi de TQS prochainement. Il rigole et me dit de surveiller le passage qu'il a choisi pour illustrer sa mise en candidature au gala télévisé de ce soir à la télé: «On te verra, Claude, quand tu es venu, récemment, me dire en studio: «ici, on dirait qu'il n'y a jamais moyen de faire quatre saisons entières!»

Première *fête des mères* sans ma chère Germaine, morte en novembre dernier. J'y ai pensé souvent. Sept mois qu'elle est dans le cimetière de Saint-Laurent. Son esprit vogue dans la Lumière? Elle me regarde écrire? Peut-être. Je la prie à l'instant de veiller sur nous sept, ses grands enfants vieillis. Non! Qu'elle soit libre plutôt. N'a-t-elle pas amplement mérité que son esprit soit à jamais libéré de ses soucis maternels d'antan? Oui. À nous de nous débrouiller seuls. Suffit. Je vais me lever, il y a un carreau à réparer, un évier à déboucher, quatre pots de vigne grimpante à planter... Et quoi encore de l'ordinaire du quotidien? Ah oui, songer, vite, à la couverture du tome 1 de PTVD qui se fait *mettre en pages* en ce moment.

*15 mai 88*

Un racisme juif...

Grosse déception ce matin: un dimanche au ciel matelassé de nuages. Raymonde qui a fait cuire des fèves et un gros jambon écoute la météo à la radio. Annonce contra-dictoire: chaleur mais persistance des nuages. Nous avons invité mes deux enfants et les cinq petits-fils... Viendront-ils avec ce temps tout gris? Attente donc... Hier, samedi de toute beauté. Le matin je suis allé commander des sacs de sable pour étendre sur mon futur «pétanquier» sous les saules et des dalles de ciment pour un plus grand foyer de plein air. Du boulot pour plusieurs week-ends! Enfin la vie de forçat volontaire a repris. J'ai grand besoin de ces travaux pour mini-hercule. Ils me fournissent une sorte d'apaisement de l'esprit. Rien comme de travailler dehors en belle saison pour me divertir de mes travaux à cervelle chauffante. Vive l'été qui s'en vient.

Autre déception jeudi soir. Pour moi surtout. Raymon-de a semblé apprécier davantage ce *Songe...* de Shakes-peare au TNM. Machine visuelle encombrante sur la scène avec ses trois escaliers de fer et ce plateau surélevé, tour-nant à diverses vitesses et sans nécessité autre que la fan-taisie de son metteur en scène, un des nombreux doués tous nommés Lepage. Tous les costumes étaient sem-blables en fin de compte. On y voyait trop la griffe du de-signer et pas assez le clivage des trois groupes animant ce *songe* allégorique. La longue et fort amusante scène de théâtre-amateur, vers la fin, m'a semblé la seule de grand intérêt. J'ai préféré, oh combien!, le *Richard II* de l'Espace Libre, rue Fullum. Il y avait là une vitalité extrêmement réjouissante. Ce directeur, Jean Asselin, devrait être invité au festival de Stratford en Ontario. Il y ferait florès. À moins que le public de là-bas ne soit choqué par sa liber-té, que ce public, peut-être conservateur, ne juge irrespec-tueux le *mode d'emploi* bien audacieux de ce brillant Asselin?

Un entrefilet de journal, à propos de télé moderne, vante les mérites d'une télé qui saurait offrir davantage de fantastique. C'est assez pour qu'aussitôt je sorte de mes archives un projet que j'avais intitulé: *La mitaine*. Je voudrais restructurer ce scénario pour une série où l'on verrait un jeune couple s'installant dans une ex-église de village protestant (une *mitaine*) et qui devra cohabiter avec des *revenants*, soit réels soit suscités par des villageois mesquins et inquiets d'assister à la conversion de leur chapelle en centre d'art. La télé actuelle est très capable de produire un tas d'effets spéciaux pouvant faire croire aux facétieux *fantômes* et autres phénomènes de l'ordre de la parapsychologie. Ce sujet m'avait tant fasciné dans la fin des années 70. Bien documenté, je me sens prêt à explorer ce filon. Les feuilletons d'ici n'y sont jamais encore venus et ce serait, il me semble, un thème capable de captiver, d'intéresser, de faire rire et, parfois, frissonner les amateurs.

Je note qu'aucun journal n'a osé jusqu'ici publier *Le racisme juif*, mon dernier mini-pamphlet avertisseur d'une situation que je juge dangereuse. Je savais qu'il y aurait grande hésitation. Ce sujet — *les juifs* — est donc absolument tabou? Oui, depuis l'écœurant génocide nazi que l'on sait. Au fond, ce refus d'*y toucher*, dans ce cas pourtant très particulier (le total séparatisme des Aschkenazes-Hassidim), m'arrangerait plutôt. À quoi bon, une fois de plus, me faire charrier et traiter (peut-être) d'antisémite? Ou pire encore. Que l'on recouvre donc d'un silence prudent une question qui finira, tôt ou tard, par exploser. Dans ma *lettre ouverte*, je faisais appel à deux reprises à un *leader* hypothétique de ces isolés afin qu'il avertisse les siens du côté malsain de ce «renfermement», susceptible de faire naître un antisémitisme déplorable. C'est déjà commencé, je n'ai pas les moyens des statisticiens patentés mais j'ai constaté maintes fois une certaine haine chez les Outremontais face à ce déplorable ghetto volontaire.

Yves Dubé a passé la semaine en Suisse et en France pour affaires littéraires. À son retour lundi, il voudra mettre au point la sortie imminente du premier volume du journal. Voilà que je songe à un nouveau titre: *Le pain quotidien*. Raymonde tique un brin. Je voudrais trouver autre chose que *Pour tout vous dire*, qui me paraît maintenant un demi-mensonge puisqu'il est impossible de vraiment *tout dire* quand on souhaite publier de son vivant des confidences intimes. J'ai aussi esquissé ma couverture, à la demande de Dubé. J'ai rempli une page de mon écriture manuelle, pour le fond, et dessiné un Don Quichotte à cheval, autoportrait humoristique. Me reste plus qu'à trouver ce nouveau titre. J'ai fouillé le dictionnaire autour des mots *intime, familier, journal*. Je ne trouve pas.

J'ai un peu peur, car ce sera la première fois, s'ils viennent tous tantôt, que les cinq petits-fils m'entoureront. Comment m'y prendrai-je? Il y a les deux bambins, Thomas et Gabriel, sorte d'encombrement pour les plus âgés qui voudront aller fouiner et galoper librement. Il est trop tôt pour les baignades dans le lac. Il restera quoi? La cabane à terminer dans les saules? Faire un feu? Aller pêcher sur le quai? J'ai acheté une boîte de maïs en conserve puisqu'on m'a dit que les truites du lac en sont friandes. Mais... dangereux, ces hameçons... Hier, j'ai ancré le radeau tout près du rivage au cas où ils souhaiteraient jouer les pirates en mer. Raymonde, fille unique, n'est pas vraiment portée à être ludique avec des enfants. Ma chère célibataire me paraît plutôt démunie quand les mioches sont à ses côtés. Il est arrivé souvent que moi, le grand vieux bébé, je me trouve comme enlevé par les garçonnets et que Raymonde se retrouve isolée. Je lui ai promis d'éviter aujourd'hui, s'ils viennent, cette séparation. Je vais tenter de la mêler à nos jeux. Résistera-t-elle? Je verrai bien. Je veux tant que les enfants l'aiment autant qu'ils aiment l'ex-moniteur en récréation que je fus et que je suis resté.

J'ai voulu réécouter hier le ruban d'une heure quand je suis allé bavarder avec G.-M. Boivin de CBF. Je voulais ré-entendre le Brel du *Plat pays* et voilà que je fais dérouler toute l'entrevue. Encore une fois ces regrets vains quand je m'entends répondre un peu à côté, quand je m'entends parler d'une voix quelque peu «joualisante». C'est curieux, il suffit que l'on me replonge dans le passé, au temps de l'enfance dans Villeray, pour que me revienne un certain parler mou et plutôt vulgaire. O mânes de Freud, qu'en dites-vous? Comme Raymonde retrouve un accent de Hull si elle me narre son enfance là-bas, comme belle-mère Yvonne reprend son accent acadien si elle raconte ses souvenirs de Shippagan. Le *premier langage* se-rait inoubliable, mal tapi en nous, et resurgirait dès qu'on se remémore nos *premiers temps*? Phénomène amusant en diable, je trouve.


Quand on m'aura mis dans le trou...

J'ai lu, hier, les préface et postface d'un volume, chez Laffont, qui réédite des *Fantômas*. Quelle époque que cel-le, au début du siècle, des feuilletonistes populaires. Ça vous pissait de la copie, ces «graphomanes»! Incroyable logorrhée! Les Arsène Lupin, Fantômas et quoi encore?, sont vantés maintenant par de grands et célèbres poètes. Desnos, Cocteau et qui encore?, rendent de vibrants hom-mages à ces furieux travailleurs en *petite* littérature. Ils disent que ces écrits modestes, remplis d'aventures ro-cambolesques, furent les délices de leur jeunesse. On son-ge à un André Gide louangeant un Georges Simenon aux ouvrages pourtant bien éloignés des recherches stylis-tiques. Il y a donc une *basse* littérature, absolument sans prétention, faite par ces auteurs fertiles et qui ne songeaient qu'à désennuyer le commun des mortels. Voilà maintenant des éditeurs qui leur font une fête et leur rendent des hommages parfois posthumes que leur envieraient les plus grands auteurs! Il n'y a donc que *le temps qui passe* qui est un bon justicier en littérature-pour-tous? Le mépris hautain des contemporains de jadis s'en trouve atténué, rayé même. Pour tout dire, j'aspire à cette certaine reconnaissance... Mais quand? Quand je serai mort? Sans doute. Ou bien, mes romans disparaîtront avec moi. C'est probable. L'autre jour, voyez bien comment on est fait, écrivailleurs de tout acabit, je passais rue Bélanger, derrière le cinéma Château et, voyant un petit tertre de verdure, je me disais: «Voilà exactement où j'aimerais, après ma mort, que l'on érige un bloc de granit, *rouge italien*, et que l'on inscrive dessus: EN HOMMAGE À L'AUTEUR DE LA PETITE PATRIE. Et puis deux dates. 1930. Et... Disons 2010? Peut-être? D'où vient ce besoin d'être encore un peu vivant quand on m'aura mis *dans le trou* au cimetière des Jasmin à Saint-Laurent? Folie? Oui, puisque ce qui importe, c'est aujourd'hui, c'est tout à l'heure quand surgiront à notre porte cinq «bien-vivants», David, Laurent, Simon, Gabriel et Thomas Jasmin! Oublions donc cette antique soif de durer, manie immémoriale qui incitait le sauvage à poser sa main enduite d'oxyde rouge sur tous les murs de sa caverne!

Vivre au jour le jour me paraît plus sain, plus humain. Laissons les morts, dit un évangéliste, enterrer les morts.

Le bluff des littératures...

Un mardi tout blême. Mon éditeur, rentré d'Europe, me dit au téléphone: «Des tas de choses à te raconter. Je te verrai, chez vous, en fin de soirée.» Toujours débordé chez Guérin-la-ruche! Hâte de savoir s'il a pu placer à Paris mon manusse du *Gamin saisi*.... Je vais lui montrer, s'il tient parole ce soir, mes esquisses pour la couverture de mon journal. Il m'a dit, à ce sujet, que je recevrai la mise en pages finale, demain ou après-demain. Je viens de lui trouver un nouveau titre encore: *Pour marquer le temps*. Ou bien: *Le temps marqué*. J'aime tellement le titre *Le temps immobile* du journal-montage de C. Mauriac. Plus tôt, j'ai préparé mon six minutes hebdomadaire pour Quatre Saisons où je dois me rendre. Ce sera la dernière visite du *vagabond-papi*. J'ai résumé les ébats de dimanche dernier quand s'amena toute la troupe des cinq petits-fils à Sainte-Adèle par ce dimanche, hélas, sans soleil.

Quelle journée ce fut! Randonnées diverses: balade en pédalo, pêche avec grains de maïs, feu de camp, construction étapiste de la cabane dans le saule géant... et quoi encore? Les deux mamans et ma Raymonde qui me criaient de la galerie des: «Gabriel a perdu une botte!, Laurent va tomber!, Attention! Simon joue dans le fossé!, David est seul sur le radeau!» Raymonde me dira plus tard: «Tu comprends, on ne t'aide pas, tu es une telle attraction pour eux. Un soleil!» Elle m'aime. Elle s'habitue à me voir tout pris par ces galopins et se prive naturellement de son homme, mais non sans me taquiner sur ce besoin d'organiser leurs ébats. Les cinq gambadeurs sont repartis en fin d'après-midi, morveux, sales et très mouillés.

Hier soir, papa-Marco rentrait de sa mission (pour la CVM) en Gaspésie avec un tas de homards frais achetés là-bas. Bonne bouffe rue Chambord. Avec vin blanc pour les adultes. Éliane me dit: «En auto, au retour, dimanche, ils se sont tous endormis, exténués et ravis. Merci pour ce dimanche pique-nique.»

Le diariste Jean-Pierre Guay nous envoyait sa toute dernière lettre et Raymonde, me la lisant, me conseille: «Faudrait que tu l'aides, il est désespéré, sans aucun argent. Je crains qu'il fasse une bêtise ou une folie grave. Si tu pouvais lui écrire de bonnes paroles, comme tu sais le faire. Il m'arrache le cœur notre Jean-Pierre.» Eh! Que faire! Je ne vais pas lui re-re-redire qu'il aille se dénicher un boulot. Il refuse complètement le statut de salarié quand pourtant, à Québec, les jobs doivent pleuvoir dans tous ces bureaux des ministères. Non. Je range son ultime message noir. Ne plus bouger. Qu'il se débrouille. Quand il aura très faim, il fera comme tout le monde. Je l'imagine relationniste ou attaché de presse, un jour, dans un des édifices à bureaucrates innombrables de la Vieille Capitale. C'est la dure réalité de la vie. J'ai bien dû accepter de me rendre, trente années de temps, à mon poste de scénographe. Alors? Et si mon Guay décidait d'imiter sa copine Arlette Cousture? Une grosse saga familiale à pondre, bien populaire? Il serait sauvé de ses tourments d'argent. Non! Il est trop fier? Trop littéraire pur, celui qui crachait sans cesse sur le *bluff* des littératures!

Ce matin, *Le Devoir*, qui a refusé de publier mon pamphlet, «*Le racisme juif*», publie sur cinq colonnes une diatribe de Benjamin Teitelbaum. Ce dernier accuse implicitement les francophones québécois de racisme sans vraiment le dire. Bêtise infâme. Ça ne finira donc jamais, cette manie de nous taxer de racistes xénophobes de naissance? *Le Devoir* marche dans ce stupide cliché. Tout à côté, est publiée une lettre ouverte de J. Morissette-

136

Samaan plaidant pour que les immigrants cessent de mépriser la langue de la majorité au Québec. Espérons que ce Teitelbaum la lira! Il aura une bonne réponse à ses hypocrites lamentations juives. J'exulte, ce matin aussi, en lisant dans *La Presse* une lettre solide de Hélène Dauphinais pour dénoncer le mépris bourgeois de Lysiane Gagnon quand celle-ci proteste en faveur des films américains à ne pas «doubler». J'avais envoyé une semblable protestation, sur le même sujet, à cette Gagnon au «mépris flagrant» (dixit Dauphinais). On ne l'avait pas publiée. Gros plaisir de voir qu'une autre lectrice a su voir cette tare chez cette journaliste qui, à l'occasion, ne voit que ses petits intérêts de cinéphile bien bilingue et surinstruite... Ça m'a soulagé. Le temps rattrapé, quoi! Oh, le joli titre pour le PTVD, tome II!

Assez des discutailleries. Il y a ce carreau à remplacer et tant de murs à laver. Raymonde m'a acheté une mini-vadrouille bien pratique il y a quelques jours. Elle doit se demander quand je me déciderai à utiliser cet instrument moderne! Mais d'abord aller livrer mon dernier topo chez *Marguerite et cie*. Revenu, je me le jure, je me jetterai dans ma part du grand ménage printanier. Téléphones: invitation chez *Jasmin Centre-Ville* mardi le 24, invitation pour une entrevue mardi le 31, Babillard au canal 10, avec Mariette Lévesque. J'y jaserai du plaisir et de la salubrité de tenir un *journal de bord*. Pour Michel Jasmin, je crains de ne pouvoir emporter dans son studio qu'une simple maquette du journal. Un *dummy*, dans le jargon du métier. Décidément, les délais sont bien longs en toutes matières: mon journal qui devait sortir dès le début d'avril et on est à la mi-mai, et aucun appel de cette Céline M. de BTM Inc, acheteur de la maison paternelle. Elle m'avait pourtant affirmé: «enfin, on va régler cette transaction vendredi le 13, ou au plus tard, lundi le 16.» Oui, le monde est bien lent autour de moi. Tenez, si un télédiffuseur disait: «Veuillez rapidement nous rédiger un, deux, ou même trois épisodes de feuilleton », aussitôt je me jetterais sur ma machine et ça sortirait le temps de le dire. De l'écrire. Je refuse ce monde de lenteur. Il me répugne.

23 mai 88

L'égocentrisme ordinaire...

Les jours passent. Autant l'avouer, la tenue du journal devient une sorte de souci. Chaque matin, je me dis: combien de jours passés depuis mon dernier bulletin sur mes petites activités? Je ne sais plus trop... Il y a l'été qui vient. Il y a, enfin, le beau temps. C'était plus facile, au début, quand s'amenait l'automne et puis l'hiver. Aujourd'hui, c'est congé. Fête de la Reine (et de Dollard des Ormeaux?). Fête obsolète, incongrue, stérile. Relent de colonialisme britannique qu'on a voulu camoufler en y fourrant le combattant des Amérindiens parti *voler* des fourrures, obligé de se défendre subitement et dès lors transformé en héros national. Vieille histoire. Toujours la même. Celle de ces *tueurs* autorisés (plus ou moins) par la patrie. Passons. Il fait beau. Comme hier, dimanche. La belle journée passée dans le jardin *sauvage* au bord du petit lac Rond avec France et Ubaldo et une grande Braque de Weimar toute grise de robe que mon pauvre 'Baldo tente sans cesse d'éduquer. Une farce. On rigole sous cape de le voir s'acharner à transformer cette belle chienne de prix en un automate obéissant: Assis! Couché! Viens! Va! La bête combat tant bien que mal sa naturelle disposition à vouloir gambader en liberté chez les voisins, japper, grogner, faire des trous, ronger tout ce qui est en bois. Notre pauvre *macaroni* de s'échiner au dressage. Quelle

138

patience! Le soir, après un délicieux spaghetti sauce Raymonde, partie de cartes. Le cher *500*! Nous perdons un beau huit piastres, viande à chien! La veille de ce dimanche tout ensoleillé, j'ai commencé le nettoyage printanier du terrain. J'ai transporté des sacs de sable sur mon futur « pétanquier ». Je songe à me procurer des boules de bois, à l'italienne, au lieu d'utiliser le jeu français (en fer). Raymonde, à sa grande joie saisonnière, s'active joyeusement à fleurir des corbeilles et des boîtes à fleurs. Samedi matin, à Piedmont, c'était la cohue totale à un marché aux fleurs regorgeant splendidement de toutes les plantes imaginables. Décidément, les Québécois, désormais, aiment les floralies. C'est formidable! Il y en a partout à Sainte-Adèle.

Sans la venue des Fasano, dimanche, j'aurais mis la planche à voile à l'eau qui n'est plus vraiment glacée. Je me suis contenté de nettoyer le pédalo. Hier, en trois heures environ, j'ai tondu mes quinze cents pieds carrés de pelouse rétive et jamais engraissée. Pissenlits partout! Ces activités de plein air me transforment. Pour mon plus grand bien, j'imagine. C'est pour ça que le *journal* devient une petite *corvée*? Ce matin, jour férié donc, il n'y a que le valeureux *Journal de Montréal* offert en pâture aux dévoreurs de nouvelles. Quelle drôle de rédaction! Tout y est traité ultra-brièvement. Un tabloïd salissant et qui se feuillette très rapidement, d'où sans doute son énorme succès, tant les gens sont pressés. Y sont toujours, comme du temps où j'y travaillais, le Maurice Côté et ses échos pseudo-mondains, le Rufiange et ses farces à gogo. J'ai acheté aussi le dernier *Paris-Match*. Pour voir. À pleines pages, le Festival de Cannes, ses starlettes et ses vraies stars, ses potins à peine scabreux et de nombreuses pages sur la politique très parisienne. Ennuyeux pour un Nord-Américain pas trop au courant des transvasements socialistes du jour depuis que la gauche a récemment triomphé aux *présidentielles*. J'ai toujours aimé les photos couleurs des magazines. *Paris-Match* en contient beaucoup, dont celles prises lors d'une expédition du fameux Cousteau dans la Mer de Cortez.

Par ma fenêtre, je regarde la foisonnante verdure de mai et des villégiateurs pédalant sur l'eau ultramarine du lac. Images de paix, de calme. Me voilà tout guilleret. Hier soir, le sommeil ne venant pas, j'ai songé sérieusement à mon vieux projet d'une petite maison éditant des *récits de vie*. Il se précise lentement. Je voudrais entrer en contact avec un de ces bénévoles et dévoués personnages s'occupant de gens mal pris. Ils pourraient collaborer avec moi dans le choix de mes modestes héros. Ainsi, me disais-je, ces petits livres à bon marché relateraient toujours des récits vécus par des personnes inconnues du public, qui se seraient débattues avec les mille misères de l'existence quotidienne. Je rendrais service. Mes plaquettes, pas chères, en deviendraient des témoignages du courage ordinaire. Rêvons!

Si je parviens à me dénicher un imprimeur et un distributeur intéressés à appuyer ma petite entreprise, j'aurais, pour la première fois de ma vie, l'occasion de faire un ouvrage altruiste. Est-ce qu'enfin je suis arrivé à songer solidement aux autres? À *comment aider les autres*. Jusqu'ici, je n'ai guère pensé qu'à moi, à ma petite notoriété, à ma carrière d'écrivain. Désormais, avec la naissance d'une telle maison, je deviendrais un autre de ces milliers d'apôtres discrets (plus ou moins), de ces gens qui travaillent à améliorer, si peu soit-il, la terrible condition humaine. Avant de m'endormir, cette nuit, c'était bien ancré, fini les fictions divertissantes, à moi les récits vécus. J'ai songé à certains livres que j'avais lus et qui parlaient de l'intérêt et de la motivation qu'on trouve à faire un ouvrage utile tout en installant un commerce, une compagnie quelconque. Mais oui, ce serait nouveau. J'ai aussi songé au vieux Jean-Paul Sartre, joignant tant de ces jeunes activistes populistes au temps récent de *La cause du peuple* quand Sartre souhaitait donner voix aux démunis, aux silencieux *laissés pour compte*, ceux dont la presse ne parlait pas. Mes petits bouquins, de la même façon, se consacreraient à ces anonymes dans la ville. Deviendrais-je vraiment socialiste? Daniel, mon fils, avec ses brefs reportages du même genre, pour le populiste *Le Lundi*, me serait un précieux collaborateur et pas mal chevronné en la matière, lui qu'on charge d'interviewer des gens du *commun des mortels*, ce qui leur procure une brève popularité. Mais j'y songe distraitement. Je ne sais pas si je trouverai le temps de fonder vraiment cette mini-entreprise. Il y a les beaux jours. L'égocentrisme ordinaire. Le goût vif de fainéanter, du moins pour les trois mois d'été qui viennent. Au fond, j'ai toujours été tiraillé entre les deux pôles: l'agitation scripturaire et l'envie de ne rien faire d'autre que... étendre du sable sur mon «pétanquier». Le dilemme!

Ce besoin des autres...

Vendredi dernier, visite avec Laurent et sa classe de pré-maternelle à l'Aquarium de l'Ile Sainte-Hélène. J'ai aussi la garde des petits Daoût. Plein d'ouvriers paysagistes dans l'île toujours bien jolie et je me promettais bien de revenir rôder, avec Raymonde, dans ce paysage bucolique d'une grande beauté aux portes de la cité, et que les Montréalais ignorent ou méprisent. La petite troupe des enfants de la pré-maternelle se collait volontiers à toutes ces vitrines d'eau. Des poissons de toutes les formes! De toutes les couleurs! Quelques tortues. Des serpents de mer. Des murènes. Des requins miniatures. Des homards tout noirs. Des poissons si minces, plats comme des plaques d'acier! Des poulpes. Des oursins. Des pieuvres. Des anguilles électriques!, et quoi encore?, font la joie des tout-petits. Mon Laurent grimpe aux balustrades pour offrir sa main aux dents des gigantesques esturgeons ou des saumons géants à sales gueules, il rit de l'impuissance des bêtes marines, tout heureux d'être si bien protégé par les vitres. Le grand bassin rempli de ces *manchots* si drôles, bêtes en redingotes qui plongent sans cesse dans leur habitat tout isolé, climatisé. Bref, une excursion qui fait du bien. Un bon contact avec cette nature hélas sous verre. J'aurais préféré sans doute aller marcher dans l'île, librement. Oui, je reviendrai avant ces cohues estivales quand le parc d'amusement voisin, *La Ronde*, devient la grande attraction de la saison. Ah, toujours vouloir fuir la foule, les autres, et, pourtant, ce besoin des autres. Ainsi, dimanche, France et Ubaldo, touristes eux-mêmes, déplorant les trop grosses vagues touristiques dans le *Paris d'avril* qu'ils voyaient pour la première fois. Ainsi, dans *La Presse* de samedi dernier, un chroniqueur *ès tourisme* qui, lui aussi, enrageait de voir trop de touristes à Paris, oubliant qu'il en était un... de plus!

Demain, mardi, visite prématurée chez le *Jasmin Centre-Ville*, puisque je n'aurai en main qu'un «démo», une maquette du *journal*. Dubé est débordé et s'en excuse. Guérin publie sans trêve. L'imprimerie surchauffe? «Tu sais, Claude, je n'aurai pas le temps d'organiser ce *lancement-bien-cuit* que je t'avais promis. Ce sera pour l'automne quand on sortira ton *Gamin saisi...*» Bof! Je n'y tenais pas vraiment. Avec la belle saison, je ne tiens plus à grand-chose. Je tiens surtout à rester dehors. Ce que je vais faire. Tout de suite. Achever de ranger ce qui traîne sous la galerie du chalet, étendre mon sable, rogner un peu les branches du vieux saule à cinq troncs, bref, respirer l'air si chaud, si doux, de cette fin mai au ciel lumineux. J'y cours.

La cause des enfants...

Le beau vendredi à soleil intense! Déjà mai a filé. Petit désespoir. Depuis que je tiens journal, j'ai désormais la sensation du temps irrémédiablement perdu. Depuis toujours, même garnement, je percevais souvent cette terrifiante fuite des jours, des mois. Même des années. Avec ce journal de bord, c'est encore pire. Etre diariste, c'est peut-être fait exactement pour ça: saisir comme jamais que le temps se sauve à très vive allure et que vous allez vous cogner aux portes du terminus de la vie. Plus tôt que vous ne le croyiez! Aussi, je n'arrive plus à me défaire de l'impression encombrante que je piétine, que je nourris mal mes jours, que je laisse se gaspiller des monceaux d'heures, de jours, à exister simplement sans rien faire de solide.

Je dois me raisonner et je me répète que tout le monde fait de même. Qu'il est impossible que chaque journée d'une vie soit utilisée de façon riche, pleine et entière. Merde! la vie c'est aussi laisser couler la vie. Qu'est-ce que c'est que cette moralité du *faire*? Du *produire*? Assez. Je perdrai mon temps tant que je voudrai. La nature n'a pas tant horreur du *farniente*. On n'est pas des machines. Je tente de me convaincre que tit-Claude-la-paresse a bien raison de se débattre contre le sentiment accablant de devoir sans cesse faire des choses. En réalité, cette petite panique vient probablement de tous mes retards. Par exemple, je dois repeindre les murs de mon petit bureau, rue Querbes, laver des fenêtres, ranger et nettoyer la cave et le garage. Mais non, mercredi dernier, journée passée au joli Cap Saint-Jacques avec Laurent et sa classe de bouts d'choux. Hier, jeudi, nouvelle excursion, au Centre

143

de la Nature à Laval avec, cette fois, David et ses petits camarades de la maternelle Saint-Paul de la Croix. Rentré épuisé, nous repartions après le souper, Raymonde et moi, pour un lancement (la vie du lutteur Vachon!, chez Guérin) dans une discothèque géante, *Métropolis*, dans le *red light*.

Avec un calepin, bien bourré d'annotations, j'aurais pu rédiger tout un livre sur uniquement mes trois excursions dans la nature avec des mouflets innocents. Paresse encore? Non, pas vraiment. C'est que, chaque fois, j'ai dû me convertir en aide-moniteur et surveillant. J'en avais plein les mains, plein les yeux. Chaque soir, j'avance un peu plus dans *La cause des enfants*, l'étonnant et instructif livre du docteur-analyste Françoise Dolto. Comme elle a raison: arriver au plus tôt à traiter les bambins comme des personnes humaines, non plus comme des choses ou des paquets manipulables. C'est la donnée de base de toutes ses réflexions et j'y souscris volontiers.

J'ai pu enfin voir la copie zéro de *Pour tout vous dire* (ce sera le titre, finalement) à *Jasmin Centre-Ville*, hier soir à TQS. Mon Dubé m'avait bien conseillé, la page couverture a belle allure avec son lettrage rouge. Sur un fond *chinois*: une page de mon (ancienne) écriture à la main. Raymonde l'a trouvé bien beau, elle aussi. Au téléphone, il y a deux minutes, Dubé me fait part de sa liste des reporters à inviter en vue d'un déjeuner de presse qu'il m'organise nulle part ailleurs qu'au chic Ritz hôtel. Ce sera à la fin de la première semaine de juin. Honte vague, en ce moment, Raymonde passe au peigne fin la chambre. Je l'aide à sortir le mobilier. Maintenant, ces feuillets faits, je dois donc repeindre mon bureau. J'ai décloué mon immense babillard de liège. J'en avais assez de cet épinglage de paperasses qui me narguaient. Au placard, l'avalanche de notes, de projets, d'esquisses de travaux divers! Vite, vite!, rédiger mes dix feuillets pour la livraison numéro un du *Québec littéraire*. Voilà deux fois que je croise dans des studios de télé le directeur du futur magazine, Germain. Chaque fois, il me menace en riant: «Oublie pas, date limite, le 1$^{er}$ juin, mon Claude!» Répondre aussi à la lettre d'Huguette Lachance qui admire *mon culot et ma franchise*. Re-contacter cette Céline M. à propos de la vente de la maison natale... Et puis quoi encore?

De l'autre côté de la rue, je peux apercevoir mon voisin d'en face, J.-C. Rinfret, besognant sans relâche (lui) à repeindre ses balcons et ses cadres de fenêtres. Le vaillant retraité! Honte encore. Grouille, grouille, bonhomme Jasmin! Ouais... Finalement, j'ai décidé de ne pas faire d'interview pour ce *Québec littéraire*. Non. Plutôt, j'ai commencé une sorte de bizarre collage à partir d'un ramassis hétéroclite de coupures de journaux. Je tente de pratiquer du nouveau-nouveau-roman. Pas mécontent des trois premières pages. Je dois poursuivre. Quand? À ce lancement d'hier soir, pour les mémoires du lutteur Maurice Vachon, je me suis amusé à railler des intellectuels qui doivent grimacer aigrement en voyant ce *Mad dog* entrer chez Guérin-littérature. Cette intrusion va bien avec mon idée de faire se raconter des gens hors du *milieu* littéraire. Je sais bien que je fais en ce moment du coq-à-l'âne farfelu. J'aime bien. Trépidation de l'homme en retard, débordé? Il faudra bien désormais que je sois mieux axé, tout de même. C'est la faute au beau temps revenu. J'ai toujours été, chaque fois que le printemps revient, l'étourdi, le tiraillé, celui qui ne sait plus s'il va aller courir dans la nature ou bien s'attabler studieusement à quelque grand projet de vie. Nicole, ma cadette, me téléphone. Elle n'en revient pas du tout des stupides délais pour la transaction du 7068 Saint-Denis. Moi non plus. Elle semble croire que l'exécuteur testamentaire (moi) se traîne les pieds. Je la rassure du mieux que je peux et re-contacte les Martimbault de *Immeubles BTM, inc.* On va me rappeler. Vieille chanson depuis la mort du père, il y aura exactement un an le vingt-neuf mai!

Prière: Papa, papa, papa!, ton grand vieux garçon est bien énervé ces jours-ci. Par ta bonne influence, du haut de ton paradis de Lumière, pourrais-tu arranger un peu ses petites affaires? Merci!

*30 mai 88*

Une injustice criante...

Sombre après-midi d'un lundi qui s'achève. Raymonde va rentrer bientôt du boulot. Je lui ferai son cocktail coutumier. Pour moi un Campari avec soda. On ira jaser un brin, dehors si la pluie ne tombe pas. L'air est lourd, chargé de ces pluies abondantes annoncées par la météo depuis vendredi dernier. Qui ne tombent toujours pas. Il a pourtant plu un peu, pas beaucoup, ce matin, rue Morin, alors que nous chargions le coffre de la Honda avec les nécessités habituelles, à ne pas oublier de ramener en ville. N'empêche, au cours du week-end, nous avons pu prendre quelques brefs bains de soleil (drôle d'expression!).

Rentrant rue Querbes, vers midi, des téléphones sans cesse. Mon petit frère Raynald s'énerve et s'inquiète, à bon droit, des ultimes délais chez *BTM inc.* pour cette transaction si simple, l'achat du 7068 Saint-Denis. Je le comprends. La benjamine, elle aussi, me talonne et me questionne. Je loge donc un S.O.S. chez *BTM inc.* La charmante mais bien lente Céline M. me rassure: «Ça va se faire. Demain soir. Notre notaire déménage son bureau et il m'est difficile de l'atteindre, mais je le contacte et je vous rappelle.» Elle ne le fera pas, bien entendu. L'exécuteur testamentaire que je suis se doit, lui, de rester libre, à

146

la disposition des *maffieux* en droit. Vraiment, des coups de pied au cul se perdent. Je bouillonne. Pour chasser ces ennuis, rien de tel que d'aller mastiquer un carreau, de laver les quatre fenêtres du mini-solarium. Ce que j'ai fait tantôt. Raymonde sera contente de son homme de ménage habituellement si peu entreprenant! Ensuite, avec un sécateur, j'ai tondu ici et là dans le jardin, en avant et en arrière. Puis, arrosage copieux des corbeilles et des pots de fleurs... puisque la pluie ne se décide pas. Enfin, j'ai fait une caricature gentille au Michel Chamberland, ex-camarade à la SRC, qui vient d'entrer à TVA comme directeur des programmes. Dessin d'un funambule entre deux tours... Il rira?

Zut, parti trop vite du village laurentien et j'ai oublié mes Dolto au chalet. Coup de fil à la biblio d'Outremont. On comprend ça. À remettre, avec amende, lundi prochain. Coup de fil également à TVA pour confirmer mon passage avec Mariette Lévesque, demain matin, tôt. Son recherchiste, un certain Éric Rémy, me dit: «Le thème, mardi, c'est la beauté. La beauté physique des femmes. Ça vous va? Vous pourrez relier ce sujet avec votre journal qui sort bientôt, si vous voulez.» La beauté? Si longtemps, j'ai cru qu'elle était une injustice criante. Jeune homme, j'ai su, j'ai vu, j'ai pu constater que l'on me trouvait beau! Que l'on me jugeait charmant. J'ai vite appris les faveurs qu'on peut obtenir si on a, par hasard, un physique agréable. Pour les femmes, la beauté peut être un inconvénient. Un vrai handicap. Préjugé bête: les très belles filles étaient tenues pour des gourgandines le plus souvent. Nous étions (est-ce assez stupide?) convaincus que la fille laide possédait forcément plus de jugement, une intelligence supérieure. J'ai reçu des confidences claires, à ce sujet, de plusieurs jolies femmes. Bon, bon, on en causera donc... Raymonde, ma beauté brune, arrive et je descends à sa rencontre.

147

Machine à produire...

Ça y est. Je reviens à ma machine. Raymonde et moi nous sommes raconté nos potins du jour. Je lui ai dit tantôt, sirotant nos apéros, que mon journal se veut trivial. Au sens anglais du mot, donc vulgaire. En tout cas, ouvertement rempli de faits anodins. Que cette volonté de faire réaliste m'empêche désormais d'être bien fervent à le tenir. Une tentation? Ne livrer, tel un Carpentier (dans ses *Mille jours*) que des pensées profondes, des réflexions plutôt métaphysiques sur le présent, le passé et l'avenir. Mais non, je dois me retenir. Je tiens à un journal vivant, frais si possible, tout plein d'anecdotes en apparence futiles mais qui illustrent bien l'existence très quotidienne. Dimanche, nous avons revu *All that jazz*, de Bob Fosse, un film aux images très télescopées, elliptiques, racontant la vie tumultueuse d'un chorégraphe de Broadway, don Juan et «workaholic» qui se ramasse en clinique d'urgence, le cœur foutu. Le bon film! Tranches de vie trépidante de cette *machine à produire*, à New York, avec ces «anges», les mécènes, trio de Crésus calculateurs et plutôt stupides. Le cinéma américain, parfois, accepte l'autocaricature et c'est toujours fascinant.

Me voilà ravagé d'inquiétude. Je songeais à questionner de jeunes auteurs pour l'article du premier numéro du *Québec littéraire*, une Josée Fréchette (*Le père de Lisa*), un Poissant (*Vendredi*) et un Gagnon (*O ma source*), mais ça ne me disait plus rien. J'ai plutôt eu envie de pondre un papier curieux, de fiction, à partir de vieilles coupures de presse. Mais voilà que j'y crois moins. Ah, la sale bête du doute! Que faire maintenant? Sais pas. Téléphoner d'urgence aux jeunes? Faire de brèves entrevues avec des questions bien coriaces? Sais plus. La date limite est le 1er juin, c'est après-demain, mais je suppose que ça va pouvoir s'étirer et que je pourrai me brancher dans les premières semaines de juin sur ce que sera ma première

148

participation. J'ai eu envie, autre hésitation, d'écrire un recueil de poésie ce matin. Une drôle d'idée. Je suis comme ça. J'ai souvent envie, depuis quelques années, de rédiger des poèmes qui seraient d'une manière un peu bizarre, très réaliste en surface et au fond très imagée, très pleine d'une crise métaphysique, celle qui rôde dans mes soubassements. La chère Françoise Dolto, je le gagerais, est là-dessous. Tout ce que Dolto reconnaît à l'enfance, tout ce qu'elle a de précieux, fragile, fin, pur, dur et innocent, tout ça m'est comme remonté en surface. J'ai des choses à dire sur un certain petit garçon que j'ai bien connu, qui prenait un hangar pour une forteresse, une serpillière pour un cheval de race... Et caetera. On verra bien si un jour je serai le poète candide que je souhaitais tant devenir à dix-sept ans, et même avant. En attendant, il y a ce jour-ci, ce lundi nuageux où il y a comme une attente dans l'air. Dans moi. L'attente de je ne sais quoi au juste. Un miracle? Une apparition? Vague à l'âme.

*5 juin 88*

La vie est un calvaire...

Le beau dimanche! Du vent. J'aime le vent. Depuis toujours. Tenez, l'autre jour, moment de béatitude parfaite. Je reviens de chez ma fille. Arrêt au feu rouge à l'angle Christophe-Colomb et Rosemont. Le clocher de l'église Saint-Étienne qui se met en branle, sonore. De grands drapeaux claquent au vent. Le soleil déclinant. Lumière oblique. Oui, le bonheur. Il tient à quoi? Sais pas. J'étais soudain au comble du ravissement. Extase brève. Juste pour le joyeux tintamarre des cloches, celui, farouche, des drapeaux de ce garage au coin de la rue. La lumière de

149

cette fin d'après-midi. Est-ce si simple, le bonheur? En ce moment, même béatitude. Juste à regarder frétiller par ma fenêtre les vaguelettes du lac, les branches qui remuent partout, les arbrisseaux du rivage qui ploient en tous sens, les cloches de l'église au pied du Sommet Bleu... Je suis bien. Raymonde, plus libre désormais, arbore cette même sérénité depuis quelques jours. J'ai pourtant, au fond du cœur, une toute petite pointe d'anxiété. Elle veille, l'idiote, la méprisante, l'inquiète. Quoi? L'idée qu'il fait trop beau? Qu'on est trop bien, trop contents tous les deux? Qu'il pourrait bien survenir un quelconque désagrément? D'où vient donc cette sempiternelle angoisse dans le cœur humain? De bien loin sans doute. De tous ces enseignements de l'enfance. Cette tristesse qu'on nous inculquait: *le bonheur n'est pas de ce monde. La vie est un calvaire.* Fi de ces sinistres avertissements d'antan! Foin de ce lugubre endoctrinement de jadis! Sus aux mauvais démons d'un vieux christianisme si triste! Vive ces beaux jours de juin qui commence!

Hier, aussitôt arrivé, je me suis emparé de ma petite tondeuse fraîchement aiguisée et j'ai tondu le pré entre la demeure et le lac. Stupide satisfaction? N'empêche, elle est bien réelle. Ça vient de loin, ça aussi, le besoin des pelouses proprettes! Bêtise? Je ne sais plus. Je le redis, je songe à laisser en jachère de larges pans du terrain, d'y installer trois, quatre patios différents. En bois, en pierres. Ça de moins à tondre, quoi. Pas le temps. Raymonde, quand je lui en parle: «Bah, pourquoi te donner tant de mal? Laisse aller.» Elle a raison, sans doute. Mon besoin de transformer, il vient d'où au juste?

Bouquets de lilas partout, rue Querbes et ici, au chalet. C'est si beau et ça sent si bon: c'est si court *le temps des lilas*, mon cher Marcel Dubé! Petits déjeuners dehors ces jours-ci, en ville comme à la campagne. Jouissance de cette belle saison qui, hélas, va fuir si rapidement! Je m'en veux de toujours songer au temps qui file. Merde!, jouir du présent et m'empêcher de penser à la suite. On n'y arrive jamais. Samedi matin, défilé habituel des juifs hassidiques dans la rue Saint-Viateur. J'aime bien cette noire lingerie dans ce printemps archicoloré. Contraste intéressant. Les voisins d'Outremont ont planté partout leurs fleurs, comme à chaque printemps. C'est stimulant. Trois Chinoises, toujours les mêmes, trottant vers l'avenue du Parc. Et puis trois autres. Des nouvelles? Visages aux mille rides. Peut-être des Vietnamiennes? Elles m'offrent l'image aimée d'un Orient légendaire où je voudrais tant aller. Cela me vient, cette attirance pour la Chine, des lettres, des photos et des cartes postales de l'oncle Ernest, missionnaire en Chine dans les années 30 et 40. Ces envois postaux faisaient rêver le petit garçon pauvre et interné dans son ghetto-Villeray. Je me fabriquais des songes: plus tard, je voyagerais moi aussi, j'aurais mon bateau, mieux, ce serait un aéroplane. Je visiterais, en reporter libre, tous les coins et recoins de cet Orient mystérieux. Ma passion d'adolescent pour les cours de géographie de l'abbé Aumont, au collège Grasset, émule du géographe Raoul Blanchard, était soudée aux colis postaux de l'oncle Ernest.

Je viens d'expédier au *Journal d'Outremont* ma diatribe sur *Un racisme juif* qui fut refusée à *La Presse* et au *Devoir*. On verra bien. J'ai expliqué au voisin d'en face qu'après tout, c'était le meilleur lieu pour y lire ma complainte sur le séparatisme total (méprisant?) de nos juifs hassidiques. Vendredi, cet ultra-légaliste notaire des acheteurs du 7068 Saint-Denis devait me recevoir à son bureau pour la remise du chèque. Pas d'appel! (Je m'en doutais.) C'est à peu près terminé, cette idiote saga testamentaire. Je n'en parlerai plus ici. Je n'oublierai jamais ces dix mois de tergiversations stériles pour une si simple transaction. Malade, ce monde à paperasses. Pouah!

Louis Chantigny, un voisin, signe une brève interview avec Claude Mauriac dans ce *Journal d'Outremont*. Bon papier. Une fois de plus, le fils du célèbre romancier parle franchement de ses romans à lui, mal cotés, de l'ombre gigantesque du père et de son immense journal-montage. La lecture de son *Temps immobile*, je le redis, m'a donné l'impression de le connaître presque intimement. Si le mien de journal pouvait créer cette même impression de bonne familiarité auprès de mes lecteurs. À ce sujet, enfin, un appel de Dubé: «C'est un peu long, hein? Tu dois comprendre que notre imprimerie a toujours son lot de manuels scolaires à sortir. *Pour tout vous dire* devrait tout de même sortir des presses dès la semaine prochaine.» Je lui répète qu'il ne faut pas mettre en couverture «journal *littéraire*», puisque j'ai voulu jaser sur tant d'autres sujets que celui de la littérature. Il est d'accord, la couverture n'en fera aucune mention. J'ai hâte et j'ai très peur des réactions publiques à mes confidences.

Jeudi, Raymonde est partie pour un ultime mixage de l'*Héritage*. Je passe donc l'après-midi et la soirée rue Chambord. La bière du gendre, qu'il fabrique avec les appareils prêtés par Daniel, est bien bonne. Je ne suis pas un connaisseur, mais j'apprécie probablement son origine artisanale. On aime ce qui est fait à modeste échelle. On y décèle une authenticité peut-être pas vraiment fondée. Avant le souper, au restaurant chinois du coin, jeu classique de la *cachette* et grand plaisir des mouflets. Se joignent à David et Laurent les petits copains de leur ruelle. Je me munis d'une longue branche-fouet et je les menace en riant, les cherchant mollement dans les entrées de garage ou sous les balcons. Plaisir fou de tous les gamins du quartier, mais moi, vite essoufflé au bout d'une heure, je suis bien soulagé de devoir partir manger. Les enfants n'y sont pas accueillis par les grises mines habituelles dans tant de restaurants où, voyant arriver des enfants, les hôtes et serveuses prennent un visage de catastrophe imminente.

Vendredi, j'ai repeint un mur de mon bureau afin que tout soit d'un beau blanc uniforme et Raymonde est bien contente de son peintre. Je constate que je n'ai plus l'énergie de mon jeune temps. J'ai mal à mes os, la prochaine fois, j'engage un étudiant. Le *Pascal*, de l'avenue du Parc, coin Bernard, n'est pas vraiment un grand magasin, hélas! Avec Raymonde, j'y déniche pourtant un solide matelas pour chaise longue, cher, bien confortable. On l'a installé tantôt sur le balcon de Sainte-Adèle. Le fauteuil royal, désormais!

Je m'ennuie de petit-Simon. De sa maman aussi, ma belle bru, Lynn. Le rêve? Habiter, tous, dans le même patelin. Non! Ce serait néfaste en fin de compte. Les enfants grandis, mariés, doivent absolument quitter l'ombre paternaliste. Une voisine du bord du lac, hier, se plaignait (discrètement) de ses enfants, des adultes faits, qui sont toujours au chalet, accrochés encore à papa-maman. Elle voudrait mieux profiter de sa retraite méritée. Je repense souvent au récent *caucus* des *sept*. Aux chiffres qui volaient autour d'une longue table chez l'acheteur lambin du 7068. Aux calculs effrénés du sado-notaire, au moment où j'ai livré le trousseau de clés de cette maison natale. Sale pincement au cœur! C'est comme si j'avais donné mon âme à des étrangers. Une coupure cruelle. Mes sœurs et mon frère ne m'ont pas semblé autant attristés par ce fait. Au restaurant italien, où nous sommes allés ensuite arroser cette finale passation du bien paternel, ce ne fut que farces et galéjades. Réaction viscérale peut-être, en guise d'adieu des sept vieux orphelins? Bonne santé mentale au fond? Mais oui, la vie roule, charriant dans son cours impétueux tous les détachements obligatoires auxquels nous devons nous résigner. Adieu vieille demeure! Nous avons été heureux et malheureux au 7068. Voilà que je me dis: il

153

nous reste les 75 bobines de la série télévisée *La petite patrie*. Mais, j'y pense: a-t-on fait effacer, à la SRC, tout ce petit patrimoine? C'est fort plausible, et il faudrait que je me renseigne. Si Radio-Canada a conservé les rubans, je devrais les faire copier pour l'usage personnel des miens. Pouvoir un jour les visionner? Quand nous serons, tous les sept, des vieillards impotents. Pour verser quelques dernières larmes sur le temps trop mobile. Trop mobile, mais oui, Claude Mauriac!

Deux voisins du lac m'annoncent que le Ministère québécois de l'Environnement, samedi prochain, fera parvenir mille six cents plants de myric-baumier, futurs bosquets semi-aquatiques. Faudra les semer sur les rivages partout! Aïe, mes reins! J'ai envie de m'absenter. Après tout, mon rivage à moi est bien couvert de ces arbrisseaux protecteurs, non? Que les autres se débrouillent. Personne n'est venu nous aider, Raymonde et moi, il y a trois ans. Paresse? Besoin de me ménager? Ouais! N'épiloguons pas trop là-dessus. Un très vieux radeau s'est échoué sur notre mini-plage. En pédalo, aussitôt je vais le larguer au large, mais il me revient! Tant pis. Je le garde.


Beautés féminines...

J'espère que Jean-Claude Germain sera satisfait de mon papier (dix feuillets) pour le numéro 1 de son *Québec littéraire*, une autre édition Guérin. J'y ai mis une sorte de conte, ou de nouvelle, où transparaît un de mes soucis. Une peur, plutôt? Celle du totalitarisme. De la manipulation des intellectuels trop généreux et bêtement gauchistes. J'ai aussi expédié, hier, chez une certaine Louise Myette, un bref message (à sa demande) en vue d'un *agenda des auteurs*. J'y ai dit la totale liberté qu'on trouve à publier des livres face à l'omniprésent monde du visuel, cinéma et télé surtout. On voulait aussi une signature et une photo. Ces demandes fréquentes de photographies! Je n'en ai jamais. J'ai mis une vieille photo faite par un prof-rédacteur du magazine *Québec français*. Et hop! Au suivant!

Ce matin, je vois la binette de Jacques Brel sur la couverture de *Paris-Match*. Achat aussitôt. Mon vénérable Brel! J'ai souvent le goût de regarder des photos, pleines couleurs. Chaque fois ce sera alors l'acquisition d'un *Paris-Match* ou du *Figaro Magazine*. Tout jeune, j'aimais déjà les photos de magazine, à une époque où elles étaient si rares, précieuses, toujours capables de me faire rêver. La couleur. Cette semaine, dans l'exigu studio de Mariette Lévesque, à TVA, il y avait un perroquet (sa mascotte) aux couleurs ultra-contrastées, magnifique! Sa vue m'a rendu muet quelques instants. L'animatrice me sort soudain de mon extase en révélant: « J'étais jeune. Je vous avais croisé, Claude Jasmin, dans une rue proche de Radio-Canada et vous m'aviez adressé une bien laide grimace que je n'ai pas oubliée! » Me voilà surpris et encore plus muet! Nous devions causer sur le thème: « beautés féminines ». Je tente alors de m'excuser et d'expliquer: « Sans doute une grimace de réaction! L'idée folle que les très jolies filles, toujours comblées, entourées et flattées, pouvaient bien avoir besoin de quelqu'un qui les conteste en leur tirant la langue.» Nous avons ri et puis je me suis comparé à son exotique oiseau: « Moi aussi, Mariette, avec mon journal, je deviens un terrible perroquet, un oiseau curieux qui divulgue des confidences.» Nous avons bien ri.

Au soleil couchant, dehors, bon petit gueuleton. Deux homards, hélas plutôt secs, bordeaux rouge, salade, pain croûté de chez Lemoyne. Délice. Ensuite, cinéma à domicile puisque Raymonde a loué une cassette au Vidéo-club d'en bas de la côte. Ce *Fatal attraction*, avec Douglas-fils, est un récit terrifiant, surtout à la fin. Une jolie jeune femme blonde, célibataire, se jette à la tête d'un charmant bon mari bien tranquille. Il va accepter de *consommer* cette diablesse blonde qui l'a dragué avec insistance. C'est alors un flot d'images aux pulsions animales (Dolto) vitement satisfaites dans l'amoureux combat de l'union des sexes. Ensuite? Patatras! La fausse libertaire montre son vrai visage. Elle veut un homme en permanence. Un époux. Elle veut un enfant de lui. La voilà transformée soudainement en amoureuse transie. Suite de coups de fil de harassement. Lui, couilles vidées, croyait retrouver la paix de son gentil foyer. Mais non! Elle rôde et menace, cette blonde fatale! Elle va jusqu'à s'ouvrir les veines des deux poignets puis organise un rapt d'enfant! C'est la terreur de l'amant d'un soir. Le film s'achève dans une bouillie de sang versé, véritable Hitchcock, avec couteau de cuisine, salle de bain éclaboussée. Raymonde en est tout horrifiée! Un suspense fort bien mené. Une leçon morale bien déguisée? On en rigolera au coucher. Ce cinéma voudrait-il prévenir les jeunes époux paisibles: détournez vite le regard si une allumeuse se présente sous les atours de la femme libre en quête de simples ébats sexuels. Derrière toute dragueuse, se tapit une aspirante petite ménagère jalouse du bonheur des autres. Après les non moins sinistres actualités télévisées, dodo! Je confie alors à ma brune: «Tu as été une attraction fatale pour moi! Ne l'oublie pas.» Nous rigolons. Raymonde n'avait rien d'une allumeuse en mal de coït, oh non! Nos premières rencontres se voulaient platement fonctionnelles. Elle était ma copiste-dactylo, la correctrice de mes manuscrits bien brouillons. À force de nous rencontrer autour de mes pontes échevelées, l'amour survint. Longue histoire que je narrerai peut-être un jour par le détail, en un livre tout sentimental? Je l'intitulerais: *Raymonde*. Tout brièvement. À faire paraître après ma mort?

Voilà (j'ose l'avouer) que je songe à me pointer de nouveau chez les acheteurs du 7068 Saint-Denis. Si ces rénovateurs acceptaient l'idée d'un Musée Jasmin? Folie?

J'imagine la maison natale déguisée comme pour perpétuer *La petite patrie*!

Nous avons eu de la chance...

Un mardi tout clair, petits nuages insolites, isolés, dans un pur ciel... grec? Ce matin, le cabriolet enfin mené au garage pour sa vidange printanière, je marche dans cette bizarre et bigarrée avenue du Parc, entre Fairmount et Saint-Viateur. Mélange de commerces minables et de boutiques luxueuses. De tout. J'aime bien ce pâté surprenant, indigeste visuellement et pourtant vrai, stimulant. Rien à voir avec la coquetterie des rues Laurier ou Bernard.

Hier, sombre journée, après avoir reçu une lettre de trois pages remplie d'injures diverses, d'insultes calomniatrices. C'est signé Réal Giguère, le feuilletoniste et animateur-vétéran au réseau TVA. Il répliquait à la mienne de lettre où je l'avertissais amicalement de mon intention de publier ma déconvenue monétaire avec lui. Durant trois années, à partir de ses brillantes et très brèves synopsis, aux intrigues rebondissantes et amusantes, j'ai écrit tous les textes de la populaire série Dominique, à TVA. Or il y a eu des reprises récemment et aussi une vente en France. Étant sans aucun contrat écrit avec les *Entreprises Réal Giguère*, j'avais tenté, verbalement et puis par écrit, de le décider à partager (à sa discrétion) ses nouvelles recettes. Silence. Et puis refus. De là ma décision d'alerter les futurs candides collabos des compagnies privées (comme la sienne), de là aussi sa colère épistolaire! Raymonde, en lisant cette prose où Giguère me dé-

157

peint comme un raté, s'en est trouvée toute remuée. Quant à moi, le moment de stupeur passé, j'ai rédigé une agressive réplique. Ce matin, refroidi, j'ai écrit une nouvelle lettre à l'ex-camarade pour lui demander des explications et des excuses. C'est un véritable choc, une grande surprise, de voir ainsi se métamorphoser un vieux copain qui vous avait jusqu'alors toujours manifesté de l'amitié, de l'admiration, même. Drôle de monde, ça! On ne s'habitue donc jamais à la trahison, même devenu quinquagénaire?

Hier soir, Daniel est resté en ville et est venu manger des spaghetti rue Querbes. Quand je lui ai parlé des propos insultants de cette lettre de Giguère, il m'a dit: « *Je ne veux pas lire ça. Je fuis les affaires « heavy »*. Bien raison. Nous lui demandons la raison de sa présence en ville; il nous explique que, longtemps, il y eut *le lundi soir* des copains de jeunesse et que, ce soir, c'était la reprise du rituel, rue Saint-Vallier, chez le jeune Jean Mongeon. Ce dernier, comme trop de jeunes d'aujourd'hui, a fait des études universitaires en astronomie, mais il doit gagner sa vie en donnant des cours de physique, à la pige, dans différents collèges des alentours. Un autre diplômé d'université en chômage? Raymonde et moi en avons profité pour questionner Daniel sur ses projets d'avenir. Il parle de la loterie « auteur de feuilleton », d'une envie de faire plus de reportages au *Lundi* où il est mieux payé qu'à son atelier de souffleur de néons, de son intention de faire des démarches auprès des journaux régionaux de Deux-Montagnes, où il habite, enfin, de projets d'inventions de sculptures de verre soufflé. Il est un habile bricoleur, jadis il a tâté, avec plaisir et succès, des arts plastiques à l'Université de Montréal... Bref, il est un autre jeune dans la trentaine qui cherche une voie, une issue. L'ensemble de ses projets me fait bien voir qu'il répugnerait à s'embaucher de façon permanente dans un boulot régulier avec horaire fixe. Chanceux? Je lui souhaite évidemment de pouvoir durer, de se débrouiller sans le traditionnel carcan du salarié enfermé chaque jour dans une boîte à bureaucrates. Durant trente ans, à la SRC, j'ai dû *faire du temps* (comme on dit). Bien qu'avec la scénographie, les horaires étaient plutôt libres. Rien à voir avec le travail ennuyeux dans une institution très encadrée à surveillance pesante. Dieu merci! Reste l'immense problème de tous ces jeunes instruits et qui ne trouvent guère de débouchés enrichissants en arrivant si nombreux sur le marché du travail. Une plaie? Une injustice aussi. Raymonde dit: «*Nous avons eu de la chance, toi et moi.*» C'est la vérité.

J'ai promis à ma fille que je conduirais demain son aîné, David chez le dentiste le matin, et chez un médecin de Sainte-Justine, l'après-midi. Plus encore: je dèvrai aussi l'accompagner à une excursion du côté de Sainte-Julienne, après-demain. Raymonde, flegmatique: «*Le grand ménage du printemps ne s'achèvera donc jamais!*» Je suis embarrassé. En effet, il y a encore un tas de menus travaux à accomplir pour en finir avec cette corvée saisonnière.

Tantôt, un appel de chez Guérin. Le premier tome de mon journal n'est pas encore imprimé, mais il y aura lancement collectif lundi le vingt juin. Et on va me payer enfin mes couvertures et autres illustrations. Dubé affirme que *Pour tout vous dire* sera proposé comme livre de vacances (ou livre pour l'été) dans les annonces qui viendront. Ouais! Dire, je le répète, qu'il devait paraître en avril! J'ai l'habitude. Je ne grogne presque plus (Dubé doit bien en être surpris), moi qui jadis fulminais au moindre retard en cette matière. Enfin, il viendra ce soir chercher un dessin — *à pondre en vitesse* — pour un livre de Hamel sur Alexandre Dumas. Dubé me suggère de jouer avec l'image des célèbres mousquetaires. J'y vais, je mettrai du rouge et du noir, de la cape et de l'épée. En garde, bonhomme! J'aime ça comme un fou, aller barbouiller au sous-sol. J'y vais tout de suite...

Tiens, trois chèques sur la mosaïque du portique: un pour ma visite chez Mariette-Babillard-Lévesque, un pour l'entrevue avec le Jasmin du Centre-Ville. Un dernier, au nom d'Édouard Jasmin: une galerie de la rue Mackay vient d'acquérir une céramique du paternel, trois cents piastres dans le compte de la succession! Papa payant, encore! Même mort! Un an déjà qu'il est parti? Je sors *Deux mâts, une galère*. Besoin subit. Je regarde les photos de cette plaquette de conversations parue chez Leméac en 1983... Mon père sourit, il a vingt ans, jeune marié... Maudite mort!

*14 juin 88*

Ce besoin de tuer...

Ces derniers jours, plein de petits faits d'une certaine importance pourtant dans mon existence et je trouve mal le temps de les noter. Je devrais songer à un carnet de notes. Véritable canicule d'été depuis le week-end et la météo nous annonce un mardi pas moins torride. *Défense d'arroser les jardins*, clame une annonce officielle, et moi qui aime tant mouiller mes alentours, qui vient d'installer un nouveau boyau d'arrosage pour le logis d'en ville! Éliane vient de me téléphoner: ça y est, l'ultime opération chirurgicale au pénis de son aîné, David, va se faire demain, mercredi. À Sainte-Justine. Je m'engage, comme pour les deux fois précédentes, à relever les parents à certaines heures de garde. Mon gendre ira dormir à l'hôpital mercredi soir. Il paraît que David, alerté du fait, n'a pas trop bien pris la nouvelle, il faudra que je réussisse à le rassurer. Comment? Dieux de la pédagogie enfantine, au secours!

160

Tantôt, je suis vite allé déposer le chèque important des acheteurs du logis natal que m'a remis hier après-midi (enfin!) leur notaire ultralégaliste. François Mauriac avait bien raison quand il recommandait aux querelleurs de rencontrer d'abord, en personne, celui avec qui ils s'apprêtent à polémiquer. En effet, à bavarder avec ce jeune avocat-notaire, il m'est devenu quasiment sympathique. Moi qui le vouais à tous les diables durant les pénibles et si lentes négociations. Nous sommes même allés boire de la bière ensemble après la remise du fameux chèque. Je me suis surpris à le consulter (vaguement) pour cet éventuel projet (flou) de fondation d'une petite maison d'édition. Le Patrice S. s'offre aussitôt à me guider, s'engage même à ne se faire payer qu'en cas de recettes et à pourcentage. Bientôt, à la Saint-Jean, l'exécuteur testamentaire que je suis devra donc signer des chèques de vingt mille piastres aux sept héritiers d'Édouard Jasmin. Au téléphone, hier soir, Raynald m'a annoncé que le *bien cuit* est en fort bonne voie pour le *caucus* du vingt-quatre prochain.

Je regarde les grandes photos couleurs du 7068 Saint-Denis, que le jeune courtier (de *Remax*) m'a fait remettre. Cet humble cadeau pour tous les miens, voilà donc tout ce qui va nous rester de tant de souvenirs en cette maison paternelle. Émoi solide. Plus tôt, j'ai rendu visite à la benjamine qui, dès juillet, devra quitter son logis à l'étage (où papa n'exigeait qu'un loyer symbolique). Marie-Reine semble très contente du nouveau logement qu'elle a pu se dénicher, un peu plus à l'est, mais toujours dans sa chère *petite patrie*. Des caisses de carton encombrent partout les pièces du 7064. Il faut bien tourner les pages de ce drôle de livre: l'existence. En avant!

David! Je repense souvent à lui. Lors de la récente excursion à Sainte-Julienne, à l'heure du lunch, il pousse soudain un cri de joie! Il sort de table et court à toute vitesse pour poursuivre un grand papillon. Il entre dans un boisé, les bras en l'air, tout énervé. Les autres enfants sont restés attablés. Éliane m'explique: «C'est son nouveau dada, les insectes. Il remplit une grosse bouteille de toutes sortes de bibites qu'il ramasse partout.» Un autre sujet de surprise? Gabriel, qui n'a pas même deux ans, voyant une fourmi à ses pieds, lève sa petite patte et tente farouchement d'écraser la bestiole. Avec une sorte de fureur! J'en suis resté ébahi. D'où vient ce besoin de tuer? Du fond des gènes de l'*homo sapiens*? Un si lointain descendant des chasseurs des cavernes! Un résidu au fond des chromosomes qui commande à bébé-Gabriel d'écraser les animaux? Curieux. Enfant bien élevé par ailleurs. Dès qu'il aperçoit une fleur, même un vulgaire pissenlit, il s'accroupit aussitôt et renifle bruyamment. «Sent bon, papi! Sent bon!» J'entends la leçon d'Éliane là-dessus.

Je médite souvent sur la question «*douance*». Je viens de lire un article sur des écoles dites internationales où, moyennant pas mal de fric, des parents anxieux peuvent mener leurs chers petits trésors. Je me pose des questions. Je doute. Ne voit-on pas des enfants pauvres, nullement protégés par le fric parental, qui s'en sortent? (Charlie Chaplin). Qui réussissent (selon les canons en cours de la réussite, qui sont évidemment contestables)? J'ai connu des petits camarades, jamais stimulés, dans un entourage inculte, qui surent pourtant se débrouiller avec éclat devenus adultes. Il y a tant de cas aussi, d'enfants choyés, mis dans des écoles modernes, progressives, qui finirent plutôt mal, délinquants ou tristes bureaucrates dans des emplois pénibles. Je ne sais plus quoi penser. Je comprends bien l'angoisse des parents. Tout le monde souhaite armer le mieux possible ses petits. La vie va se charger, sans discrimination aucune, de favoriser les uns, de laisser croupir les autres. La vie se moque des précautions infinies de ces *si bons parents*. Ah, la vie, le destin, quelle dure farce! Je ne sais pourquoi, je songe à ces petits sapins que j'ai plantés il y a cinq ou six ans. Certains sont devenus de magnifiques grands arbres, d'autres sont restés nains, rabougris, tels que je les avais déterrés dans une forêt vierge. Mystère de ce côté-là aussi! La loterie partout? Claude Mauriac, dans son journal, peut bien répéter: *Il n'y a pas de hasard*, je ne sais plus! Des parents valorisateurs se leurrent. Écoles médiocres, publiques ou écoles pour élite, il en sortira diverses personnes. Jamais selon leurs plans ambitieux!

Publier un journal devient une mode? C'est dans l'air, ce temps-ci. Le sociologue Marcel Rioux le fait, le journaliste Laurent Laplante aussi. Diverses façons; ma foi, il y a autant de formes de *journal* qu'il y a de diaristes. Laplante part d'une lecture ultra attentive d'un numéro de journal (*La Presse*), Rioux, lui, brode autour de ses réflexions socio-scientifiques sur le Québec-d'après-le-référendum (pour l'indépendance du Québec). J'ai voulu tenir le mien en l'émiettant volontairement, le remplir d'anecdotes, qu'il soit sans grille, sans ossature centrale, tout comme l'existence ordinaire. Un risque?

Remous hier soir dans ma rue. Pendant que nous dégustions, Raymonde et moi, de succulents homards sur la terrasse, en avant, de bruyants enfants à calotte et frisettes sillonnaient (à bicyclette) le trottoir d'en face, risquant de heurter des passants avec leurs vélos rapides. Remontrances et avertissements de nos voisins d'en face. Les jeunes juifs hassidiques refusent d'entendre raison et continuent de pédaler en zigzaguant à toute vitesse. Une digue a éclaté? Les voisins appellent la police! Nous allions au dessert glacé, (*Le Bilboquet*) quand on nous raconte l'incident. J'ai songé à nous tous, jeunes gamins effrontés sur le large trottoir de la rue Saint-Denis. Je sais que les parents restent impuissants à contrôler les ébats des jeunes. Je sais aussi un fait: ces enfants hassidiques sont audacieux. Ils font fi ostensiblement des dérangements qu'ils peuvent causer mais n'est-ce pas le lot commun de tous les gamins du monde? Peut-être. Il reste qu'en revenant avec nos sucettes de glace, Raymonde et moi ressentons comme un malaise: des voisins ont donc fait appel à la police. Début de quoi? Ça ne sera pas long que le mot « antisémite » sera lâché.

Ce matin, petit déjeuner dehors. Raymonde me répète qu'elle se sent plutôt inconfortable depuis l'incident d'hier soir. Moi aussi. S'il y avait un petit moyen (même en anglais) de palabrer avec les nombreux parents juifs des alentours. Ne pourrait-il y avoir une franche discussion? « *Va falloir, il y a des limites à la turbulence, leur enseigner le civisme* », disait mon voisin hier soir. Mais à huit ans, à treize ans, le civisme? Hum! Je me suis souvenu de certaines voisines, rue Saint-Denis, quand nous étions surexcités par la chaleur qui criaient, excédées: « M'mame Jasmin! Pour l'amour du ciel, faites taire un peu vos enfants! On va devenir folles! » Parfois, elles appelaient la police et ma mère avait bien honte, tête basse, disant aux agents accourus: « Qu'est-ce que vous voulez, ce sont des enfants pleins d'énergie! » Eh oui!

Coup de fil hier du directeur de *Québec littéraire*, Jean-Claude Germain: « J'ai bien reçu tes dix feuillets, Claude. C'est pas mauvais mais... Disons que c'est un peu trop rétro ton histoire. Elle sent les années 50. Si tu pouvais me refaire ça, j'sais pas, hein? » Je lui dis tout de go: « C'était un premier jet. Je le reprends. Je le remanie. J'aurais dû, dès le premier feuillet, mieux relier cette fiction à la vie littéraire. » Je dois donc maintenant remettre ce petit ouvrage sur mon métier... à broder. Dubé vient d'accepter une autre de mes illustrations. Ce sera la couverture du recueil de poésie *À la grâce du regard* de Désilets. J'avais soumis trois jeux tachistes comme pour les tests de psychologie. Suis content. J'ai vu, chez Guérin, imprimé, le roman *La villa désir*. Mon dessin romain avec du blanc, du vert et du rouge fait un effet plutôt réussi. J'en suis très fier. Ça me sera payé quand? Aussi brouillon que moi, Yves Dubé s'acquitte bien lentement des factures de son brillant illustrateur. *Patiencia!*

Le cinéaste J.-C. Lord déclare à un reporter: «Un scénario, bon ou mauvais, c'est bien peu, c'est rien qu'une base.» Pauvres raconteurs d'histoires cinématographiques! Aux yeux de tant de cinéastes, l'auteur du... *livret* (*La grenouille et la baleine*) ne semble rien d'autre qu'un futile besogneur à trahir. À tripoter. Ainsi, le même article nous apprend que le scénario de Jacques Bobet fut repris, refait par André Melançon. Et puis, sans doute, par Lord lui-même. Je sais bien qu'à Hollywood comme à Rome, l'écrivain de cinéma doit le plus souvent se faire *démancher* son texte. Et se taire. Prends le pognon et sauve-toi!, clamait un film. Pour *Mario, La Sablière* adapté librement par le cinéaste Beaudin, j'avais compris ce triste manège. Cela a donné, je le redis, un film esthétisant et très éloigné du côté «pop'art» de mon roman. Scripteur de cinéma, rédige l'argument et tais-toi!


Cette plaie du tourisme...

Ça tombe bien. Hier, mon Foglia publie une chronique captivante sur le thème « *Dehors les enfants*». Un récit vécu, celui d'un locataire chassé de chez lui à cause du bruit (infernal, bien entendu) causé par ses deux fillettes. Foglia écœuré. Moi aussi. Un juge (de la Régie des logements) a donné raison à ce proprio qui déteste *les enfants bruyants*. Qui aime les enfants silencieux, n'aime pas les enfants (à mon avis)! Les enfants muets ne sont pas des enfants. Ce sont des petites victimes, dressées à ne jamais être de vrais enfants (j'ai dit). Pourtant, à mon âge, je dois à la vérité de dire qu'il m'arrive d'être parfois harassé par les clameurs d'enfants dans le voisinage. Chaque fois, je me calme et je me répète: « *Et toi? Vilain petit cavaleur des cours et ruelles de jadis?*» Alors, je la ferme. Et je n'appelle pas la police. Pas encore. Un jour, devenu vraiment vieux et hyper nerveux, serai-je un appeleur de la gendarmerie? J'espère que non. J'espère.

Ce matin, avec son vélo de mille piastres (c'est lui qui mentionne le fait), le même Foglia, du côté de Hull, fustige les laideurs environnantes. Il le fait avec sa naïve cruauté habituelle. La tonitruante réalité marchande le choque, l'agresse, lui devient carrément insupportable. Soudain, il doute: serait-il un petit-bourgeois sombrant dans l'esthétisme? Il ne sait plus trop! Il faut vite le rassurer: « *Oui, bonhomme-pédaleur, oui.*» Le carnaval loufoque du commerce partout, ce salmigondis visuel (et du monde des services), est une atroce vérité. Elle arrache les yeux sauvagement? C'est vrai. Elle est la condition même de notre confort souhaité, entretenu, mon vieux *rechigneux*. C'est que, tout autour de l'écolo-cycliste-vieillissant, c'est rempli (à ras bord) de piocheurs *à petites recettes* qui doivent survivre dans ce cirque. En criant leurs marchandises, à tue-tête. À tue-yeux. À tue-oreilles. Un jour, tel bradreur-salisseur aura son vélo de luxe et, vieilli, assagi, braillera sur ses propres méfaits.

Mon ami Ubaldo, initié récemment au métier de producteur de télé-série (*Un homme au foyer*), m'a fait des révélations. Par exemple, il est utile de se dégotter quelques gros commanditaires quand on veut placer un projet de télévision dans un réseau privé. En réseau public? Même affairisme? Chez *Pixart*, Jacquelin Bouchard explique que pour produire son projet (*Lumières* à Radio-Québec), il lui a fallu d'abord le soutien financier d'Alcan et d'Hydro-Québec! J'ai compris. Je ne me ferai jamais producteur. Allergie à me transformer en démarcheur (lobbyiste?).

Le journaliste Bruno Dostie, revenant d'un séjour à Rome, a pondu un papier furieux dénonçant ce qu'est devenue cette Rome qu'il avait tant aimée, il y a longtemps.

Un lecteur, Mario Colarusso de Ville LaSalle, se moque de lui publiquement avec raison. Il lui explique que ce sont les affreux touristes, Dostie y compris, qui ont causé cette désagrégation. En y retournant, Dostie ajoutait à cette *plaie du tourisme*, ravageuse des belles conditions d'antan. Jadis, seulement les riches bourgeois, et quelques étudiants débrouillards, pouvaient se payer Rome. Ou Paris. Ou Londres. Que c'est difficile de rester démocrate, égalitaire idéaliste, et de ne pas ronchonner ensuite contre les résultats d'une société plus juste. Qui permet, à presque tout le monde, d'aller admirer les émouvantes ruines romaines.

Assez! Je dois achever d'installer des tablettes dans le placard de mon bureau. Mais il fait si chaud! Raymonde pousse son cri de midi et demie: «J'ai faim!» C'est moi qui suis le chargé des lunchs du midi. Vite, jambon, fromage et gros cornichons à l'aneth, ouvrir deux bières fraîches. Qu'il fait chaud pour un quatorze juin, diable!

*25 juin 88*

Une vocation de tyran...

Tant de jours passés sans pouvoir m'approcher de mon cher livre de bord! J'en ai long à vous dire par cet après-midi pluvieux d'un samedi sinistre, frisquet, tout mouillé. Dire d'abord que cette pluie, après deux longues semaines de soleil, doit être une bénédiction acclamée par tous les maraîchers du territoire. Nous sortons d'une grave menace: la sécheresse et ses effets néfastes. Quant à moi, je sors d'un long corridor en forme, littéralement, de couloir d'hôpital. Sainte-Justine. Il y a dix jours, il était.subitement temps pour mon cher petit David d'aller vers l'intervention chirurgicale prévue à propos de ce canal urétral qu'Yvan Laberge, urologue-chirurgien, ne finit plus de lui recanaliser. Malformation de naissance. C'est, probablement, la dernière *opération* à son jeune pénis... Souffrance! Chez moi, une certaine panique que j'ai réussi à cacher tant bien que mal, pauvre papi bien énervé!

Cinq jours cette semaine, et trois autres la semaine dernière, que j'ai vécus au chevet du jeune malmené. De longues heures. Parfois sept, parfois huit, à tenter de le divertir, de le calmer, malgré l'insolite défilé (ces horaires syndicaux) d'infirmières de toutes les couleurs, âges et (hélas) compétences. Chaque midi, papi-gâteau!, j'apportais à David des jouets, des jeux. Petits cadeaux hétéroclites que je dénichais dans les alentours afin de lui rendre moins sinistres ses dix longues journées sur le dos avec cette lourde coquille-pansement sur son bas-ventre.

C'était un petit enfer, car il y avait, tout autour, tous ces trop jeunes *patients* (!) en âge d'aller jouer et courir en liberté. J'en ai vu, des éclopés! Visions funestes de bambins affublés de bricolages sordides de haut *design*, appareils incroyables fixés sur des petits crânes trépanés, sur des membres fracturés. Pire encore: jamais je n'oublierai cette fillette, apparemment sans grave maladie, sans aucun bandage sophistiqué, sanglée dans une petite berçante et se suçant avidement, non pas un pouce ou un index, mais toute une main! Cette autre gamine, le regard déjà d'une vieillarde, sans doute atteinte gravement du côté du cerveau. Misère humaine!

Mes huit jours à Sainte-Justine pourraient faire la matière d'un livre pathétique, mais je n'avais pas le cœur à noter. Mon écrit aurait bien pu tourner au violent pamphlet tant j'ai fait de rencontres désagréables. Un hôpital (Sainte-Justine ou ailleurs, sans doute) est aussi un lieu où des adultes frustrés s'adonnent à du sordide *power trip*.

On brandit sans cesse des règlements internes idiots en réponse à la moindre demande. Ces sadiques en sarraus blancs immaculés doivent pulluler dans tous les lieux d'enfermement publics subventionnés par nos taxes et impôts. Je me retenais sans cesse d'éclater. La crainte que ces malades (je parle ici des soignantes) ne se vengent, moi parti, sur mon petit-fils alité. Bon. Suffit! Il y a quelques valeureuses exceptions: Christiane, Pauline, Éliette... Silencieuses et dévouées, pas comme ces harpies rageuses qui font régner la loi martiale au sixième étage de Sainte-Justine. Toujours se taire. Épuisant de devoir jouer au récréateur enjoué tout en camouflant son indignation.

Oh oui, je sors plutôt révolté de cette expérience, mais davantage accablé de redécouvrir (comme il y a deux ans à l'Hôpital des enfants, près du Forum) cette détresse effarante lue dans tant de jeunes regards déjà perdus, enfants condamnés au crâne rasé ou parsemé de bizarres touffes de cheveux, petits cadavres en puissance que de jeunes mères effondrées promènent dans des fauteuils roulants, la bouche tordue de désespoir tu. L'horreur! Ainsi, je n'ai jamais oublié (au Children's Hospital) ce bambin de quatre ans, accroché perpétuellement à une sorte de mini-téléviseur sur roulettes pivotantes, qui devait surveiller son écran personnel à cœur de jour. Un garçonnet pourtant joyeux, que l'on tentait de gâter (en lui offrant le premier choix dans les jouets offerts). Chaque jour, à six heures, je rentrais rue Querbes assommé, vidé, désolé et Raymonde s'inquiétait fort de mon état. C'est terminé.

Imaginez alors dans quel état mental (et physique aussi) je me suis amené, chez mon Raynald de frère, rue Tolhurst, pour fêter la Saint-Jean-Baptiste! C'était hier soir. Eh bien, j'ai fini par sortir assez vite de ma torpeur et j'ai réussi à me mêler à la turbulente joie des retrouvailles du clan. J'avais grand besoin d'une telle récréation. Raynald et sa Monique furent des hôtes parfaits. Sur la terrasse, sur le toit de leur condo, pas loin de la rivière des Prairies, la soirée en plein air fut une fête chaleureuse. Excellente bouffe, bon vin et cognac à flots! Mon frère avait donc décidé que cette réunion familiale de 1988 serait un «bien cuit». À la mode du jour. Pour ma part, la veille au soir, j'avais troussé (sans grand entrain) mes sept portraits-charges en rimettes loufoques. Les brèves allocutions, sans méchanceté réelle, de mes sœurs ou de leurs conjoints, fourmillaient d'anecdotes inédites. Quelques-unes si drôles qu'en les écoutant je regrettais de ne pas les avoir interviewés tous, avant la rédaction définitive de *La petite patrie*. Ma brune n'en revenait pas de leur fabuleuse mémoire et de leur capacité de caricaturer parents, amis ou voisins du temps de notre enfance. Encore mieux, mon Raynald avait eu aussi l'idée brillante de louer une caméra-vidéo. Avant de nous quitter, vers minuit, ce fut une émission spéciale, privée, des meilleurs moments de cette fête! Quelle merveilleuse invention! Que les temps ont changé (on se le redisait tous) entre l'époque des photos-souvenirs en noir et blanc (les années 30 et 40) et l'actuelle avec cette mini-caméra que (hilare et compétent cameraman) le chum de Marielle, l'Albert d'Air-Canada, manipulait avec adresse. Au salon, avant les agapes sous un ciel magnifique, ce fut la distribution des chèques de la vente de la maison natale. Pincements au cœur et, en réaction, folichonneries, taquineries! Dans le hall, passé minuit, ce furent les «À bientôt, chez Raymonde!», les «Au revoir, à Sainte-Adèle». Dans la voiture, Raymonde: «Oh la la! va falloir que nous fassions aussi bien le 30 juillet prochain. Gros défi, mon amour!»

Visions d'enfants perdus...

Je voudrais trouver le temps, aussi l'habileté, de peindre un tableau bien précis. Il y a quelques jours, un peu avant l'aube, j'ai fait un songe curieux. Je travaillais à rénover une petite auberge. C'était dans un lieu plutôt sinistre. Nous songions, tout le clan familial, mais aussi quelques amis « radiocanadiens », à fonder une sorte de commune qui serait ouverte aussi aux voyageurs. Les vieux murs tombaient! On cognait et on sciait dans tous les coins. Dehors, ce n'était que ciment et plâtre à brasser. Et puis, soudain, je marche et une image surgit, au carrefour de deux sentiers sablonneux, du côté de la Pointe-à-Demers de mon enfance. J'en étais comme ébloui! C'était un colossal bouleau blanc rayé de larges bandes noires, un arbre à plusieurs troncs et d'une hauteur phénoménale. Son lourd feuillage était irréel, baigné par une lumière de vitrail. Ce bouleau gigantesque aux feuilles épaisses contenait au milieu de son tronc principal une niche sculptée. Comme un autel religieux, je dirais. Dedans, une sorte de gros canard, géant, espèce d'oie inconnue. Ou bien une cigogne? Imposante. Au pelage d'un brun délavé, à plumage soyeux, bref, comme indécise à s'envoler. L'oiseau gigantesque me fixait d'un regard à la fois indifférent et irascible. J'avais un peu peur. Sous son ventre, m'apparurent soudain des oisillons aux yeux encore aveugles! Toute cette vision m'était imposée d'un angle inhabituel, comme si j'étais un nain! Image, comme on dit dans le métier, en contre-plongée. Inoubliable vision!

Depuis, je n'arrive pas à oublier cette bizarre apparition d'un bouleau lumineux et son oiseau mythique! Encore aujourd'hui, c'est très net dans mon souvenir. Je voudrais bien que l'on me décode cet étrange songe, un peu horrible dans sa beauté même. Je ne me souviens pas avoir déjà éprouvé, en rêve, un tel choc visuel!

En bas, le téléphone grésille et belle-maman Yvonne ne l'entend pas. Je descends vite de mon petit bureau-lookout. C'est ma brune! Elle dit qu'elle se donne des tas de coups de pied au c... Elle me téléphone du supermarché

171

Chèvrefils en bordure de la route 117: «Eh oui! J'avais laissé les phares allumés pendant mes courses et la batterie est à plat. Tu peux m'expédier une remorqueuse? Je suis une conne!» Je proteste, je rigole et je vais, avec le voisin Jean-Paul, dépanner ma belle étourdie! Nous nous moquons d'elle, chez l'épicier où Raymonde joue l'idiote culpabilisée, le femme-indigne-du-volant! Rechargée, la voiture roule vers notre boîte postale en haut du Chemin Morin. Je prends le courrier: maudites circulaires et autres folliculaires emmerdants! Comme à chaque week-end. Aussi quelques paquets de livres, sans doute des sagas *gaga*, traduites de l'américain, sauce en vogue. Que j'ouvrirai plus tard puisque déjà j'en suis tout encombré et qu'il faudra que j'avise les distributeurs de ces longues sauces romanesques (comme lierre) de cesser leurs envois. Le magazine *Au masculin* me semble bien mort et enterré! Un de ces matins, j'irai offrir tous ces divertissants bouquins à l'une de ces résidences pour retraités. Je suis allé faire encadrer, à mi-côte Morin, deux autres acryliques à motifs marins que j'avais brossés l'an dernier en songeant tout à coup à une *suite maritime*. Je l'avais, tout aussi soudainement, interrompue. Des images nostalgiques où je tentais de *marier le ciel avec la mer*, comme chantait, jadis, Jacques Blanchet.

Vers midi, tantôt, c'était la brume sur toutes les collines environnantes. Sur la 117, c'était le brouillard laurentien. Par ma fenêtre, je constate un *dégagement lent* (mot de météorologiste). Le lac se déplisse d'ouest en est. Les verts, par ce temps bouché, sont d'un saturé merveilleux. Tout semble immobile partout, comme en attente d'on ne sait trop quoi, sauf le plan d'eau et ses rides nerveuses. Un temps d'aquarelle anglaise. Turner, le génial. Maintenant, tel que promis, je vais rédiger la nouvelle version de ma part au magazine *Québec littéraire* qui paraîtra en septembre. Comment procéder?

172

J'ai eu l'intention de laisser tomber. Je me disais: à quoi bon publier un article parmi vingt-cinq autres? Et pour qui? Pourquoi? Puis, il y a eu l'hospitalisation de David et l'aide apportée à Marc et Éliane. Une longue, douloureuse parenthèse. Ce climat déprimant, Côte Sainte-Catherine, ces visions d'enfants perdus qui m'avaient abattu. Je n'avais plus envie de créer quoi que ce soit. Je me secoue. David sortira demain soir, c'est assez certain, bien terminé ce cauchemar, cette vision de tant d'enfants se débattant dans leurs petits lits pour survivre... Oui, je crois que j'y arriverai, pour l'article, mais je me cherche un angle.

À propos d'angle, j'ai trouvé, il y a quelques jours, le bon angle pour ce vague projet de télé au sujet des immigrants d'ici. Cela se ferait avec un narrateur (ou une narratrice). Un émigré qui serait retourné temporairement chez lui. En Afrique ou en Asie. En Grèce ou en Italie. Peu importe. Cette personne raconterait aux siens son séjour au Québec. Son récit formerait la trame des textes. En somme, des textes narrant, en flash-back quoi, l'expérience d'avoir été un temps apatride. Ainsi, l'héroïne (ou le héros) *nous* raconterait. On sait que nous dévorons hâtivement le moindre reportage nous concernant quand il est fait par un étranger. On a toujours grande hâte de savoir comment on est perçu. Je me crois, je me sens très capable de faire *notre* portrait collectif. De me mettre dans la peau d'une personne noire, ou jaune. D'une jeune, jolie et pauvre Sicilienne qui brosserait la petite fresque de tout ce qu'elle vient de voir, d'apprendre, de constater (bons et mauvais aspects de nous-mêmes) en ce drôle de pays (le nôtre). Elle ne saurait plus si elle a envie d'y retourner. Il pourrait y avoir, à ce sujet, le bon vieux motif: l'amour. Le retrouver? Lui demander de venir? Qu'il s'exile, lui? Ah, l'amour! Bref, je tiens le bon angle, j'en suis convaincu. En attendant, l'article à réécrire pour J.-C. Germain, urgent!

Entrer dans la littérature québécoise...

En vérité, je me suis promis de faire relâche. Pour tout. Raymonde a tout son mois de juillet libre et je souhaite que ce soit vraiment des vacances. Aller à la mer? Peut-être. Une semaine ou moins. Notre besoin de voir la mer chaque année... Je verrai, je la consulterai. En tout cas passer juillet à vraiment fainéanter. En août, ma belle amie doit reprendre le chemin des studios, il sera bien temps alors de me livrer de nouveau à mes démons de l'écriture en tous genres. Daniel me questionnait: «Ton idée de série-télé sur les esprits, fantômes et autres revenants?». Je lui ai dit: «Repos pour tout juillet. En août, on en reparlera.»

J'oubliais. Un signe? Mercredi dernier, mon Dubé: «J'ai deux premières copies du journal. On se retrouve au *Piment Rouge*? Tu veux les voir?» Je revenais de Sainte-Justine avec aucune envie de descendre au centre-ville. Je lui explique ma fatigue et que je souhaite un resto pas trop loin de chez moi. Il raccroche. Il me re-téléphone: «Claude? J'ai trouvé, guide Françoise Kayler: rue Saint-Laurent, chez *Via Roma*. Elle le recommande fort.» Raymonde hésite à m'accompagner. Elle aussi file un mauvais coton, se disant lassée du boulot, même crevée. Je proteste et je m'accroche: «Si tu es là, ce sera une petite fête. Sans toi, ce sera un simple repas d'affaires. J'ai besoin que tu viennes, cet hôpital me tue.» Elle accepte enfin. En effet, dans *la petite Italie*, le *Via Roma* nous a fait une bonne cachette-halte avec une excellente table. J'ai éprouvé une joie réelle à enfin, enfin, enfin, pouvoir palper un premier volume relié du journal. Yves Dubé me montre aussi le *Dumas insolite*, le petit essai du prof Hamel sur le célèbre et tant méprisé Alexandre-des-trois-ou quatre-mousquetaires. Sur fond rouge tomate mes deux illustrations de sbires royaux, gantés, épée en l'air, jambes bottées. Je les trouve bien mignons.

174

Rentrés « at home », je m'empresse de feuilleter mon journal enfin, enfin, enfin, imprimé. Maintenant, il va falloir que d'autres l'aiment bien, que le bouche à oreille soit positif... Brr! Vieille peur! Épuisée, ce soir-là, Raymonde en lit vingt pages et va se jeter dans les bras de Morphée! Moi? Un peu plus tard...

Le lendemain, j'ai songé à me rendre en vitesse aux entrepôts de mon éditeur, rue Drolet, afin de pouvoir offrir à chacun, à la fête familiale du soir, une copie du journal (ils y sont tous, dans ces pages!). Cadenas aux portes! C'est congé. Vive la Saint-Jean! Chez Raynald, ce soir-là, j'ai promis de distribuer mes volumes dès le surlendemain. À moins que... Si David ne sortait pas de son hôpital? On ne sait jamais. Je touche du bois. Je crois que je trouverais difficilement le courage de retourner voir les enfants *maganés* de la Côte Sainte-Catherine. Au téléphone, l'amie Josée. Je lui dis: « Ça y est! Enfin, enfin, enfin, mon journal sera en librairie la semaine qui vient. Es-tu contente de savoir que tu y es? Que tu vas entrer dans la littérature québécoise? » Josée rigole aussi: « Claude! Oh! Tais-toi! J'en ai déjà mal partout! Au creux du ventre surtout! » J'ai refait la même blague à Marco, mon gendre, à mon frère, à mes sœurs... Ils me regardent, rue Tolhurst, un peu surpris. C'est qu'il y a longtemps qu'ils se sentent *mis en livre.* Depuis 1972, quand parut *La petite patrie.* Ils prennent l'air de me signifier « Bah, on a l'habitude! » Quelle bande d'ingrats! De blasés! J'aurais aimé ça, moi, avoir une sœur, un oncle, un cousin ou un frère qui m'aurait immortalisé dans un livre... Tais-toi donc, gros sacripant! On te connaît bien, tu aurais sans doute trouvé à redire, tu aurais peut-être été plutôt agacé, importuné, enragé, peut-être, que l'on te vole une part de toi-même. Alors! Un choc! Soudain, conscience de *prendre* aux autres. Un voleur! Et sans permission. Bon sang de *bon sens!* Je devrais peut-être mettre des gants, dire mieux à tous mes proches: merci de vous être laissé faire! Merci, merci! Merci d'avoir la bonté de vous laisser fourrer dans mes pages! Salaud de voleur d'âmes! Je n'y avais pas assez pensé. On doit donc toujours savoir se mettre dans la peau des autres. J'ai ma leçon. Je vais leur écrire de belles et longues lettres de reconnaissance. C'est vrai. Je suis un voleur par effraction. Un violeur.

*29 juin 88*

Un jaunisme distingué...

Grande circulation de nuages ce mercredi de fin juin. Dans la rue Saint-Viateur, encore mes trois petites vieilles d'Asie. Une très haute, mince vieillarde, cheveux très blancs, et les deux autres, plus courtes, qui trottinent de chaque côté d'un pas... oriental? Rires qui fusent. Elles commèrent. Peut-être en langue vietnamienne? Elles semblent habitées perpétuellement d'une joie brouillonne alors que Dostoïevski, lui, avait parlé des apatrides comme de malheureux sinistres!

Toujours, aux quatre horizons du carrefour, plein de mes familières (maintenant) silhouettes noires. Des visages maigres et des bien ronds, des très jeunes et des tout vieux comme revenant d'une ère... antédiluvienne. J'en vois deux ou trois dont la figure me révèle une biblique sagesse à toute épreuve. J'aimerais, très vieux, afficher un de ces beaux masques, burinés, ridés, empreints d'une totale paix intérieure, éclatants de sérénité. *Shalom*! Je leur murmure ce salut, à audible voix, tel que me le recommandait l'ami Neufeld, mon héros encore anonyme de la Résistance niçoise, anonymat aux jours comptés

176

puisque Guérin finira bien par lui publier sa petite saga héroïque du temps des nazis, Français et Allemands; oui, on oublie trop facilement ces miliciens-collabos, Français de souche! Au fait, Ottawa en accueillait combien, en 1945, de ces apôtres de l'hitlérisme? Je viens d'écrire ça et, aussitôt, je m'en repens: il faudrait pouvoir se mettre à la place de ces nazis ordinaires et plutôt mal informés quand l'Allemagne triomphait partout et que la propagande nazie masquait l'horreur pour ne vanter que les mérites d'une illusoire réforme continentale. Qui s'imposait tant aux yeux des conservateurs de tout acabit. Alors? Vous auriez été là, jeunes grogneurs, vous auriez dit «oui» à la socio-philo-politique de ces agents disciplinés d'un ordre tout neuf. Ne faisons pas les anges, ce serait trop bête.

Un juge, Charles Hogue, condamne à seulement quarante-cinq piastres d'amende un accusé «pour excès de vitesse». Gérald Cholette filait à 140 km/h! Chanceux! Légère peine? C'est que l'accusé est le chef de police à Trois-Rivières; oh pardon! *Selon que vous serez...* relire Lafontaine sans cesse. Toujours d'actualité. Ce matin, même gazette, on parle d'une vraie plaie d'Égypte: les graffiti parisiens. Avec des pochoirs et des bombes de peinture, des jeunes se font partout des signaux cabalistiques entre bandes. Une vingtaine d'équipes de nettoyeurs les suivent. De loin! Des millions en taxes passent en sablage et récurage. Sociologues, au secours! D'où vient ce besoin de faire signe, non pas à tue-tête, mais à tue-murs? D'où? Même journal encore, le Marcel Adam condamne avec raison ce *jaunisme distingué*, ce *sensationnalisme endimanché* dans tous les médias quand ils s'accrochent à la vogue des sondages. Il dit vrai: que les élus manquent de courage pour gouverner, que les leaders d'opinion ne font plus que *suivre la parade!* Bourgault, à CBF, a fait la même condamnation. En effet, ce n'est pas par la stupide *loi du nombre* que les chefs vont résoudre les problèmes. Autre nouvelle: une maffia de New York contrôle un des plus puissants syndicats d'ouvriers des USA. Pas nouveau! L'ex-président des fameux Teamsters (camionneurs) avait avoué en cour avoir été élu avec l'aide de la Cosa Nostra. Édifiant syndicalisme! Girerd, ce matin, parfait! Il illustre l'homme d'aujourd'hui. Son dessin répète une manchette récente: *Nous voulons notre part des recettes scandaleuses à Bell-téléphone*. Beau civisme, belle humanité, messieurs les syndiqués en grève! Des travailleurs honnêtes se contenteraient de crier: « *Assez des profits scandaleux* !» Les abonnés abusés, c'est nous tous! Rêvons tout haut! Enfin, Denise Boucher dénonce fort courageusement ses sœurs (?). Elle publie que la récente *Foire des auteures féministes* fut un gaspillage éhonté de deux cent mille dollars de l'argent public! Faut le faire! Son ex-ghetto va hurler. Elle va y goûter!

Hier, de belles longues heures du côté de la petite Rivière Duchesne, chez Lynn et Daniel, avec un Simon grippé, mais pourtant tout enthousiaste pour des promenades, jeux et excursions avec son grand-père, tellement tant qu'à l'heure du dormir, malgré mes deux brefs contes, il proteste, pleure, refuse de sombrer dans les songes. Je me fais accroire qu'il réclame sans cesse ma présence mais son papa se fâche et maman monte stopper son rechignage. Nous sommes allés visiter une belle installation (pont, passerelles et jardins) tout autour du vieux Moulin-Légaré, là où la rivière Duchesne endiguée faisait (et fait encore) marcher ce vieux moulin à farine. Beauté dans le soleil couchant, ravissant aménagement comme on devrait en bâtir davantage, haltes merveilleuses dans nos campagnes trop muettes sur notre toute petite histoire. Bébé Thomas observe tout, très attentivement. De mes bras, il semble étudier soigneusement la petite chute et ses rapides sous une balustrade. Ça m'a fait tout drôle: un poupon qui ne marche pas encore et jette des regards si attentifs à la nature. On se dit toujours: à quoi pense-t-il? Pense-t-il vraiment? Que voit-il au juste? Mystère que ces petits cerveaux avec leurs toutes premières réflexions! L'enfant ne peut l'exprimer encore. Thomas ne sait que dire: *attends*!

En fin de soirée, nous avons parlé... d'avenir, Lynn, Daniel et moi. Fonder ces «éditions populaires» au retour des vacances d'été ou continuer de formuler des projets de télé? Nous nous sommes donné rendez-vous, en cette matière, pour la mi-août. Juillet doit être une vraie halte, je l'ai dit, je l'ai juré à Raymonde et elle aussi me l'a juré. Il y a un bout à bosser sans cesse, non?

Raynald et moi, vendredi, serons de corvée pour le déménagement de la benjamine. Lundi, mon frère est venu faire un petit tour chez Éliane, où David joue astucieusement le convalescent qu'il faut continuer de dorloter. Rechignage fréquent, caprices. On dirait (Éliane est d'accord avec moi) qu'il regrette d'une certaine façon son statut d'hospitalisé couvert de petits cadeaux quotidiens, visité, bichonné par parents et infirmières. Le drôle! Déjà tout à fait humain! J'ai remis à mon frère ses lunettes que j'avais emportées par mégarde lors de son banquet de la Saint-Jean et aussi des copies de *Pour tout vous dire*, pour lui et mes sœurs, qu'il reverra avant moi au chalet d'Albert, à Pointe-Calumet-de-ma-jeunesse. Rue Chambord, il redécouvre que la cour est un merveilleux mini-parc contenant tous les appareils de jeux et aussi une immense pataugeuse (où j'aime bien aller me tremper, parfois!).

A-t-on remarqué que je me retenais mieux de glaner et de commenter les actualités des gazettes? Pourtant, ça n'arrête pas de me tirer l'œil et je ne cesse de découper des bouts de journaux tant il pleut de folichonneries. Exemple: Anne Lauzon. Un papa qui va trépasser. Téléphone à *Urgence-santé*. Réponse? On va vous rappeler dans dix minutes! Incroyable mais vrai! Autre chose: Jean-Louis Guillemot, qui engueule le Robitaille de Paris à *La Presse*. Son grand homme? Martin Heidegger, accusé de cryptofascisme, le philosophe d'une renaissance nationale métissée de naturalisme (ô Lorelei!). À la fin, ce scandalisé spécifie: *L'intérêt d'une pensée réside dans ce qu'elle a d'ambigu* (Sic). En poésie, peut-être qu'un peu de flou ne nuit pas, mais en philosophie??? Autre chose encore? France Paradis, la correspondante de *La Presse*, enguirlande onze artistes qui, récemment, signaient un manifeste anti-jouets de guerre. Cette Paradis, avec un bon sens certain, parle de vœux pieux, qui donnent trop facilement bonne conscience. Elle explique que l'enfant, au-delà des illustrés *violents*, des émissions de télé à *bang-bang*, reste un imitateur des adultes. La leçon de Dolto, ça! Paradis parle de la boxe, du hockey, des actualités télévisées, et se moque des angoisses hypocrites des grands effarouchés de parents! Jadis, dit-elle, les frondes et les fusils de bois. Aujourd'hui les *transformers* de plastique moulé. Elle parle de Rambo et du Liban! Elle exige l'honnêteté, par exemple, ne plus inscrire ses petits dans des équipes de hockey! L'enfant, insiste-t-elle, ne ferait que reproduire la réalité culturelle qui l'environne. Vrai. L'enfant gardera un comportement violent, même sans ces jouets honnis, rien qu'à nous regarder vivre. Bien frappé et bien livré. Bravo madame!

Ça me rappelle, à l'hôpital, des bénévoles qui passaient pour offrir de la lecture aux petits soignés. Mon David choisit deux albums avec le célèbre Robot-Transformer, Goldorak. Je ne dis rien. Très bons dessins, texte banal. Je lui fais *ma* lecture de ces aventures intergalactiques et il en jouit un coup, les *méchants* y sont clairement identifiés. Madame Dolto, mon nouveau maître, serait contente. Il faut dire qu'alité depuis huit jours, David a un sacré besoin de défoulement, de compensation! Où est le mal, Seigneur? Il rit des défaites des *méchants* avec une telle vigueur! Il est Goldorak! Il est à moitié sorti de cette chambre d'hôpital, voguant dans le cosmos, triomphant des *salauds* en noires navettes spatiales!

180

Petites chapelles et officines...

Le *Journal d'Outremont* publiera-t-il mon *Racisme juif*? Hâte de voir ça. Ce matin, le B'nai Brith du Canada (section Droits de la personne) appuie les Vishnitzer (Hassidim) pour que la ville modifie son zonage en faveur d'une nouvelle synagogue rue Saint-Viateur, pas loin d'ici. M. Harry Bick préside une réunion à cet effet avec le docteur Esther Benezra (du Québec). C'est l'impasse! Ici, des conseillers élus parlent d'un programme d'*intégration globale* pour toutes les ethnies! Oh! Oh!

C'est une bombe à retardement, cette question d'intégration. Un volcan. Les chefs (de ceci ou de cela) y vont avec des gants et des pince-nez. La réalité: à part les Sépharades qui sont francophones, les Juifs (même ceux qui sont installés parmi nous depuis tant de décennies) refusent l'intégration harmonieuse, normale, sans racisme, avec les Québécois. Oui, une bombe à retardement et personne parmi eux pour alerter le clan là-dessus une bonne fois pour toutes? Regrettable hypocrisie.

Je sors d'un *caucus* avec le producteur André Barro. Il voulait m'annoncer que, si je le veux, en septembre, je reviendrai au programme de la série télévisée animée par Miss Blais. Grand merci! En polémiste. Je le préviens que mes *billets* hebdomadaires pourraient lui attirer des ennuis. «C'est ce que je souhaite», me fait-il en rigolant. Bien. Bon. Rendez-vous début septembre au réseau TQS. Ça va barder! J'ai même obtenu une légère augmentation du cachet puisqu'il y aura «reprise» chaque lendemain matin à TQS. Bravo, tit-Claude! Fesse! Vas-y! Don Quichotte a déjà mis des lances au feu!

Oui, je l'ai dit, on est toujours friand de lire ce que des nouveaux venus au Québec pensent de nous. Je lis Louis-Paul Bégin à propos des écrivains québécois, tenez-vous bien: «*Le milieu littéraire québécois est difficile d'accès avec barrières échafaudées par les petites bandes de copains, amis, qui s'appellent par leur prénom, qui disent du mal les uns des autres tout en restant amis, qui ne sauraient tolérer l'intrusion d'un étranger dans leurs petites chapelles et officines écrivantes souvent trop chauvines, donc aveugles et obstinées.»* Eh ben! Dire que je le disais quasi dans *Une saison en studio*, et qu'alors ce fut cris et clameurs de la part de Clémence Desrochers et Micheline LaFrance, beuglant à l'unisson: «Il n'y a pas de *chapelles* par ici!»

*Sales nègres* dans l'ouest du centre-ville? On le dirait bien quand le chef de police Sarrazin l'ouvre. Statistiques nettes à l'appui, il révèle la grave délinquance des jeunes Noirs dans son district. C'est vraiment noir! Dan Philip, porte-parole de *Black Coalition of Quebec* (vive le français) reste calme. Il explique froidement: «*Une question socio-économique*». Il ajoute: «*On pousse les jeunes Noirs d'ici vers, seulement, les activités sportives et cela ne les valorise qu'à court terme. Ensuite: le vide et l'incapacité à aller vers les études supérieures. Sans scolarité valable, ces jeunes nègres doivent aller aux emplois mal payés et peu valorisants.*» Voilà pourquoi il y a vols, vandalisme et parfois crimes. La *baloune* du racisme policier espère crever *dret là*! Le policier Sarrazin tient à préciser que néanmoins, dans n'importe quelle ethnie, c'est une minorité de 10% qui verse dans la criminalité. M. Philip conclut: «*Le phénomène peut empirer, il faudrait de l'argent à investir pour corriger la situation, sinon, plus tard, il faudra dépenser beaucoup face à une situation encore pire.*»

Erreur d'une agence de presse des USA en Europe: le philosophe amer, l'Alceste des Alceste, n'est pas mort du tout! C'était une confusion avec une personne du même nom. Diable! Pauvre Cioran, il va falloir maintenant qu'il prouve qu'il est encore du monde des vivants. Qu'il n'estime pas du tout. Gros ouvrage, hein? À propos de livres: Foglia engueule Jacques Folch-Ribas et Jean Paré, il exige un remboursement, regrettant que ces deux critiques lui aient fait acheter *Échine* de Philippe Djian et *C'est beau une ville la nuit* de l'acteur Bohringer. Il est furax (comme dit Paris), le faux mondain qui lit *Le Monde* (son aveu) avec une confiance quasi religieuse! Ah, le drôle!

Assez! Avez remarqué? J'écris plus long mais moins souvent! Pourquoi donc?

*5 juillet 88*

Ma brune à moi seul...

Incroyable, déjà juillet entamé de cinq jours, cinq belles journées ensoleillées. Saloperie! Quoi, jamais content, l'bonhomme Jasmin? C'est que, vous le savez bien, l'été s'enfuit. Oui, août va venir, à toute vitesse, puis ce sera l'automne, bien beau mais odieux hall d'entrée (pleines couleurs) de l'hiver trop tôt revenu. Je me fais des remontrances: stupide réflexion! Vis donc! Ferme ta gueule et vis. Guérirons-nous un jour de ces lamentations sur le temps qui file? Tantôt, revenant de chez le boulanger-pâtissier Lemoyne sur le Chemin Sainte-Marguerite, je vois deux monitrices et leur ribambelle de bambins. Ça monte hardiment la raide Côte Morin. Au bout de l'effort, il va y avoir la petite plage municipale dans le recoin est du lac et ça va être une autre splendide journée pour ces petits enfants d'ici. Ce spectacle estival et tout le reste, les terrasses, les boutiques, les corbeilles à fleurs accrochées aux lampadaires faussement vieillots, oui, tout ça, les filles en shorts colorés sur leur peau brunie, les gars baguenaudeurs sur

183

des vélos, bref, j'ai, une fois de plus, l'envie de rédiger un scénario de film. Le sujet: cette bonhomie d'un lieu pour vacanciers, une certaine joie dans l'air de juillet, le rire d'une serveuse, les cris enthousiastes d'enfants au bain et soudain, crac! La peur? Le beau temps se fracturerait subitement: un grand malheur! Frayeur des plaisanciers! Un canot renversé, un jeune noyé introuvable... Je ne sais pas, un récit mettant en contraste cette paix de villégiateurs et un fléau inattendu. Lequel? Est-ce l'influence de la série «Jaws-Les dents de la mer»? Ce qui fait la fortune de ce genre de cinématographie tient sans aucun doute à ce duel entre le bonheur et l'implacable destinée qui frappe aveuglément. Roulette russe au casino du ciel toujours cruel!

Ce serait l'image de l'injustice permanente. Relent religieux de nos enfances judéo-chrétiennes? Ah, vous êtes dans un petit paradis? Eh bien, attendez que fonde sur vos têtes blondes insouciantes un châtiment immérité mais qui saura vous rappeler que... Oui, que le bonheur se paie... Brr! Non, je suppose que je ne rédigerai jamais ce scénario qui pourtant revient me hanter à chaque début de bel été comme celui-ci. Le week-end, Sainte-Adèle devient dense de trafic, de bruits divers, c'est le tourbillon normal des sites populaires. Hier, lundi, le silence en est surprenant quand je vais aux journaux et tabac. Accalmie que les visiteurs de fin de semaine n'imaginent pas. Ce village, petite cité bourdonnante en fin de semaine, redevient paisible bourg. Étonnante métamorphose.

Enfin! j'ai ma brune à moi seul. Enfin, elle est devenue, elle aussi, libre. En deux temps, la voilà qui se partage entre, le matin, faire le grand nettoyage (morceau par morceau, me dit-elle) et, l'après-midi, s'installer au bord de l'eau, son *tout-Proust* en main. Elle n'en finit plus de lire préfaces et notations liminaires. *C'est tout un livre dans le livre*, rit-elle. Elle m'en jette des bribes de temps en temps comme on jette des os à son chien. Le chien fou que je suis devenu car je ne reste plus bien longtemps allongé au soleil. Sans cesse, je me relève et vais arracher l'herbe qui s'obstine à reparaître dans mon « pétanquier », couper des branches importunes qui nuisent à mes nouveaux jeunes sapins. Ou quoi encore? Je suis bien. Je suis heureux. J'aime bien vaquer à tous ces menus travaux sur le terrain. Hier encore, grosse décision: dois-je laisser croître le vieux pommier, le prunier stérile et ce vieil orme tout tordu, ou bien libérer de jeunes érables menacés par ces vieux arbres? C'est décidé, avec une grande scie aux dents voraces, empruntée au bricoleur-expert et voisin, Maurice, je tronçonne allègrement les *vieux*. Des heures ensuite à découper en petits tas ces lourdes branches coupées. Une petite montagne attend maintenant sur le « foyer-à-tout-brûler » du milieu du terrain.

Dimanche soir, grand plaisir à regarder ironiser Anthony Burgess chez Bernard Pivot du *99*. La veille, vu au cinéma local: *Noyade interdite*, un film raté où Noiret joue tout croche, tout faux, empêtré dans ce polar mal tissé du vétéran-cinéaste Granier-Deferre. Hier soir, location du vidéo *Macaroni* d'Ettore Scola avec un Jack Lemmon et un Mastroianni pas bien fameux, dans une histoire aussi mal ficelée que *Noyade...* Deux déceptions!

Heureusement nous avons pris récemment un certain plaisir à visionner sur notre magnéto *À double tranchant* avec le Douglas junior, polar intrigant avec une finale à rebondissement. Par contre, samedi, au cinéma *Pine*, j'ai dit à Raymonde: «Ce qui est assommant dans tant de polars du genre de *Noyade interdite*, c'est que l'auteur se sent obligé de créer des personnages louches, soupçonnés du crime et qui, vers la fin, s'avèrent innocents. Cette stupide loi du polar de révéler en dénouement que l'assassin est celle ou celui dont on s'est le moins méfié. Dire que j'ai navigué là-dedans moi aussi avec mes cinq polars (de l'Inspecteur Charles Asselin). Fini, cette poutine.» En ef-

185

fet, je me re-promets de ne plus toucher à cette salade policière. Vive la liberté d'écrire, sans aucun calcul, pour le lecteur éventuel et vive *Le gamin saisi...*, mon prochain bouquin.

Justement, le téléphone sonne dans l'entrée du chalet. C'est mon éditeur: «Où es-tu? qu'est-ce que tu deviens?» Je lui dis: «Aux prochaines pluies, nous redescendrons en ville pour notre courrier! Pas avant!» Dubé n'a pas de nouvelles de Paris, chez Grasset, où il a déposé et recommandé ce *Gamin saisi....* Il me dit qu'il va communiquer avec son ami Berger, le grand manitou de cette maison de la rue des Saints-Pères. Leméac étant en totale banqueroute, Dubé veut rééditer *Mario, La sablière* et m'en demande une copie. Que je n'ai pas au chalet. «Tu auras bientôt l'argent que nous te devons pour plusieurs de tes illustrations.» Eh ben!, il serait grand temps, car je suis plutôt à sec. Enfin, je l'invite ici. «Peut-être le week-end prochain. Peut-être. Ça déborde toujours de boulot ici, tu sais!» Sacré Dubé, hiver ou été, il ne s'arrête donc jamais! Fringale de publier, ses préparatifs pour la fin août, quand va recommencer la course littéraire des premiers arrivés sur les comptoirs des librairies? Les seuls et premiers échos favorables au sujet du journal depuis dix jours en librairie («C'est bon! Fameux! Ça va marcher fort!») m'arrivent des protagonistes mêmes de *Pour tout vous dire* (mon gendre, mon frère, mon fils, ma bru, l'amie Josée)... Je voudrais bien quelques échos moins subjectifs! Mais juillet, c'est le silence classique sur les livres d'ici comme chaque année. C'est comme si je n'avais rien fait éditer. Seul un placard dans *Le Devoir* a révélé le fait publiquement!

Le mépris des émigrants...

C'est fou comme il y a des tas de petits travaux à faire ici: d'abord acheter de la teinture pour les transats, tables et chaises, et peinture blanche pour les balustrades de la galerie. Deux bouchons pour le pédalo. Un anneau pour le pied de mât de la planche à voile *Sainval*. Réparer la longue tringle de la grande chambre. Oh oui, du noir antirouille pour les pattes d'une table de jardin et du *hibachi*. Et puis quoi encore? Ça ne cesse pas. Le soleil luit sur la grève, il m'appelle, je regarde le lac si invitant et me voilà une fois de plus tout tiraillé entre fainéanter avec un nouveau Stephen King (*The running man*) ou bien en finir avec cette liste de mini-corvées! Un bon vent (à vouloir en manger) me parvient au petit look-out. Le ronron de ma Selectric est un défi (un sacrilège) à ce beau mardi d'été. J'envie cette inconnue, au large, «effoirée» dans un pneumatique jaune et bleu, dérivant lentement au gré du courant, les bras dans l'eau.

Samedi matin, j'oubliais, Éliane organisait sa fête des pères. On a fait une photo du papi, sur le divan, avec les cinq petits-fils. Bon brunch, beaucoup de remue-ménage, ma Raymonde moins étonnée désormais de la frénésie des garçonnets-trépigneurs. Gros bon gâteau, façon Lynn, avec les quatre lettres fatidiques en crème turquoise: PAPI. Je dois un peu me débattre pour n'être pas réduit à ce seul rôle, je ne veux pas être uniquement *le grand-père*! Je suis jeune, en forme, je publie, je dessine, je nage encore, je coupe du bois... Je ris de moi. C'est la grande peur de se faire fourrer dans un carcan marqué au fer rouge: grand-père Jasmin. Eh, eh, minute! Je n'ai pas fini encore de déranger. Ainsi donc, j'y reviens, André Barro, la semaine dernière, m'annonce que je suis réengagé pour sa série «*Marguerite et cie*». «Oui, on a gardé seulement deux chroniqueurs de l'année dernière. Toi et une fille qui fera la protection des consommateurs.» Je l'ai dit, nouveau rôle pensé par mon producteur: fin du vagabond papi, je serai à TQS l'éditorialiste «cogneur» de la série. Et franc. Il souhaite que mes *billets* hebdomadaires fassent un certain bruit dans la cité. Avec ce nouveau contrat de pamphlétaire, je deviens vaguement inquiet. Chaque semaine, je devrai donc me dénicher un objet d'imprécation! Ouais, je verrai fin août. Première cible? J'y songe, ça pourrait bien être: *Le mépris des émigrants*. Oh! Toute vérité est-elle bonne à dire à la télé commerciale? Vérité pourtant de clamer bien haut que la grande majorité de ceux qui viennent s'installer au Québec nous bafouent, ils rêvent avant tout de l'*american way of life*. Ils se fichent bien de ce que nous sommes collectivement. Le débat pour notre survie culturelle, et économique aussi, en français est le dernier de leurs soucis. Bien plus, ils sont disposés, non pas à *faire à Rome comme les Romains* mais à *faire à Montréal comme les New Yorkais*! Ça pourrait bien être mon dernier billet, le lendemain, me dira-t-on: «*Redeviens donc plutôt le bon papi à excursions, okay?*» Attendons début septembre...

Un jour, vous vous engagez dans un nouveau sentier qu'on a ouvert (à votre insu) dans une forêt toute proche. Qu'est-ce que vous découvrez? Des tas de ces condos modernes qui ont poussé comme des champignons sur un tronc pourri. Vous vous dites: c'était donc ça, tous ces camions vrombissants dans la rue Morin depuis quelques mois! Ah, le développement! Le maire dira: c'est bon pour alléger le fardeau des taxes, que l'on bâtisse! Alors, un soir, tard, vous remarquez soudain une multitude de lucioles dans une colline d'en face. Oui, j'ai souvent l'impression que dans dix ans, ou même dans cinq ans, il n'y aura plus aucune colline verte dans le paysage d'ici. Que des condos. Et des condos.

Je repense à David, fin juin, à Sainte-Justine. À nos néo-Québécois. Deux jours d'abord avec un jeune Stephen

« *O'quelquechose* », compagnon de chambre irlandais, puis deux jours avec un petit Albanais dont la maman parle anglais. Qui écoutait la télé en anglais. Qui avait des visiteurs anglophones, dont un prêtre orthodoxe imposant les mains sur la tête du filleul. Plus tard, cinq jours avec un petit survivant du Cambodge dont la maman baragouine un français indéchiffrable (j'ai tenté de jouer l'interprète avec les infirmières). Québec devient davantage terre d'exil, c'est bien. David: pas dérangé du tout par ces voisinages ethniques si divers. Un seul *hic*, est-ce donc toujours la langue américaine qui est adoptée par ces arrivants? Pauvre français dévalorisé!

Un midi, à Sainte-Justine, encore un dialogue ethnique de sourds. Le médecin qui vient d'opérer Rosalie (oui, prénom masculin au Cambodge!) questionne la mère: «Mais madame, qu'est-ce qu'il mange en cachette, votre petit garçon? » La jolie Sud-Asiatique tente de lui répondre dans son français approximatif et le toubib ne comprend guère. «Madame, je sais bien qu'il a avalé des pièces de monnaie mais il y avait aussi comme du lainage, des poils très noirs, dans ses intestins bloqués. Qu'est-ce qu'il mange, le savez-vous, madame? » Elle sourit sans cesse et ne comprend pas, répond à côté. Sourit et rit. Le jeune disciple d'Hippocrate s'énerve: «Je dois savoir, madame. Ça semblait être du crin noir ou des garnitures de je-ne-sais-quoi! » Il ne saura pas. J'en reste ébahi. Le chirurgien s'en retournera très songeur. Je regarde le gamin, si mignon, qui bouffe des sous et du lainage noir. Le mystère restera entier! Rosalie avale. Il veut garder? Il tente de conserver? Oh, chère Françoise Dolto, si tu avais été là, tu aurais su, je le gagerais. Cet enfant a-t-il dérivé, terrifié, sur les eaux de la mer des fuyards apatrides? En a-t-il gardé une telle terreur qu'il tente d'emmagasiner des choses? Des sous? Des médailles? Et des cheveux? De ceux qu'il aimait? Ceux d'un grand frère perdu, d'une sœur aimée? J'y repense souvent à cet épisode rocambolesque dans une chambre d'hôpital où une réfugiée toute jeune, bien jolie, balbutie des propos indistincts à un docteur dérouté et mystifié. Saloperie du destin. Devoir vivre tout autrement que chez soi, dans un pays bien confortable, mais où les soignants ignorent tout de la langue cambodgienne, forcément.

À CKAC, bien des badauds ont dû être un peu surpris d'entendre leur animateur-populiste (le Cournoyer de CKVL-Verdun, jadis) jasant avec Homier-Roy et vantant les bonnes bouffes gastronomiques dans les Alpes, en Suisse et en Italie! Les fidèles du dogue bien rogue toujours en rogne populariste, qui affiche son *masque de tit-gars-du-peuple* à la parlure bien grossière, devaient être fort surpris de découvrir soudain un Jean Cournoyer amateur de tourisme-haut-de-gamme! Ah, ces animateurs à deux faces! L'ex-ministre, en journées ouvrables, revêt donc sa salopette ouvriériste, mais il rêve aux vacances, loin du petit peuple, quand il dormira à Saint-Paul-de-Vence après une bouffe chèrante aux plats très exquis! Ses fidèles auditeurs, ce matin-là, se disaient: «C'est *un autre* Jean Cournoyer. Qu'on ne connaît pas. Ça ne peut pas être le même.»

*7 juillet 88*

Les abusés d'un certain système...

Chaleur torride toujours. Humidité épouvantable. Juillet tropical en ce pays québécois à l'hiver pourtant souvent quasi arctique. Silence, pas de complainte sur cette chaleur qui, après tout, ne dure guère qu'une vingtaine de jours chaque année. Maman aurait eu 89 ans le 4 juillet

190

dernier! J'y pense souvent à cette *mamma* des anciens temps. Mille détails me reviennent en mémoire, me parlant incessamment de ses effrayants labeurs pour nourrir, laver, nettoyer, amuser aussi, sa marmaille. Jusqu'à l'âge de dix ans (avant le chalet de campagne), j'ai connu ses pique-niques au parc Jarry, la voiturette chargée de sandwiches aux tomates (écrasées) à bon marché, chargée aussi des plus jeunes (leurs petits derrières réduisant en compote lesdites tomates!)

À la boutique des Variétés du Sommet, ce jeudi matin, longue Cadillac blanche. Il y en a pas mal du côté du chic Sommet Bleu. J'imagine l'impatience, par cette chaleur, du gras chauffeur au volant, qui tapote nerveusement le tableau de bord. J'entre. Je prévoyais une épouse très maquillée, à l'allure de vétéran-mannequin, au visage *lissé* (pour *lifting*, recommande le lexicologue). Surprise! La femme du gros bonhomme à la Cadillac est une petite rondelette vieillie, sans aucun chic, et elle parle très familièrement à mon indispensable *pusheuse* de cigarettes. Elle achète des *tas* de billets pour notre *tas* de loteries étatiques (cette connerie). Le clac-clac de l'ordinateur-desparieurs résonne dans le coquet magasin. Chaque fois, je constate une certaine fébrilité des acheteurs-de-hasard, ils remettent leur sort futur entre les... mains (!) d'une machine! Je songe à Orwell, je songe aussi à Stephen King, dont je lis *The running man* ces temps-ci, où règne *Libertel*, la télé unique et étatique des USA (de l'an 2500), qui organise à cœur de journée des jeux. Des quizz, quoi. Oui, le «Du pain et des jeux» de l'antiquité. Immonde casino d'État qui clame (avec ses incessantes publicités) que tout le monde est égal et a la chance de devenir riche. Mensonge dégueulasse de l'État. Il n'y a qu'à confier son avenir à une machine trieuse de bons numéros. Leur propagande ne dit pas qu'il y a surtout des non-gagnants. Des perdants par centaines de milliers. Bon. Bof! C'est la chaleur qui me rend morose?

191

En lisant le dernier King, je redécouvre tout le contenu de mon pamphlet de 1984, *L'État-maffia, l'état maquereau*. Comme je regrette le peu de succès (chez Leméac, la maison mal-organisée) de mon brûlot. J'aurais tant voulu que tous les abusés d'un certain système soient avertis de cette gigantesque fraude gouvernementale. Passons. Il y a aussi dans *The running man* la peinture sordide des miséreux. Parfois du Victor Hugo. À ce sujet, tout en lisant, hier soir, j'ai songé soudainement aux deux déménagements (la benjamine et son ami, Yves) auxquels on a un peu collaboré mon frère Raynald et moi, le premier juillet. Yves s'installait rue Marquette, dans un mini-logis entre la rue Jarry, Papineau et, horizon sinistre, le boulevard Métropolitain plein de ses sourds rugissements. Marie-Reine, elle, s'installait pas loin, rue Chabot. Mini-logis encore. Il y a des arbres dans ces rues archi-modestes, seul agrément adoucisseur. Odeur de javel à suffoquer, dans le puits de l'escalier, quand nous avons transporté, ce vendredi, le linge et les caisses d'objets fragiles. Le monde ordinaire me réapparaissait. Je veux parler de la vaste cohorte de ceux qui déménagent sans cesse, espérant toujours trouver *un peu mieux*. Ce jour-là, à toutes les quatre ou cinq maisonnettes, il y avait des camions loués, et ce, dans toutes les rues avoisinantes où les logis se tassent, s'agglutinent, offrant bien peu d'espace pour (tout de même) trois cents dollars le mois. J'ai eu mal. Ce petit mal bourgeois. J'ai éprouvé un peu de *révoltinette* (néologisme pour ce filet de réaction d'indignation que les bien-installés éprouvent parfois). Dans *The running man*, description sans cesse des odeurs. Pisse et désinfectant. Ça vous coupe la respiration. J'ai hâte de savoir la fin de ce sinistre conte.

Hier, peinture du mini-balcon d'en avant, rue Morin, et des rampes de la longue galerie côté lac. Tout barbouillé! Raymonde rigole: «Va te regarder! La monture de tes lunettes semble à carreaux!» Avant-hier, application de teinture sur le mobilier de bois. Je vais vite, toujours trop vite, j'en sors, avec la montée du soir, tout couvert de grains de rousseur! «On dirait ces taches sur la peau qu'ont tant de vieillards», remarque une Raymonde dé-montée. Je ne sais pas travailler. Raymonde: «Et moi? Tout ce que j'entreprends tourne mal. Si tu savais.» Alors, en riant, nous songeons à ne plus rien faire. On est deux maladroits? Je me déchire facilement la peau des mains. «Mains d'artiste, pauvre petit chou», ironise ma brune. Cela m'enrage. Les Boissonneau d'à côté ont fini par déni-cher un entrepreneur et depuis, c'est la construction bruyante de leur nouveau solarium. Souvent, du vacarme. Ma voisine tient à venir s'en excuser. Je pardonne, sachant qu'il est difficile d'enrôler des constructeurs pour un si petit contrat, trop modeste chantier. Madame Boissonneau me livre des bribes de sa vie. Chacun a son histoire: elle est la fille d'un commerçant, du nom de Rose, elle a habité dans Cartierville: «Il me semble que je vous voyais sou-vent, le dimanche, dans notre église-sous-bassement, Notre-Dame-des-Neiges?» C'est vrai. Du temps où j'éle-vais les enfants, nous avions adopté cette église sans pré-tention. J'en aimais la vieille décoration et il y avait un si joli parc (Raimbault) pas loin. «Je m'en souviens, dit-elle, parce que vos deux enfants étaient, comme les miens, de fameux gigoteurs et que vous étiez sans cesse en train d'aller les chercher dans tous les coins de l'église.» Mada-me Rose-Boissonneau me parle de son enfance, de sa jeu-nesse, de Sainte-Dorothée, de son grand-père un peu loufoque. Elle accepte volontiers que je me serve dans leur gros tas de sable accumulé par le creusage de la futu-re serre. Me voilà brouetteur, au soleil, tel un bagnard! Je jette ce sable le long d'une haie où notre terrain forme ma-récage. C'est si mou que j'entends des «*souiche, souiche*» à chaque pas que je fais dans ce coin sous les chèvre-feuilles.

Des récits vécus...

Hier soir, bon petit repas, rue Valiquette, chez le Belge Milot. Raymonde, truite, moi, langoustines. Quelle joie de pouvoir manger sur une terrasse en plein air! On jase un peu. Je ressors mon idée d'une mini-compagnie d'édition populariste avec des histoires vécues, qui ferait parler les démunis. *La cause du peuple* quoi, cher Sartre. Des bouquins modestes, format et prix des romans Harlequin. Raymonde n'y croit guère et voilà que je la chicane là-dessus. « Quel risque, Claude! Tu n'es pas bien, tranquille, à demi-retraité? » Voilà que je m'emporte: « Écoute, j'en ai pas fini. Je ne suis pas fini. Je veux faire des choses. Je ne suis pas du tout le retraité que tu crois. Merde! » Raymonde aussitôt bat en retraite: « Tu as raison. Je devrais t'encourager. Je me hais. Moi et mon pessimisme. Fonce! Tu fais bien. Oublie mon manque d'encouragement. Je ne suis pas correcte. » À mon tour alors de m'excuser et on se réconcilie revenus à la maison. « Écoute-moi bien, Claude. J'aurais l'air d'une belle menteuse maintenant si je te disais que j'y crois, à ce projet de *récits vécus,* non? Alors, quoi te dire? Je te jure pourtant que tu as raison, que ça pourrait fonctionner et en grande. Mais, que veux-tu, je ne suis pas bâtie pour m'aventurer, moi, dans de telles entreprises. Fais à ta tête. C'est un fait que cette petite *maison* pourrait bien obtenir de gros succès. »

Ma foi, ça me taraude vraiment. Je crois bien que je vais, dès août, chercher deux ou trois premiers raconteurs de leur histoire, puis j'irai voir Marc-André Guérin pour l'imprimerie, je contacterai ensuite le frère d'une amie de Raymonde, Lise Brunelle, pour la distribution et la promotion. Je voudrais que mes petits livres soient offerts dans les dépanneurs, les tabagies et dans ces vastes pharmacies à escomptes. Viser un public-cible très vaste, éviter soigneusement le ghetto littéraire. Offrir un produit-livre, mais hors du monde habituel des librairies. Aller du côté des magazines, des journaux, oui, des romans-romances. Mais c'est juillet, c'est la halte promise. N'y plus penser, donc.

Ce matin, déjà en sueur (humidité terrible!), je vois dans le journal les tristes visages de grévistes. La petite misère, encore? Je me tais. Je la sais partout, rampante, si efficace à enlaidir la vie du plus grand nombre. Je me tais. Je me terre? Et je murmure *merci*. À qui? À personne. Au destin. À la providence. Quand j'y songe, je suis incapable de voir un bon barbu au ciel, ou un crucifié historique tout saignant, tiers de ce Dieu en trois personnes. Non, aucune image, aucun symbole. Rien. En somme, je remercie «rien». Je remercie le néant. Le hasard des dieux? Du non-représentatif? Se taire, alors. On lit sur mille et un problèmes, ici et là, ça va de la boue des égouts qu'on ne sait plus où fourrer jusqu'à la mort d'innocents dans l'attaque d'un avion civil au large de l'Iran par la marine US. Ne rien dire donc. Ne rien écrire. Bien savoir qu'ici-même, au village, il n'y a pas que des gros bonshommes en Cadillac blanche mais des miséreux au fond de certains rangs, bien loin du lac. On peut lire aussi qu'il y a des gérants (de services municipaux divers) qui se font écorcher les oreilles par les citoyens-plaignards. Certes ils sont payés ces gérants, ces élus, tous ces payés-pour-se-faire-emmerder. Ils doivent, chaque jour, colmater les brèches d'innombrables petits, moyens ou gros problèmes de l'existence moderne. On salit. On pollue. On fabrique toutes sortes de déchets toxiques à tant vouloir vivre confortablement. Quoi faire? Vendre? Tout liquider? Aller se réfugier... mais où donc? Dans quelle sorte d'asile? Où il n'y a pas de robinetterie qui claque, de boiseries qui pourrissent ou de toits qui coulent... Oh merde!, Seigneur, dans quel asile inimaginable? Dans l'existence? C'est où, ça? L'insupportable condition humaine des modernes petits-bourgeois que nous sommes, vie pourtant enviée par tous les peuples de tous les « sud ». Est-ce le roman de King? N'est-ce pas plutôt la lecture des journaux? N'en plus acheter? Ne plus écouter les actualités télévisées? S'exiler du monde, chez soi. Peindre, debout, dehors, de jolis paysages, des aquarelles d'un gentil naturalisme. La paix. Fuir. Réaction saine? Fuir, mais ne pas savoir où. Influence du roman de King: craindre de devoir bientôt, tous, porter des filtres à air. Tiens!, encore comme dans mon *L'État-maffia*, ces futuristes filtres coûteux. Mais, oh, que la confiture aux fraises fraîches de ma brune est bonne! Pur délice! Je m'en permets si peu, mais ça m'a calmé ce matin. J'ai fermé mes gazettes et je suis monté taper tout cela. Un cri soudain: « Zut, mes rideaux sont tout rapetissés! Claude, qu'est-ce que je vais faire? » Ça recommence. Je lance: « Je te le dis, ne plus rien faire, ne plus rien entreprendre, même pas laver les rideaux une fois l'an. Et tant pis pour la crasse! » Ciel tout couvert subitement, humidité plus grande encore. C'est dit: aller m'installer au bord de l'eau et finir de lire cette affreuse prophétie romanesque de King. Je veux vite savoir si l'État-à-Jeux télévisés, mortels, aura la peau de ce pauvre Richard, chômeur et victime volontaire du quizz *La longue traque* dans lequel il joue sa peau pour de l'argent; pour survivre, lui, sa femme qui se prostitue, et leur fillette qui est malade. Mélo? Pas sûr.

Qui a dit: « Il n'y a pas un chagrin qu'une heure de lecture n'a pas réussi à me faire oublier. » Fuir, c'est donc ça? Lire, quel amoralisme!

L'été, c'est ainsi...

Vendredi. Déjà vendredi? Impossible! Mais oui. C'est pire que jamais, cette fois, un vendredi chasse l'autre et je me sens tout culpabilisé (envers qui donc?) de ne pas tenir, ici même, plus fidèlement, mon vaste bloc-notes. Ma brune, elle aussi, se mord les lèvres et me déclare: «C'est incroyable, dans quinze jours, devoir rentrer au bercail du boulevard René-Lévesque, me replonger dans mes découpages-mises en scène.» Oui. Il file vite ce bel été de 88. Canicule disparue depuis quelques jours. On respire mieux. Même qu'hier soir, le soleil tombé derrière les collines, il a fait froid si soudainement que nos invités ont couru, l'une (Françoise Faucher) pour s'enchâler, l'autre (Jean, son époux) pour se coupeventiser. Brrr... que de néologismes, messieurs les puristes!

Le vieux papa aveugle de Jean Faucher vient de mourir. On en a parlé de ce papa musicien, privé à jamais de son violon d'Ingres (le piano!), que le réalisateur émérite de *Propos et confidences* est allé chercher en France récemment pour cause de maladie. Il n'a donc pas vu, de ses yeux vu, le pays d'adoption de son fils unique. Je l'aimais bien ce mince et doux vieillard. Il souriait sans cesse, c'était une filiforme silhouette, visage levé toujours, arborant un si doux sourire que vous aviez toujours envie de lui parler sans cesse. Hélas, on devait hausser la voix puisqu'il était presque sourd. D'après Françoise, cependant, un peu avant la fin, il a dit soudainement: «Pourquoi hurlez-vous toujours ainsi? je vous entends très bien.» Avant de quitter, avait-il recouvré l'ouïe par un phénomène curieux? Un médecin voisin, un certain Luc Loiret avait consenti à assister jusqu'à la fin ce petit vieil-

197

lard tout blanc. Les Faucher nous disent qu'ils n'en sont pas encore revenus de cette générosité inattendue de la part de ce nouvel ami qui montait à la chambre du moribond pour lui parler de Bach ou de Mozart. Un saint? Ainsi, on l'oublie trop souvent, peuvent donc parfois surgir de ces êtres précieux qui nous apportent gratuitement une aide inestimable, sans aucune obligation. Vraiment étonnant! Je crois que ce médecin a été pour beaucoup dans l'apaisement et la bonne humeur relative que j'ai remarqués chez Jean, hier.

J'avais songé (quatorze juillet oblige) à décorer le balcon-porche d'un lot de drapeaux français avant l'arrivée du couple du Lac Marois, d'exposer mes boules de pétanque. Et puis rien. La paresse. Françoise nous annonce ses prochaines activités et ce sera, ma foi, une année archi-pleine dont la co-mise en scène d'un Claudel (*L'annonce faite à Marie*) via *L'Espace Go* dans la splendide chapelle du Grand séminaire de Montréal. Avant, dès septembre, un spectacle-évocation de Louis Jouvet au *Quat'sous*. Le directeur Bernard a chargé Françoise de monter ce spécial-Jouvet. Et quoi encore? Un Ionesco: *Le roi se meurt*. Et j'en oublie. Ah oui, le mari, Jean, va réaliser, avec sa chère Françoise en Sarah, « *Le cri de la langouste* ». Après? Retraite. Il aura soixante-cinq ans en août 1989. Sa directrice de section ne croyant pas trop en notre Verlaine-Rimbaud-télé, Faucher vient de réaliser *Mutinerie sur le Caine*. De plus, il a signé deux ou trois mises en scène pour des théâtres d'été en cours. Il nous offre des billets... Nous nous surprenons, Raymonde et moi, de n'avoir guère envie d'aller à ces spectacles folichons aux lourdes sauces habituelles. Raymonde: « Je ne sais pas, d'avoir vu cinq Shakespeare en un seul mois semble nous avoir saturés, côté théâtre. » Comment font les critiques officiels, trop peu nombreux, avec deux spectacles par soir, souvent?

Mardi soir dernier, en ville, nous avons reçu les Fasano et l'amie Josée. Quel bonheur que ce dîner (spaghetti aux olives noires) pris dehors sur notre mini-terrasse de la rue Querbes. Le beau soir! Les géraniums rouges partout. L'ombre du gros lilas. Oui, quelle bonne rencontre malgré mon Ubaldo à demi infirme (un tour de rein) ma France, ankylosée elle aussi, résultat d'un récent séjour à Chicago par 100 degrés F. Et ma brune qui s'est tourné le pied gauche au bas de l'escalier du chalet, vendredi dernier, en apportant une cafetière pleine à nos invités, son frère Pierre et sa petite famille. Ce dernier m'a paru nerveux et tiraillé en raison d'un long séjour qu'il prévoit faire au Cameroun pour voir à l'installation (via *Sofati* et l'ACDI) de cours scientifiques. L'été, c'est inévitable, cette série de réceptions intimes. Raymonde ne se repose pas vraiment. «Nous devons recevoir encore trois ou quatre couples d'amis puisqu'ils nous ont reçus cet hiver.» Une agréable mais obligatoire politesse!

Vers cinq heures, ma fille Éliane arrivera ici. Congé pour elle, de trop brèves vacances sans ses trois galopins. Elle va rester jusqu'à dimanche avec moi et belle-maman-Raymonde. Hier soir, un coup de fil, c'est elle: «Papi? Si j'amenais les deux plus vieux? J'sais pas, hein?» Je proteste aussitôt. Marc, le gendre, m'a bien dit: «Éliane est à bout, ça va lui faire grand bien ce week-end laurentien seule.» Donc, je refuse et lui dis: «Tu dois venir toute seule. Nous allons te bichonner, te gâter, tu vas vraiment relaxer.» Ça doit faire un bail qu'elle ne s'est pas retrouvée seule sans le remue-ménage quotidien de ses trois turbulents.

En *libre opinion*, vient de paraître dans *Le journal d'Outremont* mon article *Un racisme juif*. Cette lettre ouverte sur nos voisins Askénazes hassidiques (les Vishitzer) m'a déjà valu trois témoignages écrits de supporters. Je craignais de m'attirer des fanatiques, pas du tout, ces correspondants aussi déplorent l'auto-ghettorisation de ces orthodoxes-fondamentalistes, mais dans des termes paisibles. Coup de fil d'un reporter de *Présent* de Radio-Canada, il a lu *Un racisme juif,* m'en félicite et me veut à ses micros pour en discuter davantage. Rendez-vous pris pour mardi le vingt-six puisque je dois aller causer du journal (premier tome) à un talk-show de TVA animé par Louise Latraverse et Gaston L'Heureux. Guérin va publier le tome 3 de *Jaws, The revenge* et j'ai fait quatre échantillons d'une couverture avec le célèbre requin de Bentchley, la mer bleu et rouge sang. Brrr! La couverture américaine, elle, montrait un photo-montage d'allure bien commerciale, ma petite aquarelle fait contraste. Mais quoi?, on est en Nouvelle-France par ici. Vive l'aquarelle! J'ai apporté mes outils à cette fin et voilà que j'ai grande envie de me fabriquer un chevalet et d'aller croquer des paysages villageois tout autour. Vais-je le faire?

Reporter-journaliste permanent...

Salaud! Vrai garnement, j'ai taché un maillot tout neuf. Raymonde me gronde comme une mère méchante! C'est que j'ai voulu, à la vitesse du son, teindre à neuf un escalier extérieur. Ce jus (le Rez) vole à rien dans l'air. Me voilà de nouveau tout picoté d'un jus au chocolat. Raymonde rage, découragée! Un maillot de prix!

En vérité, ce beau temps, ce ciel d'un bleu quasi surnaturel, font que je n'éprouve aucune envie d'écrire. En ce moment, c'est un effort. Si je poursuis ce journal durant des années, je fermerai boutique, à l'avenir, pour l'été. Pour me forcer, j'ai installé ma machine dehors, sur la nouvelle terrasse du côté ouest du chalet. Ma petite haie de cèdres n'est pas encore bien haute et je n'aime pas du tout avoir l'air de l'écrivain qui s'affiche devant les passants, mais c'est le seul endroit à l'ombre à cette heure de l'après-midi. Une forte brise menace mes petits papiers. Très énervant. Je ne dois pas oublier de remettre à la *famiglia* un chèque de près de quatre mille dollars chacun, l'héritage (enfin libéré) de notre vieille maman, décédée le trois novembre de l'an dernier; la Curatelle gouvernementale est lente comme la pire des tortues, vous voyez bien. Si pauvre si longtemps, toujours en quête de quelques dollars durant toute notre enfance, maman avait donc réussi à mettre de côté plus de vingt mille dollars! Phénoménal quand nous songeons à la petite misère qui fut son lot quotidien durant le long temps de l'élevage de sa marmaille piaffante. Sept braillards voulant toujours obtenir quelque babiole, sept piailleurs, chialeurs! J'ai donné mille dollars à chacun de mes deux enfants en leur disant: «C'est votre part et votre grand-maman sera contente. Vous savez comme elle vous aimait tous les deux. Pensez un peu à elle. Invoquez-la. Elle peut vous aider, installée qu'elle est dans la Lumière des lumières.» Éliane a souri. Croit-elle, oui ou non, à la survie des âmes?

En fait, tenir journal transforme en reporter-journaliste permanent. Tout est à noter. Voici que Louis-Georges Carrier, éminent réalisateur, veut produire du Jasmin pour un télé-théâtre. Il me quête du texte et je le ferai hésiter entre adapter mon *Armoire de Pantagruel*, mon *Alice vous fait dire bonsoir* et une de mes nouvelles des *Cœurs empaillés* (je souhaiterais qu'il prenne «*Le bouffon Charlotte*»). Quand on se rencontrera, ce sera pour moi une sorte d'interview pour ce journal. En attendant, ma Raymonde lui apportera ces trois bouquins dûment dédicacés. Pour le renouvellement de mon passeport, puisque je rédige un journal, je devrais mettre à l'item profession (ou occupation): *journaliste perpétuel*. En somme, ce que je souhaitais devenir à dix-sept ans. C'est étrange la vie, non?

201

J'aime aussi dessiner, «aquarelliser» surtout. Me voilà songeant à bourrer d'illustrations bien surréalistes des textes classiques d'ici ou d'ailleurs. Cette PME de mes songes pourrait bien devenir une maison éditant, d'une part, des *récits de vie* à bon marché et, d'autre part, des livres illustrés à fort prix. Pourquoi pas? Il m'arrive aussi, de plus en plus souvent, de me demander si je n'obtiendrais pas un gros succès en créant un solide album de bandes dessinées avec ma manière tachiste-surréaliste; ça me prendrait probablement toute une année, j'en rêve, je prévois de belles grandes pages à carreaux toutes éclaboussées de couleurs. Un bouquet! Un livre narrant un conte futuriste (ou de l'ordre du fantastique?) avec une atmosphère onirique. J'inventerais une histoire remplie de péripéties se déroulant dans un monde parallèle. La liberté totale. Un album unique! Oui, rêvons. Aurai-je un bon matin une envie si forte qu'elle me donnera le courage d'entreprendre un tel ouvrage d'un graphisme inédit? J'en doute. Le courage n'est rien, c'est *l'envie* qui compte. Le désir. Il est difficile de le susciter artificiellement. Il faut qu'il vous hante, qu'il vous envahisse totalement, et arrive alors ce moment magique où un créateur s'ébroue et dit: j'y vais, j'y fonce! Maudit désir trop rare!

Un quatorze juillet...

Tout vous dire ici au sujet de mes lubies bien folichonnes. Ainsi, hier matin, lisant une bonne critique sur *Les nonnes*, présenté à La Marjolaine, je songe aux curés du lac Saint-Jean des *Feluettes* de Bouchard, et voilà que je me dis: ce serait peut-être intéressant, même fascinant, si je rédigeais un spectacle à partir des anciens missionnaires québécois (si nombreux, n'est-ce pas?). Ils seraient devenus des vieux, des déclassés dans leur séminaire à Pont-Viau (où j'allais visiter l'oncle Ernest, chassé de

Chine). À côté, bombardement intermittent, venu du dynamitage d'un couvent abandonné. Ce vacarme ponctuel ferait une sorte de lien sonore entre les tableaux. Mes ex-missionnaires auraient reçu l'ordre de déménager ailleurs: place aux condos modernes, place à l'argent! Mon texte raconterait la Chine d'antan, mais aussi l'Amérique du Sud miséreuse. L'Afrique aussi. Tous les lieux exotiques où ces Québécois voyageurs-du-bon-Dieu prêchèrent. La détresse de ces vieux curés versus les chics condos qu'on va construire. Un autre projet? Un de plus le fou?

Ici, j'écris longuement quand j'ai enfin réussi à m'arracher au rivage et au farniente. Chaque fois, je crains de ne plus trouver l'occasion de me remettre au journal. Je lis dans une gazette que le cinéaste suédois Ingmar Bergman parle de lui comme d'*un ex-obsédé sexuel*. Quelle franchise! Ou boutade? Il a eu cinq épouses, il dit qu'enfin, vieux, il découvre le monde des enfants, les siens. Bien tard, mon pauvre papa-manqué! Trop tard? Il est passé *à côté d'une joie*, d'une grande joie, selon les termes de notre poète St-Denys-Garneau. Je me félicite toujours d'avoir pu y goûter à cette joie malgré mille tentations qui auraient pu, si je n'y avais pas résisté, me faire passer, moi aussi, très loin, de cette joie de voir grandir ses enfants.

Raymonde me disait ce matin au petit déjeuner: «Nos émigrants de France n'ont pas tenté de former un ghetto. Ils se sont plutôt intégrés à nous.» Oui. Certes, il y avait langue et culture communes. Il y a eu davantage encore. Me voilà parti, énumérant tous *mes* Français croisés depuis que je suis au monde. Raymonde n'en revient pas. Ça commence avec l'élégant (par son langage) quincaillier du coin de la rue Bélanger, monsieur Demecour. Comme j'aimais, enfant, l'entendre parler son français si doux. Puis, à Pointe-Calumet, en 1948, sur une certaine avenue habitaient un tas de Français, autour de la chanteuse Mi-

chèle Sandry, des gens de music-hall. J'aimais rôder par là
à quatorze ans. Ça riait, ça chantait, ça jouait de l'accor-
déon. Une vitalité rare. Ça brassait des salades en riant,
en chantant. Ces gens s'invectivaient à la cantonade, véritable tableau vivant, séduisant, celui de la bonne humeur
brouillonne. Ensuite, les précieux collaborateurs du *milieu* théâtral, Sita Riddez, François Rozet, plus tard les
Hoffman, Dalmain, et tant d'autres. Bien sûr, mon cher
Paul Buissonneau, de notre roulotte, en 1953, de notre
première pantomime: *Le carnaval des animaux*. Eh oui!
c'était le quatorze juillet hier. Raymonde et moi, sans
qu'ils le sachent, avons admis que nos Français (de France) furent les indispensables coopérants de notre mutation
culturelle collective. Grands mercis!

Sita Riddez? Justement, l'autre matin, rue Saint-
Viateur, je l'ai encore aperçue. Raymonde, toute jeune, allait prendre des cours chez elle. Il y a plus longtemps
encore, Sita enseigna à mon ex-épouse défunte. Louise
Charlebois, la mère de mes enfants, comme tant d'autres
jeunes d'ici, fréquenta vers 1950, la rue Durocher. Ils
étaient nombreux, à cette époque, à aller réciter des extraits
de pièces classiques, et à se faire patiemment corriger la
diction. Cette sœur aînée de Mia (l'auteur de nombreux
feuilletons télévisés) était un professeur plutôt laxiste,
m'avait-on répété. Elle savait (allongée sur son sofa) écouter ces jeunes aspirants sans jamais faire montre d'aucun
signe d'exaspération. C'était pour tant d'amateurs un lieu
de réunion magique, où une femme de métier les accueillait et les écoutait s'ébrouer avec les difficultés énormes des
grands textes, ceux de Racine, Corneille ou Molière.
Vieillie, Sita Riddez, ce matin-là, m'est apparue dans une
robe bleue, étoilée de fleurettes blanches, elle m'a jeté un
bref regard plutôt indifférent. Je regrette, chaque fois que je
la croise, de ne pas aller lui parler. Gêne déplacée, pudeur?
Elle a quitté toute activité publique. La dernière fois que je
l'ai vue sur une scène, je ne l'oublierai jamais, madame

Riddez incarnait, au TNM, une aïeule solide, au caractère fort, envoûtante narratrice d'un texte dramatique de Savard (l'auteur de *Menaud maître-draveur*), c'était une sorte d'oratorio sur les pionniers-de-l'ouest-mythique canadien: *La dalle des morts*. Sita y était impressionnante, évoquant une ressuscitée fantomatique vantant la pauvre gloire de nos intrépides jeunes explorateurs.

Maintenant, Sita Riddez est très vieillie, pourtant encore alerte, apparemment, tirant son chariot à épicerie d'un pas assuré. Rendue au coin de l'avenue du Parc, l'audacieuse!, je l'ai vue traverser sur un feu... rouge! À son âge, risquer sa peau à un carrefour plein de trafic. La prochaine fois, je m'identifie, je lui parle. Je lui parle de *La dalle des morts*. Elle m'avait tant impressionné vers 1966, par là.


Nous revenions de si loin...

Assez pour ce jour. Je tente de déchiffrer mes notes éparses en vue du journal. Écriture d'apothicaire! N'ai jamais encore achevé la lecture du Fallet de *Banlieue-sud-est* mais j'ai noté: *Une étoile filante dégringole en sifflant dans sa barbe de feu.* Forte image, non? Fallet encore: *Je pouvais parler à un voyou ou à une comtesse.* Parler deux langues? Parler gras ou parler pointu, dilemme québécois, durant si longtemps. Et qui dure. Ma mère était très capable de parler pointu si le visiteur était *quelqu'un de bien*. Diable de femme, Germaine. Moi? Je m'en suis servi de cette arme, j'en ai abusé parfois jadis, pour confondre un adversaire. Jouer le voyou en face de l'aristocrate pincé pour l'embarrasser. Facile. Faire l'inverse. Pour me débarrasser d'un importun grivois, utiliser du jargon snob. Méchant garnement de trente ans! Regrets flous, eh oui, je m'imaginais si puissant à jouer ainsi à la ganache illettrée et menaçante ou au prétentieux instruit et écrasant de mépris. Plaisir un peu stupide de me travestir selon le vis-à-vis. Moi et quelques-uns, nous revenions de si loin. Alors, on dit à l'un, je suis des vôtres, un bandit. À l'autre: j'ai appris à causer le bec en cul de poule. Bravade infantile, toutes les armes sont utiles quand on a peur de l'avenir. Nous avions très peur, enfants du peuple.

Tout en lisant, je jette de brefs regards à la télé, vers ces momies pas vraiment mortes dans des cocons de corail (*Cocoon*, le film). Je zappe au 99. Au fond des mers, des chercheurs en bathyscaphes qui tentent de mieux connaître l'origine de notre univers. Voilà que, soudain, je songe à mon père au moment de son dernier souffle. Pourquoi? Mystère profond.

Je pense de nouveau au conseil de François Mauriac: « Avant d'entreprendre une polémique, tentez d'abord de rencontrer l'adversaire. Dans un seul regard, souvent, c'est la découverte d'un autre humain et alors, parfois, on abandonne sa querelle.» Vrai. Je sais que c'est vrai. Je l'ai éprouvé. Promesse de suivre mieux ce bon conseil mauriacien. Promesse facile? Une autre notule: l'acteur émérite Jean-Louis Roux: *Au théâtre, il faut sortir du monde de nos cuisines maintenant*. Hein? Quoi? Ça se peut bien. D'autres notes retrouvées qui n'ont plus aucun sens maintenant que je les relis. Une leçon? L'inutilité de noter trop brièvement.

Comme un grand cordon qui nous relie? Chez Éliane, je redécouvrais quelques céramiques du père, chez ma sœur Nicole, d'autres de ses plats modelés, si beaux, si candides! Enfin, chez Daniel, l'autre jour: j'examinais de ses assiettes chargées de petits bonshommes colorés. Oui, c'est un splendide cordon de glaise cuite nous reliant et j'ai chaque fois un pincement au cœur. Je n'ai pas fait beaucoup pour aider mon père à se faire mieux apprécier des amateurs d'art. Trop tard les regrets. Il est mort ce 29 mai 1987 en me balbutiant laborieusement ce maudit message que je n'arrivais pas à déchiffrer sur ses lèvres d'agonisant. Qu'a-t-il voulu me dire? Peut-être un ultime message, une réflexion grave, qu'il tenait, lui, pour essentielle dans la conduite d'une vie. Maudite mort, je ne saurai jamais. Suis-je un inconsolable vieil enfant? Je veux pas!

Pour avoir de gros frissons d'horreur, parfois je recommande de lire le *Brume* de Stephen King. Or, dans une gazette, je lis la déclaration d'un gamin qui a pris ses camarades d'école en otages (à Los Angeles) et qui a tiré deux coups de feu: «J'avais vu, dit-il, l'adolescent qui a détourné un avion koweïtien à Rome, et puis, aussi, j'ai lu *Rage* de Stephen King.» Responsabilité des auteurs? Ah!

*21 juillet 88*

Ce lierre à odeur sexuelle...

Bon sang de bonsoir, on ne rit plus! Un jeudi au ciel très incertain. L'incertitude plane aussi ailleurs. Pour vous dire la vérité: je ne sais plus comment raconter mes jours. Ils filent, ils filent. Juillet va s'achever. Oh Seigneur, oui, tout l'été est en fuite! On se sent, tous, incapables d'en stopper le cours. Par où débuter ma narration? J'en ai le doigt en l'air (je tape d'un seul index, je l'ai dit). J'y vais. Comme je pourrai. Ce matin donc, ma Raymonde range certaines pièces du chalet. Chaque fois que le soleil s'absente, ma brune court nettoyer, laver, la femme de ménage était en mauvaise santé depuis le début du mois. Raymonde a donc décidé d'assumer cette charge; bien rarement elle me confie quelques besognes; je m'offre, mais elle dit: «Je préfère m'en charger» ; sous-entendu, je le sens: tu ne travailles pas de la bonne façon!

207

Hier matin, nous petit-déjeunons dehors au soleil balbutiant entre des nuages au défilé capricieux. Le téléphone, Éliane: «Papa? David devait aller par chez vous, en visite de groupe, à votre *Village de Séraphin* et j'ai manqué l'heure de départ de son bus scolaire jaune; je monte donc le reconduire à Sainte-Adèle et j'en profiterais pour baigner les deux autres. D'accord? J'aurai la bouffe...» Ainsi, un mercredi de jeux sur les rivages du lac avec son Gabriel et le Laurent-du-milieu. En fin d'après-midi, ma fille va chercher David au Village reconstitué (et le papi repart avec) un trio de galopins furibonds à la chasse aux têtards et aux grenouilles dans le petit marais à l'ouest du lac. Au retour, le pédalo rempli de batraciens! Grimaces d'horreur de Raymonde et Éliane! Avant le souper, ils repartent tous avec, dans des pots à cornichons, chacun leur crapet-soleil. Les grenouilles? Versées d'un jet de chaudière sur le rivage, et Raymonde: «Ouasch! Ça va croasser (!) cette nuit! Quelle horreur! Une plaie d'Égypte!» Et moi: «C'est utile, ça bouffe les moustiques ces petits crapauds-là!»

Je sens ma brune plutôt énervée. C'est qu'il y a un tas de visites au chalet à organiser, histoire, je l'ai dit, de *remettre ça* à nos hôtes de l'hiver dernier. La liste est longue et Raymonde en est préoccupée en diable! Moi aussi, l'assistant maladroit, qui n'est bon qu'à animer *la visite*.

Lynn et Daniel sont revenus avant-hier d'une semaine de camping sans petit-Thomas, près d'Ogunquit, dans le Maine. Au téléphone, que des bonnes nouvelles: «Il a fait beau temps. Simon a aimé camper sous la tente. La santé est florissante. Aucun pépin, quoi!» Bon. Couple bien chanceux d'avoir belle-maman LaPan pour garder bébé-Thomas. Au retour, paraît que le petit bonhomme ignorait complètement la présence de sa maman. Choc! Françoise Dolto parle souvent de cette facilité d'adoption du remplaçant tutélaire des petits si la mère s'absente.

Choc tout de même pour Lynn, ma belle bru? Avec les Faucher, sommes allés voir *La muselière* de Brochu à l'hôtel d'en face. Un texte archi-rebattu dans son intrigue et soirée un peu pénible pour nous quatre. Devoir aller saluer la troupe après le spectacle? Oh la la! Françoise y fait une subtile séance démonstrative de propos neutres mais néanmoins gentils. Un art! Décidément, tout ce *lierre* à odeur sexuelle prévisible dans tous ces théâtres d'été nous devient un pensum. Ne plus y aller du tout? On y pense, Raymonde et moi. De toute façon, on y allait bien peu à ces soirées où on ne parle que de cocufiages et imbroglios maritaux, à conjuguer sur tous les modes, aux archétypes usés à la corde. Ce soir, jeudi, au tour des Faucher de nous inviter au Lac Marois, pas loin. J'apporterai du pastis? Je téléphone tantôt: «Jean? J'apporte mes boules de pétanque, oui?» Lui: «Non. J'ai les miennes de boules. Que crois-tu?»

Je peux bien le dire, j'ai relu tout le premier tome de PTVD, paru il y a trois semaines déjà. Grand amusement ou narcissisme? Je retrouve le *récent* temps passé, un drôle de constat. Le sentiment d'avoir stoppé le temps, d'y stagner?, de l'empêcher de filer. Je bloque le rétroviseur, en somme, je fige un ruban de magnéto. Si je veux, je revois l'Halloween, ou Noël, ou bien la Saint-Valentin. Ça me grise. Autre chose, voici que débute la chaîne classique des appels de recherchistes pour jaser de ce premier tome. Mardi, j'irai en causer avec Homier-Roy à CKAC, le matin. Je serai chez Latraverse et L'Heureux en fin d'après-midi au réseau TVA. Plus tôt, je dois aller aux micros de Présent-CBF pour commenter *Le racisme juif*, mon pamphlet paru dans le *Journal d'Outremont*. J'ai aussi accepté d'aller jaser de mon *journal* avec Reine Malo, jeudi le 28, à son *Bon dimanche*. Des trous dans mon cher fromage-vacances et ça m'enrage. Pourtant, incapacité de refuser cette promotion obligée, je songe toujours (comme

Fallet le dit) à celui qui a mis des sous en toute confiance, l'éditeur. Guérin n'a plus de relationniste, Luce Bertrand est partie. Après Miss Ferland. Après l'Irlandais, Shea. Ainsi la machine publicitaire sera ralentie et il y a donc de bonnes chances (!) que je ne sois pas invité à d'autres *jaseries de télé*; par exemple, le *Beau et chaud* de Brathwaite à RQ, chez Fauteux à TVA ou à *Surprise-party*, de Richard Laprade à TQS. C'est plein, cet été, de *talk-shows*! Une télé pas chère, vite faite, vite vue, vite oubliée.

Un certain Daigneault me téléphone: «On voudrait bien vous avoir comme critique des livres et des magazines à *Première* tous les dimanches. Vous accepteriez?» J'ai dit «oui». Spontanément. Des regrets? Oui et non. D'une part, devoir lire au moins deux livres et un magazine chaque semaine. Corvée de plus? Plaisir aussi sans doute. D'autre part, des vendredis matins hypothéqués, cela j'aime pas trop mais faut bien bouffer? Je serai donc billettiste chez Marguerite Blais le mardi et critique littéraire le dimanche, ce qui me fera un bon petit mille piastres assuré chaque mois. C'est mieux que rien, mais si jamais la SRC se décidait à dire «oui» au feuilleton que je lui ai proposé, TQS devrait se dénicher un autre chroniqueur.

D'un pédalo, loué à la plage municipale, quelqu'un me lance: «Salut, Claude! Ça va bien?» Je pêchais (au filet) avec les garnements d'Éliane sur le quai. Je plisse les yeux et ne reconnais pas ces gens en pédalo. Je fais: «Je ne vous reconnais pas, je m'en excuse.» Le pédaleur: «On ne se connaît pas, mais c'est pas grave.» La loi médiatique! Vous entrez chez les gens, via la télé, alors vous êtes donc des familiers. Dans la rue, au marché, dans des boutiques, on peut bien accepter ces salutations soudaines, mais il me semble que le loustic, s'apercevant que vous êtes chez vous, en privé, en famille, pourrait bien s'abstenir de son envie de vous saluer. Civisme élémentaire. Rien à faire, l'éducation, la décence, ça ne s'enseigne pas, c'est inné chez (seulement) les gens de bonne qualité. La discrétion est inconnue de nos voyeurs nationaux!

On ne voit pas passer les vacances...

Frère Jacques (à Raymonde) et les siens viendront dîner dimanche et belle-maman Yvonne sera de l'équipage. Je la raccompagnerai mardi puisque j'ai ces trois interviews à faire en ville. Bientôt, viendront Danièle, Maude et Josée, trois camarades et amies radiocanadiennes de Raymonde. Puis ce serait le tour d'Hélène et René. Puis... Ça ne cesse pas, va-et-vient inévitable si vous avez le grand bonheur d'avoir un chalet dans le nord. Ou dans les Cantons de l'Est. Le trente: la tribu jasminienne au complet. Oh la la! Je me jure d'essayer de mieux seconder ma brune pour tous ces gueuletons à venir. Ensuite, ce sera août, le retour au boulot pour ma réalisatrice. On en parle parfois: il faut repenser tout ça. Vendre le chalet et aller louer, au fond du Maine ou ailleurs, un gîte propice à l'isolement, passer un mois d'été, vraiment seuls, au bord de la mer. Rêvons! Il faut dire aussi, en toute franchise, que chaque *partie campagnarde* (chez nous ou chez les autres), nous procure du plaisir et une belle satisfaction. On n'est pas vraiment des asociaux, vous savez. On est normalement grégaires. Il y a que... Il y a qu'on ne voit pas les vacances passer et qu'on aimerait bien se retrouver à fond, être un couple isolé, lire nos chers bouquins (en retard), manger quand on a faim, être sans aucune obligation, sans agenda, avec un horaire tout à fait libre. Oui, rêvons!

J'en reparle, il y a donc une semaine, ma fille téléphonait: « Allô, papa? Bon, tu nous invitais toute la bande pour samedi ou dimanche? Eh bien, je suis si exténuée, vraiment à bout (Marc, son homme me dira plus tard: au bord du *burn-out*). Aussi, j'ose te demander ceci, puisque Marc m'offre de me libérer tout le week-end, j'irais chez vous en célibataire? Ça ne m'est pas arrivé je ne sais plus depuis quand.» Comment dire non? Raymonde, toujours un peu ahurie face aux trois espiègles, comprenait l'épuisement d'Éliane et acceptait volontiers sa venue. Ainsi j'ai passé deux jours et demi avec ma grande fille. Hélas, pas une seule heure de soleil! Son séjour a semblé néanmoins l'avoir retapée solidement et elle est repartie, via Voyageur, dimanche, apparemment toute détendue par les baignades, promenades et mini-excursions dans les alentours. Ici, nous avons eu le sentiment d'avoir fait une vraie *bonne action*.

Une fois de plus, j'ai pu constater, à propos de ma fille, qu'on ne change guère. Raymonde fut fort amusée par l'esprit (sans cesse) critique de ma fille: «Elle a de qui tenir! Ça se voit vite.» En effet, Éliane, naturellement, trouve toujours dix et vingt façons de corriger, de réorienter les choses de l'existence, sans cesse, comme moi, elle fait des remarques et, parfois, des remontrances à ce père qui vit sans se soucier, par exemple, de sa santé. Je la laisse dire. Ses inquiétudes font souvent écho à celles de ma brune. Alors, Raymonde est bien satisfaite de se découvrir une alliée en Éliane pour moult matières. Je suis habitué (depuis l'enfance) à entendre ces reproches. Ma mère. Mes grandes sœurs. Même des tantes et des voisines qui s'en mêlaient: «Tu devrais! Tu devrais!» J'en ai comme l'idée, bien vissée dans mon cerveau de macho, que la femme est mon bénéfique garde-fou, une sorte de *surveillante* de bonne foi, à peine importune, de mes agissements irrationnels. Je joue le mâle bien insouciant, me moquant de toute cette litanie de bonnes intentions à mon égard. Ça m'amuse les «C'est pour ton bien,» accompagnant ces avertissements désintéressés. Je les interprète comme des marques d'amour! Au moins d'affection! On veille sur moi. On me veut du bien. On veut que je vive jusqu'à cent ans. Je laisse dire et je souris sous cape, me sentant redevenir le jeune homme insolent qui faisait le sourd quand sa mère répétait: «Couvre-toi! Ne prends pas froid! Ne va pas attraper un rhume! Sois prudent! Ne fréquente donc plus untel! Ne va donc plus dans ces endroits! Fume moins! Ne bois pas! Ne te chicane plus!» J'avais seize ans. Je partais, goguenard, sans foulard, sans chapeau par des soirs froids de novembre (ou de mars) et j'allais courir *la galipote* dans ces cabarets mal famés de nos samedis soirs des années 50, avec mes compagnons-dragueurs, Lucien et Yves Langis; nous étions de terribles forbans, n'est-ce pas? De pauvres petits cons désobéissants? Ce monde peureux des femmes de la maisonnée n'était qu'un stupide rempart. Quoi, il fallait bien nous affirmer, nous devions tourner le dos à ce *maternage* si nous ne voulions pas devenir des fils-à-môman, des fifis, des sous-hommes! Ah oui, fumer, boire, draguer (fleureter avec ces filles émancipées dans ces clubs de nuit), et vite devenir de vrais petits mâles bien cons!

*28 juillet 88*

Chacun joue sa petite musique...

Ouash, un jeudi à nuages. Hier? Pas mieux. Cette fin de mois, cette fin des vacances de ma brune se joue dans un décor par trop ouaté. Je prends de plus en plus conscience que notre village d'en haut se métamorphose vraiment en ville. Il me semble qu'il y a, rue Morin-en-haut, un trafic fou. Évidemment, comme dans mon autre village, Outremont, c'est la mode furieuse de la rénovation un

213

peu partout. Il faut ajouter aux bruits causés par toutes ces *améliorations* de gîtes divers, ceux des ardents constructeurs de condos. Plein de camions, de formats différents, allant du malaxeur au déchargeur géant, circulent devant notre porte. Ça gronde, ça gronde! Ça impatiente, désormais. L'impression que dans tous les rangs, jadis bien boisés, des entrepreneurs sont en train d'édifier un lot de mini-villages à condos. Je me plains. Je parle de devoir vendre le chalet. Raymonde, la co-propriétaire, admet volontiers que d'année en année Sainte-Adèle fait entendre le vacarme d'un vrai centre-ville. La rue Morin ressemble, à l'oreille, aux chantiers d'un coin de rue genre Maisonneuve et Metcalfe.

Avant-hier, justement, rue Metcalfe, je suis allé parler au microphone d'Homier-Roy. Il a lu, en partie, *Pour tout vous dire*. Il me dit avoir beaucoup aimé et qu'il va certainement poursuivre cette lecture de mon journal. Il ajoutera, en ondes, qu'il le préfère au journal de J.-P. Guay. Zut! Regrettable jeu des comparaisons. Inévitable? J'ai toujours affirmé qu'il ne devrait y avoir jamais aucune compétition entre artistes. Que le Hollywood des Oscars se le tienne pour dit! Chacun joue sa *petite musique*, pour reprendre l'expression célinienne. Écoutez bien ça: j'avais décidé qu'il serait plus prudent que je descende à Montréal, seul, dès lundi en fin d'après-midi. Raymonde est d'accord et me confie sa maman qui a séjourné en week-end avec nous. Bien. Roulons. En chemin, belle-maman me reparle des enfants d'Éliane et exprime le désir d'aller se baigner dans la piscine de son Village Olympique. On y va. Arrêt donc rue Chambord. Surprise!, nous apprenons que Marco et Éliane sont partis camper dans l'État de New York. Qui nous accueille, tout heureuse? La gardienne attitrée des mômes, la vaillante Lucille. Voilà que David s'écrie: «Papi, tu devrais coucher ici ce soir!» Je dis: «Pourquoi pas? Mais où?» David: «En haut. Dans le grand lit. Avec

214

Lucille!» Rire sous cape de Lucille, Yvonne-belle-maman et moi. Je dis: «Mais non, David.» Lui: «Pourquoi pas? C'est un grand lit.» Je dis: «C'est que Lucille et moi, on n'est pas un papa et une maman.» Il jette aussitôt: «Qu'est-ce que ça fait? Il y a de la place. Lucille? tu veux, hein, coucher avec mon papi?» Rigolade franche cette fois. David et Laurent ne rient pas du tout. Lucille dit: «On n'est pas mariés, ton grand-père et moi, David!» Il rétorque, bien bravement: «On s'en fout de ça! Qu'est-ce que ça peut faire, ça?»

J'ai dormi sur le long et confortable divan du salon ce lundi soir. Lucille, le vaillant bras droit d'Éliane, m'a installé des draps et un bon oreiller. Hélas, dès six heures du matin, réveil: un Laurent tout content de me savoir installé au logis. David, trente minutes plus tard, vient nous rejoindre. Les deux gamins, heureux, tiennent à me faire voir leur assortiment de céréales et sortent la vaisselle, le lait, le miel... À sept heures: «Bon. Tu as bien mangé, papi? Si on allait maintenant en excursion?» Leur choix est unanime: le port. Je décapote la Volks et, dans un Montréal quasi désert et plutôt silencieux, nous roulons vers le fleuve. Excitation enfantine quand je leur raconte *la-ville-le-matin*. Ici, le camion du laitier, rue Christophe-Colomb, là, le camion du boulanger, rue Saint-Denis. Rue Bonsecours, découverte d'une nef remplie de fidèles. Portes ouvertes. Lumières. Chants pieux. «On veut voir.» Nous entrons tous les trois dans la vieille église Notre-Dame du Bon secours. Comme mon père l'avait fait avec moi, il y a cinquante ans de ça, je leur montre les lampes en forme de mini-goélettes suspendues à la voûte. Hélas, interdiction de grimper dans la tour-à-statue. Nous allons vite comprendre qu'avant neuf heures, il n'y a rien en ville, aucun site accessible, mais j'ai aimé cette expédition ultra-matinale pour moi. Un Montréal différent: dans les bus, les autos, aux coins des rues, des silhouettes fripées aux visages mal ouverts, le monde des lève-tôt s'en allant de force au boulot sans bonne humeur et on les comprend. À la fin, un policier-motard! Une contravention chèrante pour avoir oublié de boucler nos ceintures.

Ce jour-là, donc, à *Touche-à-tout* de CKAC, bons compliments de l'animateur. Homier-Roy est difficile. Alors me voilà bien peppé. Aussi, c'est avec entrain que je pars luncher avec mon éditeur. Je lui apporte ma huitaine d'illustrations pour son Jaws n° 3, *The revenge*, que Guérin va sortir, en traduction, à la rentrée. Au *Poulet doré*, nous jasons littérature et projets divers. J'ai accepté (il m'a tiré l'oreille) de remplacer Alain Pontaut au sein de son jury-Guérin pour leur prochain Grand prix littéraire. Dubé: « Ne crains rien, nous faisons un premier tri. Il n'y aura pas tant de manuscrits que tu l'imagines et notre maison rétribue ses lecteurs-jurés. » Bon. Il fait une chaleur humide écrasante pour les Montréalais. Cuisson à la vapeur? Fréquente à Montréal. Je cours me baigner, rue Chambord. De nouveau la grande joie des garçonnets d'Éliane. Bébé-Gabriel y compris. Cet enfant sera comédien, ma foi. Il prend déjà des poses, fait des mines, invente des grimaces drôles et joue sans cesse au charmeur avec un art déjà solide. Un petit clown vraiment, au caractère enjoué, agréable. Lucille le cajole et il lui rend des caresses bien calculées! *Le troisième!* Celui qui a compris d'instinct qu'il devra s'efforcer de séduire malgré son rang familial? Oui, chère Dolto! J'ai été *un troisième*.

À trois heures, je suis dans un studio pour *Présent* avec le reporter Frédérik Nicholo. Il me questionne à propos de ma diatribe *Un racisme juif*. Je lui raconte les nombreuses lettres que je reçois, des appuis pour cet avertissement solennel face à l'auto-ghettorisation des Juifs hassidiques, volcan endormi menaçant la paix sociale d'ici. Mon interrogateur, bien documenté, m'annonce qu'il va animer, sur ce sujet, toute une série d'émissions à

CBF et qu'il voudra sans doute, un jour prochain, organiser une confrontation avec un des leaders de cette communauté *intégriste* (le mot est de lui). J'accepte volontiers. Je traverse deux coins de rue pour une autre entrevue à *Un été de bonne humeur*. Gaston L'Heureux, l'animateur, avec Louise Latraverse, m'attend pour jaser à propos de mon journal. Aussitôt qu'il m'aperçoit dans les coulisses du canal 10, gros bouquet de compliments. J'en suis ravi, évidemment. Gaston insiste: «C'est du meilleur Jasmin. Ça va marcher fort, tu verras. J'y ai lu une formidable sincérité, une franchise merveilleuse et un beau long cri d'amour à ta brune, Raymonde.» En ondes, après quelques pitreries goguenardes, il répétera ses compliments. J'en suis fort aise, vous le devinez, et voilà que *tête heureuse* commence à s'imaginer qu'il tient un immense succès de librairie. Ouais. Yves Dubé, le midi, me disait: «Si nous vendons mille deux cents copies, je continue. On publiera ton deuxième tome.» Eh ben! Moi qui souhaite vendre au moins cinq mille exemplaires en un premier tirage. Dubé a mis la barre pas bien haute, je trouve. On verra bien, tête heureuse!

Nous sauver dans le Maine...

Ce mardi, à l'heure du souper, je suis remonté dans les Laurentides. L'amie Josée Boudrias y est et nous avalons trois bons gros steaks bien rôtis sur l'antique et rouillé *hibachi* à charbons dont Raymonde refuse de se séparer. On nous recommande tant le machin à gaz propane... ou à pierres volcaniques... que sais-je. Les vrais amateurs affirment qu'il n'y a rien comme l'ancien mode (à charbon de bois) pour le bon goût d'une vraie rôtisserie.

En ce moment, le ciel s'assombrit rue Querbes. Je crains de devoir (dans une heure) rouler à capote fermée vers l'animatrice Reine Malo avec qui je dois causer du PTVD pour *Bon dimanche*. Sa recherchiste, Hélène Letendre, au téléphone, m'arrosait de louanges dithyrambiques. Vraiment, ça me soulève et j'ai hâte de voir si Miss Malo a aimé autant qu'elle mes confidences intimistes. Ce sera « oui ». Je reviendrai au chalet en fin d'après-midi, après un crochet à Fresnière pour voir le gang à Daniel. Je m'ennuie de Simon et de bébé-Thomas et je veux remettre à ma bru-copiste des tas de feuillets en vue du deuxième tome de *Pour tout vous dire*. Trois semaines sans nous voir, c'est trop, non?

Hélas, demain, très tôt, je devrai redescendre en ville, rue Ogilvy pour *commettre* un autre topo à *Première* (où je suis, je l'ai dit? désormais le chroniqueur de livres et magazines). Dubé m'a offert un tas de magazines littéraires et je parlerai aussi du *Dumas insolite* de Hamel, du *Premier jardin* d'Anne Hébert et du *Running man* de King. L'impression que, déjà, l'été et les vacances, c'est bien terminé et je n'aime pas ça. Comment traîner de force ma brune, nous sauver dans le Maine, ne serait-ce que pour quatre petites journées? Ce ne sera pas facile. Samedi, ici, arrivage au complet de la tribu jasmienne et Raymonde en est très énervée. « Claude, nous serons quatorze à table! Que faire? » Le problème (avec mon grand amour), c'est qu'elle refuse que je l'aide, je le répète. Elle m'a fait souvent comprendre que mon rythme trépidant (et bien brouillon) l'embarrasse chaque fois que j'entre dans son aire de travail. Je ne ferais rien de bien, je fais tout tout croche, je salis trop, et... je casse tout. Bref, j'en suis réduit au seul rôle qu'elle m'autorise: « Va animer nos invités, ça suffit. Ne te mêle de rien d'autre. » En somme: va faire le drôle, le pitre. Des amis à qui je raconte tout cela me disent parfois: « Très fort! Tu joues au maladroit et ainsi, tu te sais d'avance éliminé par elle de toute collaboration aux corvées. Sacré malin! Chapeau! » Je ris? Non, j'en suis désolé. Je voudrais bien faire autre chose, aux parties, que brasser les apéros et raconter des anecdotes comiques. Ça suffit: c'est vrai que je suis malhabile dans une cuisine mais je veux me réformer. Ne riez pas, saligauds, je suis sincère! Ah, et puis, moqueurs, allez donc au diable!

Raymonde: «Il est midi, Claude. Je nous réchauffe de la soupe aux palourdes et tu devras partir.» Oui, reconduire Josée (qui a fait cette délicieuse soupe) à Ville Saint-Laurent et puis rouler vers un studio de TVA entendre Reine Malo s'écrier peut-être: «C'est un journal vraiment extraordinaire, monsieur Jasmin.» Tête heureuse, mange ta soupe!

*3 août 88*

On est derrière vous...

Suffit! Ici, je fais promesse de ne plus jamais faire allusion au temps qui file trop vite. Je n'en dirai plus rien, n'en pensant pas moins. Ce matin, de retour en ville depuis trois jours, c'est encore du soleil et un temps si chaud qu'il fait suer hommes, femmes, enfants, animaux, végétaux. Et même minéraux! Canicule accablante! Je recommande à tous les plaignards des alentours: songez au froid de l'hiver qui va revenir bientôt! Rien à faire: ça geint, ça râle. Même moi à l'occasion.

Le collègue Jacques Godbout, mué en éditorialiste dans *L'Actualité*, me décrit: «*L'écrivain Claude Jasmin qui, dans le paysage culturel du Québec, tient le rôle nécessaire du volcan...*» Moi, un Vésuve? Bonne image, merci. Pourtant, trop souvent, je me reproche de ne plus m'indigner spontanément et de laisser passer tant de ces

219

cortèges d'insignifiances intolérables. Godbout ajoute aussi: « *Quand on ridiculise tout, affirme le pamphlétaire Jasmin, on se détruit soi-même.*» En effet. Il continue: « *L'indignation rituelle de Claude Jasmin est un excellent baromètre, le romancier clame tout haut ce que d'autres osent à peine murmurer à leur voisin.*» Juste? Je reçois, ces jours-ci, un tas de missives où mes correspondants me félicitent et m'encouragent au sujet de ma récente *sortie* face au ghetto raciste des juifs hassidiques. En somme, on me sert le « allez-y, on est derrière vous! » Ouais! Attrapez les choux, recevez les horions, on vous observe en toute sympathie. Je ne m'y ferai jamais à cette sorte de situation. Celle où plein d'assis vous encouragent à gueuler... tout seul! Tant pis, volcan je suis, Godbout? Volcan je reste.

À l'excitant (parce que si vaste, en pleine prairie de Laval) *Carrefour Laval*, Raymonde m'entraîne pour l'achat de maillots de bain, aussi de souliers d'été. Foule de badauds, cohue terrible, les parkings remplis partout. Dehors, un soleil dardant. Dedans, air climatisé. Dans une allée d'un magasin à rayons, un homme me fait des signes véhéments: « Vous êtes bien Marcel Dubé, que ma femme m'a dit? Oui? » Moi, amusé, je dis: « Je lui ressemble, monsieur? » « C'est pas vous? Vous n'êtes pas Marcel Dubé? », insiste-t-il. Je me rapproche: « Le plus souvent, monsieur, on me prend pour Claude Jasmin.» Et, étonné, le bonhomme me jette aussitôt: « Claude Jasmin? Ah non! Pas du tout! Vous ne lui ressemblez pas du tout.» Il s'en va raconter *l'erreur sur la personne* à sa femme. Raymonde n'en revient pas et rit très fort. J'ai apprécié cette bonne leçon d'humilité. Ça m'arrive fréquemment. Les personnages publics s'imaginent connus de tous et font de ces rencontres piquantes. J'apprends souvent que je n'ai pas du tout la stature d'une réelle vedette. Des loustics me saluent, beaux sourires et c'est les « *rappelez-moi donc votre nom, je le cherche là...*» Je me nomme et par politesse on me fait: « Ah oui, c'est ça, c'est ça! » Bien sûr que cela n'arrive pas à des chanteurs ou des acteurs, à Serge Laprade ou à Gilles Latulippe... Ou à Michel Jasmin. C'est ce qui fait que j'ai toujours oublié mon soi-disant statut d'homme public et que je cabotine selon ma « naturelle nature ». Alors, celle (ou celui) qui m'accompagne de me prévenir: « Cesse tes clowneries, on te regarde. On va croire que tu veux te distinguer. » Suffit, ça aussi, n'en plus jamais reparler. Des jaloux pourraient bien croire que je suis déçu de ne pas être mieux reconnu alors qu'en toute franchise je vous assure que la vie est bien plus simple quand on est un quidam. La liberté du loustic, de pouvoir se mettre le doigt dans le nez ou de se gratter librement l'entrejambes. Je ris. De moi.

Ça y est donc: Raymonde est retournée à son travail dans la Tour-Chiffon-J du boulevard René-Lévesque. Est-ce la canicule persistante, hier et ce matin encore, elle me dit n'avoir pas du tout la forme. Elle peste un peu contre tout, pas seulement contre la chaleur torride de ce tout début d'août. Se croyant en mauvaise santé, elle est même allée se faire prendre la pression à la clinique de la SRC. « Parfaite condition », lui a-t-on révélé! Cela l'a rassurée côté physique mais, vraiment, le moral est mou. Son auteur, Beaulieu, lui a téléphoné de son cher Bas-du-fleuve, lui a dit qu'il a lu et apprécié *Pour tout vous dire* et qu'il va m'écrire là-dessus. À la télé, Gaston L'Heureux et Reine Malo ont proclamé généreusement « en ondes » qu'ils ont aimé (beaucoup) ce premier tome de mes confessions publiques, mais deux ou trois collègues de ma brune ont fait cette remarque: « Ton Claude passe beaucoup de temps avec ses petits-fils et, dans son journal, en parle un peu trop! » J'ai l'impression que Raymonde, là-dessus, est plutôt d'accord. Il y a que je suis seul souvent, rue Querbes, que je ne peux tout de même pas faire trop de projets et, enfin, que ces visites aux gamins me servent

221

d'exercices physiques sanitaires et salutaires. Et puis, oui, oui, oui, l'enfance, *la petite enfance*, me fascine et me fascinera toujours, j'y constate une honnêteté de comportement rarement présente chez les adultes domptés et trop polis que nous sommes tous.

Parlant projet, très méchante surprise hier matin: une lettre d'une prose neutre, du genre lettre circulaire anonyme et signée par l'adjoint au Chef des dramatiques de Radio-Canada, m'annonce: «*Notre choix fait que nous abandonnons définitivement l'étude de votre projet intitulé: Coulisses.*» Bang! Leur choix. Rien à dire. Je préfère, en fin de compte, cette manière dure (et plutôt froide) à de longues explications d'un refus. En effet, je n'accepterais guère (hors celle de mes pairs expérimentés) une critique détaillée des défauts dudit projet. Je vais vous confier un secret très délicat: *Coulisses* pourrait bien être un échec total. Un four. Un bide. Oui, oui. J'écris aussi ceci: *Coulisses* pourrait bien devenir un triomphe. Un succès mémorable. Deux vérités? Non. C'est qu'il n'y a aucune certitude en ce domaine. En toute franchise, les auteurs et les producteurs devraient admettre que c'est l'inconnu total à chaque début d'un feuilleton (ou d'une dramatique). C'est la terrible réalité. Quelqu'un (en autorité) peut dire «oui» à un projet. Ensuite? C'est *croisons les doigts.* Ça me fait un peu mal de l'admettre. J'en ai vu, vieux singe que je suis, des enthousiastes qui trompettaient: ça va être un succès inouï! Ils se sont cassé complètement la gueule. D'autres, au contraire, nourrissaient des doutes énormes, mais leur ponte s'est hissée au faîte du palmarès. Drôle d'activité, n'est-ce pas? Aussi, arrivé à mon âge, avec mon expérience, il devient difficile, sinon impossible de jouer la mascarade du «Quoi? Mon projet refusé? Quel scandale!» Oh non! Je me résume: à la SRC, *Coulisses* pouvait devenir ou un four noir ou un triomphe. Pour le savoir, il aurait fallu qu'on accepte de jouer cette toujours coûteuse et hasardeuse partie de dés.

De jouer le *oui, on le fait et on verra bien*. C'est non, à la SRC? Tant pis pour Daniel et moi. Je vais songer à d'autres formules et *Coulisses* restera peut-être couché à jamais dans un carton, dans la pile marquée: projets. J'espère que cette franchise servira un peu aux producteurs cherchant frénétiquement et dérisoirement la recette miraculeuse du «hit». Les fous! Le succès tient à une foule d'impondérables, et c'est vainement que l'on consulte de soi-disant experts. Et c'est très bien comme ça.

Ai passé tout l'après-midi d'hier chez mon jeune co-scénariste, Daniel. Simon Jasmin, deux ans et demi, m'a copieusement arrosé! Au boyau, au fusil à l'eau et aussi du creux de sa pataugeuse de plastique bleu. Un mardi torride évidemment. Mon fils venait de recevoir la même lettre de refus que celle dont je viens de parler. Il ne m'a pas paru trop démoli. Il se prépare à aller en *entrevue* pour obtenir un poste de rédacteur d'un bulletin de compagnie. Un boulot à trois jours par semaine. Bien rémunéré. Il touche du bois et me répète qu'il a fait le tour des secrets de la fabrication du néon, que le magazine *Le lundi* ne lui suffit pas pour boucler son budget. Joyeusement, il m'annonce qu'il a songé, durant juillet, à quelques trois ou quatre idées de feuilleton populaire. Il fait trop chaud pour y voir. Tout le monde, partout, semble attendre que passe cette suante canicule, la quatrième vague depuis le début de l'été. On s'est amusés, Daniel et moi, à fabriquer trois petits totems, dehors, près de l'une des nombreuses cabanes champêtres. On y allait *mollo* entre deux baignades dans la pataugeuse du fiston.


Dumping de France...

Rue Querbes, la veille, ce fut la découverte de bouquets bien fanés (en notre longue absence). Pour tenter de les ressusciter, j'ai noyé d'eau les corbeilles, pots et boîtes à fleurs. J'attendrai.

Nos derniers invités de juillet? La sainte famille, la jasminerie au complet! Ce fut, samedi, une joyeuse réunion avec les rires et les cris habituels. Pauvres voisins! Il y eut, vers cinq heures, un grand moment d'anxiété. Un orage subit a éclaté, vent violent et trombes d'eau. Raymonde toute démontée face à ses préparatifs de cuisson extérieure d'un agneau qui avait mariné vingt-quatre heures. Mais non! Tout aussi soudainement, la tempête se calma. La pluie torrentielle cessa net. Ce furent des cris de joie et une deuxième invasion du rivage par la petite tribu. Le lendemain matin dimanche, épuisement du couple! Deux corps morts étendus, en silence, sur les transats de bois, livres et magazines tout autour, limonade seulement, l'estomac encore chaviré de trop de libations récentes. Ah oui! Drôles de vacances en effet!

Nous avons enfin déniché un secrétaire (de chêne) chez un brocanteur de Piedmont. La dame-vendeuse: « Ah ben vous! Fillette, j'allais à vos séances de peinturlurage au parc-école de la rue Bélanger. Vous étiez bien dur, très sévère avec nous, les enfants. Je m'en souviens de ces années 50.» Moi, plutôt éberlué, sachant bien que j'étais plutôt du genre laxiste puisqu'il s'agissait de récréation et non d'un vrai cours de peinture. Soudain, sa vieille mère: «Oh! Je vous reconnais moi aussi, vous êtes l'auteur de *La petite maison dans la prairie*.» (sic!). Nous rigolons. Désormais, ici, passé le portique, nous disposons d'un bon gros meuble utile pour y caser les petites traîneries quotidiennes et j'y ferai mettre un téléphone bientôt. Un de plus!

Vendredi dernier, suis donc allé à mon premier topo pour *Première* avec l'animatrice Claire Caron. J'ai jasé du King de *The running man*, de Hébert du *Premier jardin* (belle prose, histoire peu captivante hélas) et de trois magazines littéraires du Québec. *Nuit blanche*, je l'ai vanté, est le plus attrayant, le plus vivant. Six minutes trop courtes, l'impression d'être vain, inutile. Je songe à tous les collègues-chroniqueurs de ceci et de cela désormais installés aux quatre réseaux de la télé du Québec. Impossibilité partout de parler judicieusement de quelque produit culturel que ce soit. Bousculade consentie? C'est le triste de ce jeu, le *voyez, ici, nous couvrons vraiment tout ce qui se fait*! Ce jeu des actualités artistiques, recensées en quatrième vitesse, m'accable. Voilà que je songe aujourd'hui à re-contacter le directeur André Beauvais (qui, l'imprudent, a osé me confier être un admirateur de mes proses) du *Journal de Montréal*. Je voudrais lui offrir une chronique quotidienne et s'il disait «oui», ma foi, j'abandonnerais mes deux «six minutes» hebdomadaires au réseau Quatre Saisons. Le ferais-je?

Inquiétude: l'éditeur Yves Dubé part en guerre dans *Lettres québécoises* contre l'invasion omnifréquente, au Québec, des produits de France et la fête qu'on fait, ultra-généreuse, dès que se pointe sur les rives du Saint-Laurent un auteur de Paris (ou une auteure). Je branle, j'hésite à enfourcher avec lui ce drôle de cheval. Certes, il est facile de constater que les littéraires de Paris prennent une place énorme dans nos médias dès qu'ils débarquent. Je crains, en voulant débattre de cette situation coloniale, de nuire au *fait français* dans cette Amérique anglo-saxonne où nous ne représentons (hélas, hélas) qu'un tout petit 2%. Comment fustiger d'une part l'infériorisation de nos auteurs face à ce prestigieux *dumping* de France, et d'autre part favoriser comme je le souhaite un plus grand rapprochement avec tout ce qui est francophone? Dilemme. Les éditeurs québécois peuvent-ils exiger de Paris le même généreux traitement? Impossible? Paris est un monstre multiforme en matière d'édition, c'est un éléphant tout-puissant. Nous (la souris?) sommes réduits

225

(par la force des chiffres) à admirer béatement le tempo prodigieux d'un pays français qui reste (voir le New York Times) le plus étonnant et fécond producteur de livres sur toute la planète. Dure réalité. Que faire? Je ne le sais plus. S'exiler là-bas, aller s'enligner parmi la multitude d'auteurs français? Ouen...

*6 août 88*

Cénacle doucement ridicule...

Enfin, le bout d'une terrifiante semaine de début d'août. De jour en jour, une canicule accablante, une humidité effroyable vous rendant tout mou, tout fainéant, vraiment paralysé. J'ai donc fait le mort, à cœur de jour, ventilateur en pleine gueule, étendu, à demi couché dans mon fauteuil de cuir inclinable du bureau de la rue Querbes. À lire. À relire. Ce matin, même temps dehors, un samedi sans soleil mais presque aussi torride. Un ciel à peine bleuté, tirant fort sur le gris avec des timides, très timides percées de soleil. Bien entendu, il y eut cette semaine de violents et très brefs orages. Jeudi, par exemple, des arbres en ont été fauchés et traînaient dans certaines rues de la ville quand je suis descendu, rue Rachel, pour me faire questionner par ce doux dingue des livres d'ici, Yves Gauthier. Bizarre petit club: *Les gens du livre*. Chaque premier mercredi du mois, lui et son vieux complice, Henri Tranquille (ex-libraire célèbre), au bar *Le mélomane*, tentent d'attirer les amateurs du livre québécois. Quand j'arrive, l'orage a cessé tout aussi subitement qu'il avait commencé mais l'air est resté tout aussi lourd, on respire avec peine. Il y aura, malgré ce temps, une vingtaine de curieux venus m'entendre répondre aux questions gauthieresques! Malgré la chaleur dans ce bar tout sombre, me voilà peu à peu emballé, excité à rétorquer à certaines malicieuses interrogations de mon aimable tortionnaire. Amusante soirée en fin de compte alors que le jour même, j'avais regretté d'avoir accepté cette rencontre (il y a plusieurs mois). Il est toujours stimulant, qu'on soit écrivain ou autre chose, de devoir répondre à une interview quand le questionneur a bien soigné son plan d'entrevue, ce qui n'est guère fréquent désormais en milieu journalistique. Dans la salle, des camarades en écriture: un François Piazza, revenant d'une terrible opération de larynx, une Anne Dandurand, fine silhouette élégante au sourire perpétuel, Auray Blain, ex-commentateur «écolo» de la télé d'antan, Madeleine Jérôme, ex-comédienne et ex-réalisatrice de radio à CBF, et qui encore? L'impression d'un cercle, tout discret, d'aficionados, un tantinet anachroniques. À divers moments, je me suis senti comme pris dans une atmosphère passéiste, celle d'un cénacle doucement ridicule où l'on rêve d'une vie littéraire qui, hélas, n'existe pas.

Ici et là, avant et après notre dialogue, découverte de figures mystérieuses, celles de gens (plusieurs se disant des aspirants à être publiés) dans des limbes. En un purgatoire émouvant. Tard, des confidences (difficiles à entendre à cause de la musique de ce bar) allaient me prouver que mon petit public se composait de doux rêveurs, de quelques déçus aussi. Bref, une ambiance curieuse dont je me suis sauvé plutôt rapidement, éprouvant une gêne que je ne sais comment qualifier. Cette rencontre, une fois rentré chez moi, m'a inspiré l'idée d'un conte sinistre, d'une fable cruelle. Je songeais à une nouvelle où, changeant les noms, je décrirais cette petite faune de mordus de littérature, ce groupuscule de marginaux pacifiques. J'illustrerais, avec pas mal de cruauté, un de ces mondes parallèles où l'on espère, où l'on cherche (de façon pathétique) quelques raisons de s'accrocher à une illusoire activité littéraire. J'ai retrouvé l'ambiance (qui me navre) des *caucus* pas moins anachroniques de la Société des écrivains canadiens, ou bien celle des séances matinales aux colloques intellectuels organisés (et payés par Ottawa) chaque année par Jean-Guy Pilon. Chaque fois, la nette impression d'irréalité, l'impression d'une horde de suaves résistants au monde moderne. C'est souvent cela le milieu des écrivains, hélas, une caverne de gentils déphasés. Une grotte (comme ce bar d'aspect sordide, rue Rachel, jeudi) où l'on tente de rallumer une foi toute vacillante, la foi dans la vie de nos livres. Partout autour, hélas, la vie littéraire n'existe pas, les actualités des médias font du bruit sur tout, sauf sur nos livres. De là sans doute les tristes impressions qui m'assaillirent chez *Les amis du livre* du résistant Gauthier.

Hier, vendredi, nous décidons subitement de monter au chalet. Au moins il y aura le petit lac où nous pourrons nous tremper un brin. À notre arrivée à Sainte-Adèle, même chaleur humide, et voilà que (fou?) je décide de tondre le gazon. Sueur en abondance malgré le régime bien lent d'une tortue (ma tondeuse) agonisante. C'est fait. Avec baignades fréquentes, mais ça rafraîchit à peine, c'est toujours à recommencer. Je m'installe sur la rive, à l'ombre du vieux saule, je regarde les photos d'un tas de *Paris-Match* périmés, offerts par Albert Sawyer d'Air-Canada. Des images! Un enfant!

Je me ré-interroge. Pourquoi ce *malaise* quand je vais tremper dans ces réunions para ou péri-littéraires? J'ai trouvé: il y a que j'ai tant souhaité, plus jeune, appartenir au monde d'une activité qui fonctionne, qui progresse, qui marche de succès en succès. C'est évidemment le souhait de n'importe qui. Il y a que je déteste cette satanée réalité: la littérature d'ici est une machine artificiellement entretenue par les subventions de toutes sortes. Je me demande parfois ce qui resterait debout dans ce milieu ago-nisant sans l'aide de l'État. C'est cette certitude, démon-trée sans cesse, qui me rend plutôt cruel chaque fois que je suis appelé à jaser livres quelque part. La dernière fois, rue Rachel, jeudi. L'avant-dernière fois, à Ville d'Anjou, à la bibliothèque publique. Là encore, j'ai subi cette embar-rassante atmosphère de « happy few » plutôt hors du réel. Rien à faire. Soupirer. Espérer je ne sais quoi. Je crains qu'avec les années cela ne devienne pire encore, la désaf-fection des nôtres pour leurs auteurs. Bien sûr, mis à part les auteurs de feuilletons télévisés populaires.

Vendredi matin, tôt, je suis allé vers l'animatrice Claire Caron pour mon deuxième bref topo sur les livres et magazines. Je vais tenter de ne pas oublier de regarder *Première* dimanche après-midi, à TQS. J'ai parlé de *Plus*, un dictionnaire français publié et imprimé ici par le CEC, à partir d'un autre, fait chez Hachette. *Plus* est financé justement par Hachette et Québécor, cette dernière com-pagnie infiltrée désormais dans cet empire colossal nom-mé Hachette. J'ai vanté aussi l'excellente tenue graphique et rédactionnelle du nouvel hebdo *Voir*. Une fois de plus, c'est le tout petit six minutes, chaque fois l'impression de n'avoir pu dire que le dixième de ce qu'on a envie de dire. C'est la maudite loi du « il faut aller vite » partout en télé. Rien à faire. Aussi, j'ai expédié hier, j'y reviens, des offres d'emploi pour devenir columnist au *Journal de Montréal* ou à *La Presse*. Je me dis que les départs (d'André Rufian-ge, de Marc Laurendeau) ont dû laisser des postes à prendre comme pigistes là où les syndicats surveillent les quotas des collaborateurs « spéciaux ». Je verrai. *Coulisses* étant donc officiellement refusé à CBC-SRC, j'ai rédigé une humoristique pression destinée à Michel Chamber-land, le nouveau directeur-programmes de TVA. J'ai aussi offert à la chef-productrice de TQS, Michèle Raymond, qui reléguais ce projet aux calendes grecques, de transfor-mer *Coulisses* en comédie. Eh! Pourquoi pas?

La mort... elle vous obsède...

Mon fils Daniel est donc allé passer des tests et une interview, aujourd'hui, en vue de cet emploi de rédacteur pour un bulletin-maison chez Pétro-Canada. Il touche encore du bois. Trois jours de besogne par semaine et d'assez bons émoluments. Je touche aussi du bois pour lui. Ces temps-ci, quelques retraités précoces, comme moi, me contactent cherchant du boulot ici et là. Je tente de les guider, sans grand espoir. J'ai l'impression que des gens, partout, se cherchent du travail. Moi comme les autres. En effet, si je décrochais une chronique dans un quotidien, il me semble que j'abandonnerais aussitôt mes deux petits jobs à TQS. Ça ferait un peu d'emploi vacant! Je juge que pour si peu de temps à l'antenne, c'est beaucoup de temps perdu à se préparer, à s'y rendre (et à en revenir), à se faire maquiller, à attendre le tour-de-son-petit-tour en coulisses. Il me semble que je serais bien plus à l'aise avec un boulot écrit régulier, plutôt que de me torturer les méninges à vouloir être attrayant, en cinq pauvres petites minutes sous les réflecteurs cruels.

Voilà qu'on m'approche maintenant pour rédiger, sous forme de dramatique-télé, une série en vue d'instruire les gens sur l'orthographe... et même sur la grammaire. Moi? Un certain Jean-Yves de Banville, au téléphone, me répète que je serais très capable de faire ce métier, camoufler l'éducatif sous le divertissement, très capable d'imaginer une télé un peu scolaire sous forme d'innocente récréation. Un dilemme et je n'y crois pas fort. Je dois y songer vite et donner ma réponse lundi ou mardi qui vient. Comment créer un feuilleton pour la jeunesse, y enseigner le français? Et faire en sorte qu'ils se croient en train de regarder un téléroman comme les autres? Mission impossible? Un mandat où tant d'autres se sont cassé les dents. Aussi, pourquoi toujours ce vœu de camoufler l'instruction, de déguiser des cours (du genre *Café*) en simples sketches dramatiques? Les initiateurs (dont le professeur Dupriez) de ce projet ambitieux, *Panacom Inc.*, ont déjà songé à une troupe d'écoliers qui prépareraient un « Roméo et Juliette » et, ce faisant, s'instruiraient sur les pièges orthographiques et grammaticaux du français écrit. Ah oui, difficile. Je dirai « non » ? Plus j'y songe, et plus ce sera « non, merci ».

Raymonde travaille beaucoup à préparer le retour prochain (en salle de répétition et en studio) de son gang de l'*Héritage*, avec un gros ventilateur sur la table de la salle à manger du chalet où s'étalent plans et textes. Une brise artificielle qui remue l'air chaud! Demain dimanche, s'il fait beau soleil, viendront probablement mes deux enfants. Avec leurs enfants. Les cinq petits-fils en une seule bande! J'ai hâte et je souhaite le beau temps. Au téléphone, une bru prise de nausées depuis une semaine. Serait-elle enceinte de nouveau? « Non, me dit-elle, je suis allée passer le test! » Bon. C'est la canicule? On lui met tout sur le dos ces jours-ci à cette grosse torche qui nous fait tant suer.

Deux remarques reviennent souvent à propos du premier tome paru du journal. Un: Vous parlez sans cesse de la mort! Elle vous obsède tant que ça?, et deux: vous ramenez sans cesse vos petits-fils? Ils sont si importants que ça? Je ne sais trop que répondre. La mort, une obsession? Je ne m'en apercevais pas. Il semble que j'y reviens très fréquemment à ce mot *tabou* pour tant de gens. Ça se peut et puis quoi?, il n'y a d'essentiel que cette unique chose: la fin. Je n'en éprouve nulle frayeur d'ordre obsessionnel, ce n'est pas ça. En vérité l'idée m'habite. Sans me hanter à la façon d'un glaive haï et suspendu de façon menaçante au-dessus du crâne. Oh non! Si j'aime tant la vie, si, au dire de plusieurs proches, je déploie tant d'énergie, c'est probablement que j'ai assumé une fois pour toutes qu'il y a ce prix à payer en fin de course: le cercueil. J'ai maintenant une sorte de conviction totale: tous ceux qui ont installé « la mort » comme idée centrale vivent avec fougue. Des gens peuvent croire qu'à y penser fréquemment l'on risque de devenir morose, déprimé même. Non, non, non! C'est le contraire. Il faut envisager la chose bien en face, savoir comme il faut qu'elle est là et ne pas la voir comme un masque théâtral hideux, repoussant, effrayant. Simplement, garder en tête qu'il n'y a qu'elle, qu'il n'y aura qu'elle, la mort, pour donner un sens à tout ce qu'on a été, qu'on est, qu'on sera. Fin du sermon métaphysique et *viva la muerte*, cher gnome Arrabal!

Quant à l'autre remarque, certains m'en font un reproche voilé, il me faut bien répondre que la petite enfance (comme la mort?) est un thème lancinant et qui m'habitera jusqu'à la fin (encore la mort)! Oui, quand je veux remonter le cours, m'arrêter un peu sur *mon* temps, c'est dans *ma* petite enfance que je me réfugie. C'est elle, cette fantastique *débutante* dans l'existence, qui a su, sait et saura toujours me fournir les plus belles, les plus émouvantes et aussi les plus éprouvantes impressions. De l'ordre de l'initiation. Les meilleurs souvenirs; non pas que *la petite enfance* (la mienne ou celle des autres) soit tout décorée de grandes beautés, de grandes découvertes du domaine de la raison, de la technique ou des sciences, mais non. C'est le temps des premiers émois, des premières essentielles manifestations de l'existence (qui nous *commencent*). Tous les sensibles, les moindrement sensibles, admettront, je l'espère, que cette époque indélébile, qui nous *fonde*, est la base, à jamais installée, de ce que nous serons. À jamais. De là mes soins, mon attention pour les enfants, jadis les miens, ceux des miens désormais. Tout le reste n'est que parade. J'ai dit.

On sonne et Raymonde, en bas, me lance: «Claude? De la visite impromptue je crois.» Je descends voir qui ça peut être.

C'était mon Ubaldo et sa France. Ils sont restés quinze minutes. Ils s'en allaient à Val David et devaient rentrer souper dans leur Ile des Sœurs. Mon macaroni nous annonce qu'il y aura réunion du *Groupe des sept*, chez lui, un jour de cette semaine. Réception aux hot-dogs avec saucisses italiennes et piments rôtis. Yum, j'ai hâte! Le couple, j'en ai parlé, se remet bien lentement de maux arthritiques contractés en juillet lors d'un séjour au Michigan par un temps caniculaire pire qu'au Québec, avec le *smog* de Chicago en prime. Des lieux où l'air climatisé se nommait parfois de *l'air congelé*. Les pauvres! Leur belle Braque allemande, chienne fauve, semble évoluer en mieux... Bref, Ubaldo gueule moins après sa chère Heidi! Ils rapportaient en ville de ces fameuses fèves au lard de chez *Le petit Poucet*. Ils nous ont répété que leur feuilleton *L'homme au foyer* était un souci constant. Mais nous n'avons pas eu le temps de faire le tour de nos états d'âme et ils sont repartis sous une pluie intermittente (langage de la météo). En effet, sporadiquement, le ciel s'ouvre pour déverser comme un trop-plein d'eau. Impression d'un vaisseau qui coule!, ou d'un ciel percé, un ciel sans fond. Dégouline tant que tu veux, mais diable, rafraîchis-nous! Mais non, ondée ou pas ondée, le temps reste lourd, si pesant qu'on préfère rester enfermés avec les ventilateurs qui ronronnent pour nous apaiser: ron-ron-ronchonnez pas, ça sert à rien!

Voilà, ô surprise, que ma Raymonde réaffirme qu'elle a hâte à l'hiver! Tantôt mon Ubaldo endossait son souhait avec joie. Attendez que les neiges se ramènent avec ses froids à pierre fendre, je leur balancerai leurs vœux pieux au visage, à ces faux nostalgiques du froid; on va bien rire en janvier arctique. Ouf, à propos, j'en ai assez, mon petit *look-out* n'est pas rafraîchi par ces mini-brises qui soufflent de temps à autre. Alors je ferme la machine, j'éteins le moteur, je vais aller m'allonger sur la longue galerie avec un nouveau livre dont il faudra jaser vendredi prochain, en deux minutes, face à l'animatrice toujours souriante, Claire Caron. Je descends dégoulinant de sueur, mais, pas fou, je ne m'écrierai point: vive l'hiver!

*8 août 88*

La mort de Félix...

Mardi tout gris, bien humide, j'ai le cœur gros, partout dans les médias, épitaphes sur *l'homme qui chantait*, Félix Leclerc. Décédé hier matin! La *pompe* encore et toujours. Oui, cette pompe nommée cœur. Qui, soudain, s'embourbe, refuse de pomper le sang d'un être. Bloque. Stoppe tout. Plus de sang, plus d'oxygène, et partant, plus d'air au cerveau. Raymonde, vers seize heures, du haut de la galerie du chalet, me crie: «Claude? Félix est mort!» Je lui fais répéter la nouvelle. Ai-je bien compris? Elle répète et une voisine d'à côté fait: «Ah non!» Félix est mort dans sa chère Ile d'Orléans, en face de la Vieille-Capitale. Arrêt du cœur! Me voilà tout abattu au bord de l'eau.

Ma brune, comme toujours, davantage accablée par le fait mortuaire. Moi? Ça me prend un peu de temps. J'ai alors regardé longtemps, muet, le vieux saule pourrissant de ma berge car j'étais en train d'échafauder une vaste cabane. Comme celle de mon *Gamin saisi par le monde*. Après le lunch, j'avais décloué l'ancienne cabane, plus petite, où trois de mes cinq petits-fils grimpaient encore dimanche dernier. Cette fois, j'utilise de gros et longs

234

madriers (trouvés derrière un mastroquet, *Le pub*, et qui ne m'ont coûté qu'une aquarelle illustrant... un pub londonien). Oui, je souhaitais une plus vaste cabane dans notre saule. Déjà, j'ai installé deux plates-formes, une de quatre pieds par huit et une autre de quatre pieds par quatre. Félix... mort? J'ai continué mes travaux *enfantins* avec un peu moins de fougue après le fatal cri de Raymonde. *Que Dieu ait son âme!*, je murmure toujours cette antique formule mais je songe évidemment à cette lumière irradiante où vont tous les enfants de lumière, alors Félix y est déjà, c'est sûr!

Je l'ai dit, au printemps dernier, j'avais eu l'envie subite de rédiger un papier élogieux sur lui et l'avais expédié à *La Presse* et au *Devoir*. Ça n'avait pas paru. Comeau, le directeur du *Devoir*, m'avait écrit qu'il le garderait au cas où... Paraîtra-t-il demain? Ou samedi? Pas envie de lui faire signe. Il est comme trop tard. Mort! Un article d'inutile hommage désormais?

Que j'aime bricoler des folies comme cette immense base de cabane... à finir. En effet, solidement arrimée aux grosses branches du saule, l'entreprise peut désormais se convertir en un gigantesque jeu de construction. L'impression d'ouvrir un mini-chantier pour ceux qui viendront. Félix, mort? Et moi? Quand? On va dire encore que je suis obsédé? Mais non. Plus je vais, plus l'idée de partir à mon heure, de m'en aller (sera-ce le cœur qui flanchera moi aussi?) me paraît très acceptable. Le *chacun son tour* quoi, celui du sage... Pourtant... Le plus tard possible, s'il vous plaît! Que je puisse, au moins, parachever un peu mieux ma cabane dans le très *vieil* arbre, pas bien solide. Hier, j'y ai déniché de sombres failles, pleines de bois mou, pourri, entre ses nombreux troncs. En juillet, son jumeau, le très vieux saule de chez *Le Saint-Trop* est tombé sous un vent d'orage. Notre saule tombera-t-il à la prochaine tempête? En août? Ma cabane s'écroulera-t-elle avec lui?

Sombre pensée. Bien sombre. Mais non, chassons ces mauvais présages. Orné d'une telle naïve construction, le ciel n'osera plus jamais faucher mon vénérable vieillard aux genoux pourris, hélas!

Après souper, décision de rentrer en ville. Découverte d'un Montréal bien plus chaud et humide que les Laurentides. On traîne un énorme ventilateur prêté par le beauf', Pierre. Je songe maintenant à l'installation d'appareils d'air climatisé pour l'an prochain. Mais c'est si court, au Québec, l'été et ses chaleurs tropicales. Trop court!

Je ne peux pas passer sous silence une grave querelle, embarrassante. Celle de dimanche soir après le départ des deux jeunes couples aux cinq petits-fils. Mon entreprise de tenir journal en est compromise. Délicate question. Raymonde a ouvert le feu. Je ne sais plus comment tout cela a débuté. D'abord des reproches vagues et flous. À mes yeux du moins. Une sorte de jalousie qui ne se nomme pas? Raymonde, calmée, me l'a avoué le lendemain matin. Lendemain d'un chicane plutôt sibylline. Le sujet? Tout ce dimanche que j'ai complètement consacré à faire jouer, à animer la bande des «cinq-sans-cou». *«C'est comme si tes deux enfants Éliane et Daniel n'existaient plus! C'est comme si je n'existais plus, moi aussi!»* Elle a tout à fait raison. Je me défends, mollement d'abord, puis plus rudement. J'invoque des *«ils viennent si peu souvent, ces petits»* et des *«je veux tellement qu'une telle rare journée reste un souvenir fabuleux pour ces petits bonshommes»*. Et quoi encore? Raymonde qui s'entête avec des «c'est anormal» et *«Daniel et Éliane en deviennent comme invisibles, tu ne les vois même pas. Ils existent, ils aimeraient t'entendre leur parler un peu»*. Je ne saurai plus trop comment réagir soudain. Suis-je anormal? Ça se pourrait. Mais on refuse d'admettre ça et c'est des injures, à mon tour, des reproches. La vraie querelle s'installe. Très triste discorde sur un sujet qui revient trop souvent à mon goût. Je me fâche. Raymonde est sur le point de pleurer et moi je deviens un fou désemparé quand ma brune pleure. Alors, idiot, j'attaque, je tire, à l'aveugle, comme pour la distraire de son grief. Elle me parle ensuite de mes fréquentes visites *quasi clandestines* auprès d'eux. Alors je réplique à voix trop juchée: «*Écoute, tu travailles sans cesse, tu te consacres complètement, toi, à ton boulot de réalisatrice, alors, je m'ennuie. Je ne peux pas rédiger dix mille projets, écrire cinq romans par mois vainement, alors? Oui, je pars faire jouer les petits-fils, c'est bien mon droit.*» La voilà toute surprise, elle me dit: «*Sacré menteur! Tu m'as toujours dit ne pas connaître ça l'ennui!*» Je dis: «*C'est vrai. Avant de m'ennuyer, seul au domicile, justement, je le quitte, je vais vers eux. Pour ne pas m'ennuyer, justement.*» Cul-de-sac! Discussion oiseuse! Impasse. Accalmie puis, avant *Apostrophes* de Pivot, ça revient. Elle remet le vieux disque et moi je reprends mes vieux arguments et j'ose: «*Ça fera du bon journal, notre mésentente à propos de ta bizarre jalousie.*» Raymonde se fâche carrément: «*Ton maudit journal, toi...*». Oh, là c'est grave! Je le sens. Ça couvait ça, oui, depuis le début, oui. Raymonde n'aime pas du tout mes feuillets de confidences? «*À l'avenir, tu me ferais plaisir de cesser de me mêler à ton intimité. Je refuse. Je ne veux plus y être. Tu entends. Tu n'as aucun droit sur ma vie privée.*» C'est la vérité et me voilà désarçonné, navré aussi. Un éclair: je devrais cesser de publier mon journal. Assez! C'est de la folie. En effet, c'est une bêtise, un flagrant délit d'impudeur, de publier les péripéties, les anecdotes à propos de *moi et Raymonde*, de *Raymonde vivant avec moi*. Me voilà vraiment tout déboussolé. Je vous dis, l'avenir du journal était très compromis. Oh oui! Sur le plan... disons éthique, elle a complètement raison, mon amour.

Ce midi, en transcrivant tout cela, je reste sincèrement bien tiraillé. Y aurait-il une manière nouvelle de continuer ce livre de bord et faire mine que je vis seul sur mon petit navire? Comment faire? Raymonde, certainement, a droit au silence total sur ses envies, ses réflexions, ses réactions et nos... querelles de ménage. Oh, le sale piège qui se ferme sur moi! Oh, que je ne sais donc pas comment m'en sortir! Le temps passait et Pivot ayant fait ses présentations habituelles, je lui ai glissé: «*Écoute, je termine ce deuxième tome, déjà fort entamé, puis je mettrai le mot «fin» en décembre, je ferme boutique.*» Raymonde me regarde très attentivement. Elle dit à voix basse: «*C'est ça. Tu expliqueras qu'à l'avenir, tu ne publieras plus que certains jours importants de ton existence, un volume, disons tous les cinq ans. Dubé va comprendre.*» Ce matin, je lui ai dit, cherchant une issue à notre discorde: «*Tu sais, je crains qu'un deuxième tome lasse vite le lecteur. S'y retrouveront forcément les mêmes paramètres de ma vie privée.*» Pourtant, peu après, je songeais pardevers moi que, justement, j'aimais beaucoup retrouver dans le journal des autres, ces mêmes lieux, décors, problèmes et personnages désormais familiers au lecteur d'un journal. Hypocrite donc! Mensonges!

Il y a eu quelques salauds inconscients de notre entourage avec des «*Ton Claude, ma pôvre Raymonde, il est obnubilé par ses petits-fils.*» Je m'en souviendrai de ces souffleurs sur un feu... qui couvait. Mais hier matin, nuages envolés, Raymonde s'excuse et se dit «folle». Regrets. Je lui dis moi: «*Mais non. Les amants sont égocentriques et si jaloux. Je le suis aussi à ton égard. De tout. De ton boulot. De tes camarades. Je te voudrais à moi seul. Dans une île sauvage. C'est classique. Je t'assure. Je suis jaloux de ton passé comme de ton présent. Que tu me quittes chaque matin...*»

Voilà ma brune toute conciliante. Moi aussi. Le vent d'ouest, bien chaud, souffle sur le lac et on va se baigner. On se caresse, une main accrochée au radeau. La paix. J'en profiterai, plus tard, pour plaider encore un peu, lui confiant: « *Tu comprends, je ne veux pas me changer en un retraité passionné de golf, par exemple, ou en amateur fou de bridge. Je ne me vois pas, toi prise par ton travail accaparant et pas encore retraitée, me liant d'amitié exclusive avec tel ami ou voisin. Je ne souhaite pas me transformer en un retraité oisif qui irait flâner aux terrasses pour jaser littérature-du-jour.*» Je préfère observer la petite enfance et ses découvertes fécondes. Quand les petits-fils auront douze ou treize ans, ils se détacheront de moi, c'est fatal, et ce sera très bien ainsi. En effet, je m'intéresse peu aux pré-adolescents, il n'y a que la petite enfance pour tant me fasciner quand ces mômes ne font aucune concession, sont neufs et sans calcul, se livrent totalement et découvrent le monde. Ils m'aident à tout revoir avec des yeux innocents. Candides et cruels parfois. Avec eux, je redeviens bon et mauvais sauvage.

Raymonde s'étirait donc comme une jolie chatte au soleil de ce lundi matin, dans son coquet maillot violet. Elle me dit qu'elle n'en reparlera plus de sa jalousie idiote. De mon côté, je lui dis qu'il n'y a qu'elle, au milieu de ma vie, que je pars vers les cinq gamins seulement quand elle part s'enfermer dans son boulot. C'est donc de nouveau, lundi, la belle paix amoureuse. Ouf! La seule grosse question non résolue est la suivante: comment faire pour raconter mon existence sans installer Raymonde en premier plan? Je ne sais pas. Il me reste maintenant encore quatre mois pour ce deuxième volume. Au rythme adopté désormais, ça pourrait vouloir dire une quinzaine ou une vingtaine d'occasions à aller bavarder dans mon livre de bord. En somme, à cent cinquante pages, et fini, le tome deux. Au printemps de 1989, publication, et puis adieu! Fin des aveux publics quotidiens?

Tiendrai-je journal pour moi seul? Pour publication après ma mort? Pour publication à tous les dix ans? À tous les cinq ans? La vraie question me hante: écrirai-je sur un feuillet: *premier janvier, 1989...* Je ne sais plus. Il m'arrive parfois de juger stérile cette compilation des faits divers de ma petite vie. Ces temps-ci, pourtant, voilà qu'il me parvient assez souvent de ces « *Ton meilleur livre, ce journal, Claude!*» Et alors, évidemment, le goût vif de continuer. Ce matin, dans *Le Devoir*, en rouge et en première page, sous les nombreux témoignages de sympathie pour l'illustre décédé, Guérin publie un long placard qui vante *Pour tout vous dire. Je* voudrais être *un autre*, ce mardi matin du 8 août 1988.

Etre celui, par exemple, qui ne va se concentrer que sur cette solution-miracle que l'on attend de moi, chez *Panacom Inc.*, rue De Gaspé, à savoir: « *Pourriez-vous, M. Jasmin, nous rédiger un téléroman capable de divertir et en même temps d'enseigner le français?* » Tout de même curieux que l'on s'adresse à moi, faible en orthographe, pour relever ce défi! Bon, je vais y songer un peu sérieusement.

*17 août 88*

Récréation aquatique...

Il faisait encore assez doux hier soir. Voici une petite forêt, au fond d'un jardin, aux verts très profonds, mystère invitant. Voici une belle nuit d'été et un joli parterre. La table est mise. L'ami Ubaldo nous prépare des hot-dogs à l'italienne et dit: «Nous, les macaroni, on appelle ça, demandez-moi pas pourquoi, des *philiberts*.» On a mangé. On a bien bu. On se retrouvait. Sept vieux amis. Trois hommes, quatre femmes. Minuit vint. On a quitté cette île du bas de la ville, dite des Sœurs. Ubaldo: «Je crois qu'on va vendre, la forêt du fond de ma cour a été vendue à des bâtisseurs-développeurs.»

L'après-midi de ce même jour, passé à surveiller quelques enfants déchaînés (dont David et Laurent) dans une large piscine à vagues bien écumantes (artificielles!) et dans des glissoires de plastique où coule de l'eau très chlorée. L'aquaparc de Pointe-Calumet sous un ciel menaçant de pluies qui se retiennent de... pisser! Éreinté, essoufflé (trop d'escalades obligées) vers trois heures, j'ai sifflé la fin de cette récréation aquatique. Petit détour pour revoir la plage de ma jeunesse, boulevard Proulx, celle de la jeunesse de mes enfants aussi. Hélas, partout tellement moins de sable et tellement plus d'herbiers. La pollution et ses eaux stagnantes. La muraille de béton bête. L'horreur. Mon bel album tout déchiré. J'ai eu mal au cœur. Des venelles à modestes chalets étonnamment désertées. Était-ce le ciel si morne, partout, l'ambiance d'un «village à vendre»? Ensuite, j'ai conduit les deux petits-fils dans la dix-septième avenue, chez l'Albert-à-Marielle qui leur offre du jus d'orange et du pop-corn. Ils ne voulaient plus repartir. Il le fallait, j'avais ce *souper sous les étoiles* chez Ubaldo dans l'Ile.

Aujourd'hui, un mercredi tout aussi rempli de grisaille céleste. Pluies fines intermittentes. Raymonde au boulot. Moi, pour forcer le rapatriement de toutes mes illustrations éparpillées dans les boutiques de M. Guérin, j'ai inventé une fable: on allait m'organiser sous peu une exposition: *Jasmin, l'illustrateur de livres*. Pieux mensonge pour décider mon Dubé à enfin me renvoyer mes croûtes. Ça y est. Coup de fil hier soir: «Demain, viens chercher tout ça, mon Claude. Il n'y a que ton portrait *corailleux* de la *Jeanne Joron* de Paradis que j'ai pas pu retrouver.» J'y cours ce matin. Revenu *at home*, je déchire ce que je regrette et je découvre que ma ponte graphique n'y

241

est pas vraiment au grand complet. Oh bof, m'en fous, tant pis! Je revois le lot de *culs de lampe* pour le recueil de Désilets. Je les aime encore et j'ai hâte de voir le bouquin illustré avec cette quarantaine d'illustrations imprimées. Pour ma nouvelle chronique-livres avec Claire Caron à TQS, Yves Dubé me donne un petit Félix Leclerc et le récent Janou Saint-Denis. Je parlerai aussi du guide des restos de Madame Kayler. Je dois, pour continuer à fonctionner là, songer à contacter quelques distributeurs des livres de France, de Navarre et d'ici.

Samedi matin, fièrement, je lis dans *Le Devoir* et *La Presse* mes deux articles sur Félix Leclerc. Je trouve ça bien trop court. Je regretterai toujours de vainement tenter d'en dire long quand on me limite: «Attention, quatre cents lignes, pas une de plus!» Avant-hier, me suis jeté dans le brouillon (à nettoyer) pour De Banville, le P.D.G. de la *Panacom Inc.* Leur projet de feuilleton avec le prof Dupriez, ma mission impossible, le dilemme. J'ai pondu la synopsis d'un premier épisode afin que, soumis au professeur Dupriez, il puisse voir s'il peut ou non y intégrer sa matière didactique. J'ai de gros doutes. Dans l'après-midi Daniel-le-fils est venu voir le papi. Il m'a montré deux de ses esquisses pour projets-télé. Un excitant: raconter les folles années récentes, celles du temps des Beatles, des mini-jupes, des pantalons-éléphants, des herbes à halluciner. L'époque du «Peace and love». Je lui ai dit que je serais fort heureux d'y travailler avec lui. Il va expédier cette *bonne idée* aux réseaux qui, n'est-ce pas, sont si habiles à retenir les bons projets. Le deuxième, pas moins captivant: ce serait l'histoire d'un grand dadais méprisé par tout le monde, un innocent, et même un peu cave, mais qui gagne le gros lot à la loterie. Dès lors, sa vie qui change abruptement. Les gens, autour de lui, changent aussi. Ses rêves, enfin, peuvent se concrétiser. Son secret. Il ne dit à personne combien il a gagné avec ce merveilleux billet numéroté. Daniel va retravailler son idée. Je l'ai encouragé. Il compte que je lui rédige des notes quelque peu correctrices. Je le ferai avec joie.

Après ça? Repos. Attendre. Comme toujours. Hier soir, mon Ubaldo qui me jette: «Claude, je suis allé acheter mes saucisses dans la *petite Italie*, et je regardais plein de gaillards aux mines heureuses, attablés à des bars, à des terrasses. Ils me semblaient des êtres si libres, si légers. Je me disais: à mon âge, moi, je cours encore et je n'arrête pas. Pourquoi ça? Pourquoi ça?» En effet, il m'arrive assez fréquemment à moi aussi d'envier de ces badauds ayant l'air si serein, l'air de n'avoir plus rien à faire, à jamais. Moi aussi chaque fois, je me dis: pourquoi pas tout lâcher, fainéanter à cœur de jour, à cœur d'année? Mais non, nous avons, moi et mes semblables, comme le feu au cul avec nos satanées envies de... De produire? S'assagir un de ces matins et décider de décrocher de tout. Et puis le rêve passe.

Dans *Le Devoir*, dans *Voir* aussi, lecture de quelques scribouilleurs qui commencent (déjà?) à tenter de mettre Félix Leclerc à sa place. Ces personnes nous disent: «Assez, stop, mettez-en pas trop! Le célèbre chanteur de l'Ile d'Orléans n'était pas un si grand homme, si grand poète, si fameux guide et gourou.» Bon. Bien. Bravo. J'ai toujours souhaité qu'après la mort des «illustres», l'on puisse aussi entendre quelques reproches fondés. Un Dufresne (*Le Devoir*) frappe quelques *prises*, un dénommé Barbe (*Voir*) frappe dans le beurre en publiant: «Foin du pionnier». Pardon! Félix a été un véritable et indiscutable pionnier. Certaines pleureuses *nationaleuses* ont peut-être fait, ces jours derniers, dans l'inflation verbale. Ça se peut. Restent des faits: Félix a été *le premier* Québécois reconnu et superfêté à Paris. Il fut un ambassadeur extraordinaire en Europe. Un fait très têtu ça.

Jeune chipie névrosée...

J'ai vu, j'y repense, une monitrice d'enfants, à Pointe-Calumet, toujours au bord de l'hystérie chaque fois qu'elle voulait rameuter sa bande grouillante. Une certaine Geneviève, toute jeune, criait comme une aliénée pour, simplement, essayer de donner aux tout-petits des informations pratiques lors de ce récent pique-nique à Pointe-Calumet. Une cinglée? Je l'ai accrochée dans un coin, lui disant: «Etes-vous une étudiante en pédagogie?» Je me préparais à l'engueuler raidement mais j'ai vu son regard de bête traquée et j'ai deviné la crise imminente si j'osais la rabrouer. J'en ai eu peur. Et pitié. J'ai laissé tomber. Plus tard, j'ai prévenu Éliane, lui recommandant: «Vois ce que tu peux faire, avec d'autres parents, pour éloigner les petits de cette folle ou vice-versa.» Éliane m'a dit être un peu au courant de cette G. monitrice vociférante et énervée maladivement. Jeune chipie certainement névrosée, sinon carrément psychosée et que quelqu'un quelque part laisse en liberté parmi d'innocentes petites proies. Jeune monstre de tyrannie, apprentie despote, avide de puissance facile. Combien de travailleurs en milieu-jeunesse trouvent ainsi un exutoire facile pour leur maladif besoin de domination. Écolières, écoliers, nous en avons tous côtoyés de ces sado-éducateurs, au temps des noirceurs religio-éducatives. Je m'imaginais que cette espèce (plus ou moins rare en milieu laïc?) était disparue de la planète loisirs-et-éducation. Je me trompais?

244

Moraliste ou moralisateur...

Samedi encore? Samedi déjà? Hep!... silence! Tu as promis. Fini de geindre sur le temps qui passe trop vite. Silence donc. Nous avons volontiers accepté l'invitation d'aller fêter ce soir, *à la fortune du pot,* l'anniversaire de l'ami et camarade Jean Faucher à Sainte-Anne des lacs. C'est sa femme, Françoise, qui semble bien s'amuser à préparer cette surprise à son vieux compagnon de vie. Jean-le-sauvage sera-t-il aussi content? N'est-il pas comme moi, peu friand de ces fêtes d'anniversaire? Raymonde me rassure: «Jean t'a adopté dès les premières rencontres, mon Claude. Il aime bien ton caractère, comme lui plutôt sauvage. Et aussi tes facéties, comme les siennes, sarcastiques. Tu verras, il sera content de nous voir chez lui, tantôt.» Bien. Tôt, ce matin, ciel déjà bourré de nuages. Oh! Le chroniqueur de littérature québécoise du *Devoir* écrit à mon sujet sur quatre colonnes. Oh! Dans son titre, le mot *gamin.* Je veux bien. Ce même mot qui va se retrouver en couverture de mon prochain roman; sortie, m'a dit Dubé, le dix novembre. Jour de mon anniversaire. Comme un cadeau. Raymonde, pour une fois, descend aussitôt que je l'appelle lui ayant, comme chaque matin, préparé son petit déjeuner. Elle saute sur l'article de Boivin. «Tu l'as lu?» Moi: «Oui. C'est bon. C'est positif dans l'ensemble. Je suis content.» Relisant la critique *boivinyenne* (sic!), je m'amuse à calculer ses piques parmi ses gentillesses. Le compte final? Dix à dix. Un gamin qui... *trépigne et s'épanche,* clame le titre! Voici le côté sombre de son article: « *Prétention à tout dire. Piaffeur pathologique. Bagarreur agaçant. Un homme hérissant. Lassant ici et là. Dadais et faux innocent. Enfantillages. Son côté marteau avec son clou. Vétilleux, moralisateur, gendarme.*» Oh la la! Le vilain bonhomme, non? Côté plaisant maintenant? «*Sa place importante dans la littérature et sa foi en nous. Plaisir à passer ma semaine dans son intimité.* (Boivin parle d'une énorme brique!) *Belles pages émouvantes et essentielles. Un homme comblé de talents au formidable appétit de vivre. Le plus beau: sa découverte d'une nouvelle dimension d'écriture. L'écrivain montre de la spiritualité. Des analyses brillantes et vivement tournées* (mes lectures). *Jasmin, donnez-nous encore de ce journal, le genre vous sied bien!*»

Eh bien, il en aura, c'est promis. Jean-Roch Boivin sera content aussi de ce fait: je ne m'oblige plus aux trois feuillets rituels chaque jour. Il me le reprochait.

Soudain, par la fenêtre, je crois voir un gros oiseau (canard, goéland?) se débattant sur l'onde. Mais non, c'est un nageur sur l'autre rive. Le soleil se sort la trompe très soudainement! Très fréquente ici cette chaude apparition en toute fin d'après-midi, un spectacle classique. Hier, encore un petit festin *alla Raymonda*! Nous étions six à table. Dès leur arrivée, les camarades *radiocanadiens* firent fuser les: «Pas un mot dans ton satané journal! tout ce qu'on va se raconter est «off the record». Même chanson l'autre soir, à l'Ile des Sœurs. Je m'amuse bien. Sans cesse, aux détours des conversations, ces arrêts subits, ces hésitations: «Tu ne mettras pas ça dans ton journal?» Quelle vie, collègues «journaliers», hein? Le plus drôle? Aussitôt partis, j'ai complètement oublié les potins, rumeurs et autres *colportages*, bénins ou malins, de nos charmants hôtes. En fait, ne découvrez-vous pas tout comme moi, qu'il n'y a que quelques rares éphémérides qui nous hantent et reviennent sans cesse dans nos conversations? Hier soir encore, je me surprenais à raconter les mêmes vieilles anecdotes. J'entendais Maude, Josée, Danièle. Elles aussi ramenaient souvent de ces «gros» événements qui ont jalonné les points forts de leur existence. On est tous ainsi? Autre chose: partout, tout un chacun a ses opinions bien solidement ancrées et souhaite évidemment les faire partager à ses interlocuteurs. Chez le coiffeur ou à la taverne. C'est normal. Pourtant, si quelqu'un a le moindre prestige et qu'il exhibe ses opinions (en n'importe quel domaine), on le lui reprochera souvent: «Cette personne connue ne devrait pas se servir de sa notoriété pour propager ses idées.» Un Frank Sinatra ne devrait que chanter. Pareil pour un Yves Montand. Félix Leclerc (selon Marcel Adam) aurait dû ne pas penser, ne pas réfléchir publiquement. Ainsi, Boivin dans *Le Devoir* de ce matin, semble peu apprécier qu'un simple romancier ose publier ses idées, ses sentiments, qu'il sorte de la littérature. Si vous le faites, vous devenez *moralisateur et gendarme*!

Vers midi, la pluie menaçait, je suis vite allé passer la tondeuse. Après le rasage de la moitié du mini-pré, côté lac, la pluie a commencé à tomber. J'ai rangé le «rasoir à pelouse» sous l'escalier. Trop tard maintenant pour continuer: nous devons partir pour la bonne soupe de François Faucher. J'entends Raymonde dans la chambre d'à côté, brassant du linge pour elle et aussi pour moi. Chaque fois, elle dit: «Claude? Je t'ai mis un petit *kit* sur des cintres accrochés à la poignée du placard.» Un gamin? Un enfant? Je la laisse faire en espérant que ce manège l'amuse. Pour des femmes comme elle, l'homme, le plus souvent, n'a aucun sens des harmonies vestimentaires. Ce qui n'est pas complètement faux. Son maternage, côté garderobe, m'incite chaque fois à débiter une belle litanie de moqueries.

J'aurais voulu noter ici bien des choses. Pas le temps. Petite inquiétude car je ne sais pas quand, au juste, je reviendrai à mon *cahier de bord*. J'aurais voulu parler d'un papier de Foglia (la liste de *ses* livres préférés), de Bruno Dostie (le regard de sa mère, l'espérance des Jocastes et le réglage de son Oedipe), de l'acteur Carrière (il vend son petit théâtre, parle des *festivals* subventionnés partout et des affairistes s'installant des théâtres d'été). Tant pis! Et puis un journal ne doit pas être un trop long commentaire des nouvelles des journaux. Alors? Allons vite au bord du lac Marois voir si Jean a changé depuis qu'il a soixante-quatre ans. Depuis hier!

*25 août 88*

Famiglia...

Mercredi tout dégoulinant. Ciel nous expédiant d'en haut diverses pluies, de format épais, moyen et fin; soudain, à midi, averses déchaînées. Tout mouillé, j'entre au 2208 René-Lévesque, ouest (bureau du notaire de l'acheteur de la maison natale). C'est la fin, enfin. Papa mourait le 29 mai 1987, il aura donc fallu tout ce temps pour que s'achève tout à fait cette simple transaction qui me fait encore un peu mal. Ah, que j'aurais voulu avoir les moyens de conserver le cher logis natal, rue Saint-Denis. Que deviendra-t-il maintenant? Les rénovateurs (BTM) en feront quoi, de ce rez-de-chaussée où nous sommes venus au monde, tous les sept, par les soins de cette fameuse Garde Désautels, sage-femme du quartier Villeray? Des condos bien chics? Ou un magasin d'épices orientales? Peut-être. Tant de Vietnamiens s'installent dans le coin. Ainsi, la boucle se refermerait puisque papa avait ouvert sa boutique au sous-sol d'abord pour y vendre thé, café et épices de l'Orient!

Ensuite, je suis allé porter l'argent à la Caisse pop de la rue De Castelnau et puis j'ai fait les chèques pour la *fa-*

*miglia*. Mes dernières opérations d'exécuteur testamentaire? Presque. Reste ce rapport d'impôt en train de se rédiger chez un comptable de la rue Cherrier. Ensuite... Restent tous nos souvenirs. Et samedi prochain, chez Marielle, à Pointe-Calumet, ils vont encore resurgir et défiler en rangs serrés. À propos, je suis en train de lire, de Henry Miller, mort en 1980, *Souvenirs, souvenirs* (publié chez Folio). Dès les premières pages, le râleur célèbre fustige son Amérique-Tristesse alors qu'il rentre d'une décennie entière passée en France. Le bonhomme enrage. Tout le choque partout aux USA, tout, alimentation comme mœurs. Il fulmine, l'écume au bec, contre l'apathie générale, le manque de raffinement, de culture, d'enthousiasme en ces États-Unis tout frais sortis de la victoire contre fascisme et nazisme. Quelle tempête-Miller!

Fuyant donc ce notaire Schiavon et ayant ramassé le fric placé *in trust* à cause de sa méfiance superlégaliste, je suis allé à la Tour Jean-Talon faire réparer un de nos appareils téléphoniques. À un feu rouge, j'ai aperçu l'épicerie Bourdon, coin Châteaubriand. C'est là que maman, durant cinquante ans, allait acheter la plupart de ses victuailles pour nourrir sa bande des sept. C'est là aussi que j'avais aperçu papa, un peu avant qu'il meure, tenant ferme son sac de marché, s'appuyant sur sa canne, hésitant à traverser la rue, n'ayant plus qu'un œil valide. Il y a trois jours, je regardais un téléfilm avec Jack Gleason et Lawrence Olivier; ce dernier, jouant le triste vieillard en deuil de son épouse, avait le même air absent, les mêmes tics de vieux malin... oui, j'ai encore revu mon père quand il décidait parfois de douter de tout. De tout ce que je lui racontais. Un vieux malin dont je m'ennuie, tant, parfois.

Hier matin, deux rendez-vous en ce mardi pluvieux. D'abord une réunion chez *Panacom Inc.*, afin de mettre un peu plus au point leur projet de série télévisée. On y a lu mon texte de présentation pour le peaufiner, on y a lu

249

aussi ma première synopsis illustrant l'action d'une bande de six voyous décrocheurs de tout. Les producteurs sont très confiants, même ce Jean Dumas, leur consultant, ex-patron qui vient de quitter la SRC, qui devrait bien savoir qu'un projet peut traîner longtemps chez les lecteurs-juges de Radio-Canada; non, il m'a semblé tout aussi enthousiaste. Je n'ai pas osé les refroidir, leur dire: «attention, c'est loin d'être fait, loin d'être accepté.» Silence. Chacun son tour de rêver. Comme on a rêvé, Daniel et moi, pour ce brillant projet (!) refusé récemment à la SRC, *Coulisses*. Après ce caucus, je me suis rendu dans un studio de Quatre Saisons où l'on présentait la nouvelle saison. Buffet habituel, vin blanc, vin rouge, écran géant avec des images bien excitantes. Son au maximum: assommons net les chroniqueurs du territoire! J'ai croisé la faune des vrais journalistes (rares comme toujours) et celle des nombreux pique-assiette venus d'horizons variés. Serrage de mains et baisemains. Marguerite Blais et Claire Caron (mes deux animatrices) acceptèrent volontiers de poser pour un cameraman-maison avec *le billettiste* et *le critique* de livres de TQS. Le patron Pouliot souriait dans l'ombre d'un recoin discret. Le long Picard, directeur des programmes, s'offrait à tous les calepins ouverts des échotiers les plus divers. À ces *chiards* publicitaires, je ne sais jamais trop quelle tête prendre. On navigue au coude-à-coude. Ici un Pierre Lalonde en forme, là un Marcel Béliveau souriant en *chat avaleur de souris candides*. Un acteur déjà *pompette*, une actrice en quête d'interview... Ma chère petite faune des pigistes, comme moi, des êtres ballottés sans cesse, courant le cachet, entre les caméras des quatre chaînes. Souriez! Flash! Merci! Une parade. Le sentiment d'être ridicule moi aussi et je me suis sauvé... à l'anglaise. Barro m'accroche alors: «Oublie pas! Je t'en ai parlé. Après chacun de tes billets du mardi, nous allons te mettre sur *table d'écoute*! Oui, le public pourra te téléphoner en direct pour rétorquer à tes éditoriaux.» Brr...

suis pas tranquille là-dessus. Je cherche un biais, un... comment verbaliser un billet? Je cherche *le* sujet, pour mon premier mardi, le six qui vient. J'ai trois ou quatre idées. Hier soir, je me disais: vaut mieux attendre de lire les actualités toutes fraîches, lundi le cinq. Y dénicher un thème dans l'air. Bien récent. On verra, me dis-je. Inquiet tout de même.

Tiens, quinze heures pile et le soleil se remontre! Le soleil, redisons-le, même si c'est banal, apparaît et c'est le monde qui s'en trouve changé subitement. Indispensable lumière de notre cher gros astre qui rend subitement ce mercredi, sinistre il y a à peine une minute, tout pimpant! Daniel et Lynn sont venus nous saluer hier en fin d'après-midi. Un ex-camarade connu à l'université s'est suicidé. Un handicapé. Il était monteur au cinéma. Un job pour celui qui ne peut marcher? Il a été découvert par hasard dans son... dernier bain. Le couple revenait de ses funérailles et, bien entendu, était plutôt triste. Par contre, en dehors de ce sombre épisode, il y a la joie pour mon fils d'avoir été accepté (parmi une dizaine de candidats) pour la rédaction et l'édition du bulletin interne chez Pétro-Canada.

J'ai lu, pour ma chronique du dimanche à *Premières*, *Le boucher*. Célèbre bref récit d'Alina Reyes. Mince bouquin d'aspect salace, aux confins de la porno et qui flotte depuis longtemps déjà au palmarès à best-sellers. Madame Reyes profite d'au moins deux publics. Celui qui sait apprécier un riche torrent verbal proche du délire et aussi celui qui ne lira que les péripéties sexuelles de cette jeune caissière s'abandonnant subitement à la bestialité libidineuse du gras bonhomme-boucher, celui qui règne entre frigo, étal-bloc, et comptoir avec sa hache et ses couteaux à dépecer. À quelques reprises, Alina Reyes fait soudain déraper le cours de sa confession voyeuriste, et c'est alors d'étonnantes bousculades de mots! La perte du sens. Le gonflement émotif qui lui fait dire tout en même temps. Forte réussite et en peu de pages. Chapeau!

251

Boucherie sexuelle chez le boucher...

L'ai-je dit?, Simone Bussière m'a commandé dix pages pour un livre qu'elle veut vite produire en hommage à Félix Leclerc. Je cherche un bon angle. J'ai lu, à ces Presses laurentiennes, *Adieux du Québec à Yourcenar*. Cent soixante-dix pages, trente-deux signatures. Parfois de brefs poèmes, trop souvent l'hagiographie classique (à redondances un peu pénibles, hélas) et la grande dame de Mount-Desert, au Maine, en devient un dieu, un gourou, le Saint-Esprit incarné. Ma talentueuse amie Françoise Faucher est restée du côté des témoins sobres, Dieu merci! N'empêche, ce petit livre m'a donné la vive envie de lire enfin (dans le texte) cette Marguerite De Crayencour, brillante jeune fille surdouée, gâtée par son papa, s'exilant comme prof dans un collège américain, puis finissant par accepter de passer sa vie d'adulte au bord de l'Atlantique nord, sur sa rive occidentale. Je vais lire d'abord *Les yeux ouverts*, une interview de fond avec feu-Mathieu Galley et puis ses deux livres de mémoires. Je n'aime plus guère, on le sait, que la non-fiction. «Comment font les autres», disait, à ce sujet (fiction/non-fiction) François Mauriac. Oui, comment font-ils donc? La lecture de *Le boucher* m'a remis quelque chose en mémoire. Je me souviendrai toujours d'une belle jeune fille. Je devais rompre avec elle. Il le fallait. Je le lui ai dit. Elle a pleuré. Moi aussi, d'ailleurs. Soudain, elle me jeta en s'en allant les yeux rougis: «Je t'avertis maintenant, je vais me débaucher!» J'en étais resté interloqué! Les critiques de *Le boucher*, même celle de Bernard Pivot, n'ont pas souligné cet aspect du récit pseudo-érotique d'Alina Reyes. La caissière qui s'abandonne volontiers aux fantasmes proposés par le *boucher* est étudiante aux Beaux-Arts. Elle aime Daniel, un beau et jeune musicien. Celui-ci l'a dépucelée et est parti! Disparu. Alors, cette jeune caissière décide qu'elle va se débaucher. L'auteure l'écrit, le répète: elle veut oublier Daniel.

Le rayer. Le couper d'elle. S'en détacher à jamais, lasse de rêver à ce bel absent, si différent du grossier boucher, sans tendresse, sans affection, sans sentiments. Un boucher? Exactement, un boucher, au lit comme dans son magasin. Fallait souligner ça aussi: la romantique bafouée qui se débauche en croyant se guérir d'une première grave déception amoureuse. À la fin, elle rampe, à la sortie d'une forêt, souillée de boue, elle n'est qu'un reptile dans le fossé d'une route, broutant littéralement mauvaises herbes et insectes! L'horreur en quelques lignes. Moralisme? Toujours lui? La punition? Ainsi, une toute jeune auteure, à son tour, illustre la déchéance, la névrose, vers laquelle court celle qui ose se donner comme de la simple viande. Comme de la chair. Viande rose et tendre à consommer rudement, vitement. Sans un seul mot humain. Boucherie sexuelle. Deux bêtes en rut. Avec ce livre en main, des prêcheurs religieux pourraient bien utiliser cette fable contemporaine, s'écriant: « Ah oui! elle a eu du plaisir, la pauvre petite caissière naïve, mais une seule nuit. Lisez! À l'aube, c'est la folie qui la guette! Elle se croit, après cette brève orgie, devenue une bête, un animal au bord d'une autoroute déserte!» Ma foi, ces curés n'auraient pas tort. Il y a ça aussi dans cet éblouissant et bref *conte noir* de Reyes.

Bon, je dirai à peu près tout ça chez Caron de *Premières*, dimanche prochain, à TQS. Six minutes, c'est trop court. Sale télé du diable! Mais, vous savez, pour compenser, j'ai mon cher *journal de bord*, pas vrai?

Raymonde vient de visionner *Le grand jour*, de Michel Tremblay et J.Y. Laforce. Elle n'en est pas tout à fait revenue de ce gros mariage. Hier soir, elle me re-re-reparle d'un bizarre sentiment: «On y voit trop bien la crétinisation des nôtres et c'est effrayant, Claude! C'est troublant, gênant mais on sait trop bien que c'est encore la réalité, hélas. Que de telles noces, avec le banquet d'avant le voyage garanti, se font souvent sur ce mode effarant, si attristant. Ça me désespère. J'ai reconnu tant de gens de notre entourage, je trouve ça plutôt déprimant. À la toute fin, me dit-elle, Tremblay et Laforce font bien voir la jeune mariée en future harpie. Le jeune marié a quant à lui une sorte de désespoir dans le regard.» Je sens que ce téléfilm l'a remuée. C'est donc du bon ouvrage. Raymonde ajoutera: «Tout ce que je souhaiterais c'est que le public, voyant ces comportements absurdes, décide de changer, de stopper ces sinistres rituels d'épousailles.»

J'y pense souvent: comment amener bientôt au chalet les petits-fils pour qu'ils puissent découvrir la nouvelle cabane dans le vieux saule à cinq troncs? Quand? Quand? C'est difficile. Faut que je trouve le bon jour dès la semaine prochaine. À moins que demain, jeudi... Oui, peut-être. Je verrai bien.

Deuxième lettre sollicitant ma participation active à une autre foire du livre. Ce serait à Joliette. J'ai répondu longuement à ces promoteurs. J'ai d'abord dit *non*. J'ai expliqué pourquoi. Il y en a déjà trop de ces *salons du livre*. Tous très subventionnés et qui ne fonctionnent pas si bien qu'ils en ont l'air. J'en disais long. J'ai osé recommander à ces animateurs de fonder plutôt une *foire de la mort*! Oui, oui, sur la mort. Pourquoi pas? Voilà un thème d'expo jamais encore exploré. Il est si capital pourtant. Oseront-ils suivre mon conseil? Quel vaste panorama que ce sujet éternel et essentiel, qui hante tous les esprits vivants. Ça partirait des écrits, des tableaux, des gravures des temps anciens (mythologies diverses et de tous les continents) et ça pourrait inclure les évocations modernes (cinéma et télé compris) des «fins dernières». Les funérailles parfois sophistiquées. Celles des grands de ce monde comme celles des petits caïds mafieux. On pourrait y joindre les découvertes hallucinantes, en Californie, sur la cryogénie! *De Toutankhamon* à *Walt Disney: la mort*. Ah oui, un thème riche, effrayant pour les uns, rassurants pour certains.

Mais non, je suppose qu'il y aura un salon du livre de plus en novembre et que ses initiateurs devant mon refus et ma drôle de suggestion se diront: «Pour qui se prend-il, le père Jasmin? Qu'il aille se faire foutre. On va quémander des subventions et on va faire notre *foire* sans lui!»

Et ils auront bien raison.

*3 septembre 88*

Les crachats d'une inconnue...

En vitesse, vous dire ce qui se passe... Depuis trop de jours je suis dans l'incapacité totale de venir m'asseoir à mon journal. Ouf... Nous partons tantôt pour la dix-septième avenue de Pointe-Calumet au «Grand caucus tribal de la jasminerie» avec les conjoints-conjointes. Nous savons d'avance qu'il va y avoir, chez ma quasi-jumelle Marielle, du rire, des craques vives, du bon vin et de la bonne bouffe. Oh! Tantôt, avec les rôties, l'oeuf et le café, du bon Basile. Ce cré-Basile de *La Presse* décrit à ses fidèles lecteurs les sentiments divers que vient de lui procurer la lecture de *Pour tout vous dire*. Un fort bon *papier* somme toute et qui me console assez de celui pondu par dame Voisard (du *Soleil*). Cette dernière («Elle te traîne dans la boue», m'avait prévenu mon éditeur par téléphone) a détesté mes confidences du tome I. C'est son droit. Rien à faire. Un Gaston L'Heureux peut déclarer qu'il en est bouleversé et que c'est un magnifique chant d'amour, une Voisard, elle, imprime que c'est un lamentable échec. C'est le jeu pour tous les publiés, mais gageons que l'un et l'autre exagèrent sans doute dans des sens opposés.

255

Je ne veux pas jouer au grand imperturbable, non, c'est très désolant de lire une mauvaise critique, c'est même assommant, désarçonnant pour la victime. Surtout quand cette dernière (moi) est incapable de comprendre la hargne, voire la méchanceté, d'une telle recension. C'est ainsi, sachez-le bien jeunes auteurs de toutes catégories: vous vous livrez avec sincérité, vous avez osé offrir en pâture (au public) vos intimités, vos amours et vos haines, eh bien!, vous courez le risque d'être platement rejeté, insulté même, par une inconnue qui crache sur vous. J'ai eu envie de rétorquer à cette analyste mesquine, mais je dois me retenir. M'empêcher d'engager un vain dialogue, que je sais à l'avance stérile, avec cette dame du *Soleil* qui bafoue lourdement mes épanchements. Je suis si pris ces temps-ci. Non, pas de réplique à la méchante critique. Merci Jean Basile!

J'ai été assailli, le week-end dernier, par un virus bien plus sournois encore que cette Voisard. Dimanche: frissons, fièvre, indigestion, crampes partout... Le lit! Une nuit infernale. Insomnie. Tout un lundi au lit, courbaturé et démoli, ne buvant que de l'eau plate, rideaux tirés, stores baissés. Et Raymonde: pas moins mal en point; aux prises avec un virus d'un type différent, des migraines à en trembler. À en pleurer aussi. Un couple d'éclopés ne mangeant plus rien et se traînant dans le chalet, incapables de redescendre en ville, paralysés, s'imaginant que cette horreur va durer des jours et des jours. Travail en retard. Nos lamentations! Et puis, soudain, comme par miracle, mercredi dernier, nous rentrons au boulot guéris subitement. Comme c'est curieux, ça frappe, vous vous allongez, le cauchemar s'installe... et puis, un bon matin, c'est fini. Un orage a passé. Vite, le journal... les mille retards...

Donc, depuis trois jours, tentatives de reprendre le dessus. Un lot de mini-jobs à finir. Ça va un peu mieux.

256

Voir enfin clair. Hier midi, le voisin Jacques Neufeld s'amène rue Querbes, envoyé par Guérin, pour me regarder faire *sa* couverture pour *Au seuil de l'abîme*, son récit de maquisard de la Résistance dans le sud de la France. Hier soir, Yves Dubé est venu, tout content, ramasser cette illustration élue où, sur trois étages, s'affichent, en violet, la croix gammée, en jaune, l'étoile de Sion, et le tricolore. J'en suis très fier et, Dubé reparti, je déchire les neuf autres essais à l'aquarelle. Monsieur le directeur m'a confié des copies des premiers manuscrits anonymes en vue de dénicher le nouveau gagnant du Prix littéraire Guérin. Trop de boulot, Seigneur! À l'heure de la soupe, suis allé, en vitesse, parler d'Henry Miller, celui de *Souvenirs, souvenirs*, avec la belle Caron de *Premières*. Mon pauvre petit six-minutes! Je dois maintenant réfléchir à ma prestation de lundi soir à l'émission *100 limites*, toujours à Quatre Saisons. Comment faire rigoler? Par quel angle aborder un autre *six-minutes* où on m'a invité à jouer l'expert-pour-rire en télé qui s'annonce pour la saison 88-89 aux quatre chaînes d'ici. Je ramasse du matériel. Je me gratte le ciboulot. Je tenterai avec, comme on dit, *la langue dans la joue*, de jaser sur les talents des programmateurs-télé.

Saviez-vous que je me retiens vraiment, en ce deuxième tome, de commenter nos gazettes. Je me retiens mal, tenez. Juste vous dire ceci: quatre pages d'un roman d'amour jamais achevé dû à la plume de Napoléon Bonaparte sont offertes aux collectionneurs. Le prix? Autour de cinquante mille dollars. US. Okay? Rêvons un instant, humbles écrivains d'ici. Ce n'est pas quatre mais des milliers de pages que je donnerais aux encanteurs Sotheby's pour cette somme! Mais ils n'en veulent pas et je me les garde! Vous verrez, sceptiques d'ici, en l'an 2888, ça vaudra une fortune! Je ris. De moi. Mais il paraît que je n'ai pas d'humour, écrivait la Voisard du *Soleil*.

Juste en passant: l'universitaire Cameron, savant analyste et son groupe publient que l'action politique de Brian Mulroney n'a favorisé que les riches et davantage l'Ontario que toutes les autres provinces. Que les dépenses militaristes (180 milliard $ prévus sur quinze ans) sont l'ultime marque *bleue* de ce règne de quatre ans qui s'achève. Votons tous pour le NPD, Seigneur! Jean-Victor Dufresne, ce matin, signe un brillant papier dans *Le Devoir*. Il se moque avec astuce de l'Outremont aux *lampadaires en imitation de lampadaires*, au ghetto bourgeois jouxté au ghetto-juif-hassidique. J'ai ri, à gorge déployée. Il devient formidable billettiste ce Jean-V. Ailleurs, ça pleure Jean Marchand, l'ex-chef syndical socialiste, devenu tout *rouge*, ex-ministre de PET, ex-chef des sénateurs. Il vient de mourir. Il aurait confié: «La RCMP (police folle) l'aurait odieusement trompé lors de la Crise d'octobre de 70.» Trop tard pour regretter son attitude hystérique et démagogique d'alors. C'est pourtant lui, ce chef bouillant, qui m'incita en 1959 à mener, avec d'autres camarades, la guerre à finir avec la tutelle colonialiste de nos syndicats américains lors de la célèbre grève de Radio-Canada. Bataille que l'on gagna et qui était d'importance. En ce temps-là, jamais je n'aurais pu deviner que ce leader populariste se métamorphoserait un jour en ennemi du patriotisme indépendantiste québécois. Jamais!

Comment ne pas dire quelques mots sur l'incendie dégueulasse de Saint-Basile, provoqué par un malade mental et qui va nous coûter, citoyens, des millions en argent public? C'est le grand sordide événement de cette fin d'été. Partout, on déclare la guerre à l'État imprévoyant. Partout. Pas un mot sur notre responsabilité collective. Il faut pourtant savoir s'accuser dans cette infernale histoire. Nous sommes tous coupables de cette merde, la fiente (les BPC) qui sort des intestins de notre confort collectif. Oui, il faut le dire, si nous jouissons tous d'un bien-être formidable dans l'Occident-le-riche, eh bien, c'est qu'il y a aussi cette conséquence: ce fumier mortel au bout du joli couloir de la vie ultra-confortable d'ici. Qu'en faire? Où l'enterrer? Personne n'en veut? Des flibustiers spécialisés en ramassage de *caca* y trouvent des revenus mais font bien mal ce travail dédaigné, méprisé. Ils laissent traîner nos crottes électro-chimio-industrielles, les salauds! Et tout le monde en beaux habits de se voiler la face! Personne ne veut céder un seul pouce du merveilleux terrain de jeux de nos bourgeoises installations. Ça gueule: l'État (lent et ruineux) va nous organiser un système super-onéreux! À moins que... Non, non, non!, s'énerve le jouisseur bourgeois, pas question de nous priver de nos bébelles électriques ou autres. Eh bien, jouissez, gras consommateurs aux gadgets variés, le *caca* évacué, on va s'en charger, nous les pirates véreux, mais silence sur la facture! Horreur!

*4 septembre 88*

Un rêve au bordel...

L'estomac un peu à l'envers, voici un dimanche blanchâtre. Hier, il faisait beau soleil quand, Raymonde et moi, nous nous sommes amenés chez Marielle et Albert. Tout l'après-midi en retrouvailles joyeuses. Un bon gueuleton avec d'immenses steaks cuits dehors. Une fin de soirée au climat encore tout doux, dans le jardin, à jacasser sur les mille et un potins de la vie quotidienne des quatorze joyeux lurons. De grands enfants! Hélas, Monique, la compagne du frérot Raynald, va soudain s'écrouler et prendre le lit; c'est qu'elle a passé son samedi au boulot et la fatigue, mêlée à l'alcool, l'a terrassée très rapidement.

Encore une fois, Albert avait loué une de ces mini-caméras-vidéo. L'on traquait la moindre facétie. J'ai l'impression que de tous nos cameramen improvisés c'est ma brune qui en a tiré le plus grand plaisir. Je l'observais qui filmait en tentant de capter des vues *panoramiques* d'une improvisation... un peu calculée! Oh, le beau samedi sur le rivage du grand lac des Deux-Montagnes! Qu'il faudrait vite arriver à nettoyer comme on vient de le faire pour le lac Saint-Louis, plus au sud. Ça viendra? Pointe-Calumet redeviendra-t-il un haut lieu de séjour plaisant? Le drôle de village a gardé, en maints recoins, son allure de... vestige, de bourg agonisant avec ses bicoques usées, mal entretenues, qui le déparent en dépit des efforts qu'ont fait certains (Albert Sawyer, entre autres) pour améliorer ces habitats d'antan.

J'oubliais de vous raconter un rêve important. C'était dans la nuit de mardi à mercredi quand j'ai été malade. Je déambule rue Sainte-Catherine, proche de l'ex-*red-light*, proche de chez Guérin, quoi. Attroupement flou. On accoste les piétons. C'est une bande de joyeuses religieuses! En soutanes blanches avec d'immenses croix noires d'étoffe cousue. Curieuse communauté religieuse! Les nonnes sont accortes et font des propositions... lubriques. Je tente de m'esquiver, croyant à un hypothétique tournage de film ou à une émission à attrape-nigauds. Me voilà ensuite, y ayant loué une minable chambrette, à l'étage de l'un des quasi-taudis du secteur. Pourquoi donc? Je l'ignore. J'ai la nette impression d'être logé au sein d'un bordel plus ou moins discret. Soudain, ça pousse derrière la porte; on tente de la forcer? J'ouvre un peu et je vois une des drôles de religieuses de la rue louche. Avec un sourire de jocrisse libidineux, cette fille, tout en arrachant sa soutane, me bouscule et s'introduit dans la chambre. Quelle gêne! Je ne suis point bégueule, mais je ne veux rien savoir de ses propositions tacites, accompagnées de gestes obscènes, de sourires beurrés, de clins d'œil complices. Je tente de la renvoyer dans le corridor de ce taudis. Peine perdue, elle supplie, s'accroche à moi et roucoule de plus belle tout en me semblant en proie à une certaine frayeur. Je ne tarde pas à comprendre, une matrone, maquerelle du lieu, sans doute, fonce à l'intérieur à son tour et gifle la suppliante, la menace. Je veux m'interposer, je tente de calmer la farouche directrice de ce bordel. Cette dernière m'intime: «Jetez-la vite dehors de votre chambre! Nous avons ici tout ce qu'il faut. Regardez là-bas, au fond du couloir.» Je regarde par-dessus son épaule et dans une lumière blafarde, dans la fumée, je vois des filles qui circulent et une longue table toute garnie de ce qui me semble des fioles, des médicaments. Ou des produits de beauté! Sex-shop flou? Je dis à cette logeuse-patronne: «Calmez-vous, je vais raisonner cette fille et elle s'en ira.» Voici que ma nonne (avec les traits de l'actrice Louisette Dussault, vue à la télé il n'y a pas longtemps) m'implore de plus belle, est au bord des larmes et puis me crache: «Pourquoi pas moi? Hein? Pourquoi pas?» Elle se rapetisse étrangement, se met en position du foetus et s'allonge sur une commode à miroir. Elle s'offre, les bras levés, une jambe en l'air! L'image est sordide à souhait. Soudain, la porte s'ouvre et à nouveau, les cris de la mère maquerelle qui voit rouge: «Comment? Elle est encore là? Dehors!» Je suis désemparé et je dis: «Oui, oui, sortez-la! Qu'elle débarrasse ma chambre! Vite!» Aussitôt on l'empoigne férocement. Des cris! De la rage! Ma drôle de putain naine se jette au sol, trépigne, s'accroche à mes jambes. On la tire par les cheveux, on la traîne. Résistance farouche! Je sens soudain une terrible morsure. À une fesse! Je gueule et... je me réveille ahuri! Des plis du drap me font mal. Quand on est malade, fiévreux, un rien nous dérange. Drôle de rêve, non? Je suis allé en noter l'action sur un bout de papier en pleine nuit et je viens de le retrouver. Oui, drôle de rêve!

Au chalet, Raymonde (tout comme moi) fonctionne au ralenti ce dimanche matin. Après ces *pow-wow* familiaux, c'est toujours, le lendemain, silence dans la demeure. On se repose d'avoir tant jasé, tant crié et tant ri. Le bon silence. Téléphone: Yves Dubé accepte de venir goûter au célèbre pot-au-feu-à-la-Raymonde ce soir. En effet, ma brune a mis au point un de ses ragoûts à l'ancienne qui ont fait souvent se régaler notre groupe-des-sept, jadis. Dubé va peut-être de nouveau m'expliquer le risque qu'il y aurait à renouer avec mon ancien éditeur, Leméac (qui reprend vie après une longue hibernation forcée suite à la banqueroute des proprios, les frères Rochette). Je ne sais plus trop quoi faire, comment m'organiser. Non seulement je ne saisis rien au monde des affaires, mais je n'ai personne d'expérimenté en la matière pour bien me conseiller. Je peux bien comprendre que Leméac souhaiterait être, de nouveau, l'éditeur de *tous* mes bouquins. Je suis aussi partisan d'une certaine fidélité. Leméac, c'est une dizaine d'années de ma vie d'auteur. Je songe à accorder des licences à la nouvelle directrice, Lise Bergevin, qui reprend les rênes (avec M. Brillant) de la vieille maison. Soit des permis d'exploitation, mais limités dans le temps. Quelques années, quoi. Ainsi, un auteur reste le seul (et il l'est en fait) propriétaire, le seul titulaire de sa création littéraire. L'UNEQ recommandait cette façon de faire, mais on peut comprendre que les éditeurs préfèrent garder «à vie», et même cinquante ans après leur mort, les droits exclusifs de leurs publiés. Ah, que ces choses m'ennuient!

J'ai un peu peur pour mon premier billet-polémique de mardi prochain avec Marguerite Blais à TQS. Quel ton adopter? Quel style mettre de l'avant? Quelle façon utiliser? Comment jouer *l'éditorialiste d'après-midi* au beau milieu d'une émission qui se veut si légère, enjouée? Hum! Je me tâte. Lundi matin, et même mardi, je surveillerai attentivement quel est le sujet le plus *chaud* des actualités et... je foncerai! Je me jetterai à l'eau, innocemment, librement, on verra bien si ça fait de beaux ronds ou des ronds carrés!

Faire face à la solitude...

Lumineux jeudi, après tant de jours pluvieux ces derniers temps, une toute chaude température qui fait que je me suis senti comme revenu en arrière, en juillet, au temps récent des fameuses canicules qui se succédaient. Chaque fois que le temps est doux, on sent dans les rues une sorte d'animation, un monde grouillant de vitalité. J'ai roulé rapidement vers le studio no 16 de la radio culturelle d'État, ayant oublié stupidement un rendez-vous avec le collègue Gilles Archambault pour sa nouvelle série de *Libre parcours*. Quinze minutes à jaser de PTVD tome I. L'animateur, je suppose qu'il le sait, n'a aucun don radiophonique, une voix mal placée, un timbre pauvre et il commet sans cesse d'étranges bruits vocaux qu'il n'arrivera jamais à corriger, sans doute. N'empêche, ce romancier-de-la-tristesse fait un accompagnateur gentil, feutré, si humain, comme maladroit, mais avec lui, on se sent vite en confiance. Il n'a évidemment rien d'un piégeur. En causant avec Archambault de ma nouvelle existence, j'ai pris conscience qu'en effet, comme je le confiais à ses auditeurs, je fais face à la solitude. Une inconnue tout au long de ma vie d'avant la pré-retraite. Rentré chez moi, on aurait dit que je sentais davantage un certain silence, une sorte de solitude légèrement pesante. Je me secoue. Pour rien au monde je ne voudrais retourner au travail du salarié. Je me plonge donc de nouveau dans le tas de manuscrits expédiés pour le Grand prix littéraire Guérin.

Hélas... un quatrième manuscrit, avec dialogues d'un argot pas bien constant, me navre.

Hier soir, avec Raymonde, j'ai assisté à une première au tout petit Café de la Place. Julie Vincent, Carole Chatel et Dominique Briand se sont débattus avec talent dans ce « *Déversoir des larmes* », un nouveau texte d'André Ricard avec des dialogues d'une belle hauteur, un scénario un peu redondant, sans grand relief dramatique. Cela m'a paru une bizarre histoire de thérapie para-religieuse. La libération, exclusivement sexuelle, d'une jeune fille, aspirante religieuse cloîtrée, est certes un sujet délicat et pas moins captivant qu'un autre thème. Le théâtre, depuis Samuel Beckett, n'est pas tenu de n'être que vérisme et réalisme. Soit. Pourtant, à la fin de cette curieuse démonstration scénique (dans un décor aseptisé mais fort intéressant), nous étions quelques-uns à nous interroger sur le projet exact de Ricard. Malgré mon désappointement, je dois reconnaître que tout à l'heure encore, je songeais à ce trio aux ambiguïtés sans doute voulues. En somme, un texte pas banal du tout, je le constate à présent.

Je dois repartir. Un lancement. Un autre.

*15 septembre 88*

Le temps de réagir...

Enfin, je m'attable. Pauvre journal. Voilà des jours et des jours que je me dis: il me faut vite aller mettre ceci ou cela par écrit dans mon gros cahier de bord. Tantôt, un coup de fil de Gilles Proulx, le Pierre Pascau de la radio de CJMS. Il veut m'entendre commenter l'article de Roch Côté dans *La Presse* de ce matin. Le reporter, en page frontispice, m'inscrit officiellement parmi les rébarbatifs à l'installation, voyante et progressive, des Juifs hassidiques à Outremont. Ma sage Raymonde a lu l'article avant moi et s'inquiète comme toujours, selon son pacifique tempérament: «Fais très attention, Claude! Prends bien garde de ne pas te faire étiqueter parmi les antisémites.» Je la comprends. En effet, je ne suis pas si innocent tout de même, je sens bien que ce sujet est explosif. D'une part, mes propos, mal saisis, peuvent m'attirer la sympathie d'extrémistes, d'intolérants, mais d'autre part, les insinuations incessantes qui nous font tous passer pour des racistes, m'assomment. Il est temps de réagir. L'ensemble des nôtres se constitue désormais de citoyens extrêmement tolérants. Nous avons conscience de n'être pas autre chose que des descendants d'émigrés nous-mêmes. Mais oui, nous continuons (comme on peut!) l'ouvrage des premiers colons français exilés par ici. J'ai dit un peu tout cela au Proulx de CJMS. Il me dira avant de raccrocher son téléphone et ses micros: «Bravo pour votre courage!» Voilà le «hic». Je dis tout haut ce que tant de monde pense tout bas et on (Godbout à mon sujet) me déclare courageux. J'ai toujours voulu que l'on crève les abcès et refusé le jeu des autruches. Il y a un volcan qui dort mal, il y a une charge de dynamite près d'exploser. Ces très visibles minoritaires (les Juifs hassidiques) vivent volontairement repliés sur eux-mêmes dans leur intégrisme religieux. Leur droit strict? Oui, un droit sacré à mes yeux, cependant il est dangereux alors de s'installer dans une grande ville (après tout, Outremont n'est qu'un quartier de la métropole québécoise). Curieux, très bizarre que les chefs de cette communauté (quasi mystique) n'aient pas songé à l'organisation d'un vaste territoire (au Québec), comme a fait, avec bon sens et intelligence, la célèbre (depuis le film *Witness*) communauté des Hammish aux USA (en Pennsylvanie, je crois). Je vais donc faire de cette *question juive* mon billet-éditorialiste cet après-midi pour mon mardi chez Marguerite et Cie, à Quatre Saisons. J'en ai causé avec le producteur André Barro qui se dit tout à fait d'accord tout en me prévenant (Raymonde numéro 2?) de bien faire les nuances qui s'imposent.

Ça y est! Cela s'est su, que j'ai une chronique sur les livres avec Claire Caron (*Premières* à TQS). Le facteur débarque des lots de livres nouveaux à tous les trois jours. Hélas, je n'ai que six minutes chaque dimanche aprèsmidi. J'ai lu durant le week-end deux bons romans: *Le bateau d'Hitler* de Pierre Turgeon et, de Jacques Savoie, *Une histoire de cœur*. Désormais, les romanciers voyagent, ils n'hésitent pas à jouer l'exotisme. L'histoire de Chénier, un journaliste nazi canadien-français inventé par Turgeon, se lit d'une traite, comme un bon polar. Une réussite dans le genre. Avec du style, cette fameuse «petite musique» selon L.-F. Céline. Ça m'a changé du ton plat des grosses briques à saga, fabriquées sur un mode pseudo-réaliste, sur le mode ronronnant, jamais surprenant, d'un vérisme qui se reproduit en best-seller. Savoie, lui aussi, a sa griffe. Formidable. Dimanche, je vais faire leur éloge, qu'ils méritent, pour cette ponte fraîchement sortie de chez l'imprimeur.

J'ai vu Turgeon, hier midi, au lancement d'un fort joli dictionnaire (le *Multi*) dans les jardins de Québec-Amérique, rue Saint-Jean-Baptiste au cœur du Vieux (que l'on rajeunit partout autour, chers condos!). J'ai révélé à Turgeon ma joie de le lire. Il a paru tout content. À sa façon, sobre, timide, discrète. Jolie fête extérieure, au soleil, que ce lancement du *Multidictionnaire* (de Madame de Villers). Ça m'a permis de revoir la faune bigarrée dite des médias et quelques auteurs québécois. Par exemple, un Beauchemin m'annonçant la venue de son nouveau «bébé» pour le début novembre, une Arlette Cousture arborant son beau sourire de femme malade qui fait face avec un courage solide, un Réginald Martel qui m'a confié avoir beaucoup apprécié le premier tome de PTVD et qui me demande: «Est-ce que ta Raymonde, depuis le début de mars, a réussi à cesser de fumer?» C'est cela, publier un journal. C'est merveilleux. Les gens deviennent de vos intimes. Ainsi, j'ai reçu une merveilleuse lettre d'une lectrice de *Pour tout vous dire* qui me loue et me dit tout le plaisir qu'elle a eu de vivre dans mon intimité. Elle est même «allée prendre une photo *du chalet de Raymonde*», me confie-t-elle! Comment a-t-elle pu savoir exactement où nous habitions en week-end? Mystère!

Demain, très tôt, à ses bureaux de Télé-Métropole, Michel Chamberland, le nouveau directeur de la programmation, m'a donné rendez-vous. Va-t-il me parler de *Coulisses* en version drôle? Ou du projet sur les années 60? Je verrai bien. Je me propose, s'il dédaigne ces deux projets, de lever un peu le voile sur cet autre projet (confié à *Panacom Inc.*) ce feuilleton avec des voyous décrocheurs qui vivent en squatters. J'ai hâte de jaser avec lui. Très hâte. J'ai prétendu ces derniers temps que si je décrochais la timbale-téléroman, je me débarrasserais vite de mes deux chroniques à Quatre Saisons, mais maintenant, je ne sais plus. J'aime bien exprimer mes «libres opinions» le mardi, je n'aime pas moins jouer le critique littéraire le dimanche après-midi. Bof, je me sens plutôt capable de mener tout ça de front, si jamais...

Comme je saute volontairement des jours pour ce deuxième tome du journal, je crains d'oublier des faits d'importance ou bien de me répéter. Ai-je parlé de ce *chiard* visuel et gastronomique pour le lancement des nouvelles parutions chez Carole Levert, la PDG de Libre Expression? J'ai la flemme d'aller fouiller dans les feuillets déjà écrits: il y a aussi que ma copiste, Lynn, garde assez longtemps des feuillets à mettre au propre. En avant et tant pis pour les anecdotes déjà oubliées. Hier, j'ai relu les critiques de Basile (*La Presse*) et de Boivin (*Le*

*Devoir*) sur mon tome un. Je laisse de côté les compliments, je médite sur les restrictions de mes deux recenseurs. Basile me flatte en écrivant: *Il est de la belle race des écrivains naturels.* Fort bien, mais il ajoute: *On aurait aimé en savoir plus long.* Il fait allusion aux décès de mon père et de ma mère, à mes essais de spiritisme et au temps de ma jeunesse. Il ponctue: *Hélas, on ne saura jamais!* Mais oui, il saura. Il saura tout puisque, tome après tome, tout cela formera une mosaïque plutôt complète. Il doit savoir qu'un journal n'offre pas la possibilité de creuser et de détailler les souvenirs, même les plus vifs. Si je rédigeais mes mémoires, mon autobiographie et un livre de souvenirs en même temps qu'un journal, le bouquin prendrait vite des proportions gigantesques. Quant à ma jeunesse, Basile, qui dit avoir tant apprécié *La petite patrie* télévisée, devrait bien admettre que j'en ai livré, en quatre-vingts épisodes hebdomadaires, la substantifique moelle. Sait-il bien que ces deux années de feuilleton télévisé étaient tissées de vérités vécues à peine maquillées?

Jean-Roch Boivin, je l'ai dit malgré de bien beaux compliments, me reproche, lui *mon côté vétilleux, moralisateur et gendarme.* Encore ça? Sacré Boivin! Nous vivons dans un temps détestable où l'éthique est dévalorisée sous n'importe quel point de vue. Je suis un être moral. Est-ce permis? J'avais pourtant (au sein même du journal) prévenu qu'il est trop facile pour les hédonistes de confondre moraliste et moralisateur. Gendarme, moi? Pourquoi pas? Le mot gendarme ne mord pas même s'il est « rétrécissant ». Si c'est jouer au gendarme que de vouloir mettre en garde des jeunes lecteurs contre des modes stupides, des coutumes folichonnes, eh bien, soit! Je suis aussi un gendarme, mais sans gros bâton. Rien. Les mains nues.

Pris au piège des manuscrits...

Je suis cerné! Tous ces nouveaux livres! Tant d'espoirs! La crainte de ne pas pouvoir faire mon petit devoir d'« encourageur » littéraire. De plus, j'ai donc accepté d'entrer dans le jury de Guérin pour son Grand prix annuel, avec l'obligation de lire quatre premiers manuscrits et il en arrivera six autres sous peu. Me voilà donc comme au temps où je préparais mon heure dominicale pour *Claude, Albert et les autres* à Quatre Saisons. Lire, lire, lire! Et les jours se sauvent et je reste assis dans mon gros fauteuil de cuir noir à tourner des centaines et des centaines de pages. La mauvaise impression (les jours ensoleillés surtout) de passer à côté de la vraie vie. Envie subite de démissionner de ce jury. Un coup de fil? Leur déception, sans doute et leurs protestations... Je viens de composer le numéro chez Guérin. Il est absent! « Il vous rappellera cet après-midi, » me dit sa secrétaire. Bon, continuons.

Continuer? Je reviens à mon dactylographe. Le producteur Barro sort d'ici. Lunch, avec un bon rôti de porc frais, froid, et préparation du topo de tantôt où il faudra jouer de finesse si des interlocuteurs énervés font des appels téléphoniques antisémites: tout prévoir, quoi. Barro m'a apporté une lettre (par charité, je ne donne pas de nom) écrite par une dame de la rue Delaroche, croyant apporter de la bonne eau à mon moulin *anti-faux-réfugiés de Panama*. Elle écrit des horreurs et montre une xénophobie viscérale. C'est ça le risque: vous fustigez un aspect d'une question grave et vous rameutez sans le vouloir des réactionnaires extrémistes qui vous ont compris tout de travers. C'est le risque normal que prennent tous les esprits libres qui osent jaser publiquement, sans *langue de bois*, en langage clair, sur des sujets tabous. Des sujets que la plupart préfèrent laisser moisir sous les boisseaux, hélas! Je m'énerve un brin, comment être bien précis, faire sentir

269

que le racisme des intégristes religieux est un bouillon nocif? On verra.

Oui, mais avant de plonger en ondes, je veux noter certaines choses: que je suis plutôt désolé de voir ma brune se replonger comme jamais dans la préparation, les répétitions et la mise en scène des nouveaux épisodes de *L'Héritage*. Je crains qu'on ne trouve plus le temps, comme on se le promettait en juillet, d'aller voir la mer, à Ogunquit, du 23 au 26 septembre en compagnie, peut-être, du couple Faucher. Françoise, elle aussi, est très prise par ses projets théâtraux. Et puis, je veux dire aussi que je m'ennuie de mes petits bouts de chou. Qu'il y a trop longtemps que je n'ai pu aller voir le gang de Fresnière. Jeudi dernier, j'ai repris contact avec la bande de la rue Chambord, je me suis même baigné dans la vaste pataugeuse de la cour. L'eau était à 70 degrés au soleil! Gabriel grandit sans cesse avec, désormais, ses envies, ses besoins, sa jeune personnalité qui perce, qui pointe. Il s'affirme, me résiste, boude, grogne parfois. Il veut mener, déjà?

Trouverai-je une journée de congé pour amener les uns et les autres au chalet et leur montrer la nouvelle, spacieuse cabane dans le vieux saule? Satanée saison nouvelle. Automne débutant. Il y a déjà de splendides taches rouges dans le paysage laurentien et ça y est, il fait plus froid la noirceur venue. Ce matin encore, un mardi frisquet avec nuages et l'astre solaire qui joue à cache-cache. Moi, je cours endosser l'uniforme, choisi par Raymonde, qui pend à la poignée du placard. Sois beau et jase, mon tit-Claude! À tes risques et dépens. Allons voir, vite, si la Marguerite des Quatre Saisons sourcillera très fort à mon billet sur les Juifs. Je pars. À bientôt, journal chéri?

Des rires francs...

Après un misérable week-end tout pluvieux, voici un lundi lumineux. L'arrangeur du ciel n'a pas de cœur. Pourquoi priver de soleil tous les travailleurs en repos? Pourquoi donner tant de lumière quand c'est lundi, jour de rentrée au boulot? Samedi, malgré une température, je dirais *novembrienne*, mon petit Simon, venu au chalet avec Lynn et Daniel, s'est bien amusé. Un enfant aime bien sortir un peu de chez lui, le sait-on assez? Ainsi, vendredi dernier, j'ai fini par convaincre Éliane de monter dans les Laurentides avec moi et ses trois galopins. Il faisait plutôt beau temps. Rendu là-bas, j'ai dit à ma fille, prise d'une bronchite, de s'offrir tout bonnement aux rayons du soleil et j'ai pris en main le divertissement du trio de gamins: pêche à la perchaude au filet, sur le long du quai de Maurice-le-voisin, ébats dans la longue cabane du vieux saule, feu de feuilles mortes et enfin, expédition sur le rivage d'en face, si lointain aux yeux des petits. Pas facile de pédaler solidement dans mon *Pélican* de plastique jaune tout en maintenant Gabriel, le benjamin, qui est un *fortilleur* compulsif comme tous les petits garçons de deux ans. La plage du Chanteclerc était déserte, nous sommes allés à la cafétéria des skieurs, toute dallée de céramique, pour y boire des jus de fruits et jouer aux « pinball machines ». Puis, retour et grande joie de dévaler les pentes gazonnées du terrain. Nous rentrons en ville. Je suis plutôt épuisé, Laurent s'est endormi, David résiste mal au sommeil, mais bébé Gabriel, lui, *fortille* encore en me menaçant sans cesse de ses deux petits pieds nus. « Pieds à Gaby, des homards, papi! Ça pince! Ça pique, des homards! Ayoille! Ayoille! » Que de francs rires! Cet enfant aura l'âme légère. Quel merveilleux rigolard. Samedi, Simon, qui vous affiche la plus ravissante *bouille*

271

colorée de marionnette italienne, a démontré, lui aussi, son bon appétit de la vie. Grouilleur comme pas un, il danse et chante volontiers dont un long extrait d'une chanson de Michel Rivard. «Cet enfant chante avec une justesse rare, je n'ai jamais vu ça!», me dit Raymonde, vraiment étonnée. Je ne sais pas apprécier ce don, je chante faux chaque fois que j'ose entonner une ritournelle populaire, selon mon amour à l'oreille si juste.

Dimanche consacré (dedans et dehors selon les caprices du bonhomme-soleil) à lire la dizaine de manuscrits soumis pour le Prix Guérin. Que je me déteste d'avoir accepté de succéder au juré Alain Pontaut, démissionnaire. C'est que je sais trop bien quels espoirs ont les auteurs mis en balance et c'est presque en tremblant que je lis, que j'annote ces manuscrits, c'est avec d'infinies précautions que je remplis mes fiches de juré. Je leur ai tous mis un X à la mention: *à être édité après correction*. Je ne peux pas, c'est viscéral ma foi, poser ce X à l'indication: *à retourner à son auteur* ou *à éliminer*. Je connais trop bien les affres de ces concours. J'ai gardé en mémoire l'anxiété effrayante que j'ai vécue lorsque j'ai soumis (en 1959 puis en 1960) mes deux premiers essais romanesques: *Et puis tout est silence* (actuellement chez Sogides) et *La corde au cou* (toujours chez Tisseyre, en poche). Mon dieu, quelle angoisse d'attendre impatiemment un mot du grand manitou d'un concours littéraire. Quelle joie fiévreuse, ce jour d'été de 1959, à la lecture d'une lettre du CLF m'annonçant: «Votre manuscrit est retenu avec d'autres finalistes pour le Prix du CLF.» L'attente ensuite. Intolérable. En septembre, mon immense désarroi en apprenant, via l'émission télévisée *d'Aujourd'hui*, que mon premier roman n'avait rallié que deux voix sur sept. Le même manège angoissant s'est répété l'année suivante, mais un jour de l'été 1960, sur l'autoroute 15, toute neuve, je surprends un Pierre Tisseyre qui me klaxonne! Nous garons nos voitures, lui sa sombre limousine, moi, ma Coccinelle beige.

Avec joie, je l'entends me dire: « Mon cher, vos chances sont excellentes cette fois, envoyez-moi vite votre photo et des notes vous concernant. Je pense bien que ça va servir! » Un Tisseyre tout heureux et enthousiaste, on est si content d'annoncer une bonne nouvelle. J'ai passé tout le reste de cet été-là à m'énerver. Bref, c'est pour cela que je n'aime pas devoir choisir *un* gagnant sur un lot de dix aspirants qui, ces temps-ci, doivent prier leurs dieux. Oui, sale métier. Vilain boulot. L'an prochain, je refuserai si Guérin me réinvite à jouer au juge savant parmi d'autres juges savants. C'est trop grave, trop délicat, trop dangereux aussi, l'erreur étant, en ce domaine surtout, très humaine. Je n'ai jamais eu la peau d'un juge. Je ne serai jamais fait de ce tissu bizarre qui vous transforme en auguste personnage disant: *passez!*, ou bien: *non! ne passez pas, pas assez de talent.* Dans le domaine de la littérature, non, je ne peux pas. Pour les arts plastiques, je l'ai fait assez longtemps (*La Presse*) et je ne le regrette pas. C'était en dehors de mon territoire chéri. Le dimanche, à *Premières*, je ne juge pas trop les livres parus, je ne fais surtout que commenter l'histoire imprimée. Je me présente comme un lecteur ordinaire qui a aimé ou non, pas en spécialiste-docteur-en-lettres.

Le savoureux et innocent vieux chroniqueur sportif, Jacques Beauchamp, vient de mourir. C'était une sorte de jeune-vieux dinosaure du sport-spectacle. Ce matin, je me suis souvenu de lui: quand je travaillais à son cher *Journal de Montréal*, j'avais vertement critiqué des actes du ministre Claire Kirkland-Casgrain et mon article fut frappé d'interdit. Je questionne. On me dit: *Téléphonez à monsieur Beauchamp, c'est lui qui s'y est opposé!* Diable! je débutais à ce moment-là, en 1971. Au téléphone, le Jacques qui me dit: *Claude, tu es un columnist quotidien qui ne doit pas toucher à la politique, seulement au monde des arts et spectacles!* Je n'en croyais pas mes oreilles. Sacré Beauchamp! Il n'admettait pas que parler de la Ministre des affaires culturelles, c'était justement, exactement, parler d'arts, lettres et spectacles! Il est vrai que j'y allais raidement. Cela pour illustrer un peu ce curieux personnage. Il n'en reste pas moins vrai que le gros Beauchamp était une sorte de dynamo humaine dans son milieu, qu'il savait payer de sa personne (il a payé cher!) ne comptant jamais les heures au boulot, un exemple de générosité journalistique rare. Mais il n'avait aucun esprit critique, il vivait trop au milieu des athlètes du sport-spectacle. Trop de critiques, un peu partout, sont aussi reporters-interviewers, c'est pourquoi il leur est difficile de garder un minimum d'objectivité. Ceci existe encore et même dans des journaux plutôt solides. Le danger de tant de promiscuité est apparent. On décèle fréquemment que tel critique, interviewant sa victime une journée donnée, se montre embêté, empêtré, incapable de critiquer objectivement cette même personne le lendemain. J'ai été obligé de jouer ce double jeu à *La Presse*, de 1961 à 1967. Je me souviendrai toujours d'un écho me parvenant. Le dessinateur (brillant) et peintre (pas aussi fort) René Richard avait confié aux gens de la galerie où il exposait: «Je ne comprends pas ce Jasmin qui m'a fait deux articles, l'un fort aimable et l'autre bien méchant!» Richard ne savait pas départager le travail d'un interviewer et celui d'un critique. Amusant, non?

Sur tous nos écrans, ces jours-ci, place à Séoul et aux Jeux Olympiques! Le riche réseau de télé américain, NBC, a craché 300 millions de beaux dollars (US) pour les droits de télédiffusion. On regarde ça, bien content et bien niais! Qui va payer la note en fin de compte? Nous, les consommateurs via les produits des marchands qui s'annoncent entre haltères, javelots et ballons! Quel merdier! Un révolutionnaire, en 1988, serait celui ou celle qui réussirait à ne plus consommer toutes les bébelles, gadgets et autres niaiseries que nous proposent les criailleries marchandes de la télé. Impossible, même pour moi, le grand résistant, de lancer la première pierre. Je succombe trop souvent.

La vertu contre le vice...

Demain, mardi, à Quatre Saisons, je vais m'attaquer à la vénérable Mère Teresa. Elle vient promener son attachante silhouette dans nos parages ces temps-ci, invitée, dit-on, par ses promoteurs anti-avortement. *Donnez-moi ces enfants, répète-t-elle, je les adopterai.* Un peu court, ma sainte mère! Mon billet du mardi sera très délicat à formuler en ondes, je vais mettre des gants épais, c'est certain. Tout le monde est pour la vie, contre la mort, comme on dit *pour la vertu et contre le vice.* Personne n'a envie de voir se rouvrir les clandestines cliniques des *faiseuses d'anges* d'antan, avec leurs sinistres crochets à tricoter. La question est, de l'ordre du spirituel, religieuse. En tant que démocrate, il est difficile de condamner sans appel toutes les femmes en difficulté qui doivent se résoudre à l'avortement. Un foetus, ce n'est pas qu'un embryon en voie de devenir un être humain, c'est aussi un lot d'obligations, un bail de vingt ans, un énorme fardeau de responsabilités. Il y a trop d'enfants non désirés, ici comme partout ailleurs dans le monde, qu'on laisse grandir à la va-comme-je-te-pousse, trop d'enfants atteints du mal de vivre, très chère Mère Teresa. Il faut tout faire, et vite, pour que les femmes ne se retrouvent pas enceintes sans l'avoir vraiment voulu. C'est possible en 1988, en Occident? Il me semble que oui. J'ai ramassé des notes pour ce billet explosif.

Tantôt, un producteur et un recherchiste de l'iconoclaste série *100 limite,* ont téléphoné. Ils veulent me réinviter, et pour ce soir même. Il paraît que j'avais accepté. M'en souviens pas. J'ai refusé en prétextant... je ne sais plus quoi. Il faut avoir un peu de jarnigoine dans l'existence, je ne peux pas être celui qui condamnait la grossièreté facile des jeunes de RBO et être aussi celui qui participe à une série folichonne qui ne sait pas toujours où se situe, non pas la «limite», mais la borne infranchissable où l'humour, même débridé et vulgaire, plonge soudain dans l'imbécillité irresponsable. J'ai regardé quelques épisodes de ce fourre-tout improvisé gauchement et j'y ai décelé cette déplorable *course panique en avant*, quand les concepteurs ne savent plus comment faire rire la masse, la foule anonyme. Non, je ne peux pas manger de ce pain-là.

Dimanche dernier, entre deux averses, je me suis regardé faire mon topo-livres en six trop brèves minutes. Ça va trop vite pour que je puisse bien dire quel plaisir j'ai pris à lire deux romans: *Le bateau...* de Turgeon et *Une histoire...* de Savoie. Il faudra que je fasse mieux. En fait, je dois réussir (quand j'ai aimé) à produire deux efficaces messages publicitaires de trois minutes. Après tout, c'est plus long que le *trente secondes* rituel pour pâtes alimentaires ou lessive, non? Sacré média!

Depuis cette rencontre préliminaire à Télé-Métropole (avec ses nouveaux dirigeants André Provencher et Michel Chamberland côté programmation), je veux tout tenter pour que le projet *Coulisses* se concrétise là, à TVA. J'ai envoyé une sorte de C.V. dudit projet, racontant mes démarches antérieures et mentionnant l'enthousiasme d'une demi-douzaine de journalistes, emballés par cette idée de narration des problèmes des jeunes actrices et acteurs. Se trompaient-ils tous, ou bien est-ce le jury de Radio-Canada (qui ça peut bien être, merde?) qui est passé à côté d'un grand succès? J'écris ça et je souris, sachant autant que quiconque (du métier) qu'on ne peut jamais vraiment prévoir le succès ou le four. Je le répète. Je vais avoir maintenant la franchise d'écrire qu'il y a une pointe de vanité blessée dans ma volonté de faire produire en dehors de la SRC ce *Coulisses*. C'est humain. Réussir *Cou-*

*lisses* au canal 10, pouvoir un jour dire à ces gens de mon alma mater: «Vous voyez votre erreur? *Coulisses* s'avère un succès notoire chez TVA!» La vengeance? Hon! Que c'est pas beau, ça, vilain garçon!

Claquettes chez Duceppe et cie...

Trivialité? Un plombier-inspecteur de la ville sort de chez moi. Ça y est, le bruit de fuite d'eau que l'on entendait dans nos murs de cave, c'est dans notre parterre, dans notre tuyau de prise d'eau. Alors, je dois téléphoner à mon plombier habituel. Il me dit: «Bon, on va vous envoyer un entrepreneur, faudra d'abord éventrer le terrain tout autour.» Brr, ça va coûter combien? Ça nous apprendra à emménager dans une si vieille cité, Outremont!

Nos nouveaux voisins, des Juifs hassidiques, viennent de faire construire sur leur balcon arrière la cabane traditionnelle, avec toit naturaliste, pour le jeûne symbolique, allégorie de la traversée du désert par les Hébreux de l'Antiquité biblique. À la télé d'État, tantôt, reportage sur les us et coutumes de ces intégristes ségrégationnistes volontaires. Émission bien faite. Mais pas un mot sur leur séparatisme total d'avec les autres, nous tous, les... «impurs». Ils nous dédaignent, nous nient, nous refusent. Dommage, le problème est réel mais la SRC craint, elle aussi, la polémique et se contente donc de tourner poliment autour de la seule question fondamentale.

Françoise Faucher nous avait fait inviter pour son *Jouvet* au *Quat'sous*. Téléphone pour confirmation. Réponse: *il y a plus de place!* Là aussi, on lance donc plus d'invitations qu'il y a de sièges? Une voix aimable m'annonce: *On va vous mettre sur notre liste d'attente.* Bien. Vendredi soir, nous sommes allés voir un drôle de show chez *Duceppe*, théâtre *Port-Royal*. Un texte mou, hélas, une histoire mal ficelée, pleine de bonnes idées mais qui s'allonge sans jamais y plonger vraiment. Cependant, les actrices et un acteur se livrent en cours de spectacle à des *steppettes* étonnantes. La pièce se déroule dans un cours du soir où on enseigne la danse à *claquettes*. À la fin, nous avons applaudi à tout rompre, non pas à la pièce, mais les performances étonnantes des Andrée Lachapelle, Louisette Dussault, Béatrice Picard et Alain Fournier. Vraiment, la partie *tap dance* était surprenante et le numéro de la fin, digne de n'importe quel gros «music-hall cabaret»! Des mois de travail sans doute pour y arriver. Le vrai théâtre n'était pas du tout présent. Il n'y eut que la performance surprise.

Je devrais terminer de peindre en noir les balustrades du balcon d'en avant et, en gris, son plancher... Hum, ça ne me tente pas du tout. Il fait une bonne chaleur pourtant aujourd'hui. Je résiste. Paresseux? Oui. Il y a d'autres manuscrits de Guérin... Il y a l'immense Tom Wolfe *Le bûcher des vanités* à lire pour *Premières*.... Il y a qu'il fait si doux que je me retiens d'aller me faire ensoleiller tout bonnement, sans rien faire d'autre que de méditer sur le temps qui coule.

Dans deux ou trois heures, ma belle brune va rentrer de sa première journée de studio. Elle dira: *T'as pas achevé de peindre les balustrades?* Je dirai quoi? Je dirai: *Non. Je préférais penser à toi qui bûchais dans ta régie.* Beau menteur, hein? Je suis un peu las de tant lire, j'aimerais tant être plongé dans un boulot régulier, par exemple, la rédaction d'un feuilleton. Et voilà que je rencontre, sortant du lancement d'un Laurent Duval au *Sheraton*, jeudi dernier, Jean-Yves De Banville de *Panacom Inc.* qui me confie, tout heureux: «Claude! Pour notre projet de série sur les voyous décrocheurs, j'ai déjà un «oui» officiel de la directrice Bournival de Radio-Canada. On va se rencontrer la semaine qui vient. Je sens que ce sera totalement positif. Gardez le secret en attendant.» Parbleu! Est-ce que j'aurai bientôt deux téléromans à écrire? Pourquoi pas? Après tout, j'aurai l'aide de mon co-rédacteur de fils.

Avant de quitter mon journal, j'avoue que je me questionne en ce moment: «Que veux-tu, au juste?» Et je me réponds: «Je voudrais cesser de butiner ici et là.» Par exemple, j'ai dit «oui» à ce journal bimensuel à la «Canard enchaîné», de Dulac et Cimon. Un autre exemple du genre d'emploi «partiel» qu'on m'offre trop souvent. Je dois rédiger quinze pages sur Félix Leclerc pour les *Presses Laurentiennes* (je ne me décide pas). Oh oui, laisser tomber ces *jobbines* et n'avoir qu'un vrai gros boulot, celui de pondre chaque semaine un épisode de feuilleton télévisé. Qui aurait un succès de *bœuf*! Rêvons donc! Rêvons en attendant le plombier et sa facture à venir qui me terrifie un brin.

*26 septembre 88*

Collines, bouquets gigantesques...

Comme hier, un beau ciel bleu, bleu *azur*, évidemment, décoré de quelques cumulus à peine grisonnants. Nous restons au chalet. Je dois être au réseau Quatre Saisons, ce soir, pour participer (ils ont tant insisté) à *100 limite*. Guy Fournier, dans le hall du Quat'sous, vendredi dernier: «Vas-y, tu as bien fait lors de leur première. Faut les aider. Sont jeunes...» Michèle Raymond, dans les coulisses de *Premières*, le même jour: «Allez-y, Claude! Vous y serez amusant encore une fois. Ils tiennent à votre participation...» Leur recherchiste, Jacques Couture, au téléphone: «Pourquoi tes réticences? Viens donc! Tu as été bon la première fois, quand tu critiquais vertement leur décor,

279

c'était drôle. Viens, Claude!» Ça fait que... j'y serai pour dire à ces quatre jeunes bouffons iconoclastes leurs quatre vérités. Ou trois. Ou cinq. Je verrai. Au début, leur émission est plutôt bien (et même drôle) avec leur téléjournal-bidon à canulars. C'est après. Tous leurs invités paraissent déphasés et paralysés tant le quatuor devient inopérant en interviewers. Je vais leur déclarer ce soir: «N'invitez plus personne. Vous êtes de trop piètres questionneurs. Moi-même je ne reviendrai plus.» Oui, je verrai en studio.

Le rhume ne me lâche plus depuis une semaine. Ça coule. Mouchoirs de papier dans tous mes goussets. Raymonde et moi, hier après-midi, étions étendus dehors au soleil pas bien brûlant de la fin septembre, avec ce vent du nord-ouest qui rafraîchit beaucoup trop les Laurentides aux collines maintenant «fleuries» (bouquets géants!) par nos célèbres et émouvantes couleurs automnales. Sur la 15, plein de trafic, ce matin. Des baladeurs du dimanche venus contempler, en famille, cette féerie spectaculaire. Qui sera brève, évidemment. Qui annonce le terrible hiver québécois. En arrêtant prêter des livres récents à Jean, au Lac Marois, nous aurons une aimable invitation à bouffer de cette bonne choucroute façon Françoise. Un régal pour moi, l'amateur! Mon Jean était tout excité, devant choisir deux ou trois bouquins parmi la dizaine apportée. Je suis devenu, avec *Premières*, le réceptacle des «vient de paraître». Trop brève chronique-livres, hélas! Nous reparlons, bien sûr, de *Elvire-Jouvet 40*, au Quat'sous, mise en scène par Françoise. Je lui dis sans ambages avoir détesté non pas son spectacle, mais ce Louis Jouvet, tyrannique, brillant mais dominateur, comme ça ne se fait pas, avec ses jeunes étudiants en théâtre. Françoise reconnaît le côté plutôt despotique du célèbre personnage, mais m'explique avec raison que *dans ce temps-là*, c'était ça un prof. Un maître. Magistral, écrasant et ne supportant pas que des élèves puissent questionner le cheminement créateur de *celui qui sait tout*. Alors vive nos temps actuels où, j'espère, le cours de type dictatorial n'existe plus. Le *Elvire-Jouvet 40* ne montre pas un chef de scène disant à ses pupilles: «C'est ce que moi je pense et je suis le professeur, à qui vous devez obéissance», non, il faut voir ce Jouvet parlant ex cathedra, certain que sa théorie est la seule et exclusive vérité théâtrale. Pouah! Je termine là-dessus, en disant qu'avec un texte extrêmement chétif, sur le plan *spectacularisation*, notre amie Françoise a réussi (sa première expérience) à monter tout de même un (quasi) suspense. Intellectuel si on veut. La presse d'ici lui en fait une fête et l'a couverte d'éloges. Mérités.

Dimanche matin, avant de rouler vers l'autoroute 15, j'ai chargé ma mini-Pentax d'une bobine neuve afin de graver pour l'éternité la maison natale, au 7068 Saint-Denis. Les balustrades et les colonnes de bois sont disparues sous la hache des rénovateurs! La maison à cinq logements en paraît comme toute nue, cruellement déshabillée. Là où se nichait le petit *Caboulot* de papa, au sous-sol, ce n'est plus que débris amoncelés. J'ai pris des clichés là-dedans et j'avais l'âme en charpie. Un demi-siècle de souvenirs gisait dans ce parterre encombré de bouts de bois pourri, de briques descellées. J'ai jeté dans le coffre de la berline une brique rouge et un morceau de fer ouvragé, un des soutiens à contremarche de l'*escalier extérieur*. Symboles (ces escaliers célèbres, si souvent photographiés) de cette partie nord de la rue Saint-Denis. Adieu donc! À jamais! Je ne veux plus retourner devant cette demeure de ma jeunesse. Suis-je trop sentimental? Raymonde m'assure que non et semble plutôt triste. Osmose d'amoureux?

Rigolade jeudi soir dernier. Nous revenions, Raymonde et moi, de chez ma quasi-jumelle, Marielle. Elle voulait nous donner une copie du vidéo contenant nos trois *parties-retrouvailles*. Chez elle à Pointe-Calumet, chez Raynald à Ahuntsic et chez nous à Sainte-Adèle. Or, comme elle nous apprend la démolition toute récente des larges balcons du 7068, nous décidons, avant de rentrer, d'aller y jeter un coup d'œil. Il est presque minuit. Au bout de la rue Bélanger, à la frontière de *la petite Italie*, je désigne un plus que modeste tertre de pelouse à ma brune (j'en ai déjà parlé) et je lui dis: «Quand je serai mort, Raymonde...» Elle, aussitôt, veut protester et je dis: «Tut, tut, tut! J'ai sept ans de plus que toi, je mourrai avant toi, c'est sûr!» Et je continue: «Je voudrais que tu fasses une démarche officielle auprès de notre mairie, pour que l'on dresse sur ce minuscule tertre qui ferme la rue Bélanger un bloc de granit (à défaut d'une statue). Que l'on y grave mon nom et, en dessous, que les habitants du quartier puissent lire: «Écrivain de la petite patrie, Villeray.» C'est tout. Raymonde s'en amuse ferme. Je ris avec elle. J'ajoute, je lui rappelle plutôt: «Tu n'oublieras pas, j'aimerais aussi une petite procession funéraire, mon petit cortège, à pied comme dans mon jeune temps (même si je meurs en plein hiver), derrière mon cercueil baladé dans la rue Henri-Julien, de l'église *Sainte-Cécile* jusqu'à l'église *El Madona della difesia*, rue Dante. Chemin faisant, que l'on fasse entendre, bien fort, cette musique mortuaire qui me faisait frissonner, enfant, celle des cérémonies mortuaires du quartier italien. Une fois de plus, je tente de lui turluter cette musique qu'une fanfare italienne jouait par chez nous, il y avait du tuba et des cymbales. De la trompette aussi, il me semble. C'est un air envoûtant, une musique, je dirais, de fin de tout. J'écoutais ça, palpitant d'émotion, c'était comme une marche d'arrachement entre la vie et la mort. Faut absolument que j'arrive à savoir exactement ce que c'était; peut-être un extrait d'opéra de Verdi? Ou de qui, donc? Je le saurai, je vais enquêter. Tout ça pour dire en fin de compte que je songe parfois à de belles funérailles... que je n'aurai pas probablement. Je devine que mon esprit enfin libéré, flottant au ras du sol de mon enfance, sera bien déçu. Je ris et je suis sérieux à la fois.

Une machine à lire...

Je tiens absolument à raconter ma terrifiante journée d'avant-hier, passée à tenter de dénicher mon lauréat pour le Prix Guérin. Oh la la! Je pense bien qu'Yves Dubé a rayé à jamais mon nom pour son jury. J'ai fait le garnement infâme. J'en ai honte par moments et à d'autres, non, je ne regrette rien. Je tiens d'abord à dire que, comme les autres jurés (Archambault, Parizeau, Dubé (Marcel), Hamel, Paradis), je sortais de quinze jours passés presque entièrement à lire les dix manuscrits retenus. Cela représente plus de deux mille pages d'écriture à scruter, crayon en main. Une folie! Je me sentais, vendredi dernier, une véritable machine à lire. Machine à jauger! Ce qui fit que samedi matin, par un soleil radieux, je me suis amené à l'auberge Handfield (de Saint-Marc sur Richelieu) presque enragé, exténué. Surtout angoissé, je déteste jouer les juges. Je ne cessais de songer aux dix rédacteurs (anonymes pour nous, évidemment) qui, peut-être, tentaient désespérément, comme moi jadis, d'expédier de bonnes vibrations, des ondes bénéfiques en direction des satanés juges! L'horreur pour moi. Pas pour tout le monde, je l'ai bien vu. Par exemple, le professeur Hamel: il semblait jouir énormément en abattant sur nos têtes des jugements critiques accablants, féroces et brillants, mais la plupart du temps d'un négativisme forcené. À l'entendre tonner, nous devions (le souhaitait-il?) avoir l'impression que nous venions de lire dix brouillons de potaches bornés. Oh, le Jupiter cruel, alors! Suzanne Paradis, tout comme Alice Poznanska-Parizeau, mais sans vociférer leurs verdicts, ne semblaient guère embarrassées de démolir la majorité des manuscrits soumis chez Guérin. La Paradis, très jolie femme mûre, a l'habitude de juger, je crois avoir compris qu'elle siège à plusieurs jurys littéraires (et comités pour quémandeurs de bourses et de subventions). Comment fait-elle? Le collègue Gilles Archambault répé-

283

tait qu'il avait trouvé bien faible ce lot, ce cru 1988. L'amusant désespéré (voir ses romans), samedi, n'avait pas le cœur à humoriser. Lui aussi, moins rigoureusement qu'Hamel cependant, ne cessait de nous répéter, chaque fois que lui revenait le droit de parole, les faiblesses criantes (c'était vrai) contenues dans la plupart des écrits des finalistes de ce concours qui couronnait l'an dernier la Francine D'Amour de *Les dimanches sont mortels*. Marcel Dubé, le dramaturge retraité de la célébrité, faisait montre d'une belle retenue, d'une terrible sobriété pour avouer, lui aussi, sa grande déception pour l'année en cours. Bref, dès midi, quatre manuscrits étaient écartés péremptoirement et j'étais d'accord. À l'heure de l'apéro, deux heures plus tard, avant d'aller respirer un peu d'air frais dans les jolis jardins de l'auberge, il restait trois titres à débattre: *Les visages d'Albert Lowenstein, La vaironne* et *Portraits d'Aurélie*. Ce dernier texte, qu'Archambault et moi aimions tant, contenait une fin décevante avec des sentences symboliques artificielles, hélas! Il fut écarté au cours du lunch-débat final. Ne restaient plus au dessert, qu'un polar métissé de fantastique (*La vaironne*) et un récit en trois parties, visiblement rédigé par un expert en prose d'atmosphère volontairement ambiguë, (*Les visages d'Albert Lowenstein*). Au café, Marcel Dubé fit un plaidoyer pour le roman fantastique et nous invitait en somme, Archambault et moi, à abandonner « *Les visages...* » sur lequel nous nous accrochions encore. Marcel gagna, il est éloquent et habile plaideur, notre adhésion rapidement. Hamel étant déjà du côté de *La vaironne*, ne restait plus que le vote des deux dames dignes, Paradis et Parizeau. Alice bouda, tonna (quelle voix de stentor elle a), se renfrogna deux minutes et finit par, mollement, se ranger avec nous quatre. Suzanne voulut rester la dernière à résister. Son droit. Le PDG Marc-Aimé Guérin souriait bonnement: « ce sera donc un roman-roman, pour parler comme Simenon », et le malmené président de l'assemblée, Yves Dubé, affichait aussi sa satisfaction. Il n'y avait donc plus que Suzanne Paradis pour bloquer l'unanimité. Tout se termina vers seize heures avec la (non officielle encore) proclamation qu'il y aurait, cette année, un roman mi-polar, mi-fantastique, sur les tables des libraires dès le début de novembre. Ouf! Je suis remonté à bord du cabriolet décapoté épuisé et soulagé.

J'ai révélé ici les secrets (en partie) du déroulement de nos débats puisqu'il n'y va pas de la sécurité de l'État. Nous ne sommes pas les ministres d'un gouvernement. Je voulais faire taire cette rumeur, trop souvent entendue, insinuant que ces agapes littéraires sont des mondanités propices à de grandes injustices. Chacun de nous fit montre d'un sérieux, d'une volonté farouche de ne couronner que du talent nouveau, solide. Je veux redire toutefois que je ne pouvais m'empêcher de songer, dès le matin, à la déception que cette rencontre allait forcément occasionner pour neuf personnes. Cela me navrait, cela me dérangeait. Aussi, je ne sais que diable m'a poussé, j'ai montré l'aspect de mon caractère qui taquine les graves, qui démonte les *augustes*, qui tente d'insécuriser les inébranlables-toujours-sûrs-de-leur-vérité. Bien entendu, le président, Yves Dubé, ne cessait de me rappeler à l'ordre et je crois qu'il m'est arrivé de dépasser la mesure. Qu'étais-je allé faire aussi dans cette galère d'arbitres? Je hais les arbitres. Une semaine avant ce samedi fatidique, j'avais voulu démissionner du jury, mais Raymonde m'en avait empêché. Tout ce que je peux dire maintenant, c'est: *plus jamais* ! C'est trop cruel, trop délicat, trop risqué de juger la prose d'aspirants-collègues. Non, plus jamais! De toute façon, mon directeur-président, je l'ai bien senti en fin d'après-midi, semblait noter mentalement, le regard farouche de ne plus jamais me réinviter comme juré littéraire. Soit.

Jeudi, dans le hall du *Quat'sous* où nous étions allés féliciter les artistes d'*Elvire-Jouvet 40*, Louise Deschâtelets m'a demandé d'être un des prochains invités aux *Carnets de Louise* à TQS. Comment refuser sans passer pour une grosse tête? J'ai dit oui, mais l'ai prévenue que son monde à gadget BCBG, à restos pour fins gourmets, à défilés de mode sauce jet-set ne m'était guère familier. Que j'étais, en ce domaine, une bêta. Elle a souri et m'a rassuré, me disant qu'elle en avait vu d'autres. Bien.


Extase de l'ange Gabriel...


Jeudi dernier, délaissant (j'en crevais) pour quelques heures la lecture furibonde des dix manuscrits, je suis allé visiter les gamins de la rue Chambord et, partant, ma chère Éliane. Beau soleil. Lunch chez le Chinois du coin Berri et Fleury, expédition au parc-école Sophie-Barrat avec mascottes: trois marionnettes, sorte d'animaux poilus (des Crunchies, que ça s'appelle). J'ai vu alors les trois mioches, David, Laurent et le benjamin, Gabriel, se rouler sur les pelouses en riant. J'étais heureux. Halte bénéfique pour ce juge-lecteur si harassé et angoissé. Soudain, Gabriel reste à l'écart, en extase devant la rivière des Prairies. Je l'appelle et il ne bouge pas. Je me dis: quel petit poète ondiniste. Je finis par aller le retrouver. La raison de son immobilité totale? Je découvre un gros canard sauvage (bernache?) qui se baigne tout près de la rive. L'égoïste se rassasiait de cette vue naturaliste et ne daignait point nous crier: « *Venez voir! Un glos canard!* » Excitation alors des deux autres et du papi, à la vue du canard, qui, méprisant nos appels à tue-tête, s'en alla au large.

Un peu inquiet ce lundi de devoir aller sermonner pour rire les hurluberlus de *100 limite*. Et demain midi, je dois aller *billettiser* chez *Marguerite et cie*. Le sujet? Ce célèbre prêcheur, Lacroix! Père de famille accusé récemment de grossière indécence avec des adolescents? Qu'en dire? Envie de jaser des misères sexuelles dénoncées chez tant de prédicateurs en religions diverses et sans nécessairement faire *focus* sur ce Lacroix en attente de procès. Je verrai. Actuellement, tous les médias placotent de ce drôle d'accusé qui rit volontiers face aux caméras des reporters qui le harcèlent, devant tous les micros tendus sous sa barbichette! Un candide ou un déboussolé tout tiraillé face à ce mitraillage médiatique? Je l'ai entendu hier soir répondre tout guilleret à ce Jean-Luc Mongrain qui joue sans cesse à l'inquisiteur compulsif à Télé-Métropole. Lacroix, plutôt débonnaire, détendu, fort de son innocence présumée, fait face à cette musique plutôt criarde avec la naïveté d'un saint homme qu'une méchante société laïque accable, et persécute injustement. Bizarre personnage, je vous le dis. Il semble que toute sa très simpliste philosophie-religion fait de lui (et de chacun de nous) un simple pécheur plein de perpétuel repentir, avec, à chaque nouvelle chute dans le vice, la certitude d'être pardonné. Ah oui! quel curieux bonhomme qui semble dire: «Jésus est bon, il m'a déjà pardonné, je peux recommencer demain, ce n'est pas grave, il pardonnera sans cesse, ce bon Jésus bien conciliant.» Franchement, ça laisse pantois et on se questionne sur la bonne santé mentale de cet apôtre d'un Christ bien accommodant. Le fameux Jouhandeau jouait aussi ce jeu.


Souvenirs d'amours...

Un autre sur lequel il faut bien se questionner à propos de bonne santé mentale, c'est ce gaillard se proclamant Dieu et Christ à la fois, André Moreau. Il vient de m'envoyer un exemplaire de son *Journal d'un démiurge*. Le tome 2! Hier, avant de visionner à la télé *Sweet bird of youth* de Tennessee Williams (bon vieux film), je feuillette le journal de ce superman infatué, jusqu'au sordide, de lui-même. C'est avec un haut-le-cœur que je lis la description minutieuse qu'il fait de son abcès hémorroïdal *qui explose dans son cul* (sic) au beau milieu de l'une de ses causeries loufoques sur sa fumeuse théorie de la jovialité à tout crin. On sourit pourtant de le voir cabotiner à certains talk-shows d'ici où il crachote son jargon fait de charabia prétentieux. Je ne parlerai plus de lui, mais la télé populariste étant souvent un freak-show, des producteurs divers vont continuer (il publie une fois l'an) à l'inviter pour qu'il fasse bien rire de lui. On sait bien que le monstre, au cirque, attire la foule. Moreau, affamé de publicité, ne refusera jamais d'aller bouffonner devant l'animateur qui s'ingéniera à se payer sa tête. C'est plutôt triste. Duplessis, ma foi, avait peut-être raison: «Il y en a, comme pour l'alcool, qui portent pas ça, l'instruction reçue à Paris, France.»

Je viens de lire un simple *récit de vie*. Marguerite Beaudry raconte bien franchement, à soixante ans, ses décevantes amours de jeune rêveuse, son passé lointain et récent. *Souvenirs d'amours*, sous une couverture bien laide, m'a bouleversé. J'ai pleuré. Une autre histoire d'une brave petite fille, très bien élevée, qui se fera arracher ses illusions d'adolescente, ses espoirs, ses grands rêves de pieuse élève des bonnes sœurs. Lamentable, parfois, la vie réelle et ses gros méchants crocs-en-jambe. J'ai pleuré et puis je lui ai téléphoné pour la remercier de faire montre de tant de courage et de franchise. J'en parlerai à *Premières*. Je vais inviter, en ondes, tous mes spectateurs à lire ces *Souvenirs d'amours* (chez Libre expression), parce que c'est une partie intime de notre petite histoire. Marguerite Beaudry, un peu comme dans *Une enfance à l'eau bénite* (de Denise Bombardier), peint la pauvre petite fresque de tant de fillettes petites-bourgeoises qui sont allées vers la vie sans aucune préparation (mes sœurs, les vôtres?) et qui se sont cassé la figure sur les affreuses et inévitables bornes de la réalité. Le fracas (qu'on n'entendait pas) de toutes ces jeunes filles bien dressées, désirant le grand bonheur conjugal, souhaitant la beauté et l'art dans leur vie (le chant, la musique pour M. Beaudry). Ce sera la pauvreté (relative) dès le premier boulot décroché, celle des emplois modestes au temps où la femme était encore la servante des hiérarchies mâles. Ensuite un premier échec amoureux, d'autres par la suite, la détresse, la solitude, les cruelles désillusions. Misère morale connue. Oui, un petit livre tout vrai qui m'a pris aux tripes, qui m'a changé des lectures en cours. Sacrée fiction qui m'appelle: par exemple, l'énorme pavé de Tom Wolfe et son New York du *Bûcher des vanités*, détaillé à la Balzac. Le bien *franchouillard* Orsenna de *L'exposition coloniale*. Me préparant à ma chronique à TQS, je choisis soudain cette véridique histoire de Marguerite-la-rêveuse. Tout un choc! Tout un contraste. J'aime tant le genre journal, biographie, correspondances, j'étais gâté, vendredi, en lisant ce *Souvenirs d'amours*.

*29 septembre 88*

La solitude des cosmonautes...

Bientôt midi, un jeudi de fin septembre très frais. Je viens de regarder, à la télé, le départ de la navette spatiale. J'ai souvent négligé d'assister à ce genre d'événements par je ne sais trop quel désintérêt face à ces progrès modernes. Le sentiment que les grandes puissances devraient plutôt utiliser les milliards de leur trésor public à sauvegarder la paix, à enrayer la pollution et surtout, à réduire la famine sur la planète. Je ne peux oublier un chiffre: quarante mille morts, dans le Tiers-monde, chaque jour! Horrible chiffre! Eh bien, tantôt, j'ai tout de même été ému, vraiment bouleversé en regardant s'envoler dans le ciel bleu de la Floride cet attirail d'appareils ultra-sophistiqués. Oui, je *nous* ai aimés! Je me disais: il y a dans ce spectaculaire effort des hommes quelque chose de pathétique, cette volonté, depuis toujours, de vaincre les lois physiques anciennes. S'envoler bien loin de notre bien-aimée boule bleue. Atteindre des hauteurs pleines de risques. Il y a donc chez l'homme le désir insatiable de briser les limites terriennes, de s'arracher à la familière planète. Pendant ce temps, au sol, après les cris, le silence! L'attente. L'espoir que cet avion-navette n'explosera pas de nouveau. Et puis, encore des cris de joie, ça marche! Ça fonctionne! Les images font voir ensuite un tout petit cigare blanc. Étrange solitude des cinq navigateurs là-haut. Les masses de gens, restés au sol, qui regardent au ciel. C'est donc, depuis le commencement du monde, toujours cela: des gens à terre qui scrutent le ciel. L'au-delà d'eux-mêmes, et je trouve ça, comme tout le monde, extrêmement touchant. Je me suis promis à l'avenir de cesser de bouder la télédiffusion de l'envol de ces engins puisque c'est *la nouvelle histoire* des humains qui s'écrit chaque fois. Jules Verne ou Victor Hugo (et même le sauvage ermite Henry-David Thoreau), n'auraient pas voulu rater ces visions d'avenir, ces vagues promesses d'un vrai progrès en marche, même si on ne sait pas trop où nous conduisent exactement ces réussites fabuleuses. Oui, où? Vers quoi, donc?

Hier soir, au vieux cinéma Outremont devenu théâtre, j'ai regardé jouer les Angèle Coutu, Rita Lafontaine, Gilles Renaud et cie. L'histoire? Un tout jeune aspirant-dramaturge fait face à sa mère. Cette dernière a lu son manuscrit et, très mécontente, chicane son écrivain-de-fils d'avoir osé raconter à sa façon les heurs et malheurs de la petite famille. Un solide texte de Michel Tremblay, un questionnement qui, évidemment, m'a fasciné. Dans le premier tome de ce journal, j'ai parlé de cette sorte de culpabilité envers les miens, celle de les avoir pillés. Tremblay, lui aussi,

290

se questionne donc sur ce thème: l'auteur est-il un voleur? C'est plus ou moins vrai. Avec *Le vrai monde*, le public découvre ainsi que celui qui écrit est secrétaire et voyeur de la vie des autres, un bonhomme qui s'arroge le droit de publiciser les tas de petits secrets, parfois gênants, de son entourage. Rien ne se crée de rien? C'est certain. Hier soir, j'ai donc passé deux heures captivantes à quelques rues de chez moi. J'ai compris, une fois de plus, que ce Tremblay mérite bien les éloges accumulés au sujet de ses talents.

J'ai terminé *Prières d'un enfant...*, un petit bouquin d'une rare fraîcheur que je louangerai dimanche, à *Premières*, comme il le mérite. L'histoire de cet effronté gamin qui fait sans cesse des reproches au bon Dieu-de-son-petit-catéchisme est un écrit sensible, d'une drôlerie souvent pertinente. Il est proche parent, ce gamin, du David de mon roman non encore publié (*Le gamin saisi...*) et que j'ai grande envie de sortir du placard, pour voir si je ne pourrais pas le peaufiner un peu plus. En tout cas, Roch Carrier a mis un naturel parfois bouleversant dans ce curieux *missel* enfantin.

M. De Banville, de *Panacom*, m'a téléphoné hier après-midi: «Ça va très bien, je vous le redis, la directrice de la télé publique, Andréanne Bournival, marche en faveur du projet dont vous êtes l'auteur. Il ne reste plus, croisez les doigts, qu'à obtenir l'aval de la chef des dramatiques qui rentre du Prix Italia et qui va maintenant le lire.» Oui, oui, croisons les doigts et touchons du bois. En réalité, j'aimerais beaucoup me jeter dans la description de cette bande de jeunes voyous bourgeois. C'est un milieu qui me paraît plein de promesses d'intrigues divertissantes, mais offrant aussi la possibilité d'une peinture de ces jeunes qui refusent le domptage scolaire, qui craignent les platitudes de l'existence ordinaire, l'avenir de grisaille promis à tous les enfants sages qui accepteront d'étudier longtemps, longtemps. Mes cinq jeunes héros piaffent dans ma tête. Ils ont hâte (comme moi) de s'exprimer. Je suis assez certain de pouvoir faire de ce *Juliettes et Roméos* (titre de travail), un feuilleton à rebondissements solides dans lequel sentiments et refus orgueilleux des émotions se livreraient de fameux combats. Attendre...

J'ai commencé à lire le récent Hervé Bazin: *Le démon de minuit,* l'extravagante histoire d'un vieillard, revenant des portes de la mort (l'infarctus classique) et qui décide de recommencer sa vie, de reprendre à zéro le cours de son existence, alors qu'arrière-grand-père, il devrait sagement songer à ses fins dernières. Bazin, une fois de plus, exhibe son écriture vivace, intelligente, capable de raccourcis stimulants. Le président de l'Académie Goncourt n'a donc rien perdu de son pouvoir d'évoquer avec cruauté, avec une précision rare. J'admire. Beaucoup. Mais je ne suis pas ému. Ce style froid, impeccable d'efficacité, est celui d'un cerveau certainement brillant, mais ne dégage rien au niveau des émotions. C'est plutôt l'aspect lucidité qui est exploité. Oh oui, j'admire énormément et j'ai hâte de reprendre la lecture de ce récit à demi autobiographique (selon la quatrième de couverture). Avec Bazin, on est en toute sécurité. Il sait où il va nous mener. Confiance absolue... Lire, lire encore et toujours! Je cherche encore qui a dit: «Pas un seul chagrin qu'une heure de lecture n'ait pas réussi à me faire oublier»? C'est assez vrai. Pourtant, je préférerais écrire plutôt que de tant lire. Vite un «oui» pour un téléroman! Les chroniqueurs de livres (en chômage) ne manquent pas, on me remplacera facilement. Par exemple, à *L'humeur,* un nouveau bimensuel qui devrait paraître bientôt, où je tiendrai la chronique des livres et, fort probablement, celle de la télé. Cimon et Dulac, le rédac'chef de *L'Humeur,* souhaitent éditer une sorte de *Canard enchaîné* à la québécoise, comme je l'ai déjà mentionné. C'est un projet stimulant, aussi, je lui ai dit «oui» dès le premier appel. Mes deux premiers «papiers» sont partis hier via la poste de Sa Majesté. Attendre.

Il paraît qu'au *Point* de CBFT, hier soir, Gérald Leblanc m'aurait mal remplacé (j'avais refusé d'y aller) en face d'un Juif hassidique charmant et, exceptionnellement!, francophone. C'est l'amusante commère des matins de CKAC, Suzanne Lévesque, qui avoue sa grande déception. Leblanc partageait, dans *La Presse*, mon inquiétude face au refus de nos nombreux voisins hassidiques de s'intégrer avec nous. Constatons, une fois de plus, que de solides chroniqueurs de la presse écrite n'arrivent pas à communiquer aussi bien oralement. C'est fréquent, hélas, et tel qui brille dans son journal semble dépourvu de tout talent de communicateur en face d'une caméra. L'inverse est moins repérable puisque tant de jaseurs, sur ondes hertziennes, n'écrivent pas. L'ai-je dit?, c'est Raymonde-ma-boussole qui m'avait vivement déconseillé d'aller à ce débat au *Point* et, d'instinct, je lui ai donné raison. Ma grande crainte à propos de ce sujet délicat: passer pour un arroseur de feu intempestif. Je ne suis pas de cette huile. Je suis responsable du débat actuel, mais je ne tiens pas du tout à ce que cette affaire se change en *gros problème juif* comme quelques affamés de manchettes sensationnalistes le souhaitent peut-être. Avec confiance, laissons le temps faire son ouvrage de régularisation. Je refuse de croire que cette communauté d'intégristes religieux ne changera pas un jour ou l'autre, sa façon suicidaire de nous ignorer complètement. Oui, un leader leur expliquera sans doute bientôt que cette totale ségrégation est un ferment inévitable d'antisémitisme. Le bon sens triomphe si souvent. Trop optimiste, diront certains? Ça se peut. Je veux rester un optimiste. Mon droit.

293

Le petit érable du parterre...

Sous un ciel maussade, je rentre tout juste d'une autre chronique-livres pour *Premières*. Un vendredi plutôt sinistre donc, au ciel blafard. Je n'ai eu le temps tantôt, en ondes, que de louanger la franchise et le courage de Marguerite Beaudry, dans son récit vécu *Souvenirs d'amours*. Je n'ai pas eu le temps de vanter les merveilleuses polissonneries du cocasse garnement de Roch Carrier. Hélas! Je me reprendrai donc dimanche prochain. À la radio de la ricaneuse Suzanne Lévesque, tantôt, voilà que Claire Caron, « mon animatrice » parle ingénument de son heureuse vie privée. L'ex-journaliste me semble en effet une jeune femme fort bien dans sa peau et elle le proclame bien haut avec raison. Les propos sur le bonheur font toujours plaisir à entendre sur nos ondes, ils compensent pour tous ces griefs, au menu quotidien de toutes les émissions dites de « ligne ouverte ». Je viens d'expédier chez *Panacom Inc.* une première facture pour le travail déjà accompli sur ce feuilleton soumis à la SRC. Leur PDG m'avait affirmé qu'il disposait d'un budget de pré-production et j'oublie trop souvent de me faire payer quand je collabore à ces projets.

Raymonde reste à la maison ce matin. Je l'entends remiser le linge d'été dans des placards éloignés de notre chambre. C'est bien fini, les beaux jours? Oh oui. Il n'y a qu'à regarder rougir, presque à vue d'œil, le petit érable du parterre, en ville. J'ai eu envie, hier, de rédiger une fable. C'est fait. J'ai imaginé une communauté de Canadiens français (intégristes-nationalistes) vivant dans un quartier d'une ville du Maine. Ils refusent tout contact avec les habitants majoritaires du lieu. Un jour, ces gens se lassent de cette ghettorisation volontaire et protestent haut et ferme. Alors les *résistants* s'en vont, partent fonder un village. C'est le contraire qui est arrivé en Nouvelle Angleterre. Bien entendu, cette petite parabole s'applique exactement à ces Juifs hassidiques, à leur refus total de s'intégrer aux Québécois qui les environnent. Un correspondant courroucé par ce mépris implicite (et explicite) m'écrit: «Outremont ne va tout de même pas devenir une ville hassidique pour leur faire plaisir!» Ben... Pourquoi pas? C'est l'autre solution s'ils refusent de déménager. Bon démocrate, je ne protesterais pas si ces ségrégationnistes volontaires en arrivaient à s'approprier la grande majorité des maisons aux alentours. Ce serait une façon drastique de signer la paix de part et d'autre, et surtout d'empêcher temporairement l'explosion raciste que je redoute tant. Mais cet isolement ne ferait que retarder le problème, qui, en attendant, reste posé. Qu'il est difficile de vivre harmonieusement avec des voisins aux cloisons super-étanches. Cela met dans l'air du quartier un agacement, excepté, bien entendu, pour certains concitoyens sauvages qui, de toute façon, ne communiquent jamais avec personne, se passant complètement du minimum de convivialité, c'est-à-dire ce qui fait qu'il est agréable de vivre en société humaine. Mais je n'en parlerai plus. Juré, craché. Pas moi. Les autres? Peut-être!

Nous, descendants des premiers *colons* (je n'écris pas *émigrants*, c'est un peu différent), devons obtenir un *visa* pour aller faire un petit tour dans la patrie (la France) de nos aïeux! Je trouve cela insultant. Nous devrions revendiquer (tels ces pieds-noirs rapatriés d'Afrique) notre droit à la France, le pays de nos ancêtres-colonisateurs abandonnés cruellement par la mère patrie dès 1763. Justice, Seigneur, et foin de ces visas pour Canadiens français.

Oups! Excusez-moi, Raymonde m'appelle: «Notre petit bagage est prêt! Départ pour le chalet, oui?» En voiture! À plus tard donc!

Voyage en classe intellectuelle...

C'est clair, tout le week-end sera pluvieux, ce matin les gouttières vomissent de l'eau aux quatre coins du chalet. Que d'eau, Seigneur! Bon temps pour me remettre au journal. Vendredi, un représentant du *Pen club*, section française pour le Canada, m'a invité officiellement à aller palabrer devant une cinquantaine d'invités de ce club dont j'ai signé une carte d'adhésion l'hiver dernier. M. Leclaire, au téléphone, m'a dit: «On ne peut vous offrir que le repas! Vous serez présenté par le poète et réalisateur de radio, Jean-Guy Pilon, et remercié de votre causerie par nul autre que notre président, Jean-Éthier Blais. En somme, je serai encadré par des *augustes* de notre petit milieu intellectuel. Je n'y peux rien, me revoilà à me considérer comme un... un quoi, donc? un intrus, un déplacé, un survenant, bref, quelqu'un poussé par hasard dans un brillant hall où le pauvre se sent petit nègre blanc invité (pour le défier, le mettre à l'épreuve?) à une réception élitiste. Je devrais, une bonne fois pour toutes, me guérir de ce bête sentiment d'être un pauvre passager sans ticket voyageant en classe intellectuelle. Pourtant il est désormais clair que, malgré mes attaques d'antan entre les piliers de ce cénacle d'instruits, on a décidé de passer l'éponge. Et puis, ce serait de la pose que de continuer à mitrailler ces nostalgiques, un temps plutôt mépriseurs du petit peuple d'ici. Assez! Je serai gentil, poli, affable dans mes propos. Au fait, quoi dire à cette assemblée de supercultivés? Ils ont lu Lacan ou Althusser, moi pas. Ils ont souvent voyagé, très loin, moi pas. Ils peuvent départager les mérites de Butor et Barthes ou de Yourcenar et Gracq et moi pas. Ils connaissent les nuances à faire entre Renard et Poulet, entre le structuralisme et la sémiologie de pointe, moi pas. Voilà d'où vient ma gêne. Ma timidité, jadis, se changeait en assauts bêtes et méchants, et ce fut si facile (trop) en ce temps-là de mettre les rieurs de mon côté. Je l'avoue aujourd'hui. Ce genre de compensation ne m'amuse plus. Je ne voudrais pas, ce soir-là, me montrer culpabilisé par mes anciennes frasques de faux voyou, pas (davantage) repenti de mes envolées sarcastiques des années 60. Non. Je voudrais plutôt essayer de jeter un pont tout neuf entre ceux de mon cénacle (les autodidactes à création compulsive) et ces beaux esprits qui (quoi que j'aie pu en dire) ont entretenu des flammes qu'aujourd'hui je sais fort utiles. Je viens d'un temps où il était devenu nécessaire de rompre avec des hérauts culturels désespérés par les leurs, s'exilant (plus à cause de leur légitime découragement que de leur mépris) pour de longs séjours en Europe ou bien s'internant dans des tours d'ivoire bien hermétiques. Je crois qu'ils ont cessé depuis longtemps de mépriser les créateurs indigènes (un Michel Tremblay ou un André Major). Je crois aussi que Tremblay, Major et moi, depuis tout aussi longtemps, avons cessé de bouder Paris-ses-œuvres-et-ses-pompes. Oui, bâtir des ponts et des tunnels pour que nous puissions, artistes et intellectuels, ne plus œuvrer qu'à une seule cause: celle de l'intelligence. Bon. Je cherche un bon sujet de causerie. Le bon angle. Je songe à un long poème, peut-être... Le Pen Club m'a dit: *l'écrivain et son journal intime*. Un bien large corridor où je devrais facilement dénicher un propos entre mon intimité et l'état de la culture en 1988. Je verrai bien.

J'ai terminé hier soir, tard, *Le démon de minuit* de Bazin. Au départ, j'étais captivé par son ton lucide, son écriture cursive, dynamique et puis, peu à peu, ce portrait d'une haute bourgeoisie (à Nantes) calculatrice et mesquine a fini par m'ennuyer. Le sujet de Bazin? J'en ai déjà parlé: un vieillard, malade du cœur, divorce et épouse une jeunesse de qui il aura deux enfants. Bon sujet, certes.

Mais Bazin, trop brillant, trop critique, lasse. Il n'émeut jamais, même s'il suscite l'admiration. Je m'ancre davantage dans l'idée qu'un être équilibré est celui qui n'est pas seulement lucide, intelligent, mais sensible aussi. N'est-ce pas Bertrand Russell qui louangeait cet alliage indispensable? Chez Bazin, ce sont toujours des remarques acidulées, des caricatures tournant sans cesse en dérision toutes les motivations humaines. J'ai admiré le ton grinçant de son récit ensuite j'ai été harassé par son héros, un observateur égocentrique (tout autant que lui, le narrateur). Sinistre conte d'un superman (un historien chevronné et réclamé) dont le cœur flanche et qui veut défier... le temps. La mort. Oh oui, un bon sujet hélas vite ennuyeux, à cause, justement, du peu qui lui reste de cœur. C'est-à-dire un cœur sec. Bête et méchant. Brr... une plume experte au service d'une sorte d'onanisme monstrueux. Est-ce Bazin? Nul écrit dit de fiction n'est innocent, disent les critiques modernes. Avec raison, je crois.


Avantage du critique, comparer...

J'ai lu aussi un petit roman tout frais sorti de nos imprimeries. Taisons le nom de l'acteur par charité chrétienne. Ce *L'amour est enfant de bohème* est une ineptie rare. C'est vrai, tous les sujets sont bons au départ. Mais quand vous venez de lire la merveilleuse candeur de Carrier avec *Prières d'un enfant...*, la formidable imagination d'un Turgeon avec *Le bateau d'Hitler*, la franchise déroutante d'une Marguerite Beaudry avec *Souvenirs d'amours*, eh bien, ce *L'amour est enfant...* est vraiment du papier gaspillé. Une honte.

*Quelques jours avec moi*, le plus récent film de Sautet, est à l'affiche des cinés du bas de la Côte Morin. On y est allés vendredi soir. Raymonde et moi sommes des admirateurs de l'auteur de *Vincent, François, Paul et les autres,* de *Max et les ferrailleurs*, de *Les choses de la vie*, de *César et Rosalie*, un peu moins de *Garçon* et pas trop de ce tout dernier film. N'empêche, nous avons pris plaisir à regarder évoluer Daniel Auteuil et Sandrine Bonnaire (et même le risible J.-P. Marielle). C'est l'histoire d'un homme de trente ans, héritier d'une chaîne de magasins à grandes surfaces (comme on dit à Paris). Au départ, on voit Auteuil qui sort d'une clinique à névroses, il semble très *raplapla*. Il accepte que sa maman-PDG (Danielle Darieux) l'expédie à Limoges pour inspecter la comptabilité d'une succursale de l'empire familial. Là-bas, c'est le coup de foudre pour une toute jeune *femme de maison* (Bonnaire). Hélas, hélas, le récit s'embourbe et des longueurs ralentissent l'action, les intrigues piétinent en un chassé-croisé guère convaincant. Sautet vieillirait mal? Ce mot! Cruelle constatation? Répétons-le: c'est dans *la force de l'âge* (30 à 45 ans) qu'un créateur trouve tout son talent et sait l'illustrer. Après? Que Sautet écrive son journal! Je ris. De moi. Non mais, m'entendez-vous nous railler, moi et tous les quinquagénaires en bout de ligne? Moi qui souhaite pourtant redevenir rédacteur de fortes intrigues, pour n'importe lequel de mes nombreux projets de téléromans. Le beau menteur, hein? J'avoue, j'aime un peu jouer celui qui jette l'éponge dans son coin de l'arène. Je me masque? Je ne sais trop pourquoi. Je me tiens pourtant tout prêt à foncer, oui, je me sens très capable de redémarrer avec les démons fertiles de la création furieuse. Vous verrez bien. Si une chaîne de télé peut se décider à me dire « oui ».

Hier, samedi, tout l'après-midi à rentrer dans la cave le gros reste de bois de chauffage que j'avais cordé dehors, il y a un an, sous la longue galerie. Bonne fatigue. J'ai aussi scié de vieilles planches, les convertissant en petit bois d'allumage. Corvée plutôt éreintante et voilà le bonhomme tout affalé, en soirée, devant la télé. Farces (souvent plates) au *Samedi de rire* de Deschamps, puis des documentaires. Ensuite, comme je l'ai dit, j'ai fini de lire le

Hervé Bazin nouveau cru. Pendant ce temps, Raymonde offrait gâteaux et café à une copine de sa jeunesse, venue de Morin-Heights, Hélène Delaney-Barbeau. Sale, couvert de sciure et de sueur, je suis monté me mêler un peu à leurs retrouvailles. Le défilé des souvenirs, bien entendu. Et puis des promesses de *revoyure*. Hélène, une fille restée jeune (d'esprit et de corps) s'est déclarée jalouse de tant d'amour proclamé dans le premier tome de PTVD. Rires en chœur! Mais j'ai eu un sourire mitigé quand elle m'a déclaré: «J'avais vu une annonce de ton *Pour tout vous dire* dans un journal et, aussitôt, je suis allée demander ton livre à la bibliothèque publique de LaSalle!» Ouash! Cette jolie bourgeoise, à peine revenue de la Guadeloupe et songeant à des Fêtes d'hiver dans les Alpes autrichiennes, refuse donc de débourser vingt piastres pour un livre d'ici? J'en suis resté plutôt assommé! Qu'en pensez-vous? La belle voyageuse partie, je souligne la chose à Raymonde qui me coince aussitôt: «Tu peux bien parler, tu reçois en *service de presse* tous les livres que tu lis!» Touché! Autre chose: Vous répondez, très brièvement, par courtoisie, à deux jeunes correspondants, mais voilà qu'ils ont envie de répliquer... à je ne sais plus trop quoi. MM. Cliche (de Laval) et Légaré (de NDG) reviennent donc à la charge, le premier pour m'apprendre qu'il exerce fréquemment et publiquement ses droits de dissidence et l'autre pour me reprocher ma trop grande gentillesse comme pamphlétaire. Bien. Ce genre de zigues me rappelle le temps où trois années durant, je *bloc-notais* tous les matins dans le populariste *Journal de Montréal*. Je recevais parfois de longues épîtres de lecteurs (parfois taquins, parfois obsédés par ma prose à l'occasion polémiste). Désireux de corriger tous mes tirs, ces valeureux redresseurs de chroniques ne se lassaient pas de me fournir des munitions. Non réclamées par moi. Il y en eut un, assez loufoque, qui m'expédiait régulièrement des lettres de dix à douze pages pour déclarer sans cesse que

300

le monde courait rapidement à rien de moins que l'apocalypse. Encore autre chose: je lis une publicité annonçant qu'il y aura un autre Salon du livre, à Joliette cette fois! Un gaspillage de subventions de plus? Les organisateurs ont donc fait fi de mes avertissements et n'ont pas retenu ma suggestion de monter à la place un Salon «thanatologique». La mort fait toujours peur? Trop peur? Face à mon refus, ils ont donc invité deux Parisiens, auteurs de polars, puisque leur premier salon veut saluer la littérature dite policière. Grand bien...


Performer ou végéter..

Des tas d'articles commentent et re-commentent la déconfiture du coureur torontois, Johnson, nommé *Big Bad Ben* désormais. Un Jacques Dufresne, philosophe semainier à *La Presse*, nous amène chez Socrate et Platon. Ces derniers fessaient contre la démesure et tous ceux qui voulaient forcer leur nature. *Chassez le naturel...* en effet! Et, autre adage, *l'ennemi du bien est le mieux. Rien ne se fait avec grâce*, dit un autre proverbe, si on force et si on refuse le naturel. Une vérité honnie aux Jeux Olympiques modernes? Oh oui! Les J.O., ce n'est désormais rien qu'un livre des Records Guinness. Monstruosité! Prométhée plus obsédé que jamais, dit Dufresne avec bon sens et déplore même ces hormones de croissance que de bons parents (américains) servent à leurs enfants avec leurs céréales. Idiotie contemporaine! On songe aussi au sperme congelé d'ex-Prix Nobel. Course au *toujours plus*. Etre ultra-performants ou végéter? À des fins médicales (pour enfants infirmes, nés amoindris physiquement ou intellectuellement), oui, la recherche et ses trouvailles sont de bonne guerre. Une guerre aux accidents génétiques. Mais la chasse aux records pour la télévision commerciale? Dégoûtant! Quant au Tremblay de *La Presse*, il a mille fois raison de cracher sur les hypocrites (politiciens ou entraîneurs d'athlètes). On bave sur le dopé entretenu par son pays s'il se fait pincer. On le jette aux enfers avec le dédain réservé aux sépulcres blanchis. Une question pour le sagace observateur Tremblay: si on examinait la pisse des vedettes du hockey lors des éliminatoires de la NHL? Ou du baseball? Une question aussi pour les impresarios à gros shows bien rocker: si on examinait le pipi des stars de musique pop? Silence, tit-Claude, silence! Un jour, Doris Lussier (qui, entre nous, le matin, ressemble davantage au père Gédéon, puisqu'il se déguise et se rajeunit en ville pour son personnage de Lussier), un jour donc, l'enthousiaste chansonnier de la Beauce m'a dit: «Des gars comme nous, mon Claude, n'ont besoin d'aucune drogue. Dès le lever du lit, on est déjà *high* !» Vrai. Bénir alors mes glandes (hypophyse ou thyroïde, qu'en sais-je?) qui me stimulent tant! Qui est sans péché au rapport de la performance? Je me souviens, vers 1965, j'avais osé proposer à Léon Z. Patenaude, alors efficace animateur des premiers Salons du livre (au Palais du Commerce de la rue Berri), de rédiger un roman en cinq jours d'expo! Dans une cage vitrée! Il m'avait dit oui, mais des amis m'avaient refroidi, disant: «Attention, ce serait du cirque. Dangereux. Pour le public, écrire semblerait un spectacle de vitesse.» J'avais, heureusement, laissé tomber cette envie d'une performance. Oh ma sotte jeunesse ambitieuse! Autre grand sujet d'actualité, plein d'articles sur ce Pierre Lacroix, prédicateur à la télé (ou au Forum!) qui est, j'en ai parlé, en attente de procès pour une affaire de mœurs, comme dit le jargon juridique. Écoutez ça: Claude Choquette, le supérieur (drôle de mot!) des Pères Trinitaires, hôte du prédicateur «sous caution» vendredi dernier, déclare bonnement quand un reporter de la *Presse canadienne* lui demande ce qu'il pense de cette *Cité du père*, fondée par Lacroix: «Si un père (Lacroix?) fait le mal, ça ne veut pas dire que l'enfant (la Cité?) fait le mal.» Voyez-vous bien la morale de sa fable? C'est l'ogre dangereux qui aurait construit une auberge pour les petits Poucets perdus. «Quoi? dirait ce *supérieur*, il n'y a qu'à ne pas inviter l'ogre à sa propre auberge.» Rions, c'est l'heure. Est-ce malicieux? *La Presse* imprime, juste à côté de l'article sur Lacroix: «Cinq ans de prison à un prêtre (de Terre-Neuve) pour des agressions sexuelles (auprès d'une vingtaine de jeunes adolescents).» Cinq ans: ce que risque Pierre Lacroix. Ce *bon père*, James Hickey, fut le présentateur du clergé de St-John lors d'une visite papale. Son évêque, Alphonsus Penny (!) déclare: «Un *berger* se nourrissant (!) lui-même aux dépens des petits est infidèle à sa vocation et est indéfendable.» Il voulait dire sans doute *un renard* à qui on confie un poulailler!

Quelle longue litanie que tous ces héritiers frustrés de la sexualité à saveur puritaine-judéo-chrétienne. La regrettée Françoise Dolto dirait: «Tout ce monde à l'*Oedipe* bien mal résolu!» Eh oui! Toute cette misère sexuelle des humains finira-t-elle un jour par se résoudre? Comment? Quand? Doutons que le laxisme à gogo soit la panacée universelle qui fera qu'un jour on n'entende plus jamais parler de ces bons pasteurs obsédés par les jeunes garçons, tels tous ceux que j'ai côtoyés, tant à l'école primaire qu'au collège des Sulpiciens.

Finissons en lisant ceci: «Toute cette histoire (les hassidiques à Outremont) n'a peut-être pas été mauvaise. Le résultat: tout le monde a été forcé de réfléchir.» C'est le nouveau jeune éditeur-chef du quotidien de la rue Saint-Jacques qui affirme cela dans son journal. Alain Dubuc sortait d'une rencontre *au sommet* avec le chef du Congrès juif canadien. C'est exactement ce que je souhaitais en allumant ce brûlot, le premier, à propos de l'affligeant isolationnisme méprisant des Hassidiques. Le côté amusant de tout ça? *La Presse* et *Le Devoir*, je l'ai dit, avaient refusé de publier mon article (paru dans le journal local en juillet) pourtant fort modéré. Après? On en a parlé dans tous les médias. Tellement d'ailleurs que le frissonnard Jean-Claude Leclerc du *Devoir* grimpait sur ses grands chevaux d'énervé pour dégobiller sur nous tous et se couvrait la face de «honte et de dégoût». Quelle grande âme sensiblarde et qu'est-ce que cela cachait donc? Ce petit boss *nerveux*, gardien de phares imaginaires, devrait prendre sa retraite et aller étudier les papillons en Papouasie orientale. Partout on trouve de ces vigilants censeurs timbrés qui surveillent les déterreurs (comme moi) de patates chaudes, à camoufler, selon eux, dans des terres vaseuses propres aux autruches cinglées! Les Leclerc et cie n'aiment rien tant que la douce inertie de l'étang stagnant et pollué, et ils se transforment en folles vierges paniquées aussitôt qu'une ride apparaît à la surface de leur eau dormante à chloroforme collectif.

*7 octobre 88*

Chez Madame le Sénateur...

Un vendredi froid et sombre. Jour de deuil? Une sorte de sergent d'armes, au joli costume à dorure, s'avance dans la modeste église du village de Saint-Sauveur, en précédant, pompeux, Madame la Vice-Roi (ou Vice-Reine?) d'Angleterre, la très très Honorable Gouverneure de ce pays soi-disant conféderal. Madame Jeanne Sauvé se fait installer tout en avant de la nef. Raymonde et moi, simples péquenots, nous nous installons, sans aide ni protection, dans une rangée à l'arrière. Sur le parvis de l'église, nous venons tout juste de faire des bises affectueuses à la courageuse Solange Chaput qui vient de perdre son époux, André Rolland. La belle et modeste église est pleine, de vieux rouges sénateurs et quelques jeunes enfants, des gaillards politiques, d'anciens collaborateurs de cette femme bien née qui m'a toujours captivé, que j'admire aussi pour l'énergie qu'elle déploie (elle aussi?) à exprimer son opinion sur les actualités en cours. Solange nous tend, les yeux mouillés, une carte toute neuve. On peut y lire que *l'Honorable Madame le Sénateur souhaite nous revoir, chez elle, après la cérémonie funèbre.* Nous y sommes allés avec plaisir. La petite maison, bien coquette, bien chaude, a peine à accueillir tant de parents et amis. Bon buffet, des alcools, du vin. Jasette par ici et par là, je revois Michèle Tisseyre dont je fus à plusieurs reprises dans les années 60, le décorateur pour ses *Music-hall* des dimanches soirs. Elle s'appuie sur une canne fine et a gardé son beau sourire si chaleureux. J'apprends que Pierre, son mari éditeur, jouit d'une relative bonne santé, ces temps-ci. J'ai gardé pour mon tout premier éditeur une affection que rien ne pourrait entamer. C'est, mais oui, sentimental. Un peu décontenancée, entourée par tant d'inconnus, Raymonde sait toutefois lier des conversations à gauche et à droite. Admirable chez une femme qui se dit bien timide. Je perçois ces jours-ci une Raymonde en nouvelle bonne forme. C'est qu'elle vient d'être élue par ses pairs de l'*Académie du cinéma et de la télévision* comme valeureuse aspirante à un prix Gémeaux dans la catégorie «meilleure réalisation de dramatique-télé» et ce, parmi plus de cent concurrents divers, la plupart venus de l'industrie privée du spectacle. Elle tente de me cacher sa satisfaction, craint sans doute mes moqueries, alors que je n'en ai nulle envie. Je l'admire tant. Si elle remporte ce trophée au gala du dix-huit décembre, je serai son applaudisseur le plus frénétique à la Place des Arts. Il me faudra donc bientôt endosser de nouveau le «mourning coat», le *ridding-coat*, alias redingote. Comme je suis fier d'elle! Comme elle mérite cette reconnaissance, cette petite fille de Hull qui, à force de labeur, d'entêtement, de

305

talent aussi, c'est capital, voit donc enfin ses mérites reconnus. « Ce que j'aime là-dedans, me dit-elle, c'est que nos émissions sont jugées par nos camarades, nos pairs, c'est très valorisant en effet. » Je ne peux rien lui arracher d'autre, elle est encore et toujours la modestie incarnée. Elle craint de me voir emboucher des trompettes car je lui répète depuis qu'elle sait la nouvelle: « Me nommes-tu ton attaché de presse officiel? » Et elle s'écrie aussitôt chaque fois: « Oh non! Pas question. Je te connais, tu en mettrais trop, mon pauvre chou! » On rigole. Je la menace: « Je vais aller rédiger des communiqués triomphateurs. Je vais contacter les camarades des médias. Etc. » Elle sait trop bien que je lui obéis toujours en fin de compte et secoue les épaules à mes menaces de tambour-de-ville tonitruant.

Publicités mal déguisées...

Hier matin, j'ai reçu chez moi la recherchiste des *Carnets de Louise* en vue de mon prochain passage à cette émission. L'envoyée de TQS m'a paru amusée et un peu décontenancée par mes réponses à son pré-sondage. Quoi? je n'aime pas vraiment les grands restos? Quoi? je me fiche bien de la décoration de mon logis? Quoi? je n'ai aucun souci vestimentaire? Je veux l'inquiéter, la perturber, qu'elle redoute ce que je dirai en cours d'émission, puisque ces trois items sont la charpente même du show-Deschâtelets. Eh! je n'y puis rien. Il se pourrait bien, en effet, que face aux gadgets, bricoles *design*, défilés de mode, je ne puisse me retenir en ondes de proclamer mon seul souci, mon véritable besoin: être bien dans ma peau en me débarrassant le plus possible, justement, de tout cet enfer de la consommation des bagatelles du monde de la vanité, de la fatuité, de la nullité existentielle. À ce propos, Paul Cauchon, dans *Le Devoir*, a commencé à sortir ses crocs, avec raison. La télé devient de plus en plus une machine publicitaire déréglée, critique-t-il. Les publicités déguisées, plus ou moins camouflées, tonne-t-il, poussent sur les petits écrans comme du lierre emmerdant et bien arrosé par les quatre chaînes. Bravo!

Avant de monter aux obsèques d'André Rolland à Saint-Sauveur, je suis allé, en vitesse, remplir mon petit mandat de liseur auprès de la jolie Claire Caron. J'ai pu dire, en six pauvres petites minutes, la grande joie procurée par le léger, aérien et émouvant petit livre de Roch Carrier *Prières...* et par la biographie toute récente de Maurice Chevalier, ce petit gars de Ménilmontant. Pauvre et sans aucune instruction, il deviendra malgré cela le premier solide pionnier, après l'essai sur Al Jolson, du cinéma parlant-chantant d'Hollywood, un ambassadeur extraordinaire de la France, un interprète ultra-dynamique jusqu'à sa mort. À quatre-vingts ans, Chevalier était encore fort capable de se balader en tournée sur plusieurs continents. Aux USA, où il était adoré, il campait glorieusement ce luron très parisien, tombeur énamouré, séducteur inextinguible! Ah oui, un livre qui m'a révélé cette vedette sous des tas d'angles (inconnus de moi quand, en 1945, mon copain Gilles Morneau l'imitait si bien dans ma cour, ou sous les marquises illuminées des cinés du coin de la rue). J'ai dit aussi à Claire Caron l'admiration que j'ai pour Hervé Bazin et son *Démon de minuit*. J'admire mais jamais je n'ai été ému par son héros. Je n'ai éprouvé aucune sympathie pour lui. Je le répète, la manière d'écrire de Bazin fait cela: c'est brillant, méchant, lucide; jamais, jamais émouvant. Enfin, j'ai dit tout le mal (énorme!) que je pensais de deux romans québécois, surtout celui intitulé: *L'amour est enfant de bohème*. Romance niaise pavée de bonnes intentions. D'un *cucul* assommant. Son auteur doit comprendre qu'il n'est nullement doué comme romancier. Ici et là, quand le narrateur se fait psychologue hors fiction, il parle juste. Qu'il écrive des essais. La fiction romanesque n'est pas son fief, oh non!

À propos de livres, un certain Guy Grenon m'expédie ses poèmes et une aimable lettre pour me dire qu'il apprécie mes chroniques de livres. Il demande: «Et la poésie? Vous n'en parlez jamais? Pourquoi?» J'ai lu Rimbaud. C'est terrible. Ensuite, si vous écoutez Jacques Brel, toutes les chansons vous semblent bien fades. J'ai lu Rimbaud. Et Verlaine. Et Apollinaire. Et Baudelaire, un peu. Les nôtres? Il y a eu Nelligan. Il y a eu certains chants de St-Denys-Garneau et d'Alain Grandbois. Jeune homme, j'ai lu les meilleurs contemporains, de France: Éluard, Supervielle, Desnos, Aragon. Oh la la! qu'il est difficile d'être poète et de ne pas sombrer dans l'essai avant-gardiste mécaniste et réfrigérant ou les sirops naturalistes bien gluants. Deux pôles trop attractifs? Gaston Miron a souvent chanté juste. Gérald Godin m'a souvent enchanté par sa poésie prosaïque. À ce sujet, j'ai reçu hier un petit livre de chez Typo: *Retrouvailles*. On pourra y trouver un tas d'excellents poèmes bien frustes, tout modestes, signés Denise Boucher. Comme des chansons de rue! Plein de bons effets euphoniques chaque fois qu'elle s'ébroue très librement dans notre parlure, celle en habit de semaine, en salopette d'ouvrier. Bref, cher Guy Grenon, je crois qu'il vaut mieux me taire sur la plupart des poètes actuels. Ne relire que Rimbaud?

Encore de la sollicitation, je viens de prendre dans ma boîte postale, route rurale no 1, style gobe-cons, le *American who's who...* J'ai grande envie de remplir le paragraphe offert avec des mensonges criants. Je mettrai pour l'édification des liseurs mondains de cette bible snob: «C. Jasmin. Né en 1970. Montréal. À dix-huit ans déjà couronné par l'Académie internationale des auteurs: meilleur dramaturge. Prix Mondia 88 pour ses deux recueils de mille huit cents poèmes sur la mort. Reconnu par le Prix-Quai-Conti pour son dixième roman: *Pour mieux vous manger*. A fait déjà six fois le tour du monde, invité personnel et conseiller spécial de dix-huit présidents de divers pays...» Eh oui, on peut mettre ce qu'on veut dans ces étranges « who's who ». En tout cas, je verrai bien si on peut. J'aime bien les canulars, moi.

Littérature franchouillarde...

Un sacré pépin mécanique, avant-hier soir. Coin Henri-Bourassa et Chambord, je guette un feu vert et soudain, flah! la pédale de l'accélérateur s'aplatit au plancher. Plus rien! Et rien à faire. Téléphone à un garage: «Attendez à demain. Le soir, il n'y a aucun mécano. Nulle part. C'est le câble de votre pédale: ou il est décroché ou il est cassé.» Attendre? Bon. Je retourne à pied, pas loin, chez Marco et Éliane. Ils me prêtent leur Subaru familiale et je rentre au bercail-Querbes. Le lendemain: remorquage et garage de la rue Saint-Hubert spécialisé en Volkswagen malades! Facture vers quinze heures: cent dollars, cinquante pour ce câble pété et cinquante juste pour la remorqueuse! Tenez bon, ceux qui n'ont pas encore d'automobile, sinon...

J'ai commencé à lire le récent Jardin: *Le zèbre*. Ça part bien mais c'est plutôt une fable. Le héros? Un notaire. Un notaire farfelu? Mon Dieu, ça se peut-y, ça? Claude! Pas de préjugés, hein! Une épouse enseignante dans un collège de province. Ce notaire a la nostalgie de ses premiers jeunes feux amoureux d'il y a quinze ans. Il veut retrouver l'ardeur conjugale des débuts d'un couple. Drôle d'idée? Ce serait comme refuser le temps, la vie qui a passé, l'amour vrai (plus calme peut-être mais plus solide), indestructible chez les chanceux comme moi. Non, le notaire farfelu, surnommé le Zèbre (pourquoi pas l'Autruche?), va se creuser les méninges pour faire reculer ses horloges. À peine rendu au quart du roman que déjà ce montage artificiel, cette fiction tirée par les cheveux commencent à m'... emmerder. Mais au palmarès de Paris, c'est la fête pour ce bouquin. Bon. Grand bien lui fasse. Je découvre qu'il y a une *sensibilité* française (j'allais écrire carrément *franchouillarde*) et une québécoise. Ainsi, tout le décor du Bazin du *Démon...*, celui de *L'Exposition coloniale* (que je n'arrive pas à poursuivre) et celui du *Zèbre*, ça ne correspond guère à ce que l'on vit de ce côté de l'Atlantique. Cependant, une puissante machine éditrice (et publiciste) fait que ces livres d'outre-mer trouvent ici de bons débouchés. J'étais autrement mieux à l'aise dans les fictions de Turgeon et Savoie lues récemment. Mais *Le bateau d'Hitler* ou *Une histoire de cœur*, sans solide appui promotionnel comme pour le stock parisien, ne trouveront pas, hélas, autant de lecteurs dans nos librairies. Ça nous apprendra, écrivains d'ici, à être nés dans un pays à petite population, donc à petit marché intérieur, sans puissante structure publicitaire. Voilà pourquoi la fille de nos romanciers talentueux est muette, dira l'adage.

Mon gendre, le relationniste voyageur, vient de s'envoler, en mission pour la CVM, au Nouveau-Mexique. Ma fille est donc veuve pour une semaine. Du spleen et une certaine détresse avoués devant moi. J'ai convaincu alors ma brune qu'il serait secourable d'inviter Éliane et ses gamins dans le nord laurentien. Ils arriveront dimanche matin et coucheront au chalet pour passer le congé de l'action de grâces avec nous. La joie des garçonnets et le bonheur de ma fille! J'en remercie sans cesse Raymonde puisque je sais qu'elle a pris du retard dans ses préparatifs pour *L'Héritage*. Il va y avoir de l'action ce week-end-ci, je le pressens!

J'oubliais, tantôt, chez Solange Chaput-Rolland: « J'ai lu votre journal, Claude, et j'ai beaucoup aimé. Vous savez que je publie bientôt *Et tournons la page* ? » Oui, je le savais et je la questionne: « Un journal aussi? » « Oh non! me fait-elle, non! Pas moi, je n'oserais pas. Pas maintenant, du moins! » C'est curieux, je ne saisis jamais bien les réserves à propos du genre journal. « Non, Claude, ce ne sera pas non plus une autobiographie, disons des flash-backs, je l'ai fait un peu pour répondre aux questions fréquentes de mes deux grands enfants, Suzanne et Claude. Oui, des vues parcellaires à propos de ma petite histoire.» Ce seront donc des mémoires choisies. Partielles. J'ai hâte de lire ça. Pour continuer là-dessus, je constate la différence entre publier un roman et publier un tome de journal. Bien des gens me parlent de cette récente publication, toujours avec une sorte de regard excité, une complicité, l'impression sans doute qu'ils sont entrés chez moi un peu par effraction. Ce qui me réjouit davantage? À chacune de ces rencontres, on dit à ma belle brune: «Chanceuse! Que de belles déclarations d'amour à votre endroit!» Raymonde, qui craignait tant de passer pour une empêcheuse-de-son-Claude, découvre, j'en suis bien content, que j'y ai mis davantage de «gloire à elle» que de «mégère chicaneuse». Elle l'est un brin à l'occasion, mégère, mais croyez-moi, elle a mille fois raison. Je suis un grand escogriffe d'infâme compagnon, taquineur, gaffeur, gâcheur et casseur d'objets divers dans une maison. Aussi, elle est trop patiente. Mais elle m'aime tant. Oui, oui, je dis souvent (et devant elle): «Cette femme m'adore, elle est complètement folle de moi.» Aussitôt mon interlocuteur jette un regard vers elle et alors, chaque fois, ma Raymonde, bien brave et désarmante (je la mangerais dans ces moments-là!) fait: «Mais oui, c'est la vérité, je suis folle de lui!» Ça embête vachement les incroyants, je vous jure. Je parle de tous ceux qui ne croient plus en l'amour durable, les malchanceux. Pourtant, cherchez bien, les grands déçus en amour, il doit y avoir une ou deux autres Raymonde quelque part au fond des bosquets de nos villes et campagnes. J'ai dit «ou deux» mais je me trouve trop optimiste, vous savez. Assez. Rien de plus enrageant que le bonheur dévoilé, affiché. Rien de plus assommant, n'est-ce pas, qu'un homme amoureux de la même femme depuis des lustres et des lustres. On regarde ce pauvre con avec des yeux de miséricorde le plus souvent. J'ai vu de ces yeux-là et je me suis tu. Aussi, souvent j'ai peur et je me tais bien vite, si on allait faire des plans sordides, monter des machines sataniques pour me la ravir? On peut se faire voler l'amour? Je le suppose. Alors, fini d'exhiber ma chance, je n'en parlerai plus jamais. Jusqu'à ce que je n'en puisse plus de ne pas en reparler.

Un carton: jeudi, dans quinze jours, conférence de nouvelles au cinquième étage des magasins Ogilvy, le matin, pour exposer le déroulement du Salon du livre de Montréal débutant le dix-sept novembre prochain. À cette fin, on est venu chez moi, ainsi que chez plusieurs autres écrivains, pour vidéotiser (!) des déclarations paraphrasant le slogan de cette année: *le délire de lire* ! J'irai voir ça, tiens, car j'ai commenté ce slogan en qualifiant la lecture de maladie, d'infection hélas pas bien contagieuse.

Maintenant seize heures et voici une faible lueur solaire à l'horizon, juste derrière les bouquets colossaux des collines en automne. Ça se peut-y? Le soleil revenu? Ma foi, je me souviens mal de quoi il a l'air. C'est chaud, n'est-ce pas? Pas mal rond et très lumineux, je crois? Oui? Il y a si longtemps qu'on n'a pas vu sieur Galarneau rayonner au ciel.

*12 octobre 88*

Le prudent silence...

Mercredi, toute première neige dans le nord! Demain, le 13, ça fera un an que je «journalise»! J'écris cela à l'étage du chalet. Bien obligé de monter au lac ce matin, puisqu'en ce moment même trois envoyés des *Carnets de*

312

*Louise* sont en train de graver sur ruban-vidéo certaines pièces décorées par ma brune. Tantôt j'ai jeté des regards sur leur écran-témoin et, une fois de plus, j'ai pu constater comment (sur ruban magnétique ou film) tout devient d'un chic ravissant quand il y a bon cadrage et éclairage flatteur. Un taudis se transformerait en palais, ma foi, s'il était savamment éclairé. Pendant que ces artisans en photo embellissante croquaient la salle à dîner j'ai regardé, en reprise, mon petit billet-édito fait avec Miss Blais hier après-midi. J'y ai affiché publiquement mon dédain pour cette *cuisine* électorale des trois *chefs* fédéralistes. J'y ai avoué que je n'irais aux urnes (devoir sacré) que pour annuler mon vote. J'ai invité tous les tenants du «oui» de mai 80 à en faire autant, logiquement. Des techniciens en studio ont loué mon courage, mais pourquoi parler de courage quand il s'agit de dire bien haut son patriotisme? Un peu partout chez les commentateurs de toutes les chaînes de télé, règne le prudent silence des indépendantistes. Comme un tabou. Une bizarrerie. Après l'émission, Marguerite Blais s'est demandé, sans doute amusée, si j'allais être réinvité comme *billettiste* mardi prochain. Je lui ai dit: «On verra bien si la liberté d'opinion est un vain mot sur cette chaîne.» En réalité, je doute fort que les dirigeants du réseau TQS fassent des protestations, le temps des cachettes, celui des années 60, a passé; enfin je l'espère. L'équipe des *Carnets...* a terminé son ouvrage et on va photographier l'extérieur. Je sors et je revois la cabane dans le vieux saule. Quelle belle fête, le week-end dernier, quand mes petits-fils, avec deux autres petits voisins, ont pu y grimper pour chanter et jouer. S'imaginer qu'ils étaient de vaillants petits sauvages nichant dans les branches. Oh oui, la joie éprouvée! Par exemple, lundi midi où nous fîmes un lunch commun au milieu des troncs du saule aux feuilles toutes jaunes. Plus tard, j'ai été sommé de me transformer en méchant bonhomme armé de son râteau. Mes diablotins, de là-haut, me lancèrent des pommes, des bouteilles de plastique et quoi encore? Raymonde me dira: «Faut pas te laisser ainsi bombarder, écoute!» Comme je suis heureux! Comme je suis bien de savoir, une fois de plus, que Raymonde veille sur son homme. La voilà, à un moment donné de ce lundi, vraiment terrifiée: les garnements me poursuivent avec des bâtons et poussent des cris d'enfants barbares pendant que j'incarne, courant, gesticulant et criant, le méchant croque-mitaine battant en retraite. Je tombe dans l'herbe, haro sur ce baudet! Ils veulent me fesser cruellement! Je gueule des «au secours», je fais le demi-mort. Ils me passent aux poignets d'invisibles menottes, me traînent, à quatre, vers leur prison (un transat de bois) et exultent, en transes, clamant leur victoire. Je rentrerai vraiment fourbu, tout courbaturé, en ville ce lundi soir. Encore ma Raymonde qui me chicane: «J'ai bien vu de la fenêtre du chalet, tu as reçu de vraies bastonnades. C'est bête. Tu te feras faire mal une bonne fois. Ces galopins oublient que c'est un jeu. Claude, ça n'a aucun bon sens, tu prends trop de risques.»

Oui, le bonheur! Elle m'aime tant. Je lui fais des promesses. Je jure que c'est leur dernière expédition punitive. En fait, oui, j'ai des bleus, des égratignures un peu partout, un bas de pantalon décousu, une manche déchirée. Et le cœur qui bat un peu trop vite. Oui, il faudra que j'invente des jeux moins risqués. En effet, David et le petit François Raymond, à certains moments, me prenaient tout à fait pour un sale monstre à rosser! Quel guignol! Quelle vie juste pour les voir fous d'animation. Pourtant quel plaisir de voir ces *casse-cou* courir, la langue sortie, se faire croire pour une fois, qu'ils sont vainqueurs, tout-puissants et capables de terrasser un adulte. Un grand qui se laisse faire? Non, non, ils se sont réellement crus des enfants-colosses et le grand n'était qu'un pleutre, un fuyard polisson. Ce n'était plus le gentil papi qu'ils pourchassaient, non, non, c'était un de ces *adultes empêcheurs de*

314

*tout* qui a tremblé devant leurs lance-flammes au laser et missiles téléguidés. Ce n'était plus un spectacle télévisé, c'était réel.

Devenir un président...

Ce soir, aller au lancement de mon cher gros Germain, à l'École de théâtre, salle Pagé, pour y palper enfin le premier numéro de la revue *Le Québec littéraire*. J'ai hâte. Et puis il m'arrive une drôle d'histoire: hier soir, coup de fil d'un ancien exécuteur-exécutif de l'Union des écrivains, Michel Guay: «Salut! Je voudrais bien que tu dises «oui», il me semble que tu nous ferais un sacré bon président d'union. Les mises en candidature s'achèvent. Dis «oui», Jasmin!» Oh que je me tâte! J'ai déjà été battu, à ce poste, en 1980. C'était juste avant le grand combat du «oui» et, dans le hall, juste avant l'élection, je faisais circuler une mienne pétition où j'invitais les membres présents de l'UNEQ à endosser l'idée d'une Union absolument rangée dans le camp du «oui» référendaire. Godbout, me voyant faire, m'avait prévenu dans un coin: «Tu viens de te saborder, mon Claude!» C'est que je voulais, si on votait en ma faveur, que les choses soient claires; j'allais engager toute l'Union du côté des indépendantistes et je préférais prévenir. Hier donc je dis à Guay: «Il y a aussi que tant de membres de l'Union détestent les auteurs... comment dire, trop connus. À l'époque, j'avais assisté à des assemblées et j'avais très vite subodoré cette détestation des trop rares auteurs reconnus, par un lot d'écrivains, plus très jeunes, n'ayant jamais réussi à se faire lire par la moindre petite foule. Jalousie mesquine? Peut-être. Guay me rassure, me dit que cela est du passé et que je ferais un président très utile. Sous-entendu: avec ma grande gueule? Mes bons contacts dans les médias? Raymonde n'est pas contente quand je reviens au boudoir, l'appel de Guay m'a fait rater cinq précieuses minutes de son cher *Hérita-*

315

*ge* qui est *en ondes*. Un peu plus tard, autre coup de fil. Le dramaturge André Ricard. Lui aussi se réjouirait si je posais, «et c'est urgent», me dit-il, ma candidature. À lui aussi, je ne dis pas non, je lui dirai même que ça me tente. Ricard: «Vous serez élu par acclamation, ma foi, il y a deux candidats mais aux prétentions ridicules, promettez-moi de passer aux bureaux de l'Union dès demain.» Je promets. J'écris tout cela mais en rentrant en ville, tantôt, j'ai pris le téléphone, après le lunch, pour avertir le directeur Légaré (déjà alerté par Guay) que je ne voulais plus me présenter. D'une part, j'ai réfléchi intensément à cette Union. Je ne sais pas encore, en 1988, si c'est un organisme indispensable. Je sais qu'elle contient dans ses rangs une majorité de personnes que j'arrive encore bien mal à considérer comme des pairs, même en puissance. Je le dis comme ça, tout bonnement, sans forfanterie malicieuse. Certains d'entre eux se proclament volontiers écrivains alors qu'avec le temps, je le répète, ils n'ont jamais pu se faire le moindre public de lecteurs, n'ayant guère de talents (avec un «s») pour communiquer avec leurs semblables par écrits (avec un «s» encore). Bon, trêve de jugement sur ces soi-disant collègues. J'ai dit non au directeur. J'ai refusé aussi parce que je sais bien qu'une des chaînes va, très bientôt, se pointer pour donner l'aval à l'un ou l'autre de mes chers projets de feuilleton. Et puis, c'est un secret jusqu'ici, il y a dans l'air une certaine molle rumeur qui voudrait que TQS me réembauche comme animateur à plein temps. Silence là-dessus. En fait, depuis l'amicale invitation de Michel Guay (quelques heures en somme), j'étais bien nerveux. En ce moment, je vais tout léger. Je n'ai qu'à lire. Ma foi, je reçois des distributeurs de livres au moins un bouquin par jour! Foin des cabales présidentielles! Je n'ai qu'à me rendre au lancement de la nouvelle revue éditée par Guérin, à cinq heures, à cinq coins de rue de chez moi. Et enfin, guetter avec espoir l'aval claironnant qui me fera ré-endosser la salopette du feuilletoniste populariste avec la collaboration du fils, Daniel.

À Montréal, pas de cette fine neige laurentienne mais le même vent froid du nord-est et le même ciel bouché, distillant une lumière sinistre. Grisaille partout. Je m'ennuie du clan-Jasmin de Fresnière. J'ai appelé chez le fils avant de quitter le chalet: « Zut! C'est plate papa!, Lynn et moi avions enfin décidé d'aller un peu magasiner puisqu'il me faut du linge correct pour ce nouveau job à *Pétro-Canada*.» Bon, bon. Je me reprendrai, petit-Simon et petit-Thomas. Grand-papa s'ennuie tant de vous deux aussi. À demain peut-être?


*16 octobre 88*


Déboussolés et psychopathes...

Sale dimanche bien gris. Une fois de plus, les mensonges de la météo, des experts toujours trompés par les vents qui se lèvent capricieusement, prédisaient chaleur et soleil pour ce week-end, l'été des Indiens, quoi. Faut dire qu'hier fut un samedi plutôt doux. Foin du beau temps. Nous délivrerons-nous un jour du joug-météo? Non. Le soleil a toujours été, sera toujours l'astre-Seigneur au centre de nos existences. «Et c'est bien comme c'est,» chantait Léo Ferré. J'ai relu, vendredi soir, une bonne partie de *Le gamin saisi...* que Guérin devait publier le jour de mon anniversaire, soit le 10 novembre qui vient. Je n'y compte plus. Luce-l'adjointe m'a parlé d'un tas de retards dans la maison qui reste cependant une fourmilière superactive. Je n'ai donc qu'à me taire et prendre un ticket, comme chez le pâtissier-charcutier les jours d'encombrement. Tentation alors de faire polycopier *Le gamin...* et d'en expédier des copies un peu partout, juste pour voir (une loterie?). Chez Boréal? Où Godbout me voudrait. Chez Stanké? Qui m'invitait à un retour dans sa cabane. Chez Gallimard? Pour voir la réaction. Au Seuil aussi? À New York? Où on m'a dit qu'il y avait des lecteurs français dans les grosses maisons? Pauvre tit-Claude! Mon Dubé m'assurait au début de cette année qu'il verrait au destin de ce roman inédit chez Grasset où il a de bons contacts... Attendre? Je ne sais plus. On ne me donne plus de nouvelles. Voilà que, candide, je m'imagine parfois que le 10 novembre au matin, Dubé me téléphonera: «Tiens-toi bien, Claude! J'ai fait un miracle. Viens voir ton *Gamin...* il sort de l'imprimerie aujourd'hui même!» Rêvons, les têtes heureuses.

J'ai démoli, vitement, c'est la loi de la télé, *Le cœur sur les lèvres* et *L'amour est enfant de bohème* dimanche dernier à *Premières*. J'ai détesté ces deux romans, aussi je ne regrette pas ma descente, mais je reste agacé, frustré de ne pas pouvoir mieux détailler les raisons de cette double déception. J'ai l'intention à l'avenir de ne parler que des livres aimés. Je verrai. Par contre, comme disait le célèbre Beaumarchais: «Sans la liberté de blâmer, il n'y a pas d'éloges valables». Quelque chose comme ça qui figure sous l'en-tête du *Figaro*. Parlant critique: amusant de constater qu'un Beaunoyer déclare: «N'allez pas voir le Molière-Montmorency au TNM, allez voir le Marivaux-Boisjoli au Rideau-vert» et, *a contrario* qu'un Robert Lévesque recommande à ses lecteurs exactement l'inverse. *Tot census quot capita* apprenions-nous au collège classique d'antan, oui, il y a autant d'opinions que de têtes pensantes. Partout. Ainsi une jeune reporter, dans *La Presse* de ce matin, recommande *La peau de l'autre*, pièce de théâtre pour les jeunes, mais dans le même journal, on peut lire aussi une vitriolique charge contre cette pièce par Jean Beaunoyer qui la qualifie d'«une des pires pièces pour enfants», d'«une foutaise». Débrouillez-vous, lecteurs de critiques. Je répète sans cesse que la force du critique c'est qu'il va presque tout voir et qu'il peut ainsi faire des comparaisons. C'est vrai, mais il reste aussi qu'il y a la subjectivité d'un critique. C'est donc le bon moment d'y revenir: on devrait toujours bien connaître ses critiques, d'où ils viennent, qui ils sont socialement. Je sais bien que ce mode (vaguement inquisiteur) peut répugner à première vue. N'empêche. Certains personnages des médias (j'en connais plusieurs) sont des déboussolés au bord de la psychopathie et, entre les lignes, on discerne dans leurs articles la promotion pour le *déboussolage de tous*, comme l'autre publiait: *L'équarissage pour tous*. Félicien Marceau, non?

Par ma fenêtre, je regarde le lac ondulant à l'envers! C'est rare. Le plus souvent (du printemps à l'automne) le vent souffle de l'ouest ou du nord-ouest et l'eau du lac va vers la rue du Chanteclerc où il y a un ruisseau qui traverse la rue sous le macadam et va se tortiller dans les avenues en arrière de *Chez Pep*, se jetant soit dans la Rivière-aux-Mulets, soit dans la Rivière-du-Nord, chemin Sainte-Marguerite. Aujourd'hui donc, l'eau du lac retourne à sa source principale sous l'influence d'un vent du nord, vers un mini-marais deltaïque, menacé par des tas de condos tout neufs, au pied des pentes de ski. Sous ce vent, les feuilles des arbres achèvent de tomber. Les fameuses couleurs laurentiennes s'affadissent peu à peu. Enfants, cachez vos rouges tabliers, voici l'hiver qui vient! Bientôt, Raymonde fera ses feux annuels comme elle aime tant. Voici un an (et trois jours), j'étais donc à cette table de vieux bois et je rédigeais mon tout premier jour de journal. Un an seulement? Il me semble que ça fait très longtemps de ça, preuve que tenir journal donne du poids au temps qui passe.

Chose certaine, on ne m'a jamais tant parlé d'un de mes livres publiés. À tous les trois jours, une lectrice (ou un lecteur) se manifeste. Une Amulette Garneau par exemple. Qui me dit avoir découvert *un autre* Claude Jasmin en lisant ce premier tome. Bientôt le Salon du livre aura lieu à la Place Bonaventure et des coups de fil pleuvent. Des concepteurs divers s'excitent, il va y avoir ceci et cela, on tente (par des moyens plus ou moins spectaculaires) d'animer mieux chaque année cette foire gigantesque. On m'invite à une de ces «tables rondes», à un débat, à une rencontre entre divers «journaliers». J'accepte à contrecœur toutes ces propositions mais je sais trop bien que je n'aime plus beaucoup, et depuis plusieurs années, ces jeux en bonne société littéraire. Pourtant, je dis quand même «j'y serai», puisqu'il y a toujours chez moi celui qui refuse d'éteindre ces belles ardeurs, trop candides souvent, des recherchistes en question. Parlons donc «milieu littéraire»: au lancement du premier numéro du *Québec littéraire* de Jean-Claude Germain, jeudi dernier, j'ai revu Arlette Cousture. Chaque fois, j'ai le cœur serré et je n'ose lui parler de son terrible handicap, cette satanée sclérose en plaques dont elle est une victime. Ses beaux sourires, sa douceur lumineuse me font mal. Défunts, oh miens défunts! que vos esprits s'allient afin de la guérir miraculeusement! Prière de quelqu'un, moi, qui n'y crois plus bien fort. Trop de déceptions là-dessus. Ça m'apprendra à feindre d'ignorer que les esprits de mes défunts ont bien mérité la paix éternelle dans la Lumière des lumières et qu'ils n'ont d'autre souci que de se repaître de la béatitude éternelle de la dimension infinie. Ils en ont eu assez, plus qu'assez, des tourments terrestres et désormais, ils voguent sans aucune attache dans l'éther suprasidéral, irisés, comblés, délestés de toute espèce de gravitation, de pesanteur humaine, en leur existence d'Enfants de la lumière. Ils ont bien mérité la Patrie des patries et répugnent peut-être à secourir le monde des ténèbres où nous nous bousculons. Fin de mon prêche surnaturaliste!

Que j'ai aimé deux voix françaises des médias, dont l'une était celle d'Henri de Turenne (l'autre, un imitateur? le nom m'échappe). Or je constate que le timbre de notre speaker Raymond Saint-Pierre est de ce calibre et souvent je songe à écrire un texte « à la de Turenne » et puis contacter ce Saint-Pierre. Il s'agit d'un mode où les répétitions sont en cadence, cette façon de faire m'a séduit il y a longtemps quand j'écoutais et regardais certains documentaires *made in France*. Je songe à un texte sur, par exemple, l'unique victoire des patriotes à Saint-Denis sur Richelieu. Ça irait un peu comme ça: « *Ils sont là*, ces *drôles* de soldats, *drôles* parce qu'inexpérimentés, *ils sont là*, dans les champs, derrière les maisons des villageois, avec des piquets de cèdre, *des pelles, des fourches*, oui, *des pelles, des fourches*, les fusils sont si rares mais ils n'ont plus peur, ils tiennent tête, en face d'eux, venant de Sorel, mais ils ne la craignent plus, la soldatesque britannique venue les combattre, non, ils ont repris *confiance*, grande *confiance* et sont *transformés*, ils sont *transformés* en vrais soldats ces paysans-patriotes, *ils vont gagner*, tout à l'heure, oui, *ils vont gagner*, en criant, en lançant des cailloux, *pauvre petit* bataillon, *pauvre petite guerre*, *guerre* d'amateurs et, pourtant, l'enjeu est fameux, nous décoloniser, vêtus de paletots d'étoffe du pays, casqués de simples tuques de laine, pipe au bec souvent, ils foncent et, devant eux, ce n'est pas seulement un régiment d'experts en répression, non, c'est Londres, c'est *l'histoire*, oui, *l'histoire* tout entière qui se dresse, c'est *l'histoire d'un pays* naissant, qu'on a brisé aux Plaines d'Abraham, *un pays* en réveil, *un pays* qui sursaute, qui refuse la domination anglaise, qui croit enfin venue l'heure des libertés, oui, pauvres petits soldats improvisés qui, soudain, ici, à Saint-Denis, en novembre 1837, n'en reviennent pas, ils crient, ils chantent, c'est la déroute en face! c'est, pour ces simples habitants, l'incroyable victoire, l'inespérée *victoire*, l'*Habit rouge* recule partout, ils sont les plus forts, avec leurs

cailloux, leurs pelles, leurs faux, leurs haches de bûcherons, leurs fourches de fermiers, partout ils sortent des
maisons, des fossés, ils ont gagné, ils gagnent...»

Un jour, je le terminerai et contacterai Raymond Saint-
Pierre.


Des délinquants...

Hier, chez Daniel, par ce samedi ensoleillé, Lise, la fer-
mière voisine, apporte un chapon et nous causons: un voisin vient d'être tué à la manufacture de la CIL, un très
jeune papa, dont la femme attend un deuxième bébé. Il
paraît qu'elle reste stoïque, fait voir un courage peu commun. Pourtant, pendant ce deuil tout récent, des lascars
sont venus dévaliser sa maison. Jamais deux malheurs
sans trois? Mon Dieu, quoi donc encore? Vas-y, fatale destinée aux crocs coriaces, vas-y, salope de misère humaine, te
gêne pas, charogne du hasard bien noir. La voisine continue. Voilà qu'on a surpris un adolescent de quinze ans, au
bord de copuler avec une jument! Bestialité mythique ou
dépravation? Un tel désordre, une telle frustration sexuelle
en 1988? J'arrive à peine à y croire. Elle raconte encore. Un
jour, un curieux voleur s'installe sur un des chevaux d'un
voisin et prend les guides de deux autres chevaux. Comme
ça, tout bonnement, le filou s'en allait ti-galop, ti-galop...
On l'aperçoit et le proprio des bêtes accourt, rejoint le gre-
din audacieux qui déguerpit aussitôt mais il ne sait plus s'il
doit courir après son fuyard ou... Vite, il choisit de reprendre ses bêtes et laisse donc filer le larron, au moins il
gardera son équipage! On rit. Il fait beau. On boit du café
sur la longue galerie du Chemin-Rivière-Sud. La belle vie!
Lynn nous donne de bonnes nouvelles de son papa récemment opéré à une jambe. Ça va bien. Daniel, dès lundi, va
prendre son poste de rédacteur-éditeur chez Pétro-Canada
et il vient de s'acheter du linge «sérieux». On rigole encore. Il s'est séparé de l'ordinateur qu'il avait loué (pour s'y

initier) et s'en ennuie déjà. Il me dit que le dactylo lui répugne désormais. Je lui annonce que jeudi qui vient *Panacom Inc.* rencontre les décideurs de la SRC pour le projet «décrocheurs-squatters» dont nous ferions les textes. Raymonde avertit que ça n'est pas fait, que ça peut être bien long encore avant que s'enclenche ce feuilleton dans la réalité. J'imagine qu'elle a raison. Elle me dira plus tard regretter de devoir jouer ainsi l'arroseuse d'eau froide, mais qu'elle craint tant les déceptions, pour Jasmin junior surtout, car moi je lui répète: «T'en fais pas, ça fait si longtemps que je fais des projets et que je vis leurs avortements, je suis blindé jusqu'aux cheveux là-dessus. Aucun refus à venir ne pourra me blesser.»

Est-ce que c'est une bonne chose, à quinze ans, à vingt ans, de se faire accroire qu'on sera *Camus ou rien, Picasso ou rien* ? Avec le temps, avec *le dur devoir de réalité* (Rimbaud), on atterrit tout doucement dans la vallée bien ordinaire des contingences humaines. D'avoir mis la barre si haute étant jeune fait peut-être qu'en vieillissant plus rien ne nous assomme quand les petits prêtres (dans mille jurys) vous disent «On ne passe pas, grand dadais»! À ce sujet: dans mon courrier, une demande d'une jeune femme qui me veut comme parrain afin d'obtenir une de ces bourses du Conseil des arts. Je ne la connais guère, deux rencontres brèves à des salons du livre, un français écrit plutôt approximatif dans sa lettre. Je renverrai à cette aspirante-artiste ses documents fédéraux. Oh, combien sont-ils en cet État atteint de *subventionnite* à rêver de cette façon? Et parfois, à recevoir cette manne? Jamais je n'ai voulu obtenir de cet argent du peuple, toujours j'ai voulu marcher sans ces béquilles. Et j'y suis arrivé. On n'est pas nombreux, croyez-moi. C'est le moment de dire mon option: on devrait aider les très jeunes doués. Une seule fois. La chance au jeune coureur, quoi. Après, si cet aspirant-artiste-subventionné ne parvient pas à intéresser (au moins un peu) ses congénères, le bouchon à toute autre demande. Mais non! Longue liste (très longue) d'artistes inconnus-de-tous qui font carrière, si j'ose dire, de subvention en bourse, sans aucun succès public. Un gigantesque gaspillage des fonds publics. Un scandale énorme! Je pourrais citer des tas de peintres, de graveurs, d'essayistes, de sculpteurs, de poètes, une population d'habiles *quêteux* perpétuels qui utilisent cette mécanique aux rouages stériles et vivent sans honte aucune à nos crochets, nous les payeurs d'impôts. Bouffonnerie qui dure. Majestueux silence sur ce coulage. Oui, de l'aide aux jeunes débutants surdoués, pour voir, et puis de l'aide à seulement ceux qui ont prouvé qu'ils savent communiquer avec les autres. Assez de ce marécage juteux où plein d'incompris (géniaux, bien entendu!) et de chercheurs (qui ne trouvent jamais) refusent le lucide constat qu'ils n'ont pas de talent du tout. Le système actuel va se perpétuer, ne craignez rien, et des hordes de pseudo-avant-gardistes seront allaités sans cesse par cette vieille maquerelle de la rue Metcalfe à Ottawa.

Un vieux jeu éternel...

Calmons-nous. Que c'était plaisant d'aller marcher dans un boisé de Fresnière samedi, avec petit-Simon et bébé-Thomas (en poussette), dans des sentiers fraîchement aménagés par les gens de la Commission scolaire locale. À une croisée de chemins champêtres, un méandre de la Rivière Du Chesne nous apparaît. Alors Simon, langue sortie, bombarde de cailloux l'eau couleur d'olive mûrie. Vieux jeu éternel, quel enfant n'a pas eu envie de lancer des roches dans l'eau? Ça viendrait-y du fond de nos gènes? L'homme des cavernes voulant assommer du gibier poissonneux?

L'hebdo si bien maquetté (!) *Voir,* me cite au sujet de l'appel récent du maire Choquette d'Outremont à *la délation de tous par tous.* Je me suis rebellé par téléphone

324

mais ce matin, j'y repense. On parle toujours trop vite lors de ces mini-interviews téléphoniques. À l'avenir, je serai plus prudent. La délation peut être utile à l'occasion. Ma foi, si je voyais un bandit armé en train de malmener mon voisin, certes je sauterais sur le téléphone pour alerter la police. Et si une nuit, j'entendais dans ma cave, ici au chalet, des bruits suspects et insistants, oh oui, la police, et vite! Si, dans un parc d'Outremont, j'apercevais un furieux vandale démantibulant le bien public, oui, la police, et vite... Alors vous voyez bien que rien n'est ni tout blanc ni tout noir. Pas même la délation!

En quittant Fresnière, hier en fin d'après-midi, nous sommes montés au lac par la vieille route no 148. Beauté des basses Laurentides, plein de modestes jolies granges, vieilles maisons antiques, ici un pré regorgeant de... bernaches (ou oies blanches), là, des moutons semblant sortir d'un livre de contes! Oui, la campagne, la vraie, avec ses belles allures et... probablement pleine aussi de pauvreté réelle. On passe, on roule, on s'esbaudit, c'est tellement joli et on ignore volontiers que dans plusieurs fermettes des gens en arrachent sans doute pour survivre un peu dignement. Pas grave, le bon petit-bourgeois citadin se pâme d'aise quand il voit ces vieux bâtiments (qu'on ne redressera pas de sitôt), ces demeures ancestrales (aux murs à demi écroulés, aux galeries chambranlantes), cela n'est à ses yeux de touriste qu'un joli tableau rustique.

Je suppose que mon lecteur a réalisé que j'ai dépassé octobre dans ce journal. J'irai jusqu'au 1$^{er}$ janvier. J'ai rencontré à ce tout noir (la salle André Pagé de l'ENT) lancement du *Québec littéraire*, au comptoir des hot-dogs au chou, un Jean-Guy Pilon goguenard me disant: «Tu sais que je dois te présenter à ce dîner du *Pen Club*, jeudi soir, et je ne sais pas trop comment le faire.» Son éternel sourire roublard de fils de paysan de Saint-Polycarpe. Je lui dis: «Mon texte est déjà fait. Ça va être un faux journal, avec toujours le 10 novembre, année après année (les jours de mon anniversaire quoi), si je t'envoyais ce texte, ça t'aiderait peut-être?» Il fait: «Mais oui, peut-être. Je suis né un huit novembre, moi.» Deux scorpions causent dans ce sinistre espace noir où mon gros Germain semble tout fier du bébé naissant. En soirée j'ai lu ce premier numéro et Germain a raison: c'est mi-revue, mi-magazine et il y a à boire et à manger dans ces deux centaines de pages. Le graphisme du *Québec littéraire* est surprenant, baroque, mais une fois l'étonnement passé, semble assez peu approprié avec les textes. Une fois de plus, une créateure graphique s'est amusée en marge du contenu, ce à quoi un efficace illustrateur devrait s'attacher. Partout, on veut tant poser sa griffe à soi. Ainsi la mode de repenser les auteurs: Montmorency, au TNM, avec le vieux Molière, Bernard-Henri Lévy avec Baudelaire mourant... la liste est longue. Tenez, j'achevais *Le zèbre* de Jardin et songeais à réécrire (avec sa permission) son roman, mais vu par un nord-américain tant son côté *franchouillard* me paraissait rebutant. J'ai vite fait taire cette folichonne envie, j'ai tant de projets bien à moi dans tous mes tiroirs. Si peu de temps pour les mener à terme.

Oh, un peu de soleil enfin! Je descends faire le lunch du midi et puis j'inviterai ma brune à ramasser, avec moi, des feuilles mortes et à en faire un feu.

Le banc du quêteux-conteur...

Deux jours de doux temps inespéré. Je me suis enfin grouillé le derrière et j'ai peint balustrades et plancher du balcon d'en avant, en suis sorti la barbe toute noircie à cause de ces bonbonnes à air (pour peindre les balustrades de fer soudé). Grand bain d'eau chaude ensuite et savonnage en règle pour retrouver ma barbe en son état... d'avant. Grise. J'en riais. Ce mercredi, le froid est de retour, avec du soleil tout de même, le jeune érable du parterre en luit comme jamais, d'un rouge de mort à venir de toute beauté. J'ai répondu hier à deux aimables lettres de lecteurs de PTVD, tome I. L'une, après quelques compliments, me sortait sa liste de six coquilles et erreurs orthographiques et m'avertissait: « À cause de ça, moi, *un maudit prof*, je ne peux faire lire votre journal à mes écoliers » Des menaces? Je lui ai dit dans ma lettre que j'avais moi-même déniché près d'une cinquantaine de fautes et que j'en étais, le premier, extrêmement désolé. Un peu crâneur, je lui avoue mes faiblesses en français écrit et qu'il serait en effet, comme elle me le signale, « trop facile de jeter tous les blâmes sur mon imprimeur » et qu'au fond des choses, je ne suis qu'un *conteur* de veillée, que, vivant au temps de la colonie naissante, je n'aurais été qu'un de ces *quêteux* de grand chemin, installé sur le célèbre banc-de-charité des maisons d'antan, à divertir les campagnards par mes menteries, mes *racontages* de vagabond. Ce matin, une longue et formidable lettre, quatre belles pages et, hélas, pas de signature sauf cet anonyme: *un lecteur assez heureux*! J'aurais bien voulu répondre à ce correspondant qui me livrait sa petite histoire, parallèle à la mienne, et qui me dit son grand bonheur d'avoir lu sur mon intimité. Ce correspondant m'explique un échec:

327

j'aurais perdu mon rôle d'animateur permanent de télé parce que je ne sais pas assez écouter. Diable! je crois que c'est vrai. Et il m'excuse en m'expliquant que mon côté *chevaux piaffeurs* et trop *d'émotivité* sont donc la raison de mon échec à *Claude, Albert et les autres*. Oui, oui, il a raison. Je me suis vu, tantôt, à mon *billet* du mardi (en reprise le mercredi matin) avec Marguerite. En effet, je l'écoute à peine quand l'animatrice tente de relancer mes commentaires. C'est ça: *un cavalier haletant et solitaire*, écrivait cet ex-prof, homosexuel, «retraité après amputation» et soulignant soudain dans sa lettre: «*Je n'ai pas de Raymonde pour poser ma tête,*» aussi: «*la vie des gays est triste, qu'on arrête de faire croire le contraire.*» Enfin, il termine avec: «Tu as raison dans ton journal, Claude, quand tu écris: une bonne dose d'inconscience et d'innocence collabore efficacement à nous garder heureux» Ai-je raison? C'est affreux, mais je crois qu'une ignorance (relative) aide au bonheur.

Lettre précieuse pour moi puisqu'elle me dit clairement que la lecture de mes écrits peut attendrir, encourager, donner des raisons d'espérer. Ainsi mon correspondant, je le souhaitais tant en écrivant mon journal, a pu rencontrer par la lecture un autre bonhomme, qui, comme lui, a des tourments, des joies aussi, se débat comme lui pour garder un minimum d'espoir. C'est étrange, cette belle lettre, stimulante pour un auteur, m'est arrivée alors que je venais d'achever *Le langage perdu des grues* de David Leavitt, un roman qui recoupe son autobiographie (Leavitt, qui parle bien français, l'a dit à CBF, aux *Belles heures*). C'est l'histoire de Philip, jeune juif de Manhattan, chef de collection dans une usine de romans à l'eau de rose. Ce récit m'a intéressé. Énormément. Je dirai à *Premières*, dimanche prochain, qu'il faut au moins trois ingrédients essentiels pour réussir un tel roman. 1- Une *bonne histoire*, c'est primordial; 2- du talent pour *faire voir* avec seulement (c'est énorme, je sais) le code des mots, autant pour décrire un extérieur (et Leavitt excelle à peindre son New-York-des-homos) que les états d'âme des personnages (il est fameux avec sa mère catastrophée, son père effondré) et enfin, 3-posséder un sens de la *psychologie* capable de fouiller l'esprit des personnages entraînés dans les péripéties de l'intrigue. Là-dessus, Leavitt a rédigé des passages absolument étincelants. Bref, ce *Langage perdu...* (qui m'a fait veiller une partie de la nuit dernière) est de la même encre, plutôt «noironne», que la lettre douce-amère de mon correspondant anonyme (hélas, hélas!) de ce matin. C'est cette lettre qui m'a ramené au journal avec force. Nous avons tous sans cesse besoin d'être encouragés.

Hier midi, avant d'aller «éditorialiser» mon six minutes à TQS, lunch avec Yves Dubé. Tant de jours sans aucun appel de lui. Il boudait? Il nie: «Un deuil m'a frappé de plein fouet récemment» Il reste discret là-dessus. Certes, il m'a dit carrément et amicalement n'avoir pas du tout apprécié mes très insolentes gamineries lors du grand jugement (le Prix Guérin) à l'Auberge Handfield. Quand je me pointe (un peu en retard) à sa table favorite à *La lucarne* de la rue Laurier, Yves a barbouillé le napperon de ses notes. D'abord, veux-je, oui ou non, aller au Salon du livre de Rimouski? Tout un week-end sans ma brune? Je finis par refuser l'invitation de ce voyage, avec lui, la belle Paradis et Francine D'Amour. Dubé s'incline et me dit: «Je préfère ta franchise au jeu de la grippe soudaine deux jours avant de partir.» Nous rigolons. Il voudrait aussi publier mes quatre pièces de théâtre inédites, certaines refusées par le Rideau Vert et la Cie Duceppe Inc. Je veux bien, et comment! Pour mon roman encore à l'état de manuscrit, *Le gamin saisi*, mon Dubé finit par me sortir que son agent à Paris lui a expédié un rapport négatif, mais contenant un tas de suggestions en vue d'un remaniement. «Ou tu acceptes ces critiques, ou bien je charge un correcteur de voir ce qu'il y a à faire.» J'ai demandé à voir ce rapport et il va me l'envoyer. Ensuite, il me confirme sa volonté de publier le tome 2 du PTVD, je lui remettrai donc le *manusse* dès le 1ᵉʳ janvier 1989. Dubé m'annonce que cette fois, ça sortira au printemps 89 et non en début d'été comme il a été contraint de le faire pour le premier tome. Nous jacassons ensuite sur rumeurs et projets du milieu littéraire. Je lui parle de la quantité d'articles intéressants contenus dans le premier numéro du *Québec littéraire*, par exemple, l'article émouvant de l'auteure des *Dimanches sont mortels*, narrant les mois précédant son attente d'un verdict pour ce premier roman, la mort de ses deux parents, coup sur coup. Elle aussi, en somme, comme pour moi en 1987, ma tendre Germaine-de-mère et mon merveilleux Édouard-de-père. Il y a aussi dans le magazine de J.-C. Germain une entrevue d'Hamel avec feu le grognon Claude-Henri Grignon qui n'est pas piquée des vers du tout, et des notes de lecture si bien faites, pour tant de nos livres, qu'elles m'ont donné envie de me les procurer. En me quittant, Yves me dit n'être pas trop certain de pouvoir venir m'entendre demain soir au *Pen Club* dont il est membre militant. À ce sujet, j'ai relu mes douze pages hier soir. J'ai joué le même jeu (fictif dans mon cas) que Claude Mauriac dans *Le temps immobile*, ce journal qui m'a tant plu le printemps dernier. J'ai rassemblé, j'en ai parlé, un paquet de jours, toujours des 10 novembre (mon jour anniversaire), et ce depuis le tout premier, en 1930, quand *je me suis sorti* du ventre de ma mère. Oui, oui, Françoise Dolto insiste dans ses livres pour que l'on explique aux petits enfants qu'ils ont *voulu* naître, qu'ils se sont *décidés* eux-même à venir au monde. Sans doute la vérité!


Notre petit personnage...

Étrange ma si grande satisfaction, hier soir, quand je suis allé admirer mon travail de peintre de balcon. Curieux, non? Quoi, j'ai fait une chose toute simple, en fait? Sommes-nous (répondez-moi, les autres, mes frères, hypocrites lecteurs) là-dessus tous semblables? On essaie de briller dans des domaines complexes, mais d'avoir bien fait une simple tâche domestique nous rend bizarrement tout contents de nous. Serait-ce la satisfaction d'avoir pu *étreindre la réalité* (Rimbaud)? Je m'interroge.

J'achève de relire mon *Gamin saisi...* et j'ai des doutes. Quel drôle de salmigondis à épopées loufoques. J'ai dit à Raymonde hier, au souper, que je ne savais plus trop quoi en penser, si ce récit rocambolesque d'un petit gars kidnappé, glissant dans des entonnoirs para-politiques insensés, pouvait avoir un quelconque succès. C'est ainsi, je le dis souvent: un auteur est vite envahi de doutes mortels, il réexamine sa création et elle lui semble, un jour stérile et égocentrique, un autre jour, pleine de bonnes promesses. Maudits doutes! Tenez, hier, relisant ma causerie pour le *Pen Club*, soudain je me raidis: encore ce moi bien haïssable? Toujours ce parlottage sur moi-même qui n'intéressera que moi. Paranoïa? Tout déchirer et jaser sur les autres, sur autrui? Raconter mon père mort? Ou jaser sur un ami perdu de vue? Raconter ma sœur quasi-jumelle, Marielle? Ou ce camarade fou de peinture, jadis? Oui, une sorte de lassitude de me voir centré sur mon petit personnage. Est-ce le lot des écrivains? Oui, l'autre jour, au chalet, avec les jeunes techniciens de TQS qui rembarquaient leurs affaires, je jasais encore de moi, de mon passé, du temps de mon écurie au Chantecler, et j'ai vu tout à coup dans le regard de l'un des artisans comme une distraction, un rictus de lassitude. Stop! J'ai vite changé de sujet, me répétant en moi-même: vas-tu cesser un jour de croire que ta petite vie captive les autres? Assez! Il s'agit, je crois, de bien savoir raconter des faits personnels vécus, mais pouvant facilement recouper les préoccupations de son interlocuteur. Ce à quoi je m'efforce. Avec, (pas assez souvent) un certain succès. Je me parle: «Voyons, tit-Claude, courage, on ne parle bien que de ce qu'on a vécu» Alors? me débarrasser d'une certaine... timidité, mais oui! commune

331

aux grandes gueules? À ce sujet, je dois me promettre de ne pas crier ma petite conférence demain soir, de ne pas la débiter à toute vitesse comme à l'accoutumée à cause de mon manque de confiance en l'intérêt que je suscite.

Tantôt j'entends à la radio (que je n'écoutais que d'une oreille en lisant les journaux du matin) l'expression *à cœur de jour*. Aussitôt, je la note sur un bloc (qui me suit partout désormais). Ça pourrait être un bon titre pour le tome deux. Doit-on mettre un «s» à jour? Le bureau de correction le saura! Dans une lettre: «Vous l'avouez vous-même, Jasmin, que ce n'est pas tout à fait la vérité que votre titre *Pour tout vous dire*. Je ne sais plus. Je me questionne. Ma foi, c'est le bon titre générique. Je dis pas mal tout. Ah bon, pas mal? Oh merde! qu'est-ce que je cache? Qu'est-ce qui me censure? Difficile d'y répondre. Pourtant, je le jure, j'écris mon journal à cœur ouvert, à cœur découvert, dirait M. Tremblay. Y a-t-il des choses que je tais? Certainement l'immense tas important des besognes, des banalités quotidiennes et répétitives. Je ne vais tout de même pas décrire comment j'emplis et vide le lave-vaisselle. Et quoi encore? Bien. Il y a aussi tous les gens de mon entourage quand ils s'énervent avec leurs «Je t'interdis de ficher ça dans ton satané journal», je dois respecter leurs confidences, c'est normal.

À propos d'un certain Lucien Boyer...

Le plus dur? M'empêcher sans cesse de rédiger des mémoires. Constamment me retenir de l'envie de raconter ma vie passée, faire vraiment un journal sur moi, mais au jour le jour, comme *Le Devoir* ou *La Presse*, en racontant la précédente journée, à chaque matin. Un journal est un *jour*nal. *Jour*! La journée d'hier. Et celle qui se dessine au moment même où j'écris. C'est plus difficile qu'on pense, essayez. Trop de ces journaux d'auteurs (plus ou moins intimes) n'ont nul besoin des dates en début de paragraphe. Le contenu? Des pensées profondes. Alors, pourquoi ces «journaliers» mettent-ils le quantième? Oh! et puis chacun a bien le droit de concevoir un journal à sa façon, qui s'en soucie? Etre lu ou ne pas être lu. Pas lu du tout? Alors l'éditeur te dira: «Tiens-le encore si tu veux, mais garde-le dans tes petits papiers mon bonhomme, ça n'intéresse absolument personne.»

*Seuls*, on l'a répété, *les idiots ne changent jamais d'avis*. Je me suis surpris, hier, à parrainer tout gentiment cette demande de bourse-subvention de la jeune Ann Duperrey de Québec. Après tout, cette femme que je connais à peine, m'avait tout de même paru si dynamique et, je suis logique, on peut bien donner un coup de main au débutant, à l'aspirant. Un premier coup de pied au cul du coureur nouveau. Ensuite? Si ça ne marche pas, son roman, son film, son art pictural, alors fin abrupte du coup de pouce. Je viens de rédiger une dizaine de feuillets à l'adresse d'une chercheuse-étudiante (revenue aux études) à l'université de Sherbrooke. Elle m'avait demandé des commentaires sur celui qu'on avait baptisé *le père Boyer* au temps de notre jeune bohème dans Villeray. J'étais tout excité, si heureux, c'est formidable: une personne, inconnue de moi, a entendu vaguement parler de Lucien Boyer, poète et prof, si généreux de son temps auprès des chassés-de-collèges-classiques. Elle voulait en savoir plus long, préparer une plaquette sur ce bonhomme unique et elle n'avait que les trop brèves allusions faites par moi dans quelques-uns de mes récits. Je l'ai encouragée avec ardeur à cet ouvrage. Il y a eu ici et là au Québec de ces valeureux pédagogues. Nous nous sentions des orphelins dans *la petite patrie* étriquée des ânnées 50 et Lucien Boyer a décidé de nous rassembler (théâtre amateur, revue maigrelette de poésie, etc.), de nous stimuler et même... de nous payer à manger quand on jouait les crève-la-faim romantiques, fuyant les parents trop inquiets, les foyers trop réalistes, l'entourage trop mesquin.

333

Vive Lucien Boyer! Qui est mort. Qui n'a revu aucun d'entre nous puisque les jeunes gens vont vite, une fois leurs ailes un peu déployées, et s'éloignent de ce *deuxième père*. Assez, je l'ai dit, un journal n'est pas une autobiographie!

À ce sujet (le passé), Dubé m'a imploré hier midi: «Tu as déjà promis au grand patron un bouquin sur *la bohème* de la fin des années 40 et début des années 50. Vas-tu t'y mettre bientôt, au moins lui envoyer une vingtaine de pages? Il serait si content, il y tient.» Oui, je le ferai. Je le veux. C'est un bon sujet plein de nostalgie comme on vient de le voir. Mais le temps...

Ayant lu l'amusant petit livre de Roger Lemelin: *Autopsie d'un fumeur*, où le père des *Plouffe* oublie (avec bonheur) son furieux combat anti-tabagisme pour plutôt narrer des anecdotes savoureuses de sa petite-patrie-à-lui, la paroisse Saint-Roch à Québec. N'empêche, le mal qu'il dit des fumeurs... Voilà que je veux cesser de fumer ce matin. D'abord pas de caféine. Ni rôties, ni oeuf. Non. Je sors céréales et lait puis j'ouvre mes *canards* du matin. Soudain, je n'en peux plus, j'en allume encore une et je vais me faire du bon café moka-java. Je suis découragé. Je fumerai jusqu'à quand? Jusqu'au verdict médical: cancer du poumon? Là-dessus je me hais.

*21 octobre 88*

Une vraie chapelle littéraire...

L'existence d'un auteur! Que de contrastes. Ce soir, par exemple, un demi-million de spectateurs me verront jouer le gentil bouffon avec un autre clown, Jean-Pierre Coallier. Lui et moi, on le sait bien: il n'y a pas place au sein d'un talk-show télévisé pour approfondir quoi que ce soit. Que faire? Que dire? Jaser sur un ton désinvolte, faire mine d'être quelqu'un qui passait par là, boulevard Maisonneuve, et qui serait entré en studio pour un bref salut amical, sans aucun grand dessein. Hypocrisie? Sans doute. J'y serai puisqu'il faut (je le redis sans cesse) tout faire pour la promotion d'un livre, qu'il faut bien lutter (même de façon dérisoire) avec tous les inventeurs de films plaisants, de disques de rock-music, de théâtre divertissant. Tout cela, aux quatre chaînes d'ici, forme un assez gros régiment de personnes cherchant à faire un peu de publicité à leurs rejetons nouveau-nés. On peut alors imaginer la lassitude de ces animateurs obligés de promouvoir malgré eux ce monde fourmillant, avide de louanges. Quelle horreur, non? Que de contrastes? Oui, oh oui! Par exemple, le même auteur se fait inviter aussi au sein d'un tout petit cénacle. Hier soir, en effet, j'étais donc l'invité d'honneur du *Pen Club*. Rien à voir, je vous jure, avec l'ambiance showbiz du *Ad lib*. Ce matin, un vendredi frais mais bellement ensoleillé, je reste attablé car je veux tout de suite commenter cette soirée à l'atmosphère à la fois un peu pédante et pourtant bien chaleureuse. Dire d'abord une certaine beauté: la rue Sherbrooke, le soir, dans l'ouest de Montréal dans sa partie cossue et vieillotte. En face du *Ritz Carlton*, entrer dans l'ex-demeure, impressionnante, de la veuve Maria Raymond-Forget. Bâtiment d'allure auguste (victorienne) qui vous enveloppe, dès le portique, d'une certaine... intimidation? Oui, ici c'est l'ancien luxe, l'épate, la bourgeoisie fin du XIX$^e$ siècle. Avant de grimper l'imposant escalier de pierres taillées, croisant l'écologiste Dansereau sur le trottoir, je lui quête effrontément des pièces de vingt-cinq sous pour mon parcomètre. Il rigole et verse son obole tout en me rappelant un certain Claude Jasmin du passé quand le jeune Turc fessait sur tout ce qui bougeait au

Québec. Dans le salon ultra-bourgeois du 1195 Sherbrooke, des auditeurs du conférencier sont déjà là. Des sourires, des poignées de main, quelques visages familiers, d'autres dont je ne sais rien. Ou si peu. Alors, je me questionne chaque fois: ces gens sont-ils venus par sympathie pour cet auteur aux ouvrages si divers, ou bien sont-ils venus parce qu'ils n'avaient rien d'autre à faire et qu'ils souhaitaient rencontrer un confrère, un collègue, bref, sans avoir vraiment envie d'écouter le petit discours de l'invité de la soirée. Peu importe, il me semble (encore?) que je ne suis pas tout à fait à ma place, qu'il y a un mur entre un Jean-Guy Pilon, un Jean Éthier Blais et moi. Toujours cette bizarre timidité toute prête à se changer (c'est classique) en agressivité. Oui, pourquoi donc me sentir un sauvage au sein des civilisés? Ça doit venir de loin. Peu à peu (tant de gentils propos à mon oreille), je me calme. Mais non, mon petit auditoire (trente personnes?) m'estime. Assez pour avoir payé ce chic dîner en ville, assez pour me consacrer un jeudi soir quand, on le sait trop, il y a tant de choses à faire dans cette métropole aux mille invites. Bon, tête redressée, il faut foncer. Installation, après l'apéro pris en un luxueux boudoir, dans une antique salle à manger qui était la chapelle privée de Louis-Joseph Forget, « le plus puissant businessman francophone de la fin du siècle dernier et président de la Bourse vers 1895 » (dit un dépliant imprimé). Acajou sombre partout, des vitraux anciens, au plafond un puits de lumière. Mangeons d'abord et buvons à *la table d'honneur*, me dit-on.

Voilà que tout au long du repas, causant de maints sujets liés aux domaines culturels, je constate à nouveau l'ironie et, davantage, un curieux fatalisme tout noir chez le président actuel du *Pen Club*, l'universitaire (McGill) Éthier-Blais. Ses remarques, le plus souvent pessimistes (pourtant joyeuses), font plaisir à entendre, une morgue tellement éloignée du ronronnant *béni-oui-oui* habituel. À notre table aussi, une dame qui vieillit en beauté, à l'accent britannique, à l'esprit caustique, s'avère être l'épouse de l'ex-ambassadeur Trottier qui va publier sous peu de nouveaux poèmes à *L'Hexagone*. À ma gauche, Marguerite Beaudry, la candeur incarnée, j'aime les candides! qui vient de publier un récit de ses amours malheureuses. Et de ses quelques bonheurs aussi. À ma droite le professeur Duquette; il m'a semblé être un des bras adroits (avec M. LeClère) dans la marche concrète des activités du *Pen Club*. Quant à ce vieux camarade radiocanadien, Pilon, qui sera mon chaud présentateur, il envoie des piques incessantes à ses commensaux, moi y compris, à sa manière toute rude, toujours empreinte d'une sorte d'empathie qui fait qu'on lui pardonne volontiers son acidité.

Le moment est venu de lire ma causerie. Douze pages, écrites d'un jet, où j'ai donc forgé ce faux journal de tous mes anniversaires à partir du jour de ma naissance. Franchement, les éloges, en fin de soirée, m'ont fait rougir. Par en dedans. En allant reconduire Yves Dubé, mon quasi-voisin, il m'interroge afin de savoir où et comment il pourrait publier ce bref texte qu'il me dit avoir apprécié au maximum. Je lui dis: « Bah, je vais le fourrer dans mon journal demain, non ? » Je crois que cette douzaine de pages autobiographiques n'y seraient pas à leur place. Répétons-le, un journal n'est pas une autobiographie. Je le conserverai donc pour mon biographe futur. M'en viendra-t-il un de mon vivant? Je ris de moi.


Secrétaire, simple témoin...


Jean-Guy Pilon, au moment de nous quitter, me prend à part: « Il faudrait, Claude, qu'on se voit un de ces jours et que nous puissions parler sérieusement. Dans le passé, nos rencontres n'ont toujours été ponctuées que de propos de façade, de folichonneries. J'aimerais bien, entre nous, une vraie et solide conversation. » D'emblée je lui avoue qu'en effet, moi aussi, j'aimerais bien jaser sérieusement avec lui. Je lui dis: «J'ai toujours pris le parti de l'esbroufe dans le milieu.» Il me demande pourquoi. Confus, je ne sais trop quoi lui répondre! En vérité, je ne le sais pas. Pudeur? Protection? Mon Dieu, contre quoi? Je lui dis: «Je devrais peut-être recourir à la psychanalyse, non?» Il fait: «Mais non! Foutaise, ça! et il est trop tard, de toute façon.» Éthier-Blais, qui a entendu ça, se rapproche et affirme que «l'analyse psy» est un danger de stérilisation pour le créateur.» Il me dit, souriant toujours comme un vieux chat mythique, qu'il espère bien que je n'arriverai jamais à être totalement heureux, qu'un tel bonheur stoppe définitivement un écrivain. Au moment du départ, je ne saurai plus si, ma foi, il n'a pas raison de proclamer ainsi qu'un certain désespoir d'ordre métaphysique fait écrire un auteur. Une belle soirée, stimulante pour moi, alors que je craignais stupidement cet aréopage d'instruits. Des heures un peu anachroniques dans cette riche et ancienne demeure où je crois avoir prouvé un peu à ces farouches amants des lettres que je ne suis pas vraiment ce voyou furieux dont, plus jeune, je m'étais forgé la statue. J'y reviens: pourquoi avoir joué ce drôle de jeu jadis? Pour me caparaçonner, pour esquiver des humiliations, me sachant si mal armé dans le milieu intellectuel. Avec le temps, avec la maturité (?), mes attitudes de *gavroche insulteur* se sont modifiées. Je veux paraître désormais un simple témoin, un secrétaire publiant son rapport annuel à partir de ses modestes états d'âme quotidiens. Ce qui m'inquiète, c'est qu'à un moment donné en cours d'agapes, Pilon et Éthier-Blais m'ont lancé: «Assez du journal intime, retour à l'imaginaire s'il vous plaît.»

Hier après-midi, avant cette causerie, je suis allé faire prendre de grands bols d'air à mes trois mousquetaires de la rue Chambord. Quelle belle perspective tout le long d'un sentier qui borde la rivière au fond du Parc Sophie-Barat. À l'ouest, le joli et modeste Pont Viau, les rives un peu boisées dans le soleil déclinant, à l'est, cet autre pont continuant la rue Papineau. Devant nous, quatre gras canards font des ronds dans l'eau. Les garçons chantent, courent, cherchent un chemin caché, un sentier secret, et je les encourage, piquant derrière eux dans le boisé à l'ouest du parc. À la fin, retrouvailles de l'arbre Gentil et de l'arbre Méchant, volée de coups de fouet une fois de plus, enfin l'escalade d'un cenellier se dépouillant de ses feuilles jaunies. On rentre à l'heure de la soupe et ma fille semble ravie de voir toutes ces petites joues bien empourprées. Je dois me dépêcher, aller me laver, me changer afin de pouvoir *conférencer* dans cette imposante chapelle de la veuve Forget! Changer de monde radicalement!

Comme chaque vendredi matin, je suis allé à l'enregistrement de *Premières* et j'ai louangé *Autopsie d'un fumeur* de Lemelin, *Le langage perdu des grues* de Leavitt et le petit livre d'éphémérides de Thérèse Renaud qui confesse joies, déceptions, angoisses d'une maman anxieuse de savoir si elle a bien ou mal aimé sa fille. Maintenant, je dois vite aller pondre une couverture de livre pour l'astrologue Huguette Hirsig, un livre voulant relier les métiers des gens avec le zodiaque de chacun. Hum... pas facile. Allons, à l'ouvrage, l'illustrateur! Confiance, puisque tu es si content de la couverture que tu as faite pour *La revanche* (Jaws-2) où la gueule béante d'un méchant requin gicle le rouge sang dans une mer verte!

J'oubliais, tout à l'heure, coup de fil du PDG de *Panacom*: «Claude, cette réunion avec les patrons de Radio-Canada a bien eu lieu hier et c'est «oui» pour notre projet de téléroman. Il me reste à contacter *Téléfilm* pour l'aide à sa concrétisation. Je vous verrai d'ici dix jours pour arranger un contrat entre vous et *Panacom*.» Eh ben! ça va y être, ma foi du bon'yeu et je vais donc redevenir, c'est tout probable, feuilletoniste. Vite, je rédige à l'intention de la directrice du syndicat des auteurs (la Sardec) une demande de la table des cachets exigibles puisque je serai payé, pour ces quatre textes échantillons, par une firme privée et non plus par Radio-Canada. Il me semble que nous allons prendre, Daniel et moi, un vif plaisir à faire évoluer et dialoguer nos jeunes petits-bourgeois décrocheurs, délinquants volontaires réfugiés en véritables squatters dans une manufacture abandonnée au fond d'une zone industrielle mort née. Oui, grande hâte! Un recherchiste de la SRC vient de me téléphoner. Je serais invité, avec mon co-scénariste de fils, Daniel, à l'émission dominicale *La grande visite*, animée par Daniel Pinard. Bien, ça nous fera quelque chose à annoncer, ce « oui » tout récent et concret. Quoique... il y a encore loin des *desiderata* de SRC, des subventions hypothétiques et hypothécaires de Téléfilm (organisme à demi-ruiné, dit-on) aux images sur l'écran, définitivement *en ondes*. Bien loin, hélas! Se préparer toujours au désenchantement? Éthier-Blais, hier soir, nous enseignait cela: le désenchantement. Et sans chagrin! Il disait placidement: « Il y a cent personnes pour lire nos livres ici, au Québec. » J'ai protesté aussitôt: « Allons, allons disons au moins trois mille! » Il m'a rétorqué *subito*: « Vous faites allusion à vos tirages? » Hein, quoi? Il n'aurait que cent lecteurs, lui? Est-ce le profond motif de sa joyeuse désespérance?

*26 octobre 88*

Les visiteurs de la nuit...

Raymonde a bien raison d'être si fière d'appartenir au clan des « producteurs » du feuilleton *L'Héritage*. Hier soir, pendant le dessert, on en a vu un autre solide épisode, si différent des *soap* habituels aux lentes et diluées intrigues stéréotypées. Ensuite, nous grimpons au boudoir rouge et nous *zappons* sur l'écran de l'autre téléviseur, cherchant quoi, qui dévorer. La télé est une immense entreprise aux images parfois hallucinantes (deux baleines qui luttent dans les glaces du Grand Nord), parfois lénifiantes (trois aspirants *gérants* d'un Canada en période électorale). Nous lisons presque toujours devant le cher petit écran. En cas! Oui, au cas où vraiment la télé nous assommerait d'ennui. Raymonde et moi, nous sommes de voraces liseurs de tout. Tout autour de nos petits divans rouges traînent des magazines, journaux, revues littéraires. Et des livres divers, j'en reçois tant depuis que je fais ma chronique à *Premières*. Plongé dans la bizarre histoire de Whitley Strieber (*Communion*), il m'arrive de noter dans les marges des idées qui surgissent inopinément, qui lèvent comme des lièvres à cause de ce récit bizarroïde. L'auteur affirme avoir été brièvement enlevé, littéralement kidnappé par des insectes humanoïdes, durant son sommeil, le 26 décembre 1985, dans son chalet du nord de l'État de New York. Est-ce un fameux canular? Un jour, Strieber, ayant empoché tout l'argent (en royalties) pour cette imposture délibérée, déclarera-t-il aux médias: «Ancien sceptique du monde des Ovnis, j'ai voulu, en publiant cette fumisterie, cette rencontre du troisième type avec des *visiteurs* d'une autre dimension, prouver qu'il est facile en ce domaine de duper le monde.» N'empêche... ma foi, il se pourrait bien que *Communion* soit une vraie histoire vécue. Ici et là, Strieber, se confessant totalement et sur le ton de la plus grave sincérité, admet qu'il a pu être le jouet de son propre esprit. En somme, il aurait fait un rêve (un cauchemar?) mais sans vraiment dormir. Il se fait hypnotiser et analyser.

Oui, ce livre captivant touche au fascinant monde des rêves. Salut à toi, Jean Cocteau! Le rêve serait-il cette porte ouverte sur un vrai monde où grouillent des êtres vivants, par le biais d'anciens sens chez nous atrophiés. Amateurs de phénomènes occultes, lisez *Communion*. J'en étais à la page 105, quand Derome au canal 2, parle de Ruby: le nom d'un typhon! Je dis à Raymonde: «Ruby? Jack Ruby. Lee Oswald. Kennedy!» Quelques instants plus tard, j'entends Derome disant: «Lee Oswald... Jack Ruby... Kennedy, une télé de Londres... soupçons sur des tueurs français de Marseille...» Curieux, non? En haut de page, plus loin, je note: «Sous hypnose, Strieber se souvient soudain: un train, il a douze ans, il vomit sans cesse, son père énervé, exténué, il aurait alors vu son train filant vers son Texas de jeunesse, du haut du ciel. Un oiseau?» Or, il m'est arrivé une chose similaire vers 1965: invité chez le graphiste de *La Presse*, à Laval des Rapides, exactement là où il y avait la grande maison multi-familiale où fut élevé mon père, et où j'allais enfant entre 1935 et 1940. Dès mon arrivée, malaise subit! Je vomis à m'arracher le cœur! Guy Viau, présent, est plutôt inquiet et troublé par ma soudaine indigestion. D'où venait donc mon malaise? Peut-être d'un fait pénible, vécu là-bas, enfant, que mon subconscient... restituait? Bizarre! Plus loin encore dans *Communion*, je note en marge: au temps de ma bronchite asthmatique qui semblait me menacer de mort tant j'étouffais, plusieurs fois je me suis vu m'envoler au plafond et voir ma chambre, moi, au lit, juché sur un tas d'oreillers, ou, au contraire, je me voyais comme miniaturisé, la chambre devenant un vaste aérodrome. Et ensuite, différemment, j'enflais, ballon immense, jusqu'à remplir ma chambre. Strieber parle, lui aussi, de cet effet de distanciation lors de son contact avec les *visiteurs* d'ailleurs. Vous voyez, une lecture qui m'amène à beaucoup me souvenir. Je me sens replongé dans ces années 70 quand je lisais tant sur la parapsychologie et l'ésotérisme.

Je n'ai pas voulu aller, hier soir, au re-lancement des éditions Leméac, maison rachetée par le trio Bergevin-

Brillant-Filion. J'aurais pu y causer des remous. C'est que les nouveaux dirigeants de cette maison, où j'ai publié une bonne douzaine de titres (dont *La sablière, Mario, Maman-Paris...*), n'ont pu encore me livrer clairement le bilan précis de ma situation d'auteur chez *Leméac* lors (il n'y a pas longtemps) de sa banqueroute. Je vais d'abord tenter (une fois de plus) de connaître le sort de tous mes « petits » abandonnés en entrepôt sous scellés.

Un curieux monde lilliputien...

Parfois, je repense à Jean-Guy Pilon, lors de cette soirée au *Pen Club* quand on causait du PTVD. Pourquoi dire *journal intime*, me demandait-on? J'ai tenté maladroitement d'expliquer l'expression, je disais vouloir illustrer tout, même les banalités du quotidien, pas seulement les riches moments où on rencontre des personnes brillantes. Pilon, après le petit banquet dans *la chapelle*, m'a dit: « Tu devrais te limiter, Claude. Tu vois, tu rencontres, disons Trottier (il était à nos côtés), vous échangez des propos signifiants... bien, voilà ce qu'on devrait retrouver le lendemain dans ton journal.» Oh non! Non, cher Jean-Guy, je tiens aussi à mettre qu'hier, par exemple, j'ai rempli un sac immense de feuilles mortes, la rançon acceptée pour avoir tous ces beaux vieux arbres le long des trottoirs à Outremont. Que j'ai peint en blanc un très vieux miroir mural avec patères, celui qui était suspendu dans le couloir de la maison natale, au 7068 Saint-Denis. Cet objet, assez insignifiant en soi, est un fort symbole de la jeunesse des petits Jasmin, qui l'hiver, rentrant en trombe, jetaient à ces huit patères casquettes, foulards et blousons. Hier, je le contemplais et le trouvais bien petit par rapport à l'image que j'en avais gardée, qui me le rendait quasi gigantesque. Il en va toujours ainsi, n'est-ce pas, quand nous revenons sur les pas de notre enfance. La cour de nos premiers jeux, immense dans notre

343

mémoire, n'est que ce petit carré, notre chambre nous paraît désormais si minuscule. Comment faisions-nous pour y jouer des *séances*, costumés, munis de nombreux accessoires? Tenez, dans mon garage, j'ai encore le pupitre où je faisais les nombreux devoirs du collège... Si menu! Comment arrivais-je à y installer ces volumineux dictionnaires de latin et de grec, héritage de l'oncle-missionnaire en Chine? On vieillit, on grandit, on grossit et le décor de notre enfance devient un curieux monde lilliputien!

Hier après-midi, pour mon billet à Quatre Saisons, j'ai chargé à fond de train contre l'odieux monopole *Bell*. J'ai gueulé et invité le public à protester avec moi contre l'achalandage commercial sur nos lignes téléphoniques, privées il me semble. Quel organisme, quelle agence de marchandage donne ainsi nos noms et nos numéros de téléphone pour qu'on se fasse interrompre cavalièrement dans notre intimité par des vendeurs de ceci et de cela. Hier, c'était pour me faire souscrire à des abonnements pour des magazines. La peste! Autre chose: qui ose permettre que le gentil facteur doive se charger de ces tonnes de dépliants commerciaux que l'on déverse chaque jour dans nos portiques? L'horreur marchande fleurit comme jamais et trop c'est trop. Plus moyen de vivre en paix sans, incessamment, se voir harceler par ce lierre des publicités commerciales. Il y a des vendeurs criards partout, à la radio, à la télé, au sein même des émissions puisque la publicité dite *déguisée*, bien mal camouflée, s'y installe effrontément. Assez! Sommes-nous devenus seulement des consommateurs? En sommes-nous réduits à être seulement des acheteurs compulsifs? C'est vraiment pénible, non? Vaillamment, dans *Le Devoir*, Paul Cauchon a tonné l'autre jour contre ce fait déprimant, et, ce matin, Daniel Lemay (*La Presse*) y va de ses commentaires acides. Bravo! Bravo! Défendons-nous, c'est urgent. Suzanne Lévesque (entre deux publicités!), ce matin, gueulait là-dessus à son tour: « Tous ces galas pour, avant tout, vanter les

344

mérites des commanditaires.» *La Presse*, justement, s'organisant un gala pesant pour ses *Prix Excellence* (par ailleurs, une initiative louable). Et les marchés *Métro*. D'autres marchés, brasseries... On a même décerné un trophée *Félix-Molson* cette semaine au cours du Gala de l'*Adisq*! Connaissiez-vous un certain Félix Molson, vous? Quelle plaie, pire que celles d'Égypte! Le monde de la réclame court à la saturation, à l'écœurement total, son omniprésence est suicidaire. À quand le retour de la civilisation? Jeune, le monde de la publicité (il me semble) savait se faire discret, réclame opportune seulement, ne chargeait pas ainsi tous azimuts via les commandites à toutes les sauces et souvent assourdissantes au plan des décibels.

Hier matin, Gérard-Marie Boivin à CBF: «M. Lemelin, ne pourrait-on pas dire que Claude Jasmin est votre fils spirituel, lui et ses polémiques, lui et ses façons dégingandées de s'exprimer?» Mon Lemelin semble refuser l'idée et finit par dire: «Bien. Un fils? quand j'ai fait mes enfants, Jasmin n'existait pas vraiment, il n'avait pas commencé.» Le fieffé réactionnaire de Roger a bien fait de refuser cet amalgame. Je refuse moi aussi. Jeune, Lemelin a été un de mes modèles par sa fougue, sa simplicité, ses deux premiers livres, ses articles toujours clairs sur un ton gamin qui me plaisait tant. J'étais étudiant. Écrire n'était encore pour moi qu'un songe vague. Par la suite, j'ai toujours mis Lemelin, avec Gabrielle Roy et Yves Thériault, parmi les auteurs qui nous invitaient (par leur exemple) à exprimer nos mondes particuliers. Mais pourtant, questionnés dans des revues, nos écrivains se réclament seulement des grands noms illustres, ceux de France, des USA, ou de la Russie du XIX$^e$ siècle. Comme une honte idiote à se raccrocher aux nôtres. Refus de mondains! En bout d'interviews, ceux-ci, du même souffle, braillent sans vergogne qu'on méprise les auteurs d'ici, les inconséquents bonshommes!

À propos de mon cher Lemelin: marchand un jour, marchand toujours? À ce micro de CBF, le voilà vendeur insistant, vantant sur le ton de l'homme-sandwich sa toute récente prose. Je ne dédaigne pas à l'occasion la farce de l'auto-congratulation. Mais je rigole. Lui, mon Roger, sérieux comme un pape, insiste lourdement (devant un Boivin médusé, silencieux), proclamant que son dernier bouquin (*Autopsie...*) est un très fameux livre. Arrivant au vrai grand âge, perdons-nous toute pudeur? Seigneur, faites que je ne verse jamais dans ce travers gênant.

Vous voilà prévenus, je sens en moi qu'il y aura bientôt une furieuse bataille à livrer, il s'agit du vieux contentieux France-Québec. Je suis tout à fait d'accord quand je vois la chaude et vaste réception faite ici à tous ceux (créateurs de divers créneaux) qui débarquent (Roissy-Mirabel) en tournée de promotion. Mais il faudra, et le plus vite possible, qu'en France nos créateurs reçoivent ce même traitement généreux. Ils sont *dix* fois plus nombreux dans la maman-patrie? Bien. Alors, il faudra qu'à tous les *dix* visiteurs venus de Paris, au moins *un* Québécois soit reçu avec le même tapis rouge (des médias) sous ses pieds. Bien entendu, ça pourrait n'être *aucun* Québécois durant un mois ou deux et puis trois du coup le troisième mois. N'empêche qu'à moins d'un redressement de cette vieille situation à sens unique, il y aura une querelle pénible. Déjà, ici et là, je peux entendre la grogne justifiée des nôtres. Oui, je prépare une chicane qui devrait faire du bruit. Je fourbis des armes secrètement et je vais éclater. Un Yves Dubé, à qui je m'en ouvre, me dit: «Fonce là-dessus! Tu auras des tas d'appuis. Il s'agit d'un colonialisme évident.» Bon. Ça va cogner dur un de ces quatre matins.

Affreux monopole Bell téléphone...

Demain soir, folklore, il y aura partout dans nos villes et villages, des hordes d'enfants-quêteurs, travestis en sorcières ou en fantômes. Depuis une ou deux décennies, vous l'aurez remarqué, cette fête d'un macabre pour rire a pris beaucoup d'ampleur. Le commerce, toujours lui, y a vu. N'empêche que ce besoin du déguisement, de devenir «un autre», loge solidement dans le génome des petits. Hier, samedi, mon fils Daniel installe une grosse citrouille sur la table où l'on vient de luncher. Simon est bien excité de me voir trancher au couteau le masque traditionnel du bonhomme-citrouille. Lynn, la chose faite, installe une bougie allumée dans cette tête évidée et les deux garnements sourient aux anges. Ils ont hâte à lundi, demain! Raymonde et moi montons au lac. Arrivés ici en après-midi, Raymonde est allée aux emplettes épicières pendant que je remisais du mobilier de jardin, ramassais des branches (oh, les forts vents de la fin octobre!) et faisais un peu de ménage dans la cave-atelier. Je songe alors à mon topo (chez *Marguerite et cie*) anti-monopole Bell revu en reprise à Fresnière. J'avais craint l'embrouilla-mini. Mais non, ça se tient, ça passe bien. C'est moins touffu que je ne le craignais, Raymonde, Lynn et Daniel me le confirment. Barro, mon producteur, m'avait fait des reproches vendredi après-midi: trop d'incidences sur des sujets annexes alors que je ne voulais que protester contre les intrusions effrontées des marchands violateurs de nos lignes téléphoniques (supposément) privées. Non, je ne regrette plus d'avoir révélé les conclusions d'une étude de trois profs de l'ENAP (à Québec), qui fessait sur ce mono-pole subventionné (indirectement) pour un milliard. Un: il y a empêchement de progrès quand un service public est monopolisé même s'il est plus ou moins réglementé (pour Bell par le CRTC). Ainsi, selon Mainville, Mingué et Simard, *Bell* est une grosse fainéante et ses ingénieurs, des paresseux installés trop confortablement au sein du monopole, hors des lois courantes du marché et de la concurrence. Adieu alors les découvertes récentes: la miniaturisation, les applications du cellulaire et du post-cellulaire, les avantages du coaxial (câblage) et la téléphonie sans fil. Un scandale! Deux: qui dit monopole dit violence syndicale, avancent les chercheurs. Bien dans l'esprit actuel du *toujours plus*, excités par le butin faramineux de l'employeur-monopole, enfermés dans leur propre monopole syndical (à formule Rand), ces grévistes salivent pour une toujours plus grosse part du gâteau plantureux. Un seul mode de négociation efficace: recourir au vandalisme, à la violence. L'étude-rapport, en passant, illustrait que cette violence est aussi le fait d'autres monopoles ou de secteurs régis par les pouvoirs publics. Il en va ainsi avec les agriculteurs (réglementés et protégés). Pour *avoir plus*, ils bloqueront des routes, égorgeront des veaux, déchargeront légumes, lait, n'importe quoi sur la voie publique. Il n'en irait pas autrement chez Hydro-Québec, dans l'industrie (très réglementée) des drogues, etc. Il se peut que ces informations télévisées n'aient pas été toutes comprises, c'est fatal avec ce maudit modus à capsules. Cinq ou six minutes chacun et au suivant!

Pour les mêmes raisons, je veux revoir cet après-midi mon topo de *Premières*. J'ai tenté, vendredi, trop vite, de bien parler (même en mal!) de *Le pont de Londres* de Louise Gauthier, de *La semaine du contrat* de J.-M. Poupart et du merveilleux *Coyote* de Michel Michaud. Je suis sorti de cet enregistrement plutôt mécontent de moi. Satanée télé en cinquième vitesse! Heureusement, je pourrai mieux m'expliquer dans *L'humeur*, ce neuf *canard* qui doit commencer à paraître dans quelques jours. Vendredi, quittant Claire Caron en vitesse, je suis allé participer à une réunion exploratoire chez *Panacom*, rue Laurier, en vue de notre projet de téléroman sur les délinquants décrocheurs. Ce fut la confirmation par le PDG Debanville du «oui» radiocanadien et il nous affirme que dans une quinzaine arrivera l'autre «oui», celui de Téléfilm pour les subventions au développement dudit projet. C'est-à-dire le «fric» pour que je me mette à rédiger (avec le professeur Dupriez) quatre textes-spécimens. J'ai hâte mais je doute de la ponctualité de Téléfilm. Ma méfiance des organismes étatiques! Après le caucus, on a fêté l'anniversaire de notre futur producteur, Jean Dumas, un ex-camarade de la SRC. Vin blanc mousseux, bien pétillant (ouash!) et joli gâteau. Nous avons jacassé sur nos souvenirs communs, les gens de *Panacom*, Dumas et le directeur André Morin, venu joindre la petite *partie*. Au moment où je quitte la salle, mon Morin me retient par une manche: «Claude, je veux te dire qu'on vient enfin de m'inviter, à titre de directeur des variétés de la SRC, à présenter des projets et que je vais donc avancer tes idées de jeux télévisés que tu m'avais envoyées il y a bien deux ans de cela» Ma surprise! J'avais oublié. Morin me rappelle ce temps où, frais sorti de Radio-Canada et chômeur tout neuf, je lui avais expédié quelques idées de «quizz» dont l'un avec deux équipes de raconteurs de mensonges. Et aussi de vérités. J'ai eu l'idée de ce «*Qui dit vrai, qui dit faux*» ayant lu sur un fabuleux concours, en France, où des loustics se présentent en narrant d'énormes menteries. L'article disait que c'était une vieille dame qui avait gagné le Grand prix du meilleur mensonge. Elle avait raconté une galante aventure comme amante du célèbre peintre Salvador Dali, avec, paraît-il, un luxe de détails transformant sa fable en une histoire très vraisemblable. Dans mon projet de jeu télévisé, chaque semaine le public serait invité à rédiger une mésaventure vécue réellement et deux équipes de vedettes, en studio, s'affronteraient en s'efforçant de piéger l'auditoire. Les stars mêlant les faux récits (rédigés par des scripteurs) à ces véridiques anecdotes. L'enjeu? Départager le vrai du faux, ces artistes ignorant l'origine des textes. Il me semble que ça pourrait avoir du succès. Au début de 1986, j'avais oublié l'envoi de ces projets à Morin, puisque Guy Fournier m'annonçait que son réseau tout neuf allait m'engager pour animer un talk-show sur les livres. On sait le reste.

Vive le coq-à-l'âne...

Eh ben oui, je vais répondre (pas pour publication) à ce Michel Laurin qui fait une (plutôt) aimable recension de *Pour tout vous dire* dans l'efficace mini-revue *Nos livres*. Je veux encore donner une leçon? Hélas, oui. Le critique m'arrose d'abord d'aimables compliments pour, à la fin de son article, me reprocher «de serrer de trop près le quotidien en négligeant de le travestir en intemporalité», aussi trop de coq-à-l'âne et enfin une «prose butinante». En voilà assez! C'est exactement le projet qui me tient à cœur avec mon journal. Laurin peut ne pas être d'accord, mais il doit en tenir compte. Est-ce que, en *butinant*, en refusant *l'intemporel* pour illustrer plutôt *le quotidien*, je peux réussir à captiver mes lecteurs? Tout est là. Oui, j'adopte le mode coq-à-l'âne (ma décision) et l'observateur n'a plus qu'à expliquer comment et pourquoi j'ai tort de faire ainsi. Un rédacteur a bien le droit de choisir sa façon d'écrire. Reprocherait-on à l'auteur d'un polar de ne pas plutôt songer à un genre plus métaphysique? À l'inverse, reprocherait-on à l'auteur d'un essai ou conte philosophique de ne pas plutôt publier un roman policier? Non, mais... J'ai voulu, dès le départ, transcrire mes émotions au jour le jour, mes sentiments du moment, mes réactions quotidiennes aux *faits divers*, aux contacts (rencontres, téléphones, lettres) qui surviennent chaque jour. Au jour le jour, je le répète. J'ai tourné le dos (carrément?) à la façon, disons d'un Carpentier de concevoir un journal de cette façon (non intime). Un critique, publiquement, lui reprochera-t-il de n'avoir pas su y mettre plus de *quotidien* et de *faits divers*, jamais de *coq-à-l'âne* bien plaisant? Certes, la critique est libre, mais quelle peste que cette manie d'exiger une fable en lieu et place d'une nouvelle réaliste, ou un conte au lieu d'un récit vécu. Certes, Laurin, ou un autre, a le droit de publier qu'il n'apprécie point cette façon de tenir un journal intime, mais il n'a pas à reprocher à l'auteur d'avoir choisi cette manière.

Je peux bien, par ailleurs, reprocher à Poupart d'avoir allongé indûment une excellente nouvelle (le contrat d'un romancier pour faire tuer son critique malveillant) au sein de son récent roman de plus de deux cents pages. Le procédé, dans *La semaine du contrat*, est fastidieux et d'un décevant absolu. Le lecteur se fait titiller en ouverture du livre par ce contrat de mort. Mais voilà que Poupart, au lieu d'avancer avec cette stupéfiante annonce macabre, se met à narrer tout lentement le passé et le présent de son héros. En soi, le méticuleux portrait de son écrivain (également lecteur dans une maison d'édition) est intéressant et aurait pu faire un bon roman, mais cette excitante amorce (un tueur à gages est engagé pour tuer deux critiques) est tellement forte qu'on enrage de devoir attendre à la page 170 pour entendre à nouveau parler de son machiavélique projet. C'est donc raté, hélas! *Les beaux draps*, son précédent livre, m'avait tant plu, et, ici et là, fait rire aux larmes.

Ce Laurin de *Nos livres*, j'y reviens, me reproche aussi trop de redites. Je sais bien qu'il y en a et qu'il y en aura encore dans mon deuxième tome. C'est inévitable quand vous rédigez au jour le jour. La franchise fait que certains thèmes (et des faits aussi) reviennent forcément au sein du journal. Un être humain, quel qu'il soit, est habité par quelques idées-forces qui le suivent sans cesse. D'autre part, certains faits d'importance, avec les jours qui passent, reviennent forcément vous hanter. C'est la matière

351

même du «journalier» qui n'y peut rien (sinon faire comme je fais, mettre des «je l'ai dit», des «je le répète», des «j'y tiens beaucoup»). Avec un roman, il en va tout autrement, c'est un bloc continu que vous pouvez nettoyer à la relecture. C'est bien différent d'un journal qui est tissé, lui, de centaines de petits blocs épars où la continuité (avec ses redites) est la matière intégrante du genre. Et puis zut! foin de *self-defense*, mon éditeur m'a redit cette semaine que le journal va fort bien dans maintes librairies du territoire. Bon. Les défauts (qui n'en a pas?) doivent être assez balancés par les qualités du bonhomme. En avant, courage! Quant à ce besoin d'être *reconnu et célébré* (Laurin), diable, je me tais là-dessus. Encore que j'aurais aimé voir son assertion s'appuyer sur quelques exemples, mais sur ce chapitre (plus candide encore qu'il ne le croit), je dirai à M. Laurin: ma foi, ça se pourrait bien. Quoi? Quoi? Tu t'échines à publier, à foncer tous azimuts, à raconter ta vie quotidienne et tu ne souhaiterais pas la reconnaissance, la célébrité? Oh, oh! non! Je ne mangerai jamais de ce pain d'hypocrisie.

Hier, ciel bouché, mais aujourd'hui, du bleu, du beau bleu, entre les monceaux d'ouate grise et blanche dans la voûte. Déjà, par la fenêtre, je découvre qu'on fait de la neige, en face, au Chantecler! Mille milliers de mordus du plaisir de glisser (je les imagine) doivent se tordre d'impatience. Et moi? Niet! J'ai parlé à Raymonde de passer les Fêtes à Cuba. Ou en Floride. Elle m'a dit: «Peut-être, mais une seule semaine. Mon boulot!» Quand (dans cinq ans) elle prendra comme moi une retraite anticipée, nous partirons deux, trois mois au soleil.

Des pierres blanches...

Demain, novembre! Il me reste donc deux mois à jour-naliser? Chez Guérin, on m'a dit: «Sortie du deuxième tome dès le début du printemps de 1989.» Bien. Ensuite, je devrai décider. Pour le premier janvier de l'an nouveau, il y a deux possibilités. Un, ne plus *publier* mon journal et pouvoir ainsi y mettre des confidences encore plus in-times. Deux, cesser complètement cet exercice scripturaire qui me plaît pourtant bien. Éthier-Blais, en cette *chapelle ardente* chez Maria Forget, me remerciait publiquement (devant son *Pen Club*) et m'encourageait à cesser le jour-nal. Ce doyen des critiques proclamait: «Désormais, après ces premières confidences, Jasmin va certainement nous donner des ouvrages d'imagination très différents, de ces livres qui seront des pierres blanches dans notre littéra-ture québécoise, qui seront nourris et enrichis par ce tra-vail sur lui-même auquel il vient de se livrer avec *Pour tout vous dire.*»

Diable! Ça m'a fait réfléchir. Déjà, avec *Le gamin saisi* (premier jet rédigé en janvier 1988), j'avais vu en effet que j'étais changé. Je me questionne un peu sur le bien-fondé de cette curieuse recommandation d'Éthier-Blais. Cepen-dant, il se pourrait bien que je n'écrive pas de roman avant longtemps. Surtout si je dois devenir feuilletoniste de télé dès janvier 89. Laissons le temps accomplir son principal ouvrage qui est de nous guider à sa façon, si souvent contradictoire par rapport à nos désirs, nos vœux, nos ambitions. Ainsi, cette semaine je me suis sur-pris à rédiger un début de dialogue pour une pièce de théâtre assez bizarre: un couple qui parle. Ensemble. Ils ne s'écoutent pas vraiment. Ne parlent pas des mêmes choses. Deux monologues en une fausse conversation. La vie réelle. Ou si on préfère, un dialogue de sourds. (Bon titre, ça!) Mon texte serait imprimé sur deux colonnes. Une pour *lui*, une pour *elle*. C'est de cette façon que j'ai rédigé mes deux premières pages. Ça m'excite. Pièce à être jouée comme une partition musicale? Évidemment, à tour de rôle, ce sera la voix d'*elle* ou de *lui* qui dominera. Il y aura souvent des propos aux antipodes mais aussi, mystérieusement, des propos sur des sujets communs, des accords hasardeux. Ah oui, il faut que je termine ce concerto pour deux voix désaccordées, pour deux solitudes exaspérées, pour un couple d'*étrangers*, de *solitaires* unis par accident, comme c'est le destin de tant de couples, les haineux comme les aimants. Je devrais le terminer, non?

Yves Dubé insiste de nouveau, c'est merveilleux! Il voudrait publier, en une ou plusieurs brochures, mes quatre pièces refusées chez *Duceppe* et au *Rideau Vert*. Je lui ai dit: «Si jamais une troupe finit par en monter une, le texte se fera forcément tripoter et la pièce publiée ne ressemblera peut-être plus tout à fait à celle qui serait jouée.» Il me fait: «Aucune importance, j'ai souvent attendu les changements des premières répétitions avant de faire imprimer, et malgré cette précaution, le soir de la première, le texte avait encore été remanié. Coupé ou allongé. Ça n'a pas grande importance.» À ce sujet, je viens de retrouver *Le petit catéchisme* de mon enfance et je voudrais réécrire ce *Fantômes de ma jeunesse* (que j'avais titré d'abord *Prières pour faveurs obtenues*). Quant à ce *Voyou dans l'armoire* (sorte de portrait du Rimbaud revenant d'Afrique amputé), je voudrais aussi le réécrire, Françoise Faucher m'ayant reproché sa facture trop statique, trop immobile. Par ailleurs, *Les cris de monsieur Godon* et *Un homme ne pleure pas* ne me paraissent plus mériter publication. Le lecteur doit savoir aussi ceci: avec le temps, tel texte qui vous semblait si solide, perd, dirait-on, sa saveur, sa force et vous semble devenu une machine tiède, même toute refroidie. Mon Dieu, ça voudrait-il dire qu'un auteur devrait toujours laisser s'écouler un long laps de temps avant de publier? Que cela doit être tragique quand un auteur bien lent découvre après un an ou deux que le roman sur lequel il rature et griffonne, qu'il peaufine sans cesse, ne le captive plus du tout. Brrr! Chanceux, aucun de mes romans ne me paraît... regrettable. C'est bien d'être une tête heureuse, vous savez! Par contre, je renierais volontiers certains récits et essais. Le roman que j'aime le moins? *Revoir Éthel*, paru en janvier 1976, après presque dix ans d'absence en fiction. Le roman que je préfère? Qui n'a eu pourtant aucun succès populaire, *L'armoire de Pantagruel*. Ce portrait d'un furieux évadé de prison, avide de vengeance, s'est attiré une louangeuse analyse de Réginald Martel, mais est passé *dans le beurre*, comme on dit au Québec. Je m'en console encore bien mal. Eh! ce sont les avatars indissociables de toute carrière littéraire, soyez maintenant prévenus, jeunes gens!

Vers de monsieur Racine...

Demi-fiasco! Quasi-désastre! Vous auriez dû me voir jeudi dernier, rue Chambord. Deux caméras de *La grande visite* dans le salon chez ma fille. Une folie. Un défi. Raymonde m'avait dit: « C'est génial, mais c'est super risqué.» Oh oui! J'avais écrit (dans le premier tome) que, sortant du *Phèdre* au TNM, je voudrais essayer de captiver les petits-fils avec ce fameux récit de Théramène quand il raconte au Roi la mort tragique, sur ses chevaux emballés, de son fils Hippolyte. Eh bien, j'y tenais. Voilà que mercredi soir, je transcris ce beau long monologue en vers classiques de Racine sur deux grands cartons avec des feutres de couleur. Hélas! je n'ai pas le temps de mémoriser cet acte IV en question. Aussi, mes petits auditeurs, assis sur le tapis du salon, me suivent très mal pendant qu'on les filme, une vraie follerie-de-papi en vue d'une émission pour le temps des Fêtes. Je suis reparti enragé de mon échec, furieux d'apprendre que c'est peut-être impossible. Françoise Faucher (à qui je m'étais ouvert de mon fou projet) m'avait pourtant fortement encouragé... Attendez que je la retrouve, car elle devrait faire partie de ce réveillon au studio de Daniel Pinard. Faut dire que je tenais (ça devait être ça le défi) à changer le moins possible les vers de M. Jean Racine. Ça m'apprendra, grand con de tête heureuse! Laurent s'est mis à jouer avec les portières coulissantes du long buffet, Simon examinait, distrait, les caméras et les messieurs techniciens. Seul l'aîné, David, faisait mine d'être attentif. Le petit comédien, va! Les deux benjamins, Thomas et Gabriel, jouaient avec leurs sucettes aux cerises qu'Éliane leur avait distribuées dans le dessein de les garder immobiles. En cours de route, j'en suais un coup. On verra bien le résultat après montage. Si c'est trop pénible, je dirai en ondes que je suis un vieux fou d'avoir osé lire des vers raciniens à des gamins de 1988!

Au téléphone, le Pinard, préparant cette émission à venir, journal en main, s'était moqué: « Ah, tu veux voir ton *Gamin saisi* publié en France? Tu veux imiter Godbout, au Seuil? » Minute! Le Seuil *imprime* les romans de Godbout (et ceux d'autres Québécois) et expédie presque tout le stock ici où Godbout a ses lecteurs. Il donne du travail, en somme, aux imprimeurs de France. Son droit. Je veux, moi, que mon prochain roman soit imprimé, publicisé et distribué là-bas par cet éditeur français éventuel, qu'il travaille à sa promotion pour d'éventuels liseurs français. Sinon, ce n'est pas la peine, autant faire travailler les imprimeurs d'ici. Voilà la différence entre Godbout au Seuil (qui donc encore? Lalonde?) et Jasmin à Paris. Mais est-ce que ça se fera? J'ai hâte de lire un certain rapport d'un lecteur parisien qui, m'a dit Dubé, aurait quelques changements à proposer. En vue de lecteurs en France? À ce compte-là, oui, je veux bien examiner les remarques de ce spécialiste. Mais Dubé, bizarre, non? ne m'en a plus reparlé. J'attendrai donc.

Éliane au téléphone! Elle m'annonce la mort, à 80 ans, de la pétillante tante Alénie, parente de son Marc de mari et que j'aimais bien entendre vanter les mérites et les vertus de nos temps modernes dans son coquet appartement, boulevard Gouin, en face des jolies cascades de la rivière. Elle n'avait rien des vieux grognards réactionnaires, oh non! C'est une Lefebvre qui habitait dans Villeray quand elle élevait ses enfants, dont le peintre Jean Lefebvre, alias Lefébure! La grand-mère d'Éliane, ma mère, est une Lefebvre! Oh, liens consanguins dangereux dans ce «Québec-aux-liens-tricotés-serrés» expression du célèbre sociologue du Bas-du-fleuve, Marcel Rioux.

*9 novembre 88*

Avoir été un peu exemplaire...

Mon anniversaire demain. Pas encore? Diable que cela revient vite! Samedi dernier, jour ensoleillé et d'une étonnante chaleur, mes deux grands enfants me fêtaient d'avance dans la cour de la rue Chambord. Avec les cinq garçonnets autour, il a été impossible que je me sente le seul héros du jour. Forcément, ce fut aussi un peu la fête des enfants. Comment faire autrement? N'empêche, j'aurais dû le leur dire, je me sentais bien, fier de cette descendance, content de mes deux grands rejetons, si beaux, si sains, en si bonne santé mentale et physique, Éliane et Daniel. Tant d'amis, de camarades, n'ont pas eu ma chance, tant de sordides aventures pour certaines connaissances: enfants accidentés gravement, jeunes narcomanes, fuyards disparus, des suicides... Oui, j'ai été chanceux. Oh, jouons un peu à l'ange, je me vante intérieurement d'avoir su les aider à grandir, d'avoir assez bien veillé sur leur enfance,

357

d'avoir décidé, fermement, qu'ils vivraient une jeunesse heureuse. Aussi, je me dis souvent que je récolte le bien que j'ai semé. Mon certificat de *bon papa* pourrait bien être un peu discuté par l'un ou l'autre, mais quoi? personne n'est parfait. Quand je me compare avec certains carriéristes (que je ne nommerai pas) se fichant pas mal de leur progéniture, se forgeant de beaux noms très célèbres, hypothéquant à jamais l'avenir de leurs jeunes enfants, oui, quand je me compare, moquez-vous, je m'accorde une fameuse bonne note pour ce temps lointain, celui du papa que j'étais. Devenus deux adultes, à eux de jouer maintenant. J'ose écrire que j'espère avoir été un peu exemplaire et qu'ils feront de même avec mes cinq petits-fils.

Raymonde, samedi après-midi, semblait observer ce charivari familial avec des sourires attendris. Elle sait bien que cet ex-papa ne désire désormais n'être que son amant. Farouche et attentif à la fois. Quand Raymonde est présente à ces sauvages agapes familiales, j'ai toujours la même crainte. Une sorte de niaise peur: je redoute qu'elle aille s'imaginer que je ne suis plus que cela: un grand-papa, un amusant quinquagénaire à petits-fils. J'ai exigé, sans le savoir, dès qu'elle fut ma maîtresse, qu'elle reste une femme-sans-enfant. C'était inévitable. C'était comme entendu entre nous. N'empêche, acceptant d'être la muse, l'égérie, la *flamme* (clandestine si longtemps), Raymonde se privait donc de l'un des antiques rôles de la femme, la procréation. J'écris cela un peu fébrilement. Nous n'en avons jamais discuté longuement. C'était tacite. Implicite. Il m'arrivait souvent, pris dans des problèmes divers d'éducation, de lui vanter son célibat, d'exagérer gravement, comme à dessein (pour la consoler), les angoisses d'être parent. Inconsciemment, sans doute. Je croyais chaque fois lui faire mieux apprécier sa relative liberté. Il est vrai qu'être un vrai père (et c'est pire pour une mère), c'était une sacrée corvée bien souvent. Les artistes qui n'ont pas fui lâchement leurs responsabilités le savent. Un total manque de liberté, de l'abnégation, des sacrifices parfois très difficiles. Je veux le répéter: tant de mes camarades du monde des arts et spectacles se fichent carrément du devoir humain de prendre soin de leurs enfants, puis d'établir ceux qui, après tout, n'ont pas demandé à naître.

Je sors tout juste des trois cents pages du tome 5 de Jean-Pierre Guay. Son meilleur? La peste de ce besoin de toujours classer, pouah! Je m'interroge: en parlerai-je dans *L'Humeur* et à *Premières*? C'est bien délicat, puisque mon nom y est dès la quatrième page, et, par la suite, sans cesse. Je relis donc toutes mes vieilles lettres de 1987, échos impétueux à celles que Guay m'expédiait; il les commente, s'en moque et les re-commente. Le gros de cet épais recueil de notes éparses d'*Un homme assis* est constitué ainsi d'un patient recopiage des lettres de quatre ou cinq de ses correspondants; surtout celles de l'architecte-romancier Folch-Ribas, de Clément Marchand, sympathique misanthrope de Trois-Rivières, d'un autre Jacques, hagiographiste de Sherbrooke. Toutes les miennes. Et qui encore? Et quoi encore? Ah oui, les incessants appels téléphoniques de l'auteure de la saga des Caleb, Arlette Cousture. *Un homme assis*. Un copiste zélé. Étrange (et tout de même attachant) secrétaire de sa propre existence, jeune épuisé déjà essoufflé, désespéré, chômeur volontaire qui s'en plaint, se prenant pour son idole l'ermite sarcastique, commis rétif mais fidèle au Mercure de Paris, Paul Léautaud. Guay peut me traiter de *brouillon* à la prose gavroche. C'est pire qu'on croit puisque je me suis souvenu, en me relisant (Raymonde prenant tant de plaisir à épier nos échanges épistolaires) que je me fouettais pour répliquer (point par point) à ses bizarres missives. Quand on n'a pas le temps, c'est connu, on fait de longues lettres. À toute vitesse, sans se relire. Alors me voilà assez surpris de revoir ces brouillons (trop spontanés) imprimés tout proprement dans le cinquième tome de Jean-Pierre. Je rigole en me découvrant sous les traits de cet aîné qui enguirlande férocement ce jeune geignard comme paralysé devant son pupitre du sous-sol de la rue Duvernay, à Beauport. À la fin, JPG écrit: *je sais que tu veux sans cesse me provoquer.* Exact. Exhortations inutiles, Guay ne voulait rien savoir de troquer sa fainéantise pour une vie active ordinaire. Son droit. Jusqu'ici *une œuvre* par conséquent unique et curieuse que ces cinq lourds pavés de chialage, contre les autres, tous des cons, et contre lui. À un moment, il réclame la paix, et à un autre, il se lamente de n'avoir pu se constituer le moindre public-acheteur. D'un œil, il cherche le désert, de l'autre il scrute ses commentateurs. Le drôle de bonhomme, non?

Enfants de commerçants...

Ce dernier week-end, tout ensoleillé, n'a donc été qu'une courte trêve dans tant de jours ennuagés et plutôt sordides climatiquement. Ce matin, un autre mercredi sinistre. Hier après-midi, après mon *billet* télédiffusé sur l'affaire Paradis (jugé d'avance par les médias « le monstre de l'Acadie »), je suis allé dîner en un faux tête à tête intime avec l'actrice-animatrice Deschâtelets. Faux puisqu'il y avait autour de notre table, au resto *Via Roma* de ma petite patrie, un escadron de techniciens pour Quatre Saisons. Ce *Carnets de Louise* sera télédiffusé un peu avant les Fêtes, le mois prochain. Louise D., comme moi, était fille de restaurateurs dans le vieux Rosemont. Très liante, très sociable, elle renforce ma petite idée que les enfants de commerçants deviennent forcément des gens ouverts, très disponibles à la communication et elle en convient volontiers. Le 26 de ce mois, un samedi, je devrai compléter cette émission en studio. Louise est en train de lire mon PTVD pour fourbir son questionnaire-interview.

Après la garden-party dans le jardin chez Éliane, samedi dernier, c'était le souper-en-famille au resto *L'Avenue grecque*, à deux rues de chez moi. Tout le clan Jasmin s'amusait donc rue Querbes, d'abord pour les apéros, et après la bouffe à la grecque, pour les digestos. Une fin de journée bien pleine de bonne chaleur! C'était le premier anniversaire de deuil, Germaine *montait au ciel* le 3 novembre de l'an dernier, nous avons donc jasé... de Germaine. Avant le repas, Marcelle, ma chère «épivardée» des années 45-50, a pleuré, Nicole, sa cadette, refoulait ses larmes et la benjamine, Marie-Reine, se contrôlait. Marielle, ma quasi-jumelle, n'a pas craint, tout comme moi, de formuler quelques griefs à propos de la terrible sévérité maternelle d'antan. C'était aussi pour moi, samedi soir, la fin de mon rôle d'exécuteur testamentaire. Mes cahiers noirs sont fermés et j'ai distribué les derniers chèques (309 dollars chacun), il n'existe plus de compte Succession-Jasmin à la Caisse pop de la paroisse natale, Sainte-Cécile. Une page tourne.

L'aînée, la lucide Lucille, a osé dire avec franchise: «Pensez-vous maintenant que nous organiserons d'autres réunions de famille?» Son insidieuse question s'est attiré de vives protestations. En fait, on verra bien.

Est-ce bien notre lot commun: nous sommes, chacun de nous, au moins deux personnes en même temps. Il y a le petit personnage officiel, celui de la vie active, du boulot, avec le métier à faire et les camarades. Il y a l'autre bien différent, non? le personnage plus secret, issu d'une famille toujours singulière, qui a (ou non) des frères et sœurs, un père (jeune, vieux ou décédé), une mère (paralysée ou voyageuse). Le midi, on va manger avec ses amis, le soir, on va manger avec... les siens, ceux parmi lesquels on a été un enfant, avec qui on a grandi. Oui, deux êtres différents. Dans sa famille (même à cent ans), on reste un ancien enfant, un enfant ancien? et on jase sur un tout autre registre, celui des sentiments, de la mémoire. Du passé toujours! Nous sommes tous, au moins, deux personnes et plutôt différentes.

Parlons-en de l'enfance, du passé. Je viens de lire très goulûment, de Gabrielle Roy, *Lettres à ma petite sœur*, publié par les soins de François Ricard chez Boréal. Ce trop court recueil de lettres étonnantes a fait ma joie, tout comme celui d'un Julien Bigras se quêtant *un père spirituel* dans la personne du médecin-littérateur Ferron. Je voudrais ne plus lire que cela: des correspondances, des biographies. Et du journal intime! Pas besoin vraiment de *lire entre les lignes* avec cette profanation du courrier de la célèbre auteure de *Bonheur d'occasion*, non, c'est assez transparent. Découverte envoûtante: Gabrielle Roy, si secrète de son vivant, s'est débattue contre une sœur perfide, Adèle (institutrice à St-Boniface, tout comme elle). Adèle est méchante, laide, affirme carrément l'auteure de *La petite poule d'eau*. Stupéfait, le lecteur apprend que cette Adèle Roy a rédigé un manuscrit où elle raconte la jeunesse, la vie de sa célèbre sœur, la lauréate du Prix Fémina de Paris. De lettre en lettre, à partir de 1965, ça devient la panique. Va-t-elle oser publier cette méchanceté, se torture Gabrielle Roy, dans sa suite épistolaire à son autre sœur, la religieuse Bernadette. Elle crie au secours. Du même souffle, elle supplie aussi la nonne de bien veiller sur leur autre sœur, Clémence, victime pathétique d'aliénation mentale et logeant dans un «foyer» de son lointain Manitoba. Ah oui, fatale attraction pour le liseur, apprendre que derrière le bel écran, le joli paravent des prestiges littéraires, se cachent tant de misère et d'angoisse. Par exemple, Anna, la deuxième mère qui se meurt, seule, en Arizona (à Phoenix). Les lettres se font alarmistes. Dans *La détresse et l'enchantement* (fameuse autobiographie de G.R.), malgré la discrétion coutumière de l'auteur, s'était profilé un autre sujet d'anxiété: Rodolphe, un frère bourlingueur et buveur, peu recommandable, exilé à Vancouver. Ah oui, des tas de petits secrets, dans chacune de nos vies! Misérable réalité; que vous soyez une simple ménagère dans son foyer apparemment bien «quiet» ou que vous soyez une romancière populaire, traduite en plusieurs langues, étudiée dans toutes les écoles, décorée de ceci ou cela... la vie réelle, la terrible, ne vous épargne pas. Tête couronnée de lauriers littéraires ou simple citoyen.

Briques de toutes épaisseurs...

Folie? Pour un simple cent cinquante piastres (*Premières*), votre vie est toute changée! Oui. Voilà que je lis des heures et des heures chaque jour. Voilà que je ne regarde presque plus la télé (sauf *L'Héritage* via Raymonde!). Voilà qu'à cause d'un petit sept minutes de chronique littéraire, presque chaque jour les distributeurs m'envoient des livres fraîchement sortis des imprimeries. Derrière mon fauteuil, plein de tablettes débordant de bouquins divers. Je lis. Je lis. Me voici redevenu l'insatiable dévoreur de *briques* de toutes épaisseurs comme durant les six mois de feu *Claude, Albert*... Bizarre retour à la case départ, non? Fini le temps où j'allais en toute liberté me chercher de tout et n'importe quoi, au gré de mes envies capricieuses, à la bibliothèque municipale. Certes, je referme souvent des livres (romans, essais graves ou folichons) après quelques chapitres. Je reste libre là-dessus. Je choisis. N'empêche, pour efficacement restituer mes impressions après tant de lectures, il me faudrait des heures de télé. Mais non, que six ou sept minutes chaque dimanche après-midi; l'impression accablante chaque fois que je quitte l'animatrice Caron de me faire le bonimenteur trop bousculé des livres que j'ai aimés. Ou détestés. Abandonnerai-je ces cachets si un producteur-télé se décidait à accepter l'un de mes projets de téléroman? sans doute. J'aime aller à *Premières*, ce n'est pas une corvée, mais c'est trop frustrant à la longue de devoir résumer cavalièrement ses observations sur les livres.

Hier soir, Victor-L. B., téléphonant à Raymonde, lui annonce qu'il va peut-être, lui aussi, publier un journal, qu'en attendant il s'est plongé dans le paquet de tomes du brillant et grincheux Paul Léautaud et aussi qu'il finira bien par m'envoyer un mot au sujet de mon PTVD, tome I. Le camarade Victor est fier, avec raison, du grand succès de son feuilleton, mais il a avoué à Raymonde qu'il aimerait bien que les dirigeants du réseau de la SRC lui signifient au moins un peu leur satisfaction. Ma foi, il a raison. Les potentats-bureaucrates, parasites grassement rémunérés, sont des ingrats. Sans l'ouvrage des créateurs et des artisans, leurs belles planques n'existeraient pas. Ils oublient volontiers de manifester (une simple lettre d'appréciation n'a jamais tué un directeur) le moindre contentement face à ces exceptionnels succès publics parmi leur pesante programmation. C'est triste, je trouve. J'ai dit à ma brune qu'elle doit encourager Victor qui veut y aller, là-dessus, d'une protestation publique.

Je trouve que je parle peu des actualités courantes. C'est mieux? Pourtant... si je ne me retenais pas. Je m'encombre d'énormes lots de coupures (on devrait dire « découpures ») de journaux, masse inutile qui dort autour du dactylo, et que, de temps en temps, je vais ranger dans une énorme enveloppe. Au diable la marche du monde, ici et à l'étranger. Sinon, j'écrirais des milliers de pages du journal de plus. En fait, dans cinq ans, voire dans un an, tel événement *de l'heure* ne sera plus que broutille éphémère et ennuyeuse, non? Ne parlons donc que de moi. Le journal: un dérisoire tombeau? Pierres sèches accumulées sur mon temps. Mes espoirs, mes succès, mes regrets, mes illusions, mes folies. Mes banalités. Stèle du temps mort. Pathétique construction pour que le temps perdu garde un reste, tout chétif soit-il, d'importance relative. Un secret? Je relis (très souvent) mon premier tome. Je n'ai jamais eu cette envie, ce besoin plutôt, avec mes romans. Un signe?

*10 novembre 88*

Le vrai père de la petite patrie...

Goût subit de venir au journal ce matin. Mon anniversaire. Raymonde vient de partir à ses *répètes*. M'a offert une boîte neuve à jolis godets d'aquarelle pour mes illustrations à venir, aussi un assortiment de pinceaux. On s'est embrassés. J'ai fait, hier, une illustration pour un futur roman de M. Bujold. L'auteur m'expliquait, par téléphone, qu'il souhaitait des enfants, une école et, surtout, une montgolfière au ciel. Il aura le choix parmi trois essais, mais j'espère que lui et Yves vont élire mon troisième dessin, plus libre, plus joyeux. La maison Guérin me doit un peu d'argent pour des couvertures, celle du vieux roman Mercier, celle de *La revanche-Les dents de la mer* (que j'aime donc mon requin sanguinaire!) et celle du documentaire de Jacques Neufeld... J'ai expédié une facture officielle.

Il faudrait que je demande une copie (sur ruban vidéo) d'un film du réalisateur Jobin tourné pour Radio-Québec où l'on voit et entend jaser mon Édouard-de-papa-céramiste. J'en offrirais des copies à la sainte famille. Quel solide souvenir. Impossible, jadis, d'avoir un si formidable *memoriam* visuel de nos parents et grands-parents. Vive le monde moderne? Parfois, oh oui! Je devrais aussi écrire aux Goyer, Verdon et al afin qu'ils organisent une expo itinérante dans les Maisons de la culture sur l'art naïf du père. Je voudrais y collaborer, pas un mot sur le fils, seulement sur le père (véritable!) de la célèbre *petite patrie,* ses céramiques, des photos, ses manuscrits, ses tableaux au sable, sa drôle de collection de livres (les stigmatisées, les miraculés et les apparitions mariales!), avec projection de ce film de Radio-Québec. Le temps, le temps, oh misère! Chaque jour, ou presque, arrivage de livres nouveaux. Ce matin? Un sur le couple Alarie-Simoneau. Comment tout lire, chers collègues-en-chroniques? Je m'affole!

Au fond, c'est bien, je m'oublie, je n'ai pas le temps de philosopher et de m'attendrir sur ce fait: aujourd'hui, je vieillis d'un an! Oui, il y a cinquante-huit ans, une minute passé minuit, un gros bébé sortait du ventre de Germaine Jasmin, née Lefebvre, au 7068 de la rue Saint-Denis. Maman: «On n'avait jamais vu un si gros garçon!» J'ai maigri? J'ai bien grandi? Ne pas répondre.

Une jeune actrice, Marijo Godin, m'écrit pour me faire part des affreuses difficultés qu'on a, jeune, à percer, à se faire au moins un petit nom dans le monde du spectacle. Je le sais. Terrible ambition aussi. Que faire? Que lui répondre pour la calmer, la rassurer un brin? Pas de mensonges... Alors, quoi lui dire? Hier matin, le caricaturiste de *La Presse* charge une fois de plus sur le *Vatican versus la misère du Sud.* Erreur. L'église (quelle qu'elle soit) est là pour les riches *et* les pauvres. Si on pense à Jésus chez un riche, un collecteur d'impôts bien détesté de tous. Son audace! Dieu, la foi, c'est pour le voleur *et* le saint, l'assassin *et* le pacifique, le millionnaire *et* le misérable. Ce qui n'a pas empêché tous les merveilleux *Vincent-de-Paul* d'agir au nom de Dieu et de l'Église. Ce qui a fait germer la fausse idée que le grand rôle des religions (des religieux) était de menacer les possédants. Assez de théologie en amateur, non?

366

Je pars. Chez Éliane d'abord, comme chaque jeudi, garder ses mioches pour qu'elle fasse ses emplettes de victuailles en paix. Et puis, aller chez Courteau, l'éditrice (!), pour le lancement du 28e livre du père Pallascio-Morin, que j'aime bien. Puis, chez Guérin: ce soir, proclamation officielle de la lauréate 1988! Ensuite retour *at home*, Raymonde veut me fêter dans un resto de mon choix. Petite folie? J'ai envie de demander à Marcel Dubé, au lancement de ce soir, qu'il pilote un album d'art: mes aquarelles sur mon texte de *la petite patrie*. Une publication rare et luxueuse. Un livre cher. Oui, une petite folie. Narcisse?

*14 novembre 88*

Fin de soirée orageuse...

Un mardi lumineux, sec et froid. Novembre en son milieu. Raymonde partie pour son deuxième exténuant jour de studio, elle m'a promis que c'est aujourd'hui qu'elle saura exactement le nombre de jours de vacances qu'elle pourra prendre cet hiver. La petite maison dite mobile, à Tampa, appartenant aux beaux-parents de ma fille, est à louer à cause des défaillances cardiaques du papa de mon gendre. Le malheur des uns... Nous pourrions y passer, à bon marché, deux semaines fin décembre et début janvier. Hier soir, hésitations et tergiversations puis, au lit, ma brune qui avoue: «Il y a surtout que j'ai une peur effroyable chaque fois que je dois prendre un avion!» Ah bon! Je n'aime pas, moi non plus, monter dans ces oiseaux géants. Chaque fois, je me calme, me répétant qu'il en part et en arrive à toutes les heures sous tous les fuseaux horaires. Un fatalisme réconfortant? Ouais! Je lui propose, si on y va pour une quinzaine de jours, de descendre *in*

*Florida* en voiture. J'ai suggéré ça à ma tendre froussarde tout en me rappelant l'horreur de devoir refaire cette longue route, au retour. La terrible remontée vers le froid alors! On a fait ça deux fois, jadis. C'est long, si douloureux dès qu'on remonte au-delà des Carolines. Tampa et sa grande région me tente. N'y sommes jamais allés. On verra bien.

Samedi soir, à Saint-Laurent, reprise des réunions de jadis avec notre groupe des Sept. Excellente bouffe chez Josée, la scripte des célèbres *Dames de cœur*. Et bon vin rouge. Rigolades, mais en fin de repas, paquet de vérités douloureuses qui surgissent quand s'affrontent, amicalement mais rudement, ma Raymonde et André D. (Ubaldo s'en mêle aussi) à propos du grignotage par les producteurs du *privé* des anciennes responsabilités et charges d'un réalisateur désigné sur une émission ou une série. Oh la la, ça sortait! Une fois de plus, le lendemain, Raymonde me questionne: «Je n'ai pas été trop agressive, j'espère?» Je la rassure aussitôt. Depuis la mode des co-productions et des productions totalement indépendantes (achetées par les réseaux de télé), les vétérans du métier ont observé l'érosion rapide de leurs anciens pouvoirs. Est-ce la fin de l'ancien réalisateur-maître d'œuvre, maître après Dieu sur son plateau? Inquiétude énorme pour Raymonde qui a toujours connu le règne des réalisateurs libres jamais encombrés par les *desiderata* des dirigeants de la production. Fin du bon vieux temps, je le crains, mon pauvre amour. Nos bons amis producteurs (Dubois et les Fasano), évidemment, se réjouissent volontiers du nouveau sort fait aux réalisateurs. Souvent réduits au rôle limité du simple *metteur en ondes*, désormais. Les producteurs contrôlent beaucoup. Jusqu'aux *castings*. Peu de frictions ou de revendications cependant puisqu'il y a tant de jeunes réalisateurs en chômage un peu partout. Forcément dociles et obéissants. Drôle de progrès, songe Raymonde, jalouse (avec raison) des prérogatives d'antan. Elle sait bien que plus rien n'arrêtera le «*grugeage*» des anciennes fonctions, mais ne s'en console pas du tout. Ah oui, une fin de soirée orageuse et passionnante, je vous jure. Pour ma part, sur le point d'être embarqué en co-production (Panacom Inc.) comme auteur, je crains ces nouveaux modes de production: retrouverai-je la merveilleuse liberté du temps où je signais des *Petite patrie* et des *Boogie woogie*? Et les *Dominique* de Télé-métropole? Voudra-t-on triturer mes textes, les amputer, les transformer contre mon gré? Oui, j'ai un peu peur moi aussi de ce soi-disant progrès amenant les (mouches-de-coche?) producteurs à se donner trop de pouvoir. Je verrai bien.

Samedi après-midi, Raymonde au boulot, j'ai organisé une excursion de minéralogistes amateurs sur le Mont-Royal avec deux de mes petits-fils (munis de marteaux). On a cru trouver du jade, du diamant, de l'or! Pieux mensonges du papi. Au chalet du sommet, sur la terrasse, les enfants ont admiré, une fois de plus, le bas de la ville, très ébahis. Je suis allé reconduire les deux exténués rue Chambord pour ensuite rentrer souper avec belle-maman Yvonne comme invitée. On a jasé de Hull et Shippagan, le passé toujours...

Coup de fil du rédac-chef Gabriel Dulac tantôt: ça y est! *L'Humeur*, son canard enchaîné québécois, sera lancé officiellement à la *Côte à Baron*, rue Saint-Denis, jeudi à 5h. J'y serai. Grande hâte de voir ça, ce premier numéro, avec mes deux papiers, télé et livres. Mardi dernier, j'invitais donc Louise Deschâtelets (aux frais de sa compagnie) au resto de la petite Italie, *Via Roma*. Louise et toute l'équipe d'affirmer, devant les proprios ravis, que c'était un des lieux parmi les plus souvent visités depuis le début de leur série. Au matin du samedi vingt-six novembre, je l'ai dit, l'émission se fera boucler en studio et Louise (qui lit mon PTVD) m'a prévenu qu'elle allait me sonder reins et cœur. Bon, bon.

Ce matin, j'écoutais L'Heureux et la Suzanne de CKAC. Alina Reyes (*Le boucher*) était en studio. Je bondis sur ma chaise à force de les entendre (tous les trois) tourner autour du pot «érotisme». Je saute sur le téléphone durant les publicités pour donner à ces autruches mon opinion sur ce livre: comme déjà j'en ai parlé, il y a dans ce bref récit «cochon» plein d'allusions à cette héroïne sortant meurtrie d'une première déception d'amour et qui tente alors d'oublier (par ce *passage-à-tabac-sexuel* avec le gras et laid vendeur de viande) son beau et jeune Daniel. En ondes, L'Heureux et Suzanne ricanent quand j'ai raccroché. Je me trompe, disent-ils aux auditeurs, et complètement. Je me promets bien de rencontrer l'auteure au Salon du livre (qui débute jeudi soir) et de lui donner ma version pour voir ce qu'elle m'en dira. Si j'ai raison, gare à toi, ai-je averti ma blondinette de CKAC qui, de toute façon, affirme avoir peu aimé ce livre à très grand succès. Je m'amuse bien. Suzanne Lévesque aussi.

Je ne suis pas lexicographe patenté. N'empêche. Je voudrais que l'on adopte le mot «découpures» au lieu de «coupures» de presse. Le mot *coupures* fait depuis longtemps partie intégrante du vocabulaire en audio-visuel, il se dit pour le montage des bandes vidéo ou des films. Quand on découpe (avec des ciseaux!) des articles de journal, on fait des *découpures*. J'ai raison. Je le sais. Oui, mais comment arriver, pauvre de moi, à faire changer ça? Envie de mettre *découpures* ici chaque fois que je parle d'avoir découpé un article. Tant pis pour la norme et le faux bon usage. Quoi, ça ne se fait pas? Pourtant tout le monde comprendrait vite de quoi je parle. J'admets, pour en finir avec mes prétentions langagières, qu'on utilise *coupures* (de presse) si on édite, imprime dans un journal (ou ailleurs) des extraits d'articles, puisqu'en effet il s'agit alors d'une sorte de montage (comme en audio-visuel). Stop! Assez. Tout ça pour me défouler de la Voisard du *Soleil* m'ayant reproché d'avoir mis *découpures* au lieu de *coupures* dans PTVD, tome I. La langue doit rester vivante, changeante, non? Trop de gendarmes en ce domaine et trop souvent conservateurs déprimants.

Sale propagande de peur...

Nous sommes allés voir *Les cris du cœur* de Beth Henley (USA) chez Duceppe la semaine dernière. Bonne troupe, mise en scène trop molle. Un texte déroutant où l'auteur fait alterner sans cesse comédie et tragédie. Certes, depuis Ionesco, Beckett, Adamov, le théâtre se fait bardasser. Pour bien jouer ce genre zigzagueur, il faut un solide chef. Soirée bien longue chez Duceppe, hélas. Trop longue. En tout cas, on a pris un beau risque avec *Les cris du cœur* et ce n'est pas rien de bousculer ainsi de bons vieux abonnés, chapeau pour cela!

Je dois, tout à l'heure, aller livrer mon *billet* du mardi chez Marguerite de TQS. Je jaserai sur la grand'peur que les Libéraux du Canada organisent pour s'attirer des votes lundi soir prochain. Moi et de nombreux commentateurs, dont Lysiane Gagnon et Dufresne, faisons un parallèle douloureux avec *la campagne de peur* du référendum historique de mai 1980: même jeu odieux. Tremblez! Le marché commun avec les USA sera la fin du monde, on y perdra notre âme, notre culture, nos sécurités sociales. Tremblez vieillards du territoire: fin des pensions de vieillesse! Une Monique Bégin, la crème de la démagogie, aurait même déclaré « que l'on importera librement du sang américain avec le risque du Sida compris dedans! » La dégueulasse! Toujours la même chanson sordide: faire peur aux fragiles, aux timorés, aux sous-informés (que l'on méprise), aux vulnérables. Oui, tantôt, je vais foncer sur ce monde tout rouge. Amusant de revoir, ces jours-ci, le sempiternel combat Ontario versus Québec. Preuve de plus que nous formons deux nations très différentes. Tous nos émergents du monde de l'industrie et des affaires se sont déclarés en faveur du traité (Bleu) du libre-échange. Grosse bataille d'une mer à l'autre. La confiance contre la peur? Je ne sais pas bien ce que contient le millier de pages dudit traité discuté, je voudrais tout de même, en ondes, montrer le vieux débat fédéral qui prouve encore une fois qu'il y a vraiment deux peuples, deux mentalités. Deux nations sans cesse divisées sur tant de sujets devraient faire... chambre à part. Ici même, anglophones (et allophones) nos refuseurs méprisants, se collent évidemment aux Ontariens, leurs frères rassurants comme toujours et c'est enrageant.

Agrandissons nos vues: en France, Jacques Benveniste, chimiste, découvre que du venin d'abeille totalement dissous dans l'eau garde néanmoins des ondes (de souvenir). La matière serait donc aussi faite d'ondes! Cette étonnante découverte (accidentelle une fois de plus) ferait chavirer les classiques notions de physique, même moderne. C'est merveilleux, ça donnerait raison à la médecine homéopathique, mais plus important, ça donnerait raison à ceux qui, comme moi, croient que tout est magnétique, électrique, «Esprit», oserais-je écrire. La matière n'est donc pas que de la matière? C'est fantastique; partout, il y a donc... quoi donc? du spirituel? Un souvenir. Une trace. Une onde. Vive les ondes! Vive la mémoire! Vive l'esprit indestructible même si on tente de diluer un grain de matière dans un océan d'eau. Cette toute neuve découverte converge dans le même sens que tant de mes lectures sur la parapsychologie. C'est à suivre, oh oui! à suivre attentivement. Rien ne meurt! Rien ne disparaît! Ça va être la confusion des matérialistes rationalistes et positivistes.

Enfants de papier empilés...

Un lundi tout blanc. Deuxième bordée, déjà, et ma brune pousse des cris de souris énervée. L'hiver s'annonce. Je me souviens, dans le tome I, d'avoir parlé de devoir sortir pelles, brosses, grattoirs et machins anti-dérapage. J'ai refait la même chose samedi, avant-hier. Qu'elle vienne, la grande semeuse de froide blancheur: on se déclare prêts! Je reviens, à l'instant, du studio de Miss Blais. Gentillesse, Salon du livre oblige, elle avait décidé de jaser de PTVD, tome I, au lieu du billet habituel. Sa recherchiste m'avait dit: «Si vous pouviez apporter quelques-uns de vos livres» J'avais dit: «Bah, pourquoi? Il y en a trop» Mais ce matin, l'envie m'est venue de rassembler ma grosse famille *d'enfants... de papier*, et Marguerite, en studio, est plutôt étonnée de voir la pyramide d'une quarantaine de livres signés de ma blanche main. Je cause avec Mia Riddez, invitée elle aussi ce jour-là. Cette vieille et jolie dame dynamique, feuilletoniste émérite, me dit dans un coin avant l'interview: «Vous savez, Claude, il n'y a en fin de compte qu'une chose solide dans ma vie d'éparpillement: les miens. Mes sœurs et frères, mes enfants, mes nombreux petits-enfants. Tout le reste me semble une sorte d'irréalité.» Ça m'a rendu jongleur. Évidemment, auteure pour la radio et la télé, Mia Riddez-l'inépuisable a peut-être le sentiment de faire un boulot via des mots-nuages qui s'envolent via les ondes. Comme inutiles. Le livre, lui, reste? En tout cas, c'est un support apparemment plus durable et il fait en sorte que l'auteur de livres, lui, a davantage l'impression qu'il a laissé de vraies et solides traces. Illusion? Mia me confie qu'elle bricole un roman et aussi des mémoires. Que c'est difficile pour elle, à son âge, de bien rabattre ce rôle de gibier, les souvenirs, trop nombreux. Elle a été opérée d'urgence récemment. Le cancer. Pourtant, elle affiche toujours son sourire rayonnant pour me dire: «Là, je crois bien que je m'en suis sortie, mais on verra bien.» Je viens de lire dans le recueil d'interviews radiophoniques *A micro ouvert*, de Gérard-Marie Boivin (chez Saint-Martin, éditeur), d'étonnantes confidences. J'y ai relu les miennes, puisque j'y ai un chapitre. Une interviewée (Janette Bertrand) dit: «Je n'ai jamais voulu être malade et c'est pour ça que je n'ai plus jamais été malade depuis cette tuberculose de mon enfance!» J'y crois. Je refuse, moi aussi, d'être malade. Depuis mon hospitalisation à treize ans (appendicectomie), je n'ai jamais vu un médecin. À propos de cet émérite questionneur des ondes, Boivin, d'ici une heure, avec d'autres diaristes (et rédacteurs de mémoires), je dois aller le rencontrer en cette avant-dernière journée du Salon du livre, Place Bonaventure. J'ai le temps. Je continue donc de... diarer!

Hier midi, je suis allé animer, Place Bonaventure, une *table ronde* avec Cartier, D'Amour, Hamel et Vac. Le thème: «le second métier des écrivains» Une heure vite passée à interroger mes commensaux sur ce thème: nuisance ou enrichissement que de devoir exercer, en dehors de la littérature, un second métier qui vous vole du temps si précieux? À l'unanimité ce fut: «Non! L'autre métier ne nuit pas sérieusement à cette activité parallèle de littérature» Bien. Au kiosque de Leméac, samedi en fin d'après-midi, un passant: «Vous êtes notre Simenon québécois!» L'inconnu semblait s'étonner du nombre de bouquins que j'ai publiés. L'impression pourtant que j'aurais pu facilement en pondre bien d'autres. Il y avait ce tout petit marché ici, si peu de liseurs et une machine extra-éditrice si maigre, si pauvre. Je suis allé aussi, évidemment, au kiosque Guérin. Là aussi, quelques rares invitations à dédicacer, après *La sablière*, *Mario* et *Maman-Paris*, mon *PTVD tome 1*. Plein de jeunes qui veulent votre signature sur des bouts de papier chiffonné. Décidément, j'y crois de moins en moins à ces aimables foires. C'est toujours, pour la très grande majorité des auteurs attablés, une si petite activité. Bien menue. L'an prochain, je n'irai pas. Il me semble.

Je l'ai dit à mon grand amour: ces jours-ci, je mue. Je sens que je change. Ça m'arrive régulièrement, disons environ à tous les deux ou trois ans. Oui, je perçois assez clairement, le moment venu, que je change de peau. Que je me transforme. Je n'ai jamais le temps de bien analyser d'où viennent ces moments de mue. Je suis assez certain qu'il y a des causes précises. En tout cas, ces jours-ci, oui, *je* deviens encore *un autre*. Un peu un autre puisque, bien entendu, on ne change guère quant au fond de sa personnalité. N'empêche, je sais que, très bientôt, je vais... disons, me ré-enligner. Par exemple, j'ai la conviction (un leurre?) que je ne publierai pas bien longtemps encore du journal. Je ne suis plus certain de continuer à tenir journal. Sincèrement. Un des signes: vendredi matin, soudainement, j'ai rédigé un vague plan pour un nouveau roman. Ce qui a provoqué ça? Un jeune suicidé récent, pas loin, ensuite, un Gaston L'Heureux confiant à Boivin (de CBF) qu'il n'a plus aucune nouvelle de son fils parti en Europe. Aussi le fils de J.-P. Coallier qui annonce à son père, en ondes, qu'il veut tenter de lui succéder un jour aux écrans populaires... Et quoi encore? Toujours est-il que me voilà donc griffonnant en toute hâte mon thème de roman à venir: un *fils* veut se tuer, le père l'apprend (j'ai noté: ou bien c'est sa *fille*). Bouleversé, perdu, égaré, le père décide qu'il va se suicider, lui, comme pour empêcher le projet funeste de ce fiston suicidaire. Il le fait mais il se rate! Fils et père alors se retrouvent et c'est enfin l'entente sur l'avenir. Soudain, coup de théâtre, on apprend que c'est la mère qui vient de mettre fin à ses jours.

Drôle de thème. Je voudrais faire un récit très bref. Écrire avec le moins de mots possible. Trouver un ton...

375

raide, pur, dur. Remuer du vrai. Parler franc. J'ai noté aussi: Situer où? Caractères? Actions parallèles? Le temps? Époque? (J'ai noté aussi: à écrire peut-être en argot-joual). Le plan est là, piqué sur mon babillard de liège, petit drap de papier pendu. Qui attend. Une phrase de Ferron (dans *Le désarroi* de Bigras) me hante: «Il faut que je songe à *établir* mes enfants» J'en ai parlé un peu plus tôt. Oui, cette idée, «établir ses enfants», me tracasse. Comment font les autres? Tant de pères qui se fichent complètement de l'existence en friche de leurs propres enfants. Des dénaturés ou quoi?

Ces deux tomes de journal (il me reste quoi? quatre ou cinq autres passages à mon journal d'ici la fin décembre?), je le sens, auront servi puissamment à me conduire vers la fiction de nouveau. Et une nouvelle fiction. Je l'espère. Dorénavant, je sais que la fiction qui me sortira de la tête ne sera plus jamais semblable à du Jasmin-d'avant-le-journal. Je ne peux pas bien expliquer pourquoi cependant. Une chose est certaine: je continuerai de noter dans des calepins les faits d'importance (à mes yeux) d'ici la fin de mes jours. J'y tiens.

Hier soir, repas gastronomique au chic (et froid) restaurant de l'Hôtel Bonaventure, *l'Abordage*. Une dizaine d'invités du président Marc-Aimé Guérin. Tout autour de Raymonde et moi (quel égocentrisme, hein?), Bertrand Vac, Francine D'Amour, son «chum» Jean, le politicologue André Patry, l'acteur Roger Garceau, l'astrologue Huguette Hirsig, un jeune dramaturge-poète, enfin Yves Dubé et le grand patron, notre hôte. Décor luxueux. Derrière d'immenses baies vitrées, cette immense et insolite piscine en plein air, sur une terrasse, avec son eau si verte et chaude qu'on aurait dit une poudrerie dans l'air de la nuit. Féerique! Nous avons parlé de tout, d'un tas de riens. Bon beaujolais nouveau, côtes de boeuf bien saignantes, mon régal, mais une rencontre bizarre en somme, *hors-temps*, disions-nous Raymonde et moi en rentrant sous une fine neige qui, ce matin, formait un bon manteau épais sur Montréal. Nous décidons qu'à l'avenir, nous refuserons poliment ce genre de réunion un peu mondaine et hétéroclite qui ne nous convient pas du tout. Cela dit sans savoir bien pourquoi, puisque tout ce monde, hier soir, fut d'une amabilité parfaite. À moins que, justement... Ouais. Silence.

*Panacom Inc.* ne m'a pas encore payé un seul sou pour mon travail de pré-production. Je n'aime pas ça. Mauvais signe? Le PDG Debanville m'avait pourtant répété qu'il avait du budget à cette fin. Oui, mauvais présage pour l'avenir. Et ce nouveau canard, *L'Humeur*: encore du boulot non rémunéré. Je n'aime pas ça non plus. Je déteste devoir faire des pressions pour être payé. Ainsi, Guérin littérature ne m'a pas encore payé mes cinq dernières illustrations de couvertures, pourtant acceptées, quelques-unes déjà imprimées: *La revanche, L'Habitation..., Au seuil...*, un roman de Bujold et le livre de Hirsig. Je n'aime pas ça du tout. Les «commandeurs» sont trop souvent ainsi: ils donnent des ordres, puis ils oublient les émoluments dûs. Ainsi va la vie d'artiste...


Romancier conservateur réactionnaire...


J'ai passé une bonne partie de la journée de mercredi à Fresnière, chez Lynn et Daniel. Simon vieillit en beauté et en turbulence, Thomas me fait de belles façons et j'ai fondu plusieurs fois quand, à ses moments divers, le petit s'est approché, s'est collé sur ma poitrine et a posé sa tête sur mon épaule en soupirant. Un ange! À l'heure de la soupe, réunion de famille au Saint-Hubert du Boulevard Arthur-Sauvé. Ensuite, je me suis occupé du bain de Simon, et Daniel, de celui du bébé. Conte pour les endormir. Après, entre grands, nous avons jasé jusqu'à vingt-deux heures de la marche générale du petit monde qui nous concerne. Daniel me semble fort heureux de son nouveau job de rédacteur-éditeur de journal-de-compagnie. Tant mieux. Il a découvert le train de banlieue. «Vide quasiment, m'explique-t-il, quand il quitte la mini-gare de Deux-Montagnes et qui se remplit à mesure qu'il entre en métropole. Au retour, le contraire! Train bondé qui roule en se vidant peu à peu de sa cargaison de travailleurs, de station en station.» Daniel, l'ex-pigiste, est donc devenu un salarié à l'horaire un peu plus rigide et ne semble pas du tout en pâtir. La vie. Je dois arrêter d'écrire pour ce matin, car je dois partir pour le Salon du livre. Vite!

Bon. Je reviens au journal. Deux heures viennent de passer. Il y avait peu de monde dans l'espace théâtral du Salon du livre. C'est une journée ouverte avant tout aux écoliers du territoire. Ça remuait dans les allées à kiosques! Les enfants ramassent tous les prospectus publicitaires des éditeurs. Surtout ceux qui éditent des albums de bandes dessinées. Pour eux, une belle sortie? Oui, une sorte de congé bienvenu. Je sais que les écoliers adorent aller faire un tour au cœur de la cité, prendre le métro, quitter l'école. Aussi c'est une joie brouillonne (sans vrai amour des livres) qui les anime tous. Autour de l'animateur Boivin, un Marc Chabot (*Le journal des journaux*) pétant de bonne santé et de bon sens, jeune gaillard plein de sourires dont je me suis dit qu'il doit faire du bien à son grand copain le *spleeneur* J.-P. Guay, une Marguerite Beaudry en belle forme et qui se dit heureuse de mes propos élogieux au sujet de son livre *Souvenirs d'amours*, un Roger Lemelin, (*Autopsie d'un fumeur*) habillé d'un veston écarlate, jouant toujours un personnage avec son habituel talent. Hélas, le voilà qui jase sur les thèmes «bien écrire» et «éthique» et avance qu'«un journal c'est du placotage»; il a bien fallu que j'attaque et que je contre-attaque. Ce qui n'a peut-être pas fait l'affaire du modérateur-contrôleur G.-M. Boivin. J'aime Roger Lemelin. Ses idées conservatrices et sa petite philosophie réactionnaire m'amusent, mais elles lui attirent bien du mépris dans ce milieu intellectuel. On refuse de comprendre cet autodidacte vieillissant qui accepte mal l'édification d'un certain modernisme. J'ai vanté *Les lettres...* de Gabrielle Roy, mais en coulisses, Lemelin m'a répété que, de son vivant, l'auteure célèbre de *Bonheur d'occasion* aurait refusé toute autorisation pour cette excitante et délicate publication. Je lui confie, à mon tour, que R. Martel m'a laissé entendre (lors d'un lancement) que madame Roy n'était pas sans péché. Lemelin, m'ayant dit avoir très bien connu la romancière, a levé les yeux et m'a dit brièvement: «Oui. C'est une femme qui était dure.» Et il se tait. Je n'en saurai pas plus long.

Bon. Assez pour un lundi bien morne. Suffit. J'irai écrire, ce soir, sur mon bulletin de vote: *Québec libre!* Et je signerai. Quelqu'un, quelque part dans ce suspense fédéraliste Mulroney-Turner, lira mes deux mots et ça me fait déjà plaisir. Juste ça. Quoi faire d'autre? Un lecteur m'a écrit à ce sujet: «Faut voter pour *le moins pire*, en attendant l'indépendance» Pas d'accord. Tout est *le pire* pour nous, peuple fondateur bafoué, manipulé et trompé sans cesse, en ce piège du faux-fédéralisme canadien. Une autre lectrice, de Val D'Or, souhaite mes conseils pour un frère enfermé dans l'enfer de la drogue. Elle me prie de lui téléphoner et je vais le faire.

On m'a donné au SLM un exemplaire du *Montréal des écrivains*. J'ai vite relu mon Montréal dans ce *collectif* (initié par l'UNEQ) sur un banc isolé du Salon du livre. Je suis content de ma modeste part. C'est moins fréquent qu'on ne le pense, cette satisfaction après impression, vous savez. Oh, et l'autre, un certain Lambert Gingras, qui a écrit à mon sujet vendredi dernier, dans *La Presse*:

« *l'inévitable Claude Jasmin* » Ce Gingras va enrager une fois de plus, s'il lit ce petit bouquin. *Inévitable*? Eh, on m'invite sans cesse à participer à ces collectifs... et je dis toujours « oui ». Avec fierté et avec plaisir. Pourquoi toutes ces invitations? Parce que je n'ai aucun talent? Tous des masochistes, ces éditeurs, n'est-ce pas? La vérité: ce contempteur est un jaloux. Un mesquin. N'empêche que c'est bien désagréable, après tant de décennies de labeur scripturaire, tant de livres publiés, de lire soudain ce mot méprisant: *l'inévitable*! L'ancien voyou des ruelles de Villeray a alors grande envie d'envoyer chier ce petit con. Se retenir. Aller voter blanc. J'y vais. Que le meilleur dupeur de Québécois gagne ce soir.

*25 novembre 88*

L'homme est né pour se souvenir...

Adieu novembre, oui, déjà adieu! Amène-toi, décembre, nous t'attendons en sachant bien que ce sera froidure et humidité terrible dans la cité. Ce satané Montréal-en-hiver qui vous traverse la peau, qui vous pénètre parfois jusqu'aux os, qui vous fait grelotter, trembloter. Qui me fait désirer de plus en plus, avec l'âge un exil de quelques mois loin de ce climat misérable. Parlant de Montréal, je me relis une fois de plus dans ce minuscule recueil: *Montréal des écrivains*. Toujours une certaine nostalgie? Des souvenirs et, à la fin, des vœux pieux, l'espoir d'un Montréal plus actif encore, faisant plus de place à l'art dans ses squares et ses parcs. C'est vrai, je le réaffirme: « Montréal est, malgré tout, ma grande amie, ma fidèle passion. » C'est vrai aussi que notre ville natale reste

380

toujours le lieu béni (ça aurait pu être un village campagnard) qu'on affectionne, qui nous a ficelés de mille liens divers, des plus ténus aux plus gros câbles. Ce lancinant cri d'un vieil ami d'Henry Miller: *L'homme est né pour se souvenir!* Que Miller reprend sans cesse dans son bouquin: *Souvenirs, souvenirs.* Ça se peut bien. Etre né seulement pour se rappeler les moments *intenses* de l'existence; comme c'est curieux, ce sont les moments de l'enfance, malgré une vie d'adulte parfois bien remplie, qui restent gravés de façon indélébile dans notre chair. Ainsi, en vue de deux pré-enregistrements (à cause des fêtes de fin d'année) de *Premières*, on me demande de parler (encore?) des Noëls et des Jours de l'an de ma jeunesse. Je me rebiffe d'abord, et puis hier, me voilà à jeter en vrac des tas de notes sur du papier à propos de mes Noëls d'antan, et d'une fameuse expédition chez *Mémeille* Prud'homme-Jasmin, à Laval-des-Rapides, un Jour de l'an. Ça fera deux mini-causeries bien piquantes.

Beau ciel bleu avec soleil impuissant à réchauffer l'air aujourd'hui. Le téléphone, au moment où nous lisons nos journaux et buvons nos cafés du matin: «Mon père est mort! Hier soir. Dans son sommeil!» C'est ma bru Lynn! Des sanglots mal retenus dans la voix. On ne sait jamais trop quoi dire. Je risque: «Il était bien malade, ce sera la paix physique, il va retrouver les siens, les miens aussi, Germaine et Édouard, ils vont bien s'amuser. Ne pleure pas.» J'offre d'aller gardienner ses deux fils. Ensuite, roulant sur l'avenue du Parc vers Claire Caron pour parler livres, je tente une prière à ma façon: «Que la Lumière éternelle accueille cet homme simple, bon, dévoué aux siens, Robert. Qu'il connaisse la béatitude des esprits libérés dans cette dimension infinie, qu'il puisse jouir de l'éternité promise aux enfants de lumière. Amen.»

En studio, je dis ma déception à propos du «Goncourt 1988», *L'exposition coloniale*, ouvrage d'un ex-conseiller culturel du Président Mitterand, Éric Orsenna (un nom de plume). C'est trop franchouillard, si loin, si loin de notre sensibilité nord-américaine. Un récit bien compliqué, une nostalgie de l'Empire, deux femmes trop irréelles, un héros éternel petit garçon, vieilli, quêteur de sens maladroit. C'est une grosse brique à la mode actuelle, pleine de rallonges touffues et aussi de raccourcis embrouilleurs. Ma tiédeur désormais quand un roman sonne «parisien». Rien à faire, je découvre, après la lecture tant de bouquins, que je ne suis pas du tout européen. Qu'il y a un monde entre ces auteurs, instruits et formés en France, héritiers d'un *parisianisme* lourd, et nous. Cependant, Paris publie aussi, je veux le souligner, des romans moins «hexagonaux» (à défaut d'un meilleur terme). J'ai vanté, à *Premières*, le plaisir de lire les deux douzaines de transcriptions d'entrevues radiophoniques de Boivin (*À micro ouvert*). Ma préférence pour la non-fiction? Drôle de romancier hein, ce Jasmin qui trouve tellement plus d'agrément à lire biographies, correspondances et... journaux. Il n'y a pas d'objectivité en critique? Jamais.

Demain matin, je dois aller, tôt, au studio de Louise Deschâtelets pour boucler cette émission (à divers volets). Ce midi, je l'ai rencontrée par hasard à *La Spaghettata*, rue Hutchison: «Tu vas voir, on t'a préparé pour demain des tas de trucs illustrant ton passage en studio et on va bien s'amuser» Elle m'a paru en grande forme. Je quittais André Barro, mon producteur chez *Prisma* pour la série marguerittesque. Barro est toujours superactif, cherchant sans cesse d'autres produits à... superviser. Il tente d'amener sa firme à co-produire *Coulisses*, ce projet sur des jeunes interprètes en quête de célébrité. Avant cette rencontre, J.-Y. Debanville (de *Panacom*) m'avait invité à passer à ses bureaux pour enfin me payer le boulot déjà fait sur cet autre projet de feuilleton (les jeunes décrocheurs squatters). Oh, ils attendent toujours, rue Laurier, la lettre officielle de la Société Radio-Canada. Lenteur bien connue! Ensuite, ce sera l'analyse (méticuleuse) de leur devis par le deuxième subventionneur public, Télé-film, un organisme d'État favorisant les riches projets bien gros de promesses. Pour le reste du financement, il y a toujours ces richards, les professionnels cherchant de l'abri fiscal. Chantons tous en chœur: j'attendrai, le jour et la nuit, j'attendrai toujours... À ce sujet, j'ai déterré un ancien projet inédit, *La mitaine*, et ai expédié deux lettres: une chez les décideurs de Télé-Métropole, une autre chez Royal Marcoux, réalisateur soudainement mis en chômage (salarié) à la SRC où on va brusquement arrêter les textes du vétéran Gamache pour sa *Tante Alice*.

Est-ce assez dire que j'ai bonne envie de reprendre la plume feuilletoniste? Demandez aux Victor-Lévy Beaulieu, Lise Payette, Pierre Gauvreau et compagnie, ce métier fait rentrer au bercail dans le trois cent mille piastres par année de télédiffusion! Certes le fisc chéri gruge sa grosse part (50%). Tout de même, il s'agit de rédaction française ultra-payante. Aussi, il y a foule aux tourniquets. S'agit donc de s'armer de patience. J'ai tant de projets, tant de fers à ces feux-télé, qu'un jour (quand?) se fera entendre le «sésame — ouvre ton dactylo, c'est parti.»

Raymonde, déçue elle aussi que le «diariste de» Beauport, Jean-Pierre Guay, ne soit pas venu au débat de Boivin (au Salon du livre), me répète: «Tu devrais lui écrire de nouveau, Claude. Vas-y de quelques propos encourageants puisque tu as aimé son cinquième tome.» Je ne sais pas. Pas le goût. Pas envie. Pas besoin. Pas le temps. «Quoi lui dire?» que je lui répète. Et puis je déteste certaines allusions récentes disant que certains veulent correspondre avec Guay pour se voir imprimer et bien installer dans ses tomes. Ce qui n'est pas mon cas, ce qui n'a jamais été mon intention. Juré, craché. Je répète que je ne faisais que répondre, en vitesse, très brutalement parfois, aux lettres qu'il m'envoyait sans cesse durant l'été de 1987. À cette rencontre du SLM, l'ami de Guay, Marc Chabot, nous a appris que Guillemin (l'inspecteur limier en lettres) avait révélé qu'André Gide rouvrait son journal et l'arrangeait en vue d'une réédition. Ce qui, évidemment, fausse la manière journal. En écrivant, en ce moment même, je tente mollement de me souvenir des recommandations de mes deux recenseurs, Basile et Boivin (le frère de l'autre). Je crois me rappeler qu'ils souhaitaient davantage de réflexions profondes sur la vie quotidienne, mais j'y résiste d'instinct. Un journal de tous les jours doit garder, il me semble, cet état de brouillon, ce tissu vif de coq-à-l'âne, sinon il deviendrait un recueil de petite (ou grande) philosophie. Ce n'est pas un essai, diable! C'est plutôt le quotidien avec des notes sur l'existence, en vrac, à l'état sauvage. Vive le cru, vive le brut. J'ai donc jeté loin peignes, brosses... Foin de la belle apparence d'un texte fignolé. Non, là-dessus, je ne me trompe pas.

Minéralogistes pour rire...

Un recherchiste de Télé-Métropole vient de m'inviter à toute une semaine de télé au quizz de Corbeil: *Fais-moi un dessin*. Je serai jumelé à Paul Buissonneau, mon premier comparse (à vingt ans) en esbroufe visuelle avec sa Roulotte des parcs. J'ai regardé cette émission aujourd'hui. C'est léger, joyeux et sans aucune prétention. Un jeu. Il s'agit de faire des petits dessins afin que votre jumeau (Buissonneau dans mon cas) puisse deviner très rapidement les phrases inscrites sur les fiches secrètes de l'animateur. Il paraît que c'est une idée (de jeu télévisuel) achetée aux USA. Tout un dimanche donc à passer en studio pour l'enregistrement de ces cinq émissions et un bon petit mille piastres à encaisser à la sortie. Raymonde soupire! Il y a quinze jours, le week-end avait été entamé par le Salon du livre, cette semaine, je passe mon samedi enfermé en studio pour *Les carnets de L.* et le dimanche 4 décembre, ce sera un autre éloignement du chalet. Mais quoi, le pigiste a des droits, n'est-ce pas? Faut bien survivre.

Ça m'a frappé à *Apostrophes*: un invité qui déplore le louche et long silence des intellectuels (de gauche) durant toutes ces années où, en Algérie libérée, s'installait le totalitarisme et ses cliques de favoris, un régime sans aucune liberté démocratique et qui, ces jours-ci, se fait enfin malmener. Pourquoi ce silence? Pour donner une chance au nouveau coureur? Aussi, la mauvaise conscience des Français, ex-colonisateurs. Tout ça a causé le silence complice de tant d'esprits habituellement très capables de dénoncer les tyrans, de droite, d'Amérique du Sud. Despotes de droite? Feu! Despotes de gauche? Silence! C'est déplorable. Au Québec, voyant valser le très indécis René Lévesque, nous avons eu aussi ce silence complice, on aurait dit qu'il ne fallait pas toucher au sacro-saint Parti Québécois. Je pourrais parler longuement des autres silences, très calculés, face aux fédéralistes centralisateurs, quand tant de plantureux cachets, bourses, subventions ou voyages organisés dépendaient du silence des intéressés.

Presque une dizaine d'heures viennent de s'écouler. Je suis très épuisé. D'abord, bon petit lunch, rue Chambord, chez ma fille Éliane et ses trois *pistolets*. Gabriel, le benjamin, grandit en force et en malice, c'est un tireur sur tout... et de tout. C'est une catapulte ambulante! Si vous voulez le gronder, aussitôt il affiche une si joyeuse mine de luron espiègle qu'il vous fait baisser la voix et la main. Après le repas, Éliane, encore veuve pour quatre jours (une autre expo de la CVM pour son Marco), voulant nettoyer un peu le cirque-logis, est bien contente de me voir partir avec la troupe pour une expédition. Chacun, encore une fois, a son petit marteau et un (vieux) tournevis. Je stationne en face du parc-école Sophie-Barat: en marche

385

pour le rivage de la rivière! J'avais déjà repéré des rochers sous une colline. Ils cherchent, minéralogistes nains, du jade, du fer, du bronze, n'importe quoi, même de l'or! Ça cogne, ça pique, ça soulève des lamelles. David qui traîne, dans une mallette, son jeu de microscope Fisher-Price, est tout fier d'annoncer: «Je vais analyser tout ça et on va savoir si c'est précieux ou pas précieux» Le soleil luit comme il ne l'a pas fait depuis longtemps et une brise du nord-ouest se change lentement en un vent assez solide, qu'importe, on enlève les mitaines puisqu'ils faut exécuter un travail de savant spécialiste. Langues sorties, ça pioche, certaines roches résonnent d'un joli timbre, alors Laurent le sensible auditif me regarde sérieusement: «On dirait des clochettes dans la pierre, papi!» Je ne cesse de sortir des mots nouveaux, je sais la jeune gélatine-mémoire si capable. Je dis «airain», «friable», «ferreux», «onyx», «topaze». Chaque fois, la question fuse: «C'est quoi ça, *friable*?» Explication. L'attention des mômes. Et puis, ce n'est pas long, le mot nouveau surgit tout naturellement. Andrée Ruffo, une juge-pour-enfants brillante qui vient de publier un livre, disait mardi dernier chez *Marguerite*: «Hélas, nous savons que les parents ne parlent vraiment aux enfants qu'un pauvre petit cinq minutes par semaine, alors qu'il faudrait au moins cinq minutes par jour.» Voilà! Tout est dit. Tristesse! Je sais d'intuition sûre que de là vient tout le mal de la délinquance: des enfants mal écoutés et qui ont mal grandi. Jamais je ne comprendrai pourquoi les *grands* se privent volontiers de ces dialogues cocasses, si souvent instructifs, entre les petits et eux, les adultes. Parents ou pas. Assez là-dessus. Chaque fois que je l'ouvre sur ce sujet, je lis sur tous les visages une bizarre lassitude. On semble me dire: «Bon, bon, si toi, ça t'amuse les mômeries... nous pas! La paix, hein?» Et j'en suis tout désolé et surtout très inquiet pour les petits.

L'Éternité, la mer en allée avec le soleil...

Téléphones croisés sans cesse, ces heures-ci, entre les tribus LaPan, Barrière et Jasmin à cause de la mort soudaine de Robert, le papa de ma bru. On devra garder les enfants de Daniel dimanche, ceux d'Éliane plus tard. Le rituel: salon d'exposition et funérailles. Ne pas oublier les fleurs! Ma Raymonde, généreuse, se charge volontiers de toutes ces opérations mortuaires. Encore un cœur abîmé qui a flanché. J'ai tenté de consoler un peu la jolie Lynn. L'impuissance des mots en ces occasions, Oh!

J'ai téléphoné au bureau de madame Bertrand, nouvelle chef de Radio-Québec. J'y reviens, j'ai exprimé le vœu suivant: obtenir une copie d'un film tourné par eux sur mon père pour la défunte série « Visages ». Cela durait plus d'une heure et ce serait vraiment merveilleux d'en faire des copies pour le clan. On m'a dit: « C'est entendu. On va examiner votre demande. Je vous téléphonerai. On va chercher ce film. » Mais cette dévouée secrétaire de PDG n'a pas donné signe de vie depuis presque une semaine. D'autre part, sachant Marcel Dubé chargé d'une collection de livres-albums d'art chez Art Global, je lui ai carrément proposé une série d'aquarelles illustrant *La petite patrie* (ou bien *La sablière*, ou encore *Maman-La-France*). Il m'a dit: « On ira luncher et on en jasera. »

Ce vendredi matin, au studio de *Premières*, j'annonce la parution du Yourcenar posthume. Le titre, *Quoi? L'éternité?*, intrigue en studio. Je révèle alors à l'animatrice qu'il s'agit de mots pris chez Arthur Rimbaud: « On l'a retrouvée. Quoi? L'éternité. C'est la mer en allée avec le soleil. » Claire Caron est ravie de l'apprendre. Deux versions existent. L'autre serait: « On l'a retrouvée. Quoi? L'éternité. C'est la mer *mêlée* au soleil. » Les deux versions seraient de la main du génial poète des Ardennes, mais je préfère la mer en *allée* avec le soleil.

Rien à faire, je continue chaque jour de ramasser des coupures de journaux. Une pile me nargue au coin de ma table. Voyez le contenu hétéroclite: Vic-Beaul' tout fantasque alors qu'il organise son propre *party* à propos de la mort télévisuelle de son Xavier-Gilles Pelletier. « Je sais que je suis bon », répète-t-il au reporter Daniel Lemay (qui n'en revient pas). Ailleurs: hordes de lapins sauvages, un fléau, dans l'ouest de l'Australie. Toujours plus de quatorze millions de morts (par famine) au Tiers-Monde chaque année! Cela aussi: à Paris, notre chanteur Michel Rivard survit, mais le film *Les portes tournantes* serait comateux, ayant déjà engouffré trois cent mille dollars pour sa seule promotion parisienne. Ayoille! Nos taxes! dans *La Presse*: des éloges sur le style (qu'on dit *drapé*) de Marguerite Yourcenar par Folch-Ribas. *Le Devoir*: des éloges sur le camarade Bertrand Vac (alias docteur Aimé Pelletier) par Éthier-Blais, sur Christiane Rochefort par Lisette Morin (la chroniqueuse fidèle). Éloges aussi de Guy Ferland pour *La vaironne*, notre Prix Guérin 1988.

Je poursuis, de temps en temps, la lecture d'une biographie du célèbre couple de chanteurs d'opéra Alarie-Simoneau. Chapitre no 19: chicane! Conflit classique entre un artiste (Simoneau), des administrateurs, des politiciens siégeant au bureau de direction. Vers 1971, Simoneau se fâche. Et s'exile! Encore un dernier coup d'œil au tas de coupures: « La Croix-Rouge avoue ses torts! Fausse ignorance et calcul écœurant à propos de l'holocauste des nazis allemands! » Sinistres révélations, je vous jure. En finir? Juste pour dire que chaque matin, à partir de quelques articles sur des sujets divers, je souhaiterais épiloguer à perdre haleine. Me retenir. Dire plutôt la réalité vivante, ordinaire et immédiate. Redire que je suis exténué par mon bel après-midi de vieux faune avec ses trois petits cerfs vigoureux, à deux pattes... Raconter qu'au bord du boulevard Gouin, je regardais ces restes de verdure plutôt décolorée, ces feuilles mortes au sol, toutes grisonnantes, bien laides, ces arbres aux branches toutes nues, ces rivages des deux côtés de la rivière des Prairies aux bosquets rachitiques, fauves, cette eau presque noire qui, se fortifiant sous le vent, prenait des allures de remous abyssaux, tout cela, le soleil qui se sauvait derrière le Pont-Viau, tant de boue entre les rochers, oui, tout cela, c'était la toute fin de l'automne. Bientôt le grand manteau blanc sur tous les parcs. Bientôt, pour plus de cent jours, le terrible hiver. Voilà que j'en ai le cœur en compote. Trop. C'est le cœur d'un homme qui vieillit? qui ne joue plus vraiment dehors. Je suis donc devenu (moi aussi?) un homme qui s'accorde de plus en plus mal avec, durant cinq mois, le climat de son propre pays. Qui songe, à son tour, à l'exil saisonnier. Il n'y a pas si longtemps, il me semble, dès la fin novembre, je m'imaginais sur mes skis (au mont Olympia, Sauvage ou ailleurs). Je ridiculisais tous ces cons de réfugiés frileux en Floride. Je parlais effrontément, narquoisement, des petits vieux et des petites vieilles détalant comme des lâches vers Miami Beach, sinistres vieux lièvres! Population de froussards, pensais-je à cette époque. Je suis de ceux-là? Moi? Déjà? Oui. Je l'avoue. Avec du pognon (celui du feuilletoniste?), je songe parfois que je m'achèterais une jolie petite cachette à Key West, ou à Naples derrière les Everglades de l'État ensoleillé, tout en bas de la *road number 95.*

Si j'avais pu deviner, je me serais retenu de ces faciles gorges chaudes quand j'avais toute mon énergie, ma jeunesse. Facile de rigoler à vingt, trente ans et plus tard encore. Mais quand la soixantaine approche, on a l'air fin avec nos sarcasmes d'antan. À l'avenir, je dois m'empêcher de ricaner, comme par exemple face au vieux collègue romancier, Vac, qui me confiait dimanche soir: « Il y a le golf! La paix! Oui, le golf! Qui me tient en vie! » Non, je ne ris plus.

La peur d'être asocial...

Quoi, quoi? Le trois fait le mois? Faites-moi pas peur, il fait un samedi tellement gris. La neige poudreuse d'hier a fondu. C'est bientôt la fin de l'année, bientôt la fin de ce deuxième tome de confidences. Mais oui, dans une trentaine de jours: fermeture du dossier personnel, du bilan annuel, du rapport-de-compagnie-privée. La mienne. Hier, Raymonde m'annonce: «J'ai obtenu un bonus. Une belle prime pour mon bon rendement aux dramatiques de la SRC.» Je la félicite chaudement, ensuite elle ouvre des sacs puisqu'elle revient de «boutiquer»: joli pull, joli veston, d'autres lingeries «obtenues à prix d'aubaine», rit-elle. Je constate, une fois de plus, le contentement qu'apportent de tels achats vestimentaires, comme une récompense faite à soi-même. Un renforcement, diraient les psys patentés. Sans doute. Aussi je me questionne, l'autre jour, n'ai-je pas éprouvé un bon petit bonheur, lorsque ma brune m'a conduit (un peu de force) vers des boutiques «pour hommes» au centre commercial (le moins loin de chez nous) Rockland? Sois franc, bonhomme. Oui, les parures comptent. On se veut, intellectuels de tout acabit, très au-dessus de cette mêlée commune, mais on constate vite qu'on est du monde normal et tout content de se payer du linge neuf. Me voilà rassuré, cette peur d'être plutôt asocial m'a toujours hanté. Tout en m'efforçant, d'autre part, d'être un personnage original, aux idées opposées à celles du commun des mortels. Vieux débat sans doute. On reste grégaire, normalement, et pourtant on tente sans cesse (vanité?) de se démarquer des foules suiveuses. Pauvres de nous, aspirant à devenir des êtres singuliers et constatant que nous demeurons des humains aux manières conformistes.

Hier soir, j'ai achevé *La clandestine* par Lilianne Siegel. Un petit livre d'aveux, assez mince, mais j'ai lu énormément entre les lignes. *La clandestine* est un récit autobiographique qui m'a stimulé. Lilianne Siegel est une *groupie*. Elle s'est jetée volontiers dans les pattes du classique «deuxième père». Qui ça? Nul autre que Jean-Paul, pas le dragueur à la petite semaine du feuilleton de Lise Payette, non, l'autre, le fameux Parisien, Sartre, le fouineur qui militait en répétant: *seuls les actes comptent*. Ce fut une lecture complémentaire aux aveux (*La cérémonie des adieux*) de la fidèle cocufiée De Beauvoir et à la biographie de Annie Cohen-Solal. *Chacun son Sartre*, déclare Siegel en liminaire de sa narration. Bien triste histoire, lamentable aventure de cette très jeune vendeuse (prof de yoga par les soirs) qui va accepter d'être la cinquième roue d'un drôle de char, le curieux *harem* de l'idéologue (bien contesté depuis sa mort en 1980). Au départ, c'est la classique affaire. Facile de découvrir toutes ces Lilianne arrivistes. Elles vont vers un vieux célèbre bonhomme à cause de sa notoriété. N'ayons pas peur alors de parler de connes ambitieuses. Plusieurs phrases de la narratrice révèlent avec candeur cette pitoyable attirance, sa fierté niaise que l'on sache (pas assez à son goût) qu'elle est devenue une des «femmes entretenues» de J.-P. S. Quelle misère, Seigneur.

Une fois de plus, je découvre le Sartre privé, dominateur, le macho, le masqué et le calculateur. Le manipulateur, tout excité, comme un adolescent attardé, d'entretenir de nombreuses liaisons. Au commencement du livre, Siegel présente un étonnant philosophe transformé soudain, à son chevet, en psychanalyste. Pas pour lui, il détestait ça. Pour les autres. Il fonce, la questionne, la tourmente, *la chère petite* candide. Il s'acharne brutalement à vouloir la guérir de ses *bibites* en lui imposant sa grille d'analyste-du-dimanche. Elle finira par aller en véritable thérapie. Elle raconte aussi sa surprise de découvrir au sein de cette intellectuelle tribu littéraire de militants purs et durs, des querelles (entre femmes) tout à fait vulgaires, très semblables aux banales chicanes de ménage. Siegel parle un peu plus lucidement (vers la fin) de son vieux capricieux et ce n'est pas joli du tout. Désormais, toujours bien se douter que tel grand homme (quel qu'il soit) se dissimule, *se truque* (fréquente expression sartrienne).

Au téléphone, hier matin, le relationniste Laurent Duval tient à me lire une longue épître de son cru. Il veut ma signature pour appuyer sa protestation. Comparé à la démystification du néanmoins généreux pépère Sartre, le sujet de Duval me semble bien anodin: «Désobéir au règlement nous obligeant à allumer nos phares en plein jour.» Sacré Duval! Je lui dis aussitôt qu'il peut mettre mon nom pour m'éviter de l'entendre plaider sa cause trop longtemps. Vers midi, Lise Bergevin, récente co-propriétaire des nouvelles éditions Leméac, m'invite à la rencontrer à ses bureaux. J'y fonce. La rue Saint-Laurent, au nord de Sherbrooke, m'est apparue toujours aussi insolente, multi-ethnique, grouillante de vie. Grands bureaux au sommet de l'Édifice Balfour. Déjà, ça bourdonne là-dedans. Bonne ruche. À un mur, pendue, une photo format géant de la célèbre ex-Acadienne dont la charrette-Goncourt collabora fortement aux assises de l'ancien Leméac. Affiche sur un autre mur: Michel Tremblay. Bientôt, voudra-t-on accrocher aussi la binette à Cloclo, troisième pilier (peut-être) de cette cabane Leméac? Le prof Hamel, au SLM, m'avait chuchoté: «Vas-y, chez le Leméac nouveau, il y a un treize mille dollars de royalties en sommeil.» J'y courais, vous pensez. C'est si long (à coup de dix sous dans la piastre) pour accumuler tant de droits. Catastrophe! Madame Bergevin m'apprendra, dès mon entrée, que les acheteurs de la faillite récente, Brillant, Bergevin et al, n'ont pas acheté les dettes, hélas! Voilà donc, non pas treize, Hamel errait, mais tout près de vingt mille dollars envolés! Elle me dit que c'est cinquante mille pour Tremblay, quarante mille pour Maillet. Diable: crapuleux vol! Voici un écœurant manège pour spolier des auteurs: il n'y a qu'à retarder le paiement de leur dix pour cent, de publier à gogo et, bien enfoncé dans le *rouge*, de déclarer banqueroute! Adieu veaux, vaches, cochons!

Des escrocs para-littéraires...

Lise B. tente de me consoler. Il se pourrait que j'obtienne une certaine compensation. Il faut espérer! Bon, bon, espérons! Je tente de rester optimiste. C'est la vie littéraire, jeunes aspirants, sachez-le bien. Vous pondez livre sur livre, vous faites confiance aux patrons d'une boîte, vous vous retrouvez... volé! Oui, par de dégueulasses voleurs culturels qui vident les poches des écrivains. Quoi faire? Je sors de cette aventure avec des idées bien noires, la rue Saint-Laurent, me paraît soudain sinistre. Dix ans de labeur pour Maillet, Tremblay et moi (et bien d'autres) envolés en boucane!

Et l'autre, au Conseil fédéral des arts, qui vous écrit: «Vous auriez droit, selon nos calculs, à dix mille dollars, mais notre limite est de quatre mille par auteur. Voici donc notre chèque pour les emprunts dans les bibliothèques» En somme, encore un vol organisé par l'État-maffia. Ça vous laisse un drôle de goût dans la gorge, croyez-moi. Que vous ayez dix, trente, quarante ou cinquante livres en circulation, c'est le même chèque! Quelle farce lugubre, non? Du propre, hein, le beau monde littéraire? Rien à faire. Je ne veux pas faire autre chose et il est trop tard pour apprendre un autre métier où les payeurs seraient plus honnêtes. Bien trop tard!

Donc, sortant de chez Leméac, je suis allé luncher rue Bernard, au coin de chez moi. Déli-Lester's, c'est le bon vieux *smoked-meat* avec frites et cornichon à l'aneth. Et un grand verre de lait. L'acteur (en rémission de cancer) Georges Carrère y est et on fait table commune pour causer. Il a vendu son théâtre d'été et me dit: «Enfin, je vais vivre mon premier été normal. Je vais visiter la province de Québec. Vive la liberté!» Il joue un peu dans *L'or du temps* de Réal Giguère et Michèle Bazin et sa femme, l'actrice Mariette Duval, au même canal, dans *Chop Suey*. Ils ont quitté leur grosse maison sur la chic Côte Sainte-Catherine et sont allés d'abord à l'Ile des Sœurs. «On n'a pas aimé. Ce n'est pas normal, ce n'est pas chaleureux, ce n'est pas un vrai quartier de Montréal. C'est morne. Propre, vert, mais triste», me dit-il. Alors ils se sont installés dans le très chic bloc des condos du fameux *Sanctuaire*. «C'est bien parfait, me dit Carrère, la sécurité, la discrétion, et puis on est proches de tout, même du centre-ville. Il y a aussi un centre sportif complet et fort utile, avec piscine, sauna, etc.» Je l'écoute. Raymonde et moi, en quittant le coin Cherrier et Saint-Hubert en 1985, nous étions allés voir de ces condos ici et là, mais nous étions décidés d'un commun accord pour une petite maison, une vraie, avec le parterre, la cour, le petit garage, dans une vraie rue, quoi, avec de vrais voisins visibles. Vieux jeu, le couple Boucher-Jasmin? Ça se peut bien. La mode condo nous avait semblé un blockhaus, une vie *encabanante*. Impossible de me défaire de ces petits plaisirs, comme de pouvoir *marcher sur son propre terrain*, même s'il est tout exigu. Vieux gènes de paysan? Je ne sais pas. Comment se sentir chez soi dans un luxueux poulailler bétonné à sécurité maximum, entouré de tous côtés par des voisins? Vive la maisonnette indépendante, malgré bien entendu les petites corvées contraignantes (un mot sartrien, ça!).

Jeudi, autre journée de garde, rue Chambord. Éliane est allée récupérer pendant une semaine du côté de Saint-Petersburg. Marc, devenu veuf, doit aller à son boulot à la

CVM au moins une journée cette semaine. Il m'a paru plutôt débordé et assez énervé. Il sourit: «C'est dur! C'est un sacré boulot, trois petits bonshommes à la journée longue. Je comprends mieux Éliane, désormais. Merci de ce congé, cher beau-père.» Vous pouvez imaginer, le papa parti, nos ébats, au papi et aux trois gamins. Je suis rentré épuisé, jeudi soir! La veille, en après-midi, je suis allé jouer à *Action-Réaction* avec l'ex-crooner Pierre Lalonde. C'était mon deuxième essai à ce jeu télévisé populaire. J'y ai fait bien meilleure figure cette fois et mon partenaire en est sorti grand vainqueur, un certain Martin. Demain dimanche, on va donc enregistrer, au réseau TQS, une semaine entière de *Fais-moi un dessin*. Un autre quizz. Téléphone du recherchiste Michel Robert: «Apportez du linge pour faire croire que les cinq émissions ne sont pas faites en un seul jour.» Bon, bon: j'apporterai dimanche matin un bon paquet de chandails (héritage de feu *Claude, Albert...*). J'ai hâte d'aller dessiner des rébus avec mon partenaire, le cher Tit-Paul Buissonneau. Je pressens qu'on va rigoler en grande. Et puis ce sera un mille tomates à ma cagnotte, ce n'est pas rien pour un pigiste.


L'art de nuire à sa carrière...

Cette semaine, le billettiste de Marguerite Blais, moi, avait décidé de discuter en ondes (nous avons une *ligne ouverte*) de la (vieille) mode des indiscrétions étonnantes dans le monde des artistes. Je venais de voir une Ginette Reno étaler de nouveau les détails de sa vie sentimentale en parlant avec Miss Biondi à la télé (éducative, n'est-ce pas) de Radio-Québec. L'impression que notre Ginette nationale veut devancer les potineurs indiscrets (et parfois inventeurs) des journaux-à-vedettes! Malaise. D'une part, j'aime voir cette grosse chanteuse parler *vrai* (mot sartrien encore!), d'autre part, je regrette qu'on ne la sonde jamais sur le plan des idées. Elle doit avoir des opinions sur les actualités d'ici et d'ailleurs. Elle n'est pas conne. Bref, la voir se transformer unidimensionnellement en confessée émotive me lasse, comme si cette artiste simple mais brillante était incapable de jugements sur les événements généraux. J'en parle donc à Marguerite Blais. Une télé-spectatrice téléphone: «M. Jasmin, vous parlez de sensa-tionnalisme, de jaunisme, que pensez-vous de la série *Caméra 88*? C'est aussi du jaunisme. Trouvez pas?» Un bref moment d'embarras dans le studio de cette chaîne même qui autorise ces freak-shows (le plus souvent c'est d'un voyeurisme débilitant). Courage et ne fuyons pas! Je répond donc qu'en effet *Caméra 88* permet à René Ferron, son producteur, de s'adonner fréquemment au jaunisme malsain. Tant pis pour TQS. N'ai nulle envie de me *tru-quer* (encore!) pour m'assurer des arrières qui se bâti-raient sur du reniement. Miss Blais, à ce moment, a gardé un silence d'or. Plus intelligente que moi? C'est probable. Est-ce là mon *art de nuire à la construction de ma carrière*? Oui. Consultez-moi là-dessus.

Cependant, samedi dernier, aux *Carnets de Louise*, j'ai réussi à m'autocensurer face à un artisan d'Oka et ses crèches de Noël plutôt conventionnelles et un peu trop polies; le sympathique gaillard me semblait si fier de son bricolage. On ne peut décemment fesser sur un modeste colleur de cocottes de pin, bonté élémentaire.

Oh, j'oubliais, hier, Pierre Filion, directeur littéraire chez Leméac, m'a dit: «On part une nouvelle collection «poche», avec HMH et Fidès. Je songe à mettre en *com-pact* un de vos polars avec votre limier Asselin et aussi vos *Contes du Sommet-bleu*.» Je veux bien. Je n'arrive pas à me détacher de Leméac, cette maison où j'ai publié une quinzaine de titres de 1976 à 1986. Une sorte de fidélité m'a toujours tenu à cœur. Ce matin, cahiers culturels tout autour de nous au petit déjeuner, j'y lis tout surpris: «Lors du premier manuscrit, je craignais beaucoup la ten-tation autobiographique.» C'est la jeune romancière

Chrystine Brouillet qui parle. Bizarre! Moi, comme tant d'autres, je n'y ai pas résisté lors de mon premier roman (*Et puis tout est silence*). Pourquoi y résister? Mépris inconscient de soi-même? Idée (fausse à mon avis) que sa jeunesse racontée en un premier livre n'intéressera personne? Sais pas. Brouillet va me surprendre davantage (*Le Devoir*): «Je dois restreindre ma pensée quand j'écris un livre pour la jeunesse.» Eh ben! Mystère total!

Voici un exemple drolatique des dangers de la mauvaise communication. Du temps où l'on co-scénarisait rue Querbes, j'avais confié une copie de clé à Daniel. Bon. Raymonde, s'étant trouvée sans clés l'autre jour (j'étais parti avec nos deux trousseaux), demande au fils de lui remettre cette copie. Rentré chez lui, Daniel en parle à sa compagne alors qu'il cherche cette copie. Plus tard, Lynn en parle au téléphone à ma fille. Éliane, ensuite, me téléphone: pourquoi ce besoin urgent de la copie? Je raconte à Raymonde le coup de fil d'Éliane. Aussitôt, sensible, Raymonde s'en énerve et craint la méprise. Pourquoi donc tous ces téléphones? Elle en parle à Daniel et lui raconte cette fameuse fois où elle s'est trouvée face à une porte barrée. Daniel alors comprend. Je raconte à Éliane l'explication de Raymonde à un Daniel peut-être un peu froissé au départ. Éliane s'en ouvre à Lynn par la suite. Daniel me communiquera que le malentendu est oublié! Bon. Ouf! Oui, juste pour dire (j'ai pourtant fait court) qu'un petit fait anodin, vous le savez aussi, peut ainsi prendre des proportions... Drôle de nuage qui a passé. Une niaiserie s'amplifiait et cela sans aucun fondement solide. Je tenais à en parler pour bien faire voir à quel point il faut être clair sur les causes de nos gestes. Un manque d'information peut faire dériver une bonne intention. Parfois la vie ordinaire est comme folle, trouvez pas?

En studio, mardi, ma petite Marguerite blonde bien enragée par un fielleux article de Nat. Pétro., dans *Le De-*

397

*voir*, où la fille de Minou (sic!) s'amuse cruellement à comparer l'animatrice Blais, celle du Gala des épiceries Métro, avec la dramatique-télé *Anna Karénine* qui, elle (déjà pré-enregistrée en téléthéâtre), n'avait plus droit aux ondes hertziennes! C'était piquant et plutôt méchant, injuste aussi comme toutes les comparaisons boiteuses. Voilà que ma Margot excédée, m'annonce qu'elle va expédier à tous les médias la réplique brillante qu'elle m'a lue dans sa loge, dans laquelle scintille un humour fin. Je ne pouvais pas la chicaner, aimant bien, à l'occasion, répliquer à mes critiques. Parlant critique, hier, appel de Réginald Martel qui veut offrir en cadeau à sa vieille maman (du Bas-du-fleuve) un exemplaire de mon PTVD, tome I, avec dédicace de ma blanche main. J'accepte volontiers puisque cette maman m'avait envoyé de si beaux compliments lors de la télédiffusion de mon téléthéâtre *Sommes-nous tous des orphelins* (au début de l'année). À la SRC (où Martel explique à CBF les hauts et les bas de la diva-économie), Raymonde lui a remis l'exemplaire en question. « Il m'a paru content, fort reconnaissant, ton Réginald! » *Ton?* Allons donc! Tenez, ce matin, Martel jase du trop peu de place qu'accorde la télé à nos livres, et pas un traître mot sur mes brillants essais lors des débuts de Quatre Saisons. L'ingrat! Je ris. De moi.


Le visage d'un céramiste mort...


Maudits monopoles d'État! Par exemple, Hydro-Québec. Sa facture pour le chalet, où nous ne sommes que le week-end, dont on a isolé le sous-toit, où on a fait abattre un bas-côté mal isolé, eh bien, c'est plus cher que rue Querbes! Du vol. Détraquées les aiguilles du compteur effronté fixé au mur? Je vais écrire au trust étatique ma violente protestation. Quand? Le temps? Je lis, quelle vérité, ce qu'un certain André Gill m'écrit: il dit s'être senti comme drogué (subliminalement?) en écoutant les innombrables émissions sur les J.O. de Séoul, constamment interrompues par les mêmes commerciaux en cadence folle. Il a bien raison, je trouve. Ma foi, il n'y a pas que le savant et bon docteur Cameron (du Montreal Royal Victoria Hospital) pour tripoter les cerveaux humains. Il est mort, ce vilain savant médecin stipendié par la CIA. Une officine de Washington, récemment, a fini par régler hors cour ce sauvage attentat collectif pratiqué sur des patients non informés. Saloperie grave! Une ex-voisine (à Bordeaux) en fut une des victimes. Cette histoire restera toujours une pierre très noire dans l'histoire de la médecine psychiatrique officielle.

Je suis allé porter deux autres chroniques (télé et livres) tout à l'ouest de NDG, pour *L'Humeur*. Le premier numéro n'était pas assez coriace. Cimon et ses gens le savent et l'admettent. J'espère que l'envoi no 2 sera plus dérangeant, plus déchaîné. S'y trouve ma chère Rolande Lacerte, son papier para-évangélique était fort pertinent. J'ai brossé un portrait-charge (à propos de télé) sur l'animateur folichon Coallier, le jugeant misérable pitre cabotineur incapable d'écouter convenablement ses hôtes. Je suis bien conscient que pour se bâtir une réputation d'hebdo libertaire, dérangeant pour les pouvoirs (politiques ou autres), *L'Humeur* aurait besoin d'informateurs bien installés en milieux officiels. Or, le modèle parisien, *Le canard enchaîné*, dépense beaucoup pour conserver ces «deep throat» à *coulages* et pour payer les avocats des nombreuses poursuites judiciaires qu'il s'attire. Ici, le fric manque certainement. Ce canard québécois vivra-t-il longtemps? Comment? Envoyez vos contributions sans délai à l'adresse suivante... Non, ça ne se fait pas.

La particulière secrétaire de Madame Bertrand, pas Janette la fouineuse, mais la nouvelle PDG de Radio-Québec, vient de m'assurer qu'ils vont faire les efforts requis pour que j'obtienne la copie vidéo du « Visages »

399

réalisé par François Jobin sur mon père, le céramiste naïf Édouard Jasmin. Ça ferait, je le redis, un fameux cadeau-surprise des Fêtes pour mes sœurs et mon frère. Je croise les doigts, Noël vient si vite! À ce propos, on y va, on n'y va pas? Eh bien, non, on n'ira pas dans le sud, pas plus que l'an dernier ou l'année d'avant. Affrontons bravement ce début d'hiver. Nous irons, à Noël, chez Frère-Jacques-le-prof, à Saint-François de Laval et, pour le premier de l'an, ce sera sans doute du côté de Fresnière. Bien mollement, je songe à reprendre le ski de randonnée en 1989. Nous devons nous secouer, conscients tous les deux qu'il nous faudrait davantage d'exercice de plein air.

Année 1989. Que sera-t-elle au fait? J'éprouve une certaine anxiété. J'avoue, difficilement mais je le fais, que je voudrais changer radicalement de mode d'existence. J'échafaude, en secret, de vagues plans à cet effet. Il me semble que l'année nouvelle, je la consacrerai plus systématiquement à la ponte de certains livres qui me hantent: un roman (ou bien une refonte totale de ce *Gamin...*), une pièce de théâtre (ou bien une radicale de *Fantômes de ma jeunesse*). Aussi un album bellement illustré. Peut-être sur un texte déjà publié (*La petite patrie, La sablière, Mario* ou encore *Maman-Paris...*), je verrai. Le reste du temps? J'ai grande envie de me livrer complètement (plus sérieusement, quoi) à mes chers démons d'aquarelliste.

Ouais, foin de vœux pieux. Ce genre *bonnes résolutions* me ramène au temps de l'enfance et des belles *adresses* manuscrites pour «ma bonne maman» et pour «mon bon papa». Papier rose de la petite école d'antan.

Subitement, la lumière vient de baisser dehors. Sinistre! J'allume les deux lampes de mon mini-cabinet de travail, rue Querbes. À cause de l'enregistrement de *Fais-moi un dessin*, dimanche, nous ne monterons au chalet qu'en fin d'après-midi. Avec belle-maman Yvonne-de-Shippagan. Retour mardi matin. Ni Raymonde, ni moi, ne devons être en ville lundi. Petit congé donc. J'ai rédigé, j'en ai déjà parlé, un tas de notes pour deux pré-enregistrements de *Premières* à TQS. Un spécial «Noël d'antan» et un «Jour de l'an de jadis». Eh oui, on m'a invité à plonger encore en mode rétro. «Le monde adore ça», m'a dit Manon, une recherchiste chez Claire Caron. Ils en auront: du papa préparant ses liqueurs alcoolisées lui-même, y goûtant sans arrêt avant la messe de Minuit, devenant *pompette*, maman aux abois, les enfants fous de voir enfin le chef de famille hilare, déparlant et titubant un tantinet. D'autres anecdotes aussi. Un fameux premier de l'an à Laval-des-Rapides, en milieu paysan, les oncles gueulards et les enfants intimidés, stupéfaits des querelles du clan des héritiers de la ferme. Le caveau humide où il faut aller équeuter des carottes menacées. Les chants rauques, savoureux des fermiers Prud'homme, leurs histoires salées et notre incompréhension. Les rires gras et les *tounes* à répondre à n'en plus finir. Les étrennes! Nostalgia? Pas vraiment. Je dirais plutôt vérité de toujours, l'excitation des veilles de fêtes pour les enfants: la merveilleuse attente, le désir, l'énervante certitude qu'on va vivre des journées hors du commun. L'important était cette magie, cette espérance... Et tant pis pour les déceptions à venir.

Oh, à la radio, hier, Pascau et Miss Lévesque, sur l'amour: «Faut pas que ça dure. Que ça ne dépasse pas deux ou trois semaines. Après ça se gâte.» Quelle horreur! Pascau: «Autrement, ce n'est plus de l'amour, c'est de la névrose avec tous ses malheurs!» Les deux sont d'accord. «Oui! Trois semaines d'amour, c'est assez, pas davantage!» Eh ben! En voilà un drôle de discours! Deux chats échaudés, ou quoi? Deux malchanceux? De quoi avons-nous l'air, Raymonde et moi, avec notre longue histoire d'amour? Déjà dix ans d'un amour plus solide que jamais. Hein? Des demeurés aux yeux de ces plaideurs d'amours furtives. Je crains fort que, comme tant d'autres, ces deux désespérés heureux de CKAC ne confondent rendement génital, désir libidineux avec (mon seul souci) l'amour complet, alliant sexe et sentiments. Les apôtres de la drague-flirt-sans-lendemain peuvent bien nous lancer des cailloux, on s'en fiche. Osons proclamer qu'un amour comme le nôtre... (oui, on le chante) il n'en existe pas deux! Non, j'espère qu'il y en a des millions et des millions. Au préalable, Suzanne Lévesque, pour renforcer sa thèse des « trois petites semaines », y allait avec humour de confessions pathétiques, genre « Oh oui! j'ai trop connu ça, le soi-disant grand amour, à me ronger les sangs, à le guetter, à l'attendre, à m'humilier, ne plus vivre que pour ses visites, m'empêcher de tout, de vivre. Ah oui, Pierre, tu l'as dit, une névrose que ces amours qui n'en finissent plus.» J'avais mal au cœur de tant de pessimisme.

Le dur devoir de la réalité...

Soudain, je fais taire le petit juge (nourri au plus secret de nos êtres), puisque je me souviens d'un long temps (trop long), où Raymonde et moi vivions dans une certaine clandestinité. «Il ne faut jamais oublier, me répète souvent ma brune, qu'il n'y a pas eu une aussi merveilleuse conclusion pour tant et tant d'autres couples interdits.» C'est vrai, hélas! Silence alors, grand chanceux, sur les grands écorchés (à CKAC ou ailleurs) qui, après avoir souffert mille misères amoureuses, se sont retrouvés plus seuls que jamais, leur beau rêve cassé en mille miettes (pour toutes sortes de raisons et d'obligations, souvent parentales). *De durs devoirs à étreindre*, n'est-ce pas, jeune vagabond Arthur Rimbaud? C'est au cinéma-de-papa qu'il y a toujours un *happy ending*? Hélas oui.

Ces temps-ci, deux Gélinas se font bardasser dans le monde des médias. L'une, prénommée Mitsou, qui roucoule et se déhanche en cuissardes ou en corset noir (imitant une vulgaire jeune madone made in USA), est venue dire de candides âneries à un gala télévisé. Scandale chez les bien éduqués! La petite-fille de Gratien-Fridolin-Tit-Coq est une adolescente achevant très lentement de grandir. Elle le sait peut-être qu'elle a bien peu de temps pour ramasser du fric en une carrière (de chanteuse légère) qui filera à la vitesse qu'on connaît. Très vite. Alors, laissons faire à la gamine toutes les œillades et les moues infantiles qu'elle veut. Bientôt, plus personne ne se souviendra de son nom. Je gage qu'elle le sait et c'est pourquoi elle se hâte de brûler sa petite chandelle d'un érotisme ancien, éculé et primaire. D'antiques puritains aux Oedipes mal réglés peuvent bien crier, tant ils perçoivent de l'attirance pour ces Lolita-Mitsou. Je freudise un brin, j'aime bien ça. C'est qu'on a vu si souvent des pieux prêcheurs s'acharner sans cesse contre leurs propres obsessions.

L'autre cas est plus grave. L'ex-chanteur Marc Gélinas vient de publier «*J'voudrais être pute mais j'ai pas de clients*» Une prudente édition à compte d'auteur sous une déplorable couverture de Paul Tex Lecor. Hélas, une pochade torchée alors que le sujet (la bohème montréalaise des années 60) en était excellent. J'écris «hélas» car son bref récit laisse voir de bonnes lueurs ici et là. Pas souvent. Paresseux ou sous-doué? *That's the question*, mon cher Bill! Son petit roman a bien failli être une agréable petite fresque de sa jeunesse en fuite. Et de la nôtre, gens de ce temps-là. C'est dommage. C'est mal bâti, à la lettre: insignifiant.

D'autres profonds sujets de réflexion? Victor-Lévy Beaulieu: pourquoi affirme-t-il, publie-t-il qu'il *hait le monde*? (*La Presse*). Une énigme, cette bizarre déclaration. La haine comme moteur de l'écriture? Ça se peut bien, ma foi! Tout de même, j'ai peur pour lui. J'aime tant ses talents. La haine n'est-elle pas un poison auto-destructeur?

Autre proclamation dangereuse (ou innocente?): récemment embauchée pour la réalisation d'un feuilleton télévisé (*Le grand remous*), une jeune actrice (aussi auteure d'une complaisante hagiographie scénique sur Madame de Maintenon) confesse à des reporters qu'elle va révolutionner la télé et qu'elle seule sait diriger adéquatement des comédiens. Bref, qu'elle est, pour le genre téléroman, une vraie bouée de sauvetage. À l'entendre, comparée au cénacle des croulants qui l'entourent, elle sera l'indispensable régénératrice de la télévision feuilletonnesque. Oh la la! Fièvre aussitôt dans le lanterneau radio-canadien. Cette Pintal (Lorraine) garroche du gros mépris sur l'équipe des réalisateurs de téléromans installés. «Ces gens sortent d'où, questionne-t-elle? D'anciennes scriptes, d'anciens techniciens!» Oh! Yvon Trudel, un ancien cameraman et régisseur, a pourtant réussi à signer avec grand talent la série *Le temps d'une paix*. Vous pouvez imaginer un peu les visages courroucés et la grogne justifiée!

Eh bien, madame Pintal, le surlendemain, fait circuler dans Radio-Canada une lettre d'excuses. Classique: ce sont *les maudits journalistes* qui l'ont mal compris et qui répètent tout de travers. Vieux bouc émissaire! Une viande bien faisandée. Pourquoi alors ne pas exiger des rétractions de la part des reporters? Ah!

Jadis, un imprudent prof et réalisateur, Gilles Sénécal, interviewé dans *L'Actualité*, y allait de façon tout aussi surprenante d'un certain mépris pour la télé de tous ses collègues. Après? Lui aussi, une lettre soi-disant explicative aux confrères blessés. Encore *ces cons de journalistes*, n'est-ce pas? Et rien pour exiger une rétraction. On l'avait cité de travers, c'est simple, hein? Quoi penser? Est-ce l'ordre du *burn-out*? Est-ce qu'à la veille d'un spectacle de théâtre et bardé d'inquiétude, on se maquille alors une tête de matamore prétentieux en guise de remède au trac? J'ai déjà péché! La 'tite Mitsou encore! Gaffeuse: «On me prend pour une midinette, déclare-t-elle, mais moi j'ai de quoi entre les deux oreilles.» Aïe! De même! Elle mériterait que le syndicat des midinettes (dont font partie mes propres sœurs) aillent lui enlever son linge en pleine rue. Non. Elle en a si peu. Et, en réalité, si peu de cervelle aussi, entre les deux oreilles!

*11 décembre 1988*

Publier ou ne pas publier...

C'est le début et déjà je n'en puis plus. On gèle. C'est *à pierre fendre,* disait une jolie vieille expression. J'ai le corps fendu en ce dimanche matin arctique. Oh oui, je répète à ma brune: vite, toi aussi, exige la retraite anticipée et fuyons au moins cinq mois par année dans une contrée plus humaine. Ce pays, l'hiver, est inhumain. Pas pour les enfants, sans doute, ils sont si pleins de jeune énergie, capables d'endurer ce climat farouche, ils aiment tellement jouer dans la neige, patiner, skier ou construire des labyrinthes... Ça y est donc, je suis vieux. Saloperie, je suis donc devenu un vieux grincheux. De ceux dont on se moquait, comme je le disais, quand on les entendait gueuler contre les premières neiges annonciatrices du trop long hiver. Eh bien oui, j'accepte d'avance les sarcasmes de mes jeunes liseurs: je suis un croulant. Je croule de désespoir en ce onze décembre. Je veux me sauver. J'ai mal partout et nulle part. Je souffre, dès novembre venu, de cette inclémente température nordique.

Coiffé de mon vieux capot de raton laveur, je reviens du casier postal no 4; j'y ai trouvé une nouvelle lettre d'Émile Gauthier. Il m'avait déjà expédié une missive élogieuse à propos de PTVD, tome I, et m'avait jasé de son journal intime à lui, *pas pour publication.* Je l'avais remercié. Cette fois, il élabore sa réflexion sur ce thème:

405

écrire pour être ou ne pas être publié. Ce correspondant de Sainte-Marthe des Deux-Montagnes cite Paul Claudel et la conviction de ce grand poète que l'approbation du peuple, des autres, ce n'est pas une cible honorable. Claudel affirmait que le mépris tacite envers les artistes et les acteurs est bien mérité par ces malheureux qui veulent sans cesse plaire. Gauthier me parle aussi, par contre, de Balzac qui était stimulé et se trouvait davantage de talents parce qu'il était très lu, très admiré. Vaste débat, et, en fin de lettre, il parle de deux fonctions séparées: écrire pour soi et écrire pour les autres. Mystère. Oui, mystère à mes yeux. D'aussi loin que je puisse me souvenir, j'écrivais en même temps pour moi et pour les autres. Mes premiers romans m'étaient comme racontés à moi-même d'abord, mais j'espérais que ces récits romanesques captiveraient le plus vaste public possible. Publier, n'est-ce pas vouloir parler à voix haute? Par conséquent, on doit bien souhaiter un auditoire. Ce bon vieux débat ne m'a jamais vraiment excité. J'en ai trop connus, de ces auteurs sans aucun succès public et qui se rabattaient sur la pauvreté intellectuelle de la population. Candide, j'ai toujours nourri une certaine confiance envers le public (liseur, spectateur, voire téléspectateur) et jamais de mépris. Je cherche, ici comme dans d'autres genres d'ouvrages, à être clair, simple, attrayant aussi. Je me répète que je ne suis guère différent des autres personnes humaines, que nous avons tous, à divers degrés peut-être, les mêmes soifs, les mêmes désirs, les mêmes angoisses existentielles et les mêmes frustrations. Alors je fonce, naïf et confiant à la fois. La signature de mon correspondant, un fion illisible, est peut-être un signe inconscient de son refus... de publier, de communiquer. Du mépris peut-être? Sa signature comme une cachette? Une protection, peut-être? Une dissimulation? Une méfiance envers les autres? Sais pas. Peut-être aussi le symbole, ce charabia graphique, qu'il a été un jour blessé cruellement et qu'il tient désormais à cet escargot-coquille apparemment impénétrable.

L'impression depuis quelque temps d'un trop-plein de vie-en-studio. Etre allé saluer les frères Boivin chez Marcotte de TQS, avoir fait toute une semaine (en un seul jour) avec Buissonneau pour *Fais-moi un dessin,* avoir participé aux *Carnets de Louise,* avoir jacassé sur les écoles privées et publiques chez Margot-la-blonde, être allé radoter plaisamment sur un Noël et un Jour de l'an des années 30, et demain matin, devoir encore aller parlotter avec Miss Blais sur mes expériences passées de feuilletoniste de télé, oui, bref, l'impression de vraiment devenir *homme de télévision* comme me peignait récemment un reporter.

Le polémiste ne dort que d'un oeil ces jours-ci. Je n'ai pas trouvé le temps, ni le bon angle, pour frapper sur l'impérialisme et le colonialisme des Parisiens des médias face à nous. Et voilà que je me retiens bien mal de forger un autre brûlot embarrassant: à propos des complaintes rituelles si fréquentes ces jours-ci, celles des gens de Radio-Canada se plaignant des restrictions budgétaires qui leur tombent dessus depuis quelques années. Oh, ça va faire des étincelles si je m'y mets. J'ai travaillé dans cette loufoque galère durant trois décennies et j'ai pu assister à des gaspillages éhontés. Je suis assez certain que se continue la mégalomanie dans les étages à cadres supérieurs et à fonctions fantaisistes. Je suis las des jérémiades en cette illustre maison subventionnée. Du braillage incessant pleut de cette haute tour à broyer l'argent public. L'un parle de *climat pourri,* l'autre de *catastrophique misère.* Si je me décide, je ferai un grand plouc! dans cette vaste mare où grenouillent trop de geignards-sur-tablettes. L'imagination véritable n'a pas tant besoin de fric, allons donc! Nous avons tous des exemples formidables de réalisations talentueuses faites avec des moyens dérisoires. Je viens de la dure école de Paul Buissonneau, moi. Je viens (et je reste) d'un mode de fonctionnement à partir des restes, des déchets-de-richards, de la collecte des rebuts. Mes camarades de Radio-Canada m'appelaient «le vidangeur-décorateur». Dans le temps de *la Roulotte* des terrains de jeux, nous faisions des feuillages d'arbre avec de vieilles serviettes trouées venues des bains publics, et cela faisait rêver les gamins des parcs. Oui, assez de cette sado-maso torpeur! Assez de ces longs cris de faux pauvres, de ces clameurs de faux-Job-sur-le-fumier. Avec plus de fric, (celui des citoyens), je ne suis pas certain du tout que la télé publique se transformerait tellement, serait plus novatrice, plus divertissante, mieux articulée, plus imaginative. J'ai des doutes sérieux. Tenez, j'ai vu un reportage fait clandestinement en Yougoslavie, avec une caméra-vidéo Super-8, par un Belge audacieux, c'était excellent. Une grosse équipe, bien lourde, de la CBC-SRC (ou autres machines gouvernementales) n'aurait pas fait mieux, c'est sûr. Alors? Assez de braillage. Qu'ils se tournent vers les vraies ressources, tous ces ex-gâtés de la télé d'État, et qu'ils réapprennent que, bien souvent, nécessité fait loi, et qu'avec des moyens rudimentaires et du talent énergique, de vrais créateurs débrouillards (voir certains spectacles de jeunes troupes désargentées) arrivent souvent à s'exprimer de façon éclatante. Pendant que les salariés de la SRC versent des pleurs et déchirent leurs vêtements, plein de petits gérants de cette boîte, minuscules patrons-planqués, se tapent des voyages stériles et engrossent de vains *comptes-de-dépenses.* Puis, revenus repus et bronzés de ces *festivals bidons,* ils se joignent au lamento du jour. Tout ça pour les manies mégalomaniaques de dirigeants bidons, de sous-chefs parasites, de lecteurs-jurés-ratés, de sous-officiers à fonctions nébuleuses, comme seulement les sociétés de la Couronne savent en collectionner. Ouf! Assez de ce climat morbide, ce n'est pas en chialant comme des veaux sevrés (enfin!) que ces téteux d'argent-des-citoyens vont revitaliser la télé. Qu'elle soit privée ou publique, d'ailleurs. La télé est plutôt molle et plate et l'argent n'arrangera pas ce constat.

Étalages impudiques...

À peine gêné de le faire, Pierre Bourgault potine à son émission sur CBF, il s'ébroue (lui?) dans la gluante soupe à la mode: les futiles mondanités. Depuis la (brève) crise économique de 1981-1982, on peut constater un peu partout cette montée faramineuse des petits caprices ultra-bourgeois. Tout autour de moi, facile à constater, c'est le chorus unanime pour commenter modélistes et designers en babioles sophistiquées. J'en ai assez. Une mince fraction de la population, les super-nantis, est invitée sans cesse, dans tous les médias, à se rincer l'oeil avec les bébelles luxueuses que l'on étale sans pudeur, sans aucune décence devant la multitude qui ne pourra jamais se payer ces folleries du jet-set. Où va-t-on? Cherche-t-on à seulement faire baver d'envie la plus large part du public qui doit, elle, se débattre pour l'utile et le nécessaire, voire l'indispensable? À regarder tout cet étalage clinquant, un étranger pourrait croire que le peuple d'ici nage comme Crésus dans l'argent. Ignominie! La vérité se trouve pourtant aux antipodes de ces vins rares et hors de prix, ces vêtements pour milliardaires, ces croisières pour initiés, ces ameublements et accessoires variés à tirage limité, ces boutiques exclusives pour grands bourgeois rentiers. Toute cette camelote distinguée est louangée par tant de petits valets et servantes dociles à la radio, à la télé, dans les magazines et les journaux. Sordide mode, non? Les dévoués chroniqueurs se prêtent volontiers à ce marchandage irréel, partout, sans cesse. Il est impossible que n'éclate pas bientôt un immense beurk! une nausée carabinée. C'est trop d'effronterie, non seulement pour les quarante mille morts affamés, chaque jour, au Sud des continents, non seulement pour les centaines de milliers de chômeurs sur notre propre sol, mais aussi pour les gens ordinaires qui en auront ras-le-coeur de ces chantres stipendiés, racoleurs de l'irréel, vantant des breloques à faire sortir les yeux du visage quand on examine la liste des prix suggérés. Protection, Seigneur! vite, protection pour la santé mentale des cochons-de-taxés que nous sommes!

De bien méchante humeur, le «journalier» ce dimanche-ci? Mais non. C'est qu'il faut raison garder quand on voit fleurir cette décadence infâme dans le monde des confrères-communicateurs. Vous me donnez tort ou raison? La vie normale ne peut pas se laisser masquer par ces faux mondains qui salivent vainement devant les colifichets des proprios de penthouses aux quatre horizons de la cité. Assez! stupides courroies-de-transmission aussi pauvres que la plupart d'entre nous! Trouvez le courage de faire le silence sur les mondanités chèrantes. Taisez-vous un peu, imbéciles perroquets du jet-set international. Votre décadente manie de bons serviteurs des mégalo-parano-modistes, stylistes et al, va vous changer bientôt en domestiques ridicules. Partout, la réalité, c'est la pauvreté, la modestie, la frugalité. Hypocrites!

Mon humeur est probablement tributaire de cette satanée période dite des Fêtes. Tout le monde, ces jours-ci, court après la félicité. Ce climat fendant, irréaliste, fait naître une bête anxiété: je dois donc nager dans le bonheur sucré en cette fin d'année? Misérable paravent, écran funeste, orchestré par le monde des commerçants et qui a transformé un anniversaire christique (la naissance de Jésus enfant) en un vaste marché tonitruant aux musiquettes trompeuses et payantes. Même un Claude Dubois s'y est mis, cette année. Putasserie obligatoire? Nous résistons mal. Je regarde les vitrines, je me sens comme tout le monde, manipulé, drogué. Me voilà jongleur: qu'ache-

410

ter pour l'ami, le petit-fils, le gendre, la belle-mère... Tous, nous courons aux magasins, nous entreposons des papiers d'argent et d'or, nous accrochons des couronnes de sapinage à nos portes, nous écrasons un peu plus cette crèche de Bethléem et nous grimpons aux escabeaux de l'avoir et du paraître. Cohue des pathétiques chercheurs de joie. Eh bien, non, chaque matin, ces jours-ci, je me secoue. Je me raisonne. Je me calme. Je me répète que la vraie joie n'est en vente dans aucun magasin. Mais, moi aussi, je résiste mollement. Je sacrifie un peu, pas trop. Ah, viendra-t-il (reviendra-t-il), ce temps, ce bon temps, ce doux temps où les gens se réveilleront, prendront enfin conscience des vraies valeurs, iront vers la fin de l'année les mains vides, peut-être, mais l'âme ouverte, l'esprit rempli du seul souci qui compte: partager et aider les autres à s'épanouir, s'aider soi-même d'abord à mieux vivre, c'est-à-dire à vivre sans être les pantins ridicules que nous sommes dans le sordide royaume des marchandises, où choses et êtres sont confondus. Rêvons, oui, rêvons d'un monde meilleur. Je refuse de croire que l'état actuel de notre monde (occidental et relativement nanti) ne changera pas bientôt. C'est impossible que cette tour de Babel de carton coloré ne s'effondre pas. Résolution pour l'an nouveau qui viendra bientôt: dénoncer plus que jamais les artifices ambiants qui déshumanisent les humains. Commencer ce travail sur moi d'abord. Ce ne sera pas si facile: nul n'échappe à cette pollution des esprits. À Paris, le célèbre chef syndical polonais, Lech Walesa, a dit sa stupéfaction à ce propos, c'était dans toutes les gazettes d'hier.

Je note. Au bas d'une pleine page annonçant les mérites de la Religion-de-la-scientologie, on lit en petits caractères: *marques de commerce...* Oh l'aveu lumineux, en bas de page! Illisible au gobeur de lubies, trop pressé. Vite, un Jésus, avec un bon fouet!

Le rempart prodigieux de l'esprit...

Progrès versus commerce? Oui, toujours. Yves Leclerc, ce matin, explique clairement que la technologie de pointe (pour ce qui est des ondes hertziennes) sera énormément retardée. La cause: chicanes entre Europe, Japon et États-Unis quand il faudrait au plus vite universaliser les procédés techniques. Tristesse! Autres pages du journal: articles louangeurs pour des esprits défunts: John Steinbeck (*Des souris et des hommes, Les raisins de la colère*, etc.), Guillaume Apollinaire (*Alcools, Cortège d'Orphée*, etc.), Aldous Huxley (*Le meilleur des mondes, Contrepoint*, etc), Thomas-Edward Lawrence (*Sept piliers de la sagesse*). Ils ne meurent pas? Ils vivent encore! C'est bien, on parle toujours de leurs ouvrages. C'est formidable, c'est la réponse que je devrais donner quand un jeune décrocheur me déclame: « À quoi bon survivre? » Lui répondre: Lawrence, Huxley, Apollinaire, Steinbeck. Il y en a cent, mille autres. Qu'il découvre la pensée, qu'il lise donc. Me dira-t-il: qui c'est, ça, sacrament? C'est cela, la lecture, qui me tient en vie, qui me fait tenir à la vie. Et il m'en reste tant à lire encore. Allons vite enseigner aux petits enfants (dans les écoles) qu'au-delà des turpitudes humaines, des déceptions à venir, ils auront ce rempart prodigieux: celui de découvrir sans cesse la pensée.

Et la réalité? Hier, samedi, dans un studio aux sapins roses et mauves, des guirlandes partout, fin de mon topo sur grand-maman Jasmin. Soudain la question de la belle Claire: mes résolutions pour 1989? Moi, ben muet avec une envie d'éclater. Me suis retenu. La régisseure veille. Les secondes sont comptées. Comment dire vite tout ce que je viens d'exprimer ici? Alors, vive le journal! Tout l'espace que je veux. Le temps retrouvé, maîtrisé, tout mon temps. Tenez, vendredi, je dis à ma bande de gamins: «Aujourd'hui, on a tout notre temps.» Surprise! ils éclatent alors en cris de joie. Eux aussi, déjà, la petite école mesure leur temps?

*13 décembre 88.*

Un homme-orchestre et clown...

C'est fou, voilà que, la fin de l'année venant si vite, je regrette d'avoir sauté des jours pour ce deuxième tome. Je me sens tout à fait comme lors d'une réunion amicale, au moment de s'en aller, on n'en finit plus de jaser sur le pas de la porte avec la crainte d'avoir oublié des choses. Mais quoi? j'aurais barbouillé (au moins) mille pages si j'avais cédé à cette envie de dire plus que tout. De ne vraiment rien vous cacher.

Mercredi d'un froid... violent, il y a pas d'autres mots pour qualifier la température inhumaine qui sévit depuis trois jours. Achat, hier, d'une «battery» neuve pour la berline, cent piastres, viande à chien! Maudit hiver! Dans une heure, je pars livrer mon *billet* au public de Quatre Saisons, jasette sur les désastres terrestres, en Arménie particulièrement, et le dur devoir de rester malgré tout optimiste, d'espérer. Je vais questionner l'auditoire sur ceci: comment garder l'espérance, face à tant de malheurs dans le monde?

Raymonde, hier, m'a fait une crise subite. Ce matin pleuvent ses excuses. Elle explique: trop de boulot, jusqu'au 23 décembre inclus, et puis retour en salle de répétition dès après le Jour de l'an. Elle en a marre de devoir toujours bosser. Elle m'explique aussi que cette satanée ambiance des Fêtes, l'obligation à la joie artificielle, avec les charges qui s'y rattachent (cadeaux, repas à

413

organiser), tout cela la tue, elle aussi. Aussi, je lui pardonne volontiers sa saute d'humeur. «Et puis quoi, sourit-elle, je suis peut-être en pleine ménopause!» Je proteste mais je ne sais rien de ce passage à la cinquantaine chez les femmes. On parle aussi d'andropause pour les hommes. J'ai des bouffées de chaleur parfois et de ces crises intérieures qui m'exaspèrent. Nous avons parlé de vendre le chalet et avec l'argent de s'organiser des voyages. Séjour prolongé, l'été, au bord de la mer, les Fêtes dans le sud... On rêve. De faire construire une cheminée ici aussi, dans le salon de la rue Querbes, puisque le foyer du chalet en est le plus solide agrément durant l'hiver. On fait ainsi des plans vagues pour chasser sans doute une certaine torpeur en ce commencement d'hiver bien raide.

Le Boivin du *Devoir*, à TQS, m'avait dit avoir lu une critique me concernant dans *Lettres québécoises*. Suis allé acheter ça. Michel Gaulin, dans une pleine page, me décrit comme un homme-orchestre (moi qui n'ai aucune oreille musicale). Sur trois colonnes, il raconte le contenu du PTVD tome I. «On est ébloui dans ce livre par un feu roulant de créativité», note-t-il. Il ajoute: «Il s'est toujours battu visière levée» et «ce clown, comme il se nomme volontiers, dissimule une certaine tristesse... le fait de l'homme mûr.» Gaulin parle ensuite de «spontanéité débordante» mais, en fin d'article, sort sa correction à lui des fautes de l'auteur et de ses correcteurs. Il me reproche, semble-t-il, *un journal-minute*, alors qu'à mon avis c'est cela même tenir un journal. Il termine en me conseillant cavalièrement de ne pas poursuivre ce *divertissement*. Eh ben! Je vais y songer, monsieur! Il devra tout de même endurer un deuxième tome, hélas! que vous achevez de lire en ce moment. Je ris. De moi.

Par ailleurs, consolation, deux lettres autrement plus aimables. Germaine Dumas, aubergiste en l'Ile-Félix-

Leclerc (Orléans) et Gaétan Giguère de Thetford-les-Mines, après leurs compliments stimulants, m'affirment attendre avec impatience le présent tome. À propos de livres, je suis plongé dans un tas de lectures (en vue de *Premières* et de *L'Humeur*). Un graphiste émérite, Arthur Gladu, raconte son enfance pauvre dans le faubourg Sainte-Marie, c'est amusant et révoltant aussi cette pauvreté des années 20. Me voilà encore à souhaiter que soient publiés des tas de récits de cette encre, mille «petites patries» racontées. Un gros bouquet de souvenirs attendris, la fresque débordante de toutes ces petites histoires qui nous ont forgés, enfants de toutes les cités et villages québécois. Je rêve en vain? Ma quasi-jumelle Marielle m'écrit de nouveau une de ses lettres à cœur ouvert. J'y réponds aussitôt, comme chaque fois. Longuement. Échange de deux anciens enfants que le hasard a fait vivre ensemble une quinzaine d'années et que la vie a séparés. J'ai reçu quelques *cartes de Noël*. Impossible de ne pas me rappeler ces temps anciens quand le buffet familial se couvrait d'innombrables exemplaires de ces cartes de bons souhaits. C'était une partie importante de cette ambiance d'heureuse veille d'une fin d'année. Un timbre coûtait alors une cenne! Les cartes, cinq sous, avec souvent des effets en relief de neige artificielle, ça s'ouvrait parfois en trois ou quatre volets. Ah oui, cette manie douce n'est plus qu'un souvenir, mais nous avons tant rêvé, petits enfants candides, face à ces paysages naturalistes, imitant des tableaux de genre, aux traîneaux bien rouges, aux sapinages lourds d'ouate... Nostalgia! Vieux plâtres, je vous aime encore!

J'ai parlé hier à Jean Faucher (au téléphone) et ensuite à ma brune de ce brûlot que je mijote à propos des lancinantes jérémiades du petit cercle des travailleurs de Radio-Canada. Vous auriez dû les entendre, ces deux-là! Folie! Suicide! Coup de pied d'âne, méchanceté! Raymonde, mi-figue, mi-raisin: «Si tu fais ça, c'est la fin de notre couple!» Oh là! Je recule, je bats en retraite. Garder mon grand amour ou bien me défouler sur le dos des ex-enfants gâtés et gaspilleurs de la télé publique? Je garde ma brune. Que se poursuivent les lamentations radio-canadiennes. Juste dire ceci: il est possible de pondre une télé imaginative et audacieuse avec bien peu d'argent-du-peuple. Bon, silence, je me tairai là-dessus. N'empêche, la mégalomanie que j'ai constatée durant trois décennies dans cette *cabane*, jadis prestigieuse, se fait rogner à l'os et les gavés-de-jadis chialent. J'ai donc rejeté un petit tas d'articles illustrant cette clameur indignée des grugés vifs. Cherchons donc un autre exutoire. Tenez, au souper, je dis à Raymonde: «J'ai un autre sujet de critique. Je vais fourrer dans le même sac ton *Héritage, Entre chien et loup* et *Le temps d'une paix*, avec le grand initiateur pourtant si raillé et méprisé, Claude-Henri Grignon et ses *séraphinades* à n'en plus finir. Je vais démontrer ce même goût prononcé pour le mythe un peu douteux du *bon vieux temps à la campagne*. Voilà ma brune qui s'énerve encore de mon projet. Taquin, je m'amuse un brin. «C'est ton vilain côté Édouard Jasmin ça, ton père et ses ricane-ments, ce plaisir à m'étriver, c'est rien de plaisant tu sais, ça peut même tuer ton image, jusqu'ici, d'amant intéres-sant.» Oh diable! recul encore. Je ne veux tellement pas ressembler au papa-ricaneur que je n'estimais pas du tout là-dessus, lui et ses incessantes farces plates sur le dos de ma pauvre maman. Silence donc. «Défoule-toi ailleurs», me recommande mon amour. C'est vrai, il y a *L'Humeur*. Elle a lu mon portrait satirique de l'animateur Jean-Pierre Coallier et n'est pas certaine d'apprécier, elle prétend qu'il y a une certaine parenté entre ma bête façon de char-ger cet animateur et sa façon à lui de racoler du public. Je réfléchis là-dessus. Hélas, j'ai presque envie de lui dire qu'elle a raison. Tout cela pour vous dire qu'on ne s'en-nuie pas du tout aux côtés d'une si lucide compagne.

J'y reviens: je dois et je veux changer pour l'an nouveau. Je cherche quoi changer. Pourquoi ce vif désir d'être (encore) un autre? Je ne sais pas. Une chose est certaine, dès 1989, j'aimerais tant donner une nouvelle orientation à ma vie. Rompre avec... Seigneur, avec quoi donc, tit-Claude? Bizarre besoin de changer de cap. Pauvres navigateurs que nous sommes avec cette folle espérance de trouver une *terre inconnue!*

*17 décembre 88*

Une impossible intégration...

Noël dans une semaine! 1989 dans quinze jours! Très bientôt donc la fin de ce deuxième tome. Dix mois à bavasser sur mes joies, mes chagrins, mes humeurs au jour le jour ou presque. Trois cents jours? Pas exactement, vous le savez puisque j'ai abandonné la quotidienneté de mon petit manège. Ce matin, un samedi sans grande lumière. Pas de chalet. Nous nous préparons plutôt à deux cérémonies qui auront lieu demain, l'une à l'hôtel Méridien l'après-midi, l'autre à la Place des arts, en soirée. Gala télévisé des Prix Gémeaux. Ma brune, déjà signalée par ses pairs, pourrait être élue dimanche *meilleure réalisatrice en dramatique.* Énervement. Suspense normal. Sa saine philosophie: «Je suis satisfaite d'avoir été mise en nomination, quant au reste...» Tantôt, en son absence, j'ai barbouillé avec des feutres une grande affiche pour la saluer et la féliciter, et je l'ai accrochée sur la porte du couloir. Revenue de chez le coiffeur, Raymonde monte pour me dire: «C'est gentil, ta proclamation. Est-ce que tu crains que je sois déçue à ce gala?» Je ne sais trop quoi répondre. Ce que je sais bien? Que chaque firme en télé

417

pouvait abonner à cette Académie autant de ses travailleurs qu'elle le désirait. Alors? Le fric de certains puissants producteurs... Pas grave. Elle me fait promettre ensuite d'être sage durant toutes ces célébrations. Je me sens alors le turbulent petit garçon qu'il faut prévenir avant d'aller visiter une parenté collet monté. Je rigole. Par en dedans.

Dehors, le climat froid et la lumière trop rare n'empêchent pas diverses manifs: c'est qu'hier, *les suprêmes Pères Noël d'Ottawa*, hermine blanche sur uniforme d'opérette, ont décrété illégale une partie de la loi 101, l'affichage. Ça remue dans les rues. Dimanche, rassemblement des nationalistes à l'aréna Sauvé. Je cherche comment manifester discrètement au cours dudit gala. Trop tard pour la fabrication d'affichettes? Des brassards de papier? Comment profiter des caméras de télé pour illustrer sans cris, sans faire d'esclandre, que l'intérêt des juges de la cour suprême pour la liberté commerciale est une farce grotesque pour contrer notre si fragile sécurité culturelle? D'autre part, je sais bien que c'est une (futile) question de décor, que se joue un drame dans ce décor (qu'il soit anglais, grec ou italien). Oui, la tragédie perpétuelle des émigrants allant sans cesse grossir la minorité d'anglos parce que ces nouveaux venus veulent vivre seulement *in the american way of life*. Même pas du vrai mépris. Je viens de rédiger une *lettre ouverte* (encore?) sur ce thème où je parle d'un tabou dans tous les médias. On craint tant la vérité. Personne n'ose dire que les émigrants font preuve, objectivement, de racisme en refusant notre langue, en rejetant notre culture. On craint tant de passer (une hantise) pour des xénophobes, alors que le véritable racisme est le fait des anglos et de leurs nombreux alliés, les émigrants au Québec.

J'ai dit et redit à Raymonde ces jours-ci: «Il faudrait peut-être un traitement de choc pour que tous les Québécois sortent des limbes. Par exemple, créer un mouvement où en tant que leader, je clamerais qu'il faut envoyer nos enfants dans des écoles anglaises, puisque nous risquons d'hypothéquer leur avenir en leur enseignant un français diminué et méprisé. Bafoué même, dans tant de fausses écoles françaises où les enfants d'émigrés adoptent l'anglais quand ils sortent des classes (et même durant les cours). Un reportage de Gougeon (*Au Point*) sur l'école secondaire Saint-Luc, montrait cet effarant état de fait récemment. Ah oui, cessons de nous exciter seulement à propos du décor de ce drame et intéressons-nous à la pièce sordide qui se joue derrière les apparences.

Hier, après ma chronique-livres à *Premières*, je suis allé aider ma fille en son neuvième et dernier jour de veuvage. Son Marco rentrait de Floride le soir même. Je l'observais attentivement tout en organisant une furieuse bataille entre « les bons » (les trois garnements) et « le gros méchant » (moi). Quelle énergie il faut pour maintenir la maisonnée! Les repas avant tout, évidemment, mais aussi l'aspirateur, le lavage et le repassage, les emplettes urgentes, le rangement du sous-sol-salle-de-jeux (infernal capharnaüm)... Éliane voulait que son bonhomme, en rentrant, ne se retrouve pas dans un bazar trop encombré. Vraiment, la farce de Deschamps: *maman travaille pas, a l'a trop d'ouvrage* se vérifiait hier, rue Chambord.

Coup de fil jeudi. Le jeune PDG de *Panacom*: « Ça y est! La SRC nous a donné sa *lettre d'intention* pour le projet de télésérie avec les décrocheurs. Ce serait pour la saison 90-91. J'expédie une contre-proposition afin que, durant l'année qui vient, 1989 quoi, vous puissiez déjà rédiger des textes et être payé en conséquence, car je ne veux pas vous perdre, moi.» Yves Debanville sait que je frappe à diverses portes-productrices. Que c'est plaisant d'entendre quelqu'un qui craint de *vous perdre*! C'est curieux, depuis que mon fils a déniché ce poste de rédacteur-éditeur chez *Pétro-Can*, j'ai comme moins envie d'avoir une tribune feuilletonnesque. Eh! Peut-être qu'au fond des choses je ne souhaitais que travailler à ses côtés, pour me rapprocher davantage encore de lui. Sais pas trop. Ces jours-ci, je songe souvent à me remettre à la glaise, à modeler de nouveau des tas de petits plats décoratifs. En somme, faire cuire des cadeaux très personnels. Il y a si longtemps que mon petit four bâille!

Excursion en no man's land...

J'ai fait tout dernièrement deux expéditions solitaires assez bizarres. Question de dénicher un bureau de «service» pour mon répondeur détraqué et mon téléviseur dont on a perdu (mystère?) la télécommande. La première? Au nord du Métropolitain dans une de ces zones dites industrielles. Singulière architecture d'aspect plutôt sinistre, manufactures, entrepôts, sièges sociaux de grosses et petites compagnies. Pas de piétons, évidemment dans ces banlieues dans la banlieue. Partout des édifices d'une douteuse sobriété. Des placards discrets aux noms inconnus. Ici et là, de vastes parkings pour commis voyageurs et cadres de ces compagnies hétéroclites. Oui, l'impression de rouler dans un *no man's land* à n'en plus finir! Surréaliste! Des rues larges, désertes, pour les manœuvres de ces fardiers énormes qui débarquent les marchandises arrivant sans doute des États-Unis pour la plupart. Je faisais, éveillé, un petit cauchemar.

L'autre folie, c'était à l'ouest de l'hippodrome «Bonnet bleu». Là aussi, une zone bien grise, aux bâtiments d'aspect rébarbatif. Soudain, je me trouve bloqué. À gauche une voie ferrée, et devant, une autre! À droite, une impasse. Je cherche un nom de rue précis. Aucun passant pour me dépanner. J'entre chez le premier marchand venu. Édicule éclairé, blafard, au fluor, une anglophone à grandes dents qui dit «sorry, english only». Un autre balourd, juché sur un comptoir, ne me comprend pas davantage. On fait appel à un manutentionnaire francophone du fond du «stock room», évidemment il apparaît, jeune et boutonneux, déjà servile. Il traduit... et je repars entre les tronçons de voies ferrées dans cet horizon sinistre en cette fin d'après-midi hivernal. Subitement, je me suis souvenu de mes emplois d'été dans des usines. Ce monde clos, comme irréel, me saute à la mémoire et je fuis! L'impression d'en sortir comme par magie! Ouf!

Ce midi, entouré des cahiers culturels moins remplis d'articles que de placards annonciateurs de films et disques récents, je tique à des déclarations du populaire cinéaste Claude Lelouch. Il se plaint, en rigolant à peine, du snobisme des critiques parisiens. Il a signé trente films en trente ans en se faisant éreinter par la gent intellectuelle presque chaque fois. Il dit à l'interviewer de *La Presse* qu'il est seul, sans clan, sans subvention, sans orientation politique définie, bref, un solitaire qui fait tout le boulot seul (passe-t-il le balai sur le plateau après le tournage?). Je m'identifie (trente livres en trente ans) un brin à ce loup solitaire boudé par les clubs élitistes. Surtout qu'il termine sa demi-jérémiade en disant: «Maintenant ça va mieux, ils ont cessé de me mépriser, on commence à mieux examiner ma production.» C'est comme pour moi, depuis quelques saisons, l'*intelligentsia* littéraire d'ici m'accorde une meilleure attention. (tâcheron modeste ou polygraphe surmené) n'espère pas obtenir la popularité et le respect des augustes analystes de son créneau. Pauvres de nous, qui réclamons l'unanimité, alors que nous devrions nous barder de fer une bonne fois pour toutes face à ces contempteurs mesquins qui prennent plus de plaisir à éreinter qu'à louanger. Quand ces intelligents sont d'accord, c'est étrange, leur prose en devient fade!

La (ou le) prostituée se fait arrêter, coffrer et doit payer une amende (ou être emprisonnée), jamais l'exploiteur, le client, le consommateur de l'illégalité. En tout cas, c'est rare. Ainsi, l'ex-député de Gamelin: procès pour avoir accepté des pots-de-vin, et aucune action judiciaire envers ceux qui les lui offraient, aimables entrepreneurs intéressés à l'influence du représentant du peuple. Et pourquoi pas? Pourquoi ne pas sévir aussi contre ces tentateurs en corruption politico-financière? Ah, justice! que de conneries faites en ton nom, chère vieille aux yeux bandés! Non, pas question de démasquer ces filous qui rôdent dans les restos et cafés (de parlements ou assemblées nationales) avec leurs offres sournoises, vrais petits Satans. Non, non, ces démarcheurs sont de nobles individus, n'est-ce pas? Le budget (de l'élu) est faible (comme la chair) et l'esprit du monde du favoritisme bien prompt.

Mort d'un espion gaulliste...

L'éditeur de *Mondes et cultures*, Robert Cornevin, vient de mourir en France. Il avait écrit un stimulant article à mon sujet lors de la publication en 1969, de *Rimbaud, mon beau salaud*. Vers 1968, il avait voulu me rencontrer ici dans un resto français de la rue Saint-Hubert, sous un petit hôtel. Il questionnait ainsi divers auteurs et professeurs, disait-on, et on parlait de lui chez les *fédérastes*, comme d'un autre *espion* du général De Gaulle. «Des serpents lubriques, tonnait Trudeau, qui sont payés pour semer la zizanie au Canada.» À cette époque «post-Vive-le-Québec-libre», ça s'énervait dans les officines fédérales et aussi à Radio-Canada. Des dossiers s'ouvraient sur les vils *séparatisses*. D'obscurs délateurs, mal camouflés en employés de la sainte Couronne britannique, dressaient des listes d'*ennemis du «O Canada»*! Époque de suspicion, de loufoqueries tatillonnes ici et là.

Et moi? Par trois fois, on m'a refusé une promotion (de décorateur à réalisateur). J'ai plutôt été promu *security risk*. Ça reviendra, ce temps de folie? Peut-être si l'atmosphère engendrée vendredi dernier par les *suprêmes Pères Noël* s'envenime. On verra encore sans doute plein de policiers-fonctionnaires noircir des dossiers, plein de froussards énervés qui, complaisamment, se tairont sur leur patriotisme québécois pourtant légitime. L'histoire se répétera? La peur des *salariés-du-Fédéral* fera alors sa sordide besogne comme en 67-69.

*20 décembre 88*

Le prince qu'on sort...

Lundi d'avant Noël, le temps est plutôt doux, comme hier, ça fait du bien à nos nerfs, à Raymonde et à moi, car nous sortons d'une sorte d'épreuve. Le Gala des Gémeaux, le gala des pairs de Raymonde, ceux qui d'abord l'ont élue valable aspirante d'un trophée. Ensuite, ces mêmes pairs, les ingrats, ont plutôt voté pour le camarade Richard Martin au titre de « meilleur réalisateur ». Coup dur! Si vous aviez vu, tout comme moi, l'énervement de ma brune la veille de ce chiard à la Place des Arts ainsi que dimanche après-midi au Méridien, où Gaston L'Heureux a brillé en animateur taquin. Le pire? Cette soirée télévisée au Théâtre Maisonneuve. Oh la la!

Moi, fin finaud et humble « prince consort », j'ai tenté vainement, en plusieurs occasions, d'alléger la tension de ma brune. Peine perdue: « Je ne sais plus si je vais t'amener au prochain gala des Gémeaux », m'a dit hier soir mon grand amour de réalisateure. Bien raison. Cette idée aussi que mes pitreries l'aideraient à passer ce mauvais moment de suspense ultra-stressant. Diable! Bon, c'est fait, c'est déjà du passé. Ouf, et re-ouf! J'ai *fondu* quand, choc post-opératoire, en rentrant souper hier soir, ma brune a soudain *fondu* en larmes dans mes bras. Je la console en me taisant cette fois. Que les larmes coulent à flots... mais non, ce fut une ondée super-brève. «Fallait que ça sorte!» Elle s'était retenue durant cette journée entière passée dans son studio à continuer *L'Héritage*. Aujourd'hui, sa deuxième journée d'enregistrement. Ce soir, congé d'elle hélas, c'est la fête de fin d'année à *La Diva* pour son équipe. Moi, je m'en vais à Fresnière chez le fils et la belle bru, Lynn. Des pâtes, mon régal, m'attendent là-bas. Yum!

Tantôt, j'ai bourré cinq jolis *bas de Noël* en feutrine rouge, j'y ai mis plein de babioles, une idée qu'au matin de dimanche, ça fera un peu plus de joie chez les petits-fils. Père Noël à barbe grise, tantôt j'irai épingler ces chaussettes à hermine d'ouate aux chambranles des portes des enfants avec la mention «défense d'ouvrir avant Noël». Ensuite, j'ai mis quelques gros billets dans des cartes de souhaits pour Éliane, Daniel, Lynn et Marco... Ne pas savoir quoi acheter comme cadeaux, facilité de donner de l'argent et d'exprimer le rituel: «Vous savez mieux que moi ce dont vous avez besoin!»

Je vais tenter de résumer (très rapidement) les festivités Gémeaux: toilette scintillante en strass pour Raymonde, moi en «mourning coat» de chez Classy. Foule des camarades des médias dès le parking souterrain, puis dans le hall du Méridien. Dans la salle à manger, groupes hétéroclites (Radio-Québec, Quatre Saisons, Radio-Canada et maintes compagnies privées) aux grandes tables rondes. Podium décoré, lutrins translucides, présentateurs divers, un Gaston déchaîné, brillant qui lie le tout. Entre l'entrée (pâtés froids plutôt secs) et le plat de résistance, entre dessert et café, proclamation des divers lauréats parmi les obscurs artisans, trop souvent anonymes, en productions variées. Applaudissements généreux des camarades. Déceptions bien rentrées. Gentil petit cirque où chacun tente de colmater des plaies plus ou moins vives.

Ovation, à un moment donné, pour le vétéran des annonceurs sportifs, Jean-Maurice Bailly. Grande émotion chez ce sénateur retraité. Défilé d'une Michèle Tisseyre, sans sa canne, d'une Andréanne Lafond, d'autres, figures légendaires du petit milieu à micros et caméras. À notre table, le gang-Héritage. Un Beaulieu extérieurement calme, probablement nerveux, se demandant si son bel ouvrage, sera récompensé ce soir comme il se doit. Nous échangeons diverses blagues, faisant mine d'ignorer cet énervant suspense.

À quatre heures, liberté est rendue à tous ces commensaux jusqu'à huit heures, où nous devrons tous être assis puisque la télé, on le sait, doit démarrer à des heures très précises, comme les trains! L'après-midi donc, retour au foyer. Raymonde devient forcément plus tendue. Je pouvais palper cette tension nerveuse, je le jure. Nous regardons Beaulieu et Pelletier à *La grande visite*, où on rediffuse des extraits, les meilleurs, de la série *L'Héritage*. Une heure de publicité gratuite formidable. Nous descendons bouffer. Un sandwich seulement, puisque après le gala, il y aura un buffet pour tous, gagnants et perdants. Je complimente énormément ma brune pour sa toilette de gala. Miroir, petit miroir... Je vous assure que ça revole dans la cabane, les tiroirs s'ouvrent, les portes de placard claquent... J'entends des soupirs, des murmures, puis: « Vite, endosse ton *tux'*, dépêche un peu » répète mon amour. Moi, Narcisse contenté, je veux regarder au complet l'heure que me consacrent *Les carnets de Louise* à TQS. Malaise. L'impression que je devrais changer de disque. C'est encore « moi dans mon enfance, la petite patrie Villeray, mes chers Italiens du marché Jean-Talon ». Ouen! Je suis las de toujours projeter la même image publique.

Départ. Nous cueillons de nouveau Maude Martin au coin de Laurier, où habite cette co-réalisatrice des *Dames de cœur*, autres concurrents pour Raymonde. On en rit, on en blague. Parking de nouveau, théâtre, beau décor 1900 de Pierre Desgrandes, des Santa Claus ici et là. Un *réchauffeur de salle* plutôt benêt et c'est parti. Seigneur! Quelle horreur de devoir jouer l'indifférent, de tenter encore de faire le rigolo avec les voisins dans les rangées du Maisonneuve. En vérité, plusieurs sont des quasi-adversaires et chacun songe que s'il ne gagne pas, c'est qu'il n'y a pas de justice. Même chez les pairs.

Eh ben non! Raymonde est nommée en ondes, mais c'est Martin qui l'emporte pour *Lance et compte II*. C'est fini. Sortons. Prenons des figures réjouies. Cachons bien la blessure à l'amour-propre. Mascarade obligatoire pour tous les perdants. C'est le jeu. Retour au Méridien. On a enlevé les tables et il y a un vaste parquet de danse. Des buffets ont été dressés aux quatre coins de la salle. L'ami René Chappaz et moi redevenons de vieux gamins: on crève quelques ballons, on joue au jeu des congratulations à tout le monde. On rigole ferme. Des cartésiens sursautent: « Comment ça? Félicitations pour quoi? Je n'ai rien gagné! » Nous rions de plus belle.

Dans les coins, dans la classique semi-obscurité d'un dancing, des regrets s'énoncent, des protestations feutrées grondent en catimini. Prudence: surtout ne pas paraître des mauvais perdants! Mascarade toujours. Peu de vin, blanc ou rouge, et ainsi, l'après-gala ne risque pas de tourner vraiment au vinaigre, c'est bien. Rencontres multiples évidemment, jeunes, vieux, moyens. Jasettes futiles, toujours écourtées par un nouvel arrivant. C'est l'ennuyeuse loi de ces vastes chiards. Longues figures par ici, mines confites par là. Il y a tout de même une certaine unanimité, ce fut un bon show, Normand Brathwaite a été un trépidant animateur et, c'est fameux, des présentateurs et des remercieurs n'ont pas raté l'occasion qui leur était offerte de tourner en bourrique la nouvelle «loi 178» de ce Robert Bourassa au français extérieur et au bilinguisme intérieur.

Hier, lundi, mon dernier billet, de 1988 chez Margot et compagnie. J'ai laissé sortir toute la vapeur nécessaire. J'ai presque crié mon désarroi, ma haine des lois et de la police, ma stupeur de constater que les émigrants, pour la plupart, refusent de s'intégrer à notre québécitude. Marguerite a semblé amusée et étonnée à la fois par cette vigoureuse sortie sur les ondes. J'avais sans doute besoin de me défouler, et contre ce Boubou-tergiverseur, et contre toute la retenue du Gala Gémeaux.


*23 décembre 88*


Pour 1989, fidélité, constance?

Un drôle de vendredi. Ça sent la presque fin d'année. Un je ne sais quoi qui est dans l'air, indéfinissable, bien entendu. Disons qu'il y a en moi un rien d'accablement. Le sentiment confus, vague au possible, d'avoir vécu une année de plus, et cela sans que rien, absolument rien de hors du commun ne soit advenu. Le lot de la majorité, bien sûr. En tout cas, l'impression qu'éprouvent sans doute la plupart d'entre nous. Que faire? Réagir. Oui, mais comment? Et me voilà tentant de me battre les flancs, vainement, pour que ce 1989 qui va surgir dans une semaine soit comme une plaque tournante, une occa-

427

sion de rompre avec us et coutumes, un temps marquant. Agir en sorte que dès le premier jour de l'an nouveau, je me trouve métamorphosé. Mais oui, pauvres petits cons, que nous sommes, nous voulons croire qu'il ne dépend que de nous pour que le temps qui file soit valorisant.

Il a neigé cette nuit. Hier, encore un jour de garde, rue Chambord, où ma fille est restée alitée, victime de ce qui semble être une crise du foie. Éliane jeûne et n'aime pas ça. Raymonde m'y a rejoint en fin de soirée, elle rentrait d'un montage; un peu plutôt, Marc (mon gendre) était revenu d'une *partie* de bureau, à peine éméché, pompette quoi, ou bien jouant facticement au demi-soûlon pour voir la binette du beau-père. Éliane, l'a grondé en rigolant et ensuite David et Laurent, sortis de leur chambre où je venais de raconter une longue histoire, se sont amusés à croire leur papa étourdi de vin. Je leur ai chanté: «Prendre un petit coup...» Bonne rigolade. Marco a cédé à la tentation: il exhibe une de ces caméras-vidéo dites caméscope. Je le chicane pour rire: «Sale consommateur!» Mais Éliane me rétorque: «Quoi? Tu avais bien ta petite cinécaméra-8, quand nous étions enfants!» Je me sauve. Je veux regarder *Salut Victor* à Radio-Canada, avec Jean-Louis Roux et mon cher Jacques Godin. L'an prochain, j'ai l'intention d'aller un peu moins souvent amuser les garnements-chenapans. Ma fille me répète trop souvent que je suis à côté de la... track pédagogique et je ne voudrais pas nuire à sa mission éducative. Chacun doit pouvoir élever ses mioches à sa convenance, non? Je crois qu'elle a raison quand elle me semonce là-dessus et qu'un papi peut devenir un «dés-éleveur»!

Bel enregistrement sur mon répondeur téléphonique dimanche dernier: du caricaturiste-affichiste émérite, Normand Hudon. Il m'a congratulé fort généreusement pour l'interview aux *Carnets de Louise* de TQS. Je viens de lui expédier dans son Estrie, par la poste de Sa Majesté, des remerciements appropriés et mes bons vœux pour 1989. Demain soir, nous irons comme chaque année réveillonner chez le clan-Faucher. Françoise m'explique, au téléphone, que François Rozet n'y sera pas cette année. Sa santé ne s'améliore pas, il aura 90 ans en mars qui vient. Faut le faire! Ah, pouvoir m'y rendre. Je songe à aller l'interviewer, avant son anniversaire, comme un cadeau, un gros *merci* pour sa longue patience de prof en face des Gilles Latulippe, Yvon Deschamps et cie.

À chaque fin d'année, c'est le temps des joyeuses vacheries dans les médias. La télé offrira donc ses revues folichonnes et de bien méchantes caricatures vont voler dans l'air hertzien. Voici le journal (qui ne vaut rien, puisqu'il est donné?) *Voir* qui s'adonne volontiers à ce jeu de massacre annuel et j'y goûte! Un rédacteur anonyme, le genre le permet, brosse son tableautin bien baveux. Je lis: «Homme de lettres. Jasmin. Vos livres ne se vendent pas?» (*Ça dépend bonhomme, quand je me compare...*). «Personne ne parle de votre personne?» (*On en parle trop souvent à mon goût, cher anonyme*). «Faites comme Claude Jasmin: écrivez des lettres aux journaux. Semez la pagaille. Foutez le bordel. Bref, brassez de la marde. Les résultats ne sauront tarder. Premièrement, la frustration de n'être lu que par 67 individus foutra le camp.» (*Un instant, disons 1 667, au moins*). «Avec un peu de chance, vous passerez même à Pascau (CKAC). Important de bien choisir vos sujets, chocs si possible.» (*Choquer ou ne pas choquer, c'est ça?*). «Deux pièces gaies à l'affiche en même temps à Montréal? Sus aux tapettes!» (*Pas deux! Cinq! Plus la télé, les livres et les films*). «Après *Une saison en studio* (ratée), voici une année dans le courrier.» (*Une année? À vingt-cinq ans, j'échangeais déjà avec André Laurendeau dans Le Devoir. Ça fait donc plus de trente-cinq ans que je m'adonne à cette monomanie*).

Vous voyez le genre? Bah! Ça m'a fait sourire sur le coup, je le jure, demandez à ma brune si vous ne me croyez pas; nous rentrions, de bonne humeur, après avoir vu *Normand le conquérant* chez Duceppe où c'était plein de bonnes répliques drôles dans une pièce plutôt mal bâtie, par contre. Dans les toilettes du Maisonneuve, un Louis de Santis, jouant l'adversaire, m'aborde comme toujours par de pesantes facéties. Je l'envoie paître aussitôt. À la sortie, le revoilà un peu penaud qui m'explique le sens de ses piques. Je reste de glace. En ai assez de quelques bizarres individus qui, à chaque rencontre, se croient obligés de défier verbalement l'homme-aux-lettres-ouvertes. Plus tôt, au bout de notre rangée, un Doris Lussier nerveux qui me retient par la manche et tient à savoir ce que je pense de sa récente publication de pensées choisies. Un genre qui m'horripile. Je le lui dis sans détour, ajoutant: je préférerais lire du Doris Lussier que ton ramassis de citations. Il le prend un peu mal et grimace, me menace d'un bras levé, presque sérieux. Je fuis aussitôt le célèbre Beauceron vexé.

Comme moi, Pierre Bourgault s'est fâché en ondes, samedi après-midi, lors d'un de ses *Plaisirs*. Voilà que les dirigeants le font parader et lui indiquent soigneusement son corridor. Amuser le public et taire ses convictions? C'est la loi depuis le temps des cloisonnements étanches en radio-télédiffusion d'État. Hélas! Chaque chose à sa place, gueulent les policiers du bon désordre établi! À *Sacrée soirée*, télévision de Paris via le Canal 5, nous observons la prestation de l'alcoolique-de-service Serge Gainsbourg et l'animateur paraît ultra-nerveux, craignant la gaffe impardonnable du fameux faux-clochard. Et voici que l'on exhibe un bambino mâle, signé Gainsbourg, qu'on a déguisé en pantin miniaturisé: verres fumés, mégot au coin du bec, veston froissé et... la couche aux fesses! Triste *clone* pour divertir la populace parisienne!

Incroyable! Dans *La Presse*, je lis, colonne *Avis légaux: Demande permission de se dissoudre*. Bah! Il s'agit de compagnies et on s'adresse à l'Inspecteur général des Institutions. Quoi encore? Aline demande à devenir Alvine. Herménégilde demande à se changer en Gilles. M. Vladimir Martchinkov veut devenir Vlad March. C'est la vie légale. Etre ou ne pas être? Se dissoudre ou se raccourcir? Le vie est pleine de drôleries.

Moins drôle de lire dans *Le Devoir*: vingt-cinq journalistes assassinés en 1988! L'agence AFP dit: *c'est sept de moins qu'en 1987*. Tel quel! On ajoute qu'il y eut des actions violentes (expulsions, enlèvements, détentions, violence) contre deux cent vingt-cinq journalistes dans soixante-dix pays cette année! L'an dernier? Dans cinquante-sept seulement. Aucun progrès, hein? Compilation sinistre de *Freedom House*, une organisation des Droits de la personne. Il n'y aurait que soixante pays avec liberté de presse assez complète. Dans quatre-vingt-cinq autres, c'est la censure sous diverses formes. On parle de domiciles attaqués, de disparitions. De menaces de mort, aussi! Nous oublions sans cesse notre relative liberté, à part les bâillons aux Bourgault trop francs. Durant une décennie, par prudence, les *fédérastes de force* de Radio-Canada ne m'invitèrent jamais dans leurs studios d'«affaires publiques». Hélas pour ces *pisseux,* je passais mes proclamations aux antennes du privé. Ces chinoiseries de nos minables cerbères-censeurs ne sont rien, évidemment, à côté des dossiers effrayants du *Freedom House*.

*24 décembre 88*

Tous nos innocents jocrisses...

Neige fondue et temps doux encore en ce samedi, veille de Noël. Raymonde heureuse donc. Moi aussi. Pourtant, je songe aux petits enfants qui aiment tant la neige. Une certaine insipidité ce matin dans les cahiers arts et lettres. La cause? La rituelle et annuelle obligation qu'ils se donnent de faire très « Noël » avec des *papiers* d'une encre rose nanane et bleu poudre-de-bébé, rouge bonbon, très « jolis cadeaux gâteux ». Pouah! Claude Picher, plus audacieux, profite de sa colonne pour révéler que le catholicisme montant, du temps des Romains convertis, installait ce Noël-Nativité pour contrer la fête, en ce même 25 décembre, du très populaire dieu d'Asie mineure, Mythra, trop célébré encore à cette époque. Picher conclut « iconoclastement »: « De nos jours, on nommerait ça un superbe coup de marketing. » Hon! À midi, je me suis demandé si je n'allais pas inviter ma brune à m'accompagner pour une de ces bonnes vieilles messes de minuit. Je songeais à Saint-Louis de France, ou à Saint-Léon de Westmount, où peuvent trouver place les réfugiés nostalgiques désirant entendre les pieux cantiques de leur enfance. Et puis je me suis souvenu: ce soir, réveillon agnostique chez Françoise et Jean. J'apporterai une copie de ces vieux cantiques puisque j'ai fait polycopier une pleine page de *chants mélodieux* (sic)! Pour taquiner nos hôtes et Raymonde, j'ai rédigé tantôt une fausse lettre ouverte où je malmène les braillards du Radio-Canada-aux-coupures, ces restrictions budgétaires à la mode. On va rigoler ferme, je crois.

L'ex-poète Pierre Maltais (deux recueils chez Parti-Pris jadis) a fait du chemin. *Le Devoir* raconte que le bonhomme vient d'être arrêté par la police belge. Maltais, alias Lacourse, alias Maltest, alias Norman William, alias, tenez-vous bien, Prince Émile de Bogaerts de Faucigny-Lucinge, serait un écolo-gourou-imposteur à la solde du tyran-colonel Kadhafi. Une histoire emberlificotante en diable, capable d'illustrer qu'un petit Gaspésien puisse se révéler un énergumène manipulateur et clandestin. Un vrai roman, sauce saga-USA, quand on y fourre la CIA et la poutine aux armements qu'on livre à l'OLP, filière Maltais via un associé araboïde en banlieue de Liège. Ouf! Je songe à mon *Gamin saisi...*, ce manuscrit qui dort dans un placard. Même décor! Je songe aussi qu'hier le bon-papa-polonais a reçu le terroriste repentant Yasser Arafat, devenu si crédible que Washington a ouvert une piste de dialogue avec lui. Un sondage démontre qu'en Israël, malgré les fanatiques religieux de droite, la population serait plutôt d'accord pour que la paix palestinienne s'installe enfin. Le monde? Un mélo. Que disait donc Shakespeare? *Un théâtre de fous joué par des acteurs ivres.* À peu près cela. Ce Maltais? Un fou de plus? Un mythomane *made in Quebec*! Enfin! vont soupirer les amateurs de récits d'espionnage. À suivre.

Comeau, rédac-chef du *Devoir*, face au racisme évident du *Toronto Star* dans la querelle de la Loi 101, lâche à son tour un imprudent: «qu'il est difficile de se faire comprendre dans ce pays qui n'en finit plus de se chercher». L'innocent? Si nos médias n'avaient pas censuré tous les militants de l'indépendance (*Le Devoir* de Ryan y compris), il y aurait aujourd'hui et depuis mai 1980 un Québec souverain, un pays normal, Le Québec. Tous ces jocrisses du pseudo-fédéralisme se plaignent à l'occasion, mais cherchent encore la quadrature du cercle dans ce Canada anglais qui méprise comme jamais le français et la nation québécoise. J'enragerai toujours là-dessus.

Vite, un peu de musique au FM pour me radoucir! Une enquête révèle ceci: musique *western* dans les fermes et dans les usines du secteur primaire. Pour les collégiens et les écoliers? Le rock (soft et non). Les bourgeois, les professionnels syntoniseraient quant à eux les ondes de Radio-Canada. C'est clair, non? Dis-moi ce que tu écoutes... À chacun sa petite musique et les vaches seront bien muselées. J'aime toujours la musique *western, country*. Je reste un peu primaire, quoi?

Ghetto contre ghetto toujours? dans tous les domaines. Jamais d'unanimité? Au monde des images? L'un, très primaire, va louer sa cassette-vidéo porno (hard ou soft), l'autre, très nanti, téléphone chez Sotheby's et crache cinquante millions pour un morceau de toile peinte! Pour *Les iris* de Van Gogh, mort pauvre et solitaire à Saint-Rémy de Provence. Pour les *Tournesols*, un marchand japonais se pointe, encore un autre cinquante millions de dollars! Qu'il est long, mon pauvre Vincent, le chemin qui mène de ton asile jusqu'au mur du salon de monsieur Alan Bond, Australien vivant à Perth. L'histoire de l'art? Est-ce aussi, écoliers, ce chapitre invraisemblable?

Ailleurs, Guy Brouillet nous décrit sa veille de Noël en parlant du film de de Scorcese qu'il relie audacieusement au célèbre historien d'un Jésus-homme, Renan. Il regrette que le cinéaste, tout comme Renan, se soit arrêté à la Passion de Jésus. Pour lui, Noël sans Pâques, et donc sans la Résurrection, ce n'est qu'un perversion, la pire des erreurs selon ce croyant, la vraie funeste tentation pour les chrétiens de toutes obédiences. Sans l'événement pascal, toute narration de la vie de Jésus n'est que la banale histoire d'un prophète persécuté, crucifié, comme il y en eut tant et tant, selon l'intéressant Brouillet.

Revenons sur terre: Foglia publie qu'il est étonné que les listes des meilleurs ouvrages littéraires dressées par ses lecteurs ne contiennent (par exemple) « ni Godbout, ni Jasmin et si peu de Ferron ». Le charmant observateur. Depuis quand (à part quelques-uns) les snobs liseurs d'ici font-ils ainsi? Depuis toujours. Le mépris de notre propre culture vient de loin et ce serait trop long à expliquer. Chaque fois que l'on questionne un Québécois (et même nos littérateurs) sur ses lectures importantes, il en est ainsi: pas un seul Québécois! Chaque fois qu'on m'y a invité, je me suis empressé d'inscrire des Thériault, Gabrielle Roy, Lemelin, Guèvremont. Ce qui est la vérité d'ailleurs, mais d'où vient donc cette honte des livres d'ici, de l'influence capitale qu'ils ont eu sur nous? Pitoyables vaniteux colonisés que les nôtres. Trouvez pas?

Coup de pied d'ânesse? Oh oui. La Françoise Sagan, à Paris, a mal digéré des épisodes du feuilleton de Georges Dor: *Les Moineau et les Pinson*. Résultat, dans le chic et mondain magazine *Globe*, elle éclate avec une délicatesse éléphantesque: «Des imbécillités qu'on nous administre, avec, pour tout arranger, cet accent grotesque!» Accent grotesque vous-même, ma pauvre Françoise! Elle ne s'écoute pas quand elle cause (chez Pivot ou ailleurs). En plus de son accent parisien, Sagan émet des borborygmes nous donnant chaque fois la douloureuse impression d'entendre une vieille fille droguée sortant saoûle d'un casino mondain ou mal rescapée d'un accident de voiture-pour-sportive-pimbêche. Non mais... «Devoir subir cet accent ridicule», continue la Sagan. Et nous? Qui subissons depuis toujours le ridicule parler de tant de Marie-Chantal-parisiennes. Pas un cadeau! L'impérialisme des vedettes littéraires de là-bas ne cessera donc jamais? Envie de lui écrire. Lui expliquer le miracle québécois, malgré mille et une sournoises attaques des anglos, notre attachement à la langue de nos ancêtres. Un français mal poli peut-être, mais français tout de même.

Chose plus grave pour moi. Soudain, hier matin, une photo m'accroche, moi qui ne lis pas les colonnes nécrologiques. Il est mort. Qui? Un inconnu des majorités. Paul

435

Legault, sulpicien surdévoué du collège de la rue Crémazie. C'était un prof si doux, si bon, si patient. Nous l'aimions, naturellement, sans passion, au milieu de ses
collègues répressifs. Paul Legault avait un rien de paysan
dans ses façons. Nous étions avec un ami, en classe de
Méthode, pas avec un sadique comme il y en avait trop, à
cette époque, parmi les enseignants du collège Grasset. Il
n'en imposait pas, il était calme, toujours souriant, capable de s'exprimer clairement, d'enseigner sans gueuler,
sans menaces, sans aucune sorte de tyrannie. Nous l'aimions, doucement, sans le lui dire, comme pour ne pas le
gêner, Paul Legault n'avait pas la faconde brillante du formidable Roland Piquette, c'était un professeur modeste,
seulement efficace et il nous aimait. Je l'avais revu lors
d'un *Avis de recherche* à mon sujet, à Radio-Canada.
Trente ans plus tard, Legault n'avait pas changé d'un iota.
En studio, les mêmes sourires timides, la même humble
façon d'être, nous disant à tous, moi et mes anciens camarades: je ne vous ai pas oubliés. Il est mort hier. Que la
Lumière des lumières lui apporte vite le paradis promis et
en lequel il croyait. Il l'a bien mérité.

*29 décembre 88*

L'enfance à perte de vue...

Enfin un beau ciel bleu en ce tout dernier jeudi de
1988. Une avant-veille de fin d'année avec un froid à vous
couper la respiration dès que... Dès que je me suis sorti le
nez dehors, ce matin, pour aller chercher les *mauvaises
nouvelles* (les journaux!) au grand kiosque des sœurs
Constantineau au coin de la rue du Chanteclerc. Seigneur!
je vais le redire, que le ciel fasse qu'on se déniche un coin

436

de pays chaud où fuir ces hivers impitoyables! Je suis comme survolté. Il reste quoi? Deux jours avant l'an nouveau. Dans mon cerveau planent des idées floues sur *comment changer de vie*. Mais pourquoi changer de vie, aussi? Pourquoi ce niais projet? Suis-je resté un enfant, celui qui, comme nous tous, voyant venir une nouvelle année, s'imagine que l'an nouveau sera différent de celui qui vient de s'écouler? Pauvre rêveur! En tout cas, c'est bien décidé, finie l'agréable corvée de rédiger presque chaque jour, page après page, ce qui se déroule dans mes petits murs, y compris mes murs psychologiques. Dès lundi prochain, 1989 enclenché, je ne ferai plus que noter, plutôt brièvement, les éphémérides de ma petite existence. Vers la fin de cette année nouvelle, je ferai probablement une longue et belle dictée française (l'école toujours?) à partir de ce magma d'annotations tirées de cet agenda tout neuf qui gît sur un coin de ma table. Et si je n'ai pas le temps? Bien... ça restera là. Je couvrirai de notes de nouveaux agendas, pour 1990, 1991, etc. Je veux redevenir libre. Totalement libre. Ne même pas avoir cet amusant et, à la fois, embarrassant *devoir* auquel je m'obligeais depuis un certain 13 septembre 1987. Oui, je me sens survolté. Misère, quel grand dessein secret m'anime donc? Je ne le sais pas moi-même. Aucune pythonisse à l'horizon pour lire dans ma main, me tirer aux tarots! Je vais guetter... Le sentiment confus et pourtant ultra-présent qu'il va se passer des choses bien lourdes de conséquences en 1989. Grand garçon rêveur, pusillanime! Indécent songe-creux sans doute. Par moments, je me caricature, et à d'autres, je crois stupidement que l'année nouvelle sera fertile en rebondissements. Laissez-moi à mes desiderata d'illuminé, je vous en prie. Ne me réveillez pas! C'est si bon de rêver, d'espérer, de redevenir le petit garçon aux fermes résolutions. L'enfance ne finit donc jamais chez certains d'entre nous? Vous, les lucides, les bien réglés, silence, ayez pitié de l'homme qui espère.

L'enfance? Voilà des jours et des jours que je me couche à deux heures du matin, plongé chaque soir dans l'immense bouquin de Stephen King: « *Ça* ». Folie pure? King, célèbre auteur de récits d'épouvante, a mis le paquet cette fois. Plus de mille pages et pour raconter quoi? Pour raconter les retrouvailles, à la manière des *Avis de recherche* télévisés, d'un gang de sept enfants pauvres revenus, revenants fantomatiques, dans leur petite ville natale, gros bourg anonyme du Maine qu'il a baptisé Derry. J'ai cherché Derry dans un Atlas des États-Unis. Rien. Ça pourrait être le Belfast du Maine, entre Bangor, au bord de l'Atlantique, et Augusta, la capitale de cet État pauvre de la Nouvelle-Angleterre. Partout, dans *Ça*, rôdent d'affreux souvenirs. On connaît peut-être (*Brume*) le goût de King pour les contes oniriques et dévastateurs. On sait (*L'enfant lumière*) que King est friand de démonologie et autres sataniques visions. Il me reste deux centaines de pages à lire de ce marathon (plus de mille pages) de lecture pour faire peur. Une sacrée machine. Pendant que la bande dite « des Ratés » (la plupart de ces anciens camarades de jeu sont pourtant fort bien installés) court vers ce grand rassemblement en vue d'abattre une bête apocalyptique, le narrateur ne cesse, chapitre après chapitre, de nous plonger dans les retours en arrière. Maudits indispensables flash-back? Vieille façon d'expliquer tout, on en conviendra. King n'a rien d'un littérateur de pointe. Il ne cherche certainement pas à faire évoluer l'art romanesque. Son seul but? Vous faire frissonner. Il y excelle souvent. Toute cette épaisse brique (encore traduite en français *parisien*, hélas) est farcie des relents d'effrayants contes de fées, de bandes dessinées d'*horreur* et de tous les derniers et célèbres films américains d'épouvante. Une somme. Une bible laïque, païenne, un étonnant répertoire de toutes ces inventions maléfiques bien connues. Je lis *Ça* avec, parfois, de l'amusement tant ses clins d'œil aux ouvrages archiconnus du mode « fais-moi peur » abondent.

438

King va jusqu'à reprendre dans un des chapitres le massacre à la hache (par Jack Nicholson au cinéma) de son *Shining*: l'épisode, dans le roman, où il y a un certain Claude Héroux (!) dans un saloon de Derry au début du siècle, quand tout le Maine était un vaste camp de bûcherons fréquenteurs de bordels et de tavernes. Amusant, non?

Drôles de vacances des Fêtes, non? Drôle de détente, mais je m'amuse. Ce boulimique conte noir ne fait rien pourtant pour apaiser ma nervosité de fin d'année. Raymonde, elle, lit le cinquième tome du *Journal* de J.-P. Guay et, le plus souvent, prépare la mise en scène et le découpage d'une heure d'*Héritage* qu'elle devra enregistrer dès la deuxième semaine de janvier. Chaque soir, derrière mon gros fauteuil de cuir, derrière les horribles fantasmagories de King, au-delà du petit lac, je peux observer le spectacle féerique des lumières des pentes de ski, les décorations lumineuses, les scintillements de couleurs variées autour des condos bordant ces collines, des jets de neige soufflée, des silhouettes lilliputiennes des skieurs sur les pentes (King écrirait: des insectes noirs glissant inexorablement vers mon dos de tranquille liseur!). Spectacle comme hors de la réalité et j'interromps malgré moi ma lecture pour l'admirer, voyeur confortable à bâbord d'un bon feu de cheminée. Je lis, je lis (Claire Caron, à *Premières* après les fêtes sera étonnée), mais je reste un homme comme entre parenthèses. Je sais qu'au bout du long tunnel des cauchemardesques visions de *Ça*, je me retrouverai gros-Claude comme devant! Qu'il faudra bien, puisque ce sera 1989, décider de mon avenir. Exactement comme ce jour où papa me fit asseoir (j'avais raté mes examens de fin d'année en 1948) pour me déclarer: «As-tu pensé à ton avenir?» Il avait tout prévu et il me sortit le prospectus de cette École du Meuble dont il rêvait pour moi, l'incapable en mathématiques, *l'indésirable*, comme m'avait qualifié odieusement la note de renvoi du Grasset. Exactement comme, quatre ans plus tôt, papa m'avait dit: « As-tu pensé à ton avenir? » Et il m'avait alors conduit boulevard Crémazie, chez ces messieurs de Saint-Sulpice, pour qu'ils fassent de moi un prêtre, tout comme son grand frère Ernest-le-missionnaire-en Chine, l'oncle savant, brillant, lauréat du Prix Collin, du Prix Prince-de-Galles. Oui, aujourd'hui encore, je me répète: Que vas-tu faire de ton avenir? Le temps ne passe pas. Immobile, le temps? C'est ça la vérité, Claude Mauriac?

Non, le temps ne passe pas vraiment. Pas vraiment comme on se l'imagine. Le temps est une illusion? Est-ce l'influence du gros roman de King? Je me rends souvent, en pensée, dans ma ruelle, dans nos fonds de cour, je me revois avec Devault, Dubé, Morneau, Vincelette, Hubert, Desbarrat, Malboeuf. On a nos frondes, nos poignards et nos revolvers de bois *gossé*... et comme ce Bill, le héros de *Ça*, je suis le décideur, l'imaginateur des batailles spontanées, des guerres-éclair qu'il faut vite aller livrer à des ennemis invisibles et bien funestes. J'inventais. Je n'étais pas le plus fort, ni le plus habile en acrobaties de clôtures, d'escaliers, d'arbres, je n'étais pas le plus vaillant et pourtant on se rassemblait autour de moi. On guettait ce qu'il fallait faire ce jour-là. Comme la veille. Comme le lendemain. Simplement parce que j'avais des idées, à cause de cela seulement, j'étais une sorte de chef. Je ne savais pas encore que cette faculté d'imaginer est un don précieux. Je ne savais rien de rien. J'étais un petit cow-boy ridicule, les genoux éraflés, la chemise déchirée... Oh oui, ce livre de King m'a replongé davantage dans la sauce indélébile des souvenirs d'enfance. King le sait, lui aussi, que nous restons tous accrochés à ces premiers temps de ce que nous sommes. Non, le temps ne passe pas vraiment.

Les exploités précocement...

Dimanche soir donc, réunion des Boucher au village chez Jacques. Amusant caucus rituel du Noël classique. Fernande, jeune mère de deux enfants grandis subitement à mes yeux (Sophie et Christian), a fait une cuisine comme je l'aime. Comme celle de ma vaillante Germaine de mère. À son tour, elle est devenue une maman retournée au travail extérieur. Elle n'est pas peu fière de me montrer, par exemple, les gravures préparées par sa compagnie pour le célèbre *Homme qui plantait des arbres* de Fred Bach, l'homme aux deux *Oscars*. Je retiens des palabres de cette veillée tout au bout de l'Ile de Laval, les révélations du frère Jacques, prof dans une polyvalente du côté de Mascouche. Documentaire étonnant, capable de vous faire croire à une planète à part qui tourne en secret, contenant un mode d'existence pour les jeunes adolescents à mille années-lumières de nous! Jacques Boucher, talonné sur ce sujet par sa grande sœur Raymonde, devient intarissable. Les grands enfants de sa vaste école secondaire sont pour la plupart des travailleurs *au noir*! À salaire minimum. Dans des stations-service, les soirs et les week-ends, dans des commerces pauvres, par exemple des dépanneurs devant rester ouverts dix-huit ou vingt heures par jour. Exploités précocement, ils s'y font un peu de fric. Pour vivoter mieux. Pour s'acheter surtout des disques de *rock* nouvellement édités et des B.D. à la mode, ou pour louer des vidéos à leur goût, ou pour se procurer des jeux sophistiqués pour l'ordinateur familial. Je découvre un monde et j'en ai besoin si le projet de mes délinquants-décrocheurs se concrétise chez Panacom, je note que Jacques Boucher me sera une fameuse personne-ressource. Il parle des us et coutumes, de la sexualité active de ces jeunes aux parents qui travaillent tout le jour. Terrible existentialisme de cette jeunesse. Bien plus libre que le fut la nôtre. Question: émancipation inquiétante?

Relations sexuelles fréquentes entre ces gamines et gamins de quinze ou seize ans! Un monde, je vous le dis. Des gens de ma génération, coupés par hasard de ces réalités, seraient, comme je l'ai été, comme Raymonde l'a été, totalement éberlués en entendant les descriptions du frère Jacques.

Quoi qu'il en soit de cette forme d'isolement (relative) des curieux grands enfants d'aujourd'hui, Jacques nous a semblé optimiste, heureux. Il parle d'adaptation inévitable et plutôt intelligente par ces gamins. Il avoue devoir jouer souvent un rôle de conseiller, d'orienteur. Il aime son métier comme un fou. Quant à Pierre, son aîné, il nous a parlé de ce Cameroun où il se rend fréquemment pour organiser et installer des cours de sciences, de physique et de chimie. Des terres rouges, un aéroport minuscule, une frayeur du communisme, un système à *bakchich* traditionnel en Afrique décolonisée, quelques instruits lucides qui se débattent avec l'aide de l'ACDI (via Sofati pour Pierre) afin que cette Afrique rattrape les retards qui l'aliénent malgré elle.

Il y avait deux grands-mamans à cette fête de Noël qui réunissait la tribu Boucher. Elles étaient fières de ma brune, de sa mise en nomination pour un Prix de mise en scène télégénique. Il y eut les taquineries d'usage, farces et piques, histoires pour rire... des Newfies et parfois de nous.

De retour, roulant sur la 25 et voyant toutes ces maisons coquettement illuminées, dans ce qui est désormais un faubourg de Laval, j'ai songé à mille milliers de réunions familiales. Tout notre fragile monde québécois tente d'oublier un peu, durant le temps des Fêtes, qu'il est menacé culturellement, qu'il ne sera plus, bientôt, qu'un tout petit quart, et puis moins encore, des électeurs de ce Canada franchement raciste, intolérant face aux demandes de la résistance française. J'ai songé, inquiet, au ridicule îlot de 2% de francophones dans cet océan débordant d'émigrants assimilés, anglos d'Amérique du nord. J'ai eu peur. Je songeais qu'avec la dénatalité, tous ces nouveaux venus refusant carrément notre langue et le reste, oui, je songeais qu'il faudrait réagir de toute urgence. Têtes de pioches, admettre qu'il y a un péril, pire encore qu'au moment de la conquête anglaise de 1760. Comment allons-nous empêcher notre noyade culturelle si les nôtres, avec le secours d'une mince fraction de néos, se refusent une patrie véritable, s'ils osent croire plus longtemps en la bonne foi des anglophones d'ici et d'ailleurs? La plupart des nôtres sont mous, flasques même, et jouent la carte imbécile, suicidaire, d'une confiance béate. Ils parlent français sans fierté, sans attention, restent volontiers perméables aux influences américaines en maints domaines (lecture, musique, radio, télé, cinéma). Ils ne se soucient guère du danger fatal qui les environne, ils ne sont que des autruches pitoyables.

Trop des nôtres sont encore tout bêtement fiers d'exhiber leur bilinguisme-de-colonisés. Ils succombent avec un plaisir inconscient aux séductions (réelles) du savoir-faire américain, tout comme notre petite minorité anglaise et la majorité de nos émigrants. Ils vivent déjà à l'américaine même s'ils parlent français avec leurs proches parents et mettent leurs enfants dans des écoles françaises. Ils ignorent qu'ils hypothèquent gravement l'avenir de ces mêmes enfants par leur lâcheté imbécile. Ils continuent sans le savoir précisément notre lent génocide, en douceur, en préparant leurs enfants à une existence de sous-américains.

J'y ai songé longuement en cette nuit de Noël et j'ai eu envie de chialer. Vraiment, j'ai compris à fond le douloureux sentiment éprouvé jadis par un Lionel Groulx, un André Laurendeau, un René Lévesque, et d'autres.

443

Glisser dans l'air froid...

C'est tout de même encore en français que Raymonde et moi sommes allés, juste avant cette veillée à Saint-François, rue Chambord pour assister au *développage* des cadeaux que nous offrions au turbulent trio Gabriel, Laurent et David. Marc, le papa, était venu la veille rue Querbes reprendre son arbre de Noël au fond de notre garage. David et Laurent l'accompagnaient, très excités, et couraient dans les pièces comme des souris survoltées, humant cet air d'avant-réveillon. Plaisir de voir ces petits êtres en proie à un certain vertige: il va pleuvoir des étrennes partout dès demain, des friandises, des liqueurs en quantité. Nous tentons de les stopper, de les faire asseoir. Ils gigotent frénétiquement. Ils veulent voir. Débusquer. Sous les meubles. Dans les coins sombres de la maison. Ils sentent tout à fait que ces jours-ci il y a des surprises mal dissimulées dans les cachettes des Grands! Quel plaisir! Le lendemain donc, rue Chambord, c'est l'apothéose! David fou de joie en découvrant l'auto de course téléguidée. Laurent nous fait voir sa montre-bracelet, deux dinosaures effrayants et une sorte de tank, téléguidé lui aussi. Et quoi encore? On est loin du Noël des quatre-vingt mille réfugiés (économiques pour la plupart) qui attendent aux frontières le droit officiel de devenir des Québécois à part entière. Ou plutôt, des Canadians! Toujours, cher gauchiste de salon, ce voile de tristesse chaque fois qu'on est mis en face du bonheur et de l'abondance. Je tente d'oublier ce chiffre sadique qui me hante: quarante mille enfants meurent de faim chaque jour que le bon enfant-Jésus ramène! Oublier. Oui, salubrité essentielle chez tous les nantis, oublier un peu, le temps des arbres de Noël et des papiers décoratifs jonchant les salons de l'Occident repu.

En montant au chalet, lundi matin, détour par Fresnière. Hélas, on aurait dû prévenir, ne s'y trouvent que bébé-Thomas (endormi) et une jeune gardienne qui nous apprend: «Lynn et Daniel sont allés au ciné-pour-enfant avec Simon.» Tant pis. Nous nous reverrons tous au jour de l'An, ici même. Ici où, par ma fenêtre, je vois des skieurs traverser le lac gelé, d'un blanc immaculé, aveuglant même. Ils se dépêchent vers les télésièges sous les pylônes bleus. Silhouettes rouges, jaunes, bleues, vertes sur le lac, ils vont rapidement vers le plaisir de glisser dans l'air froid, dans les paysages tout récemment et artificiellement enneigés. Emmitouflés dans ces survêtements ultra-colorés, isolés du froid de canard qu'il fait aujourd'hui, ils me font me souvenir de mes anciens plaisirs d'adolescent, au temps où je venais, justement ici, skier avec les gars du collège, les mardis et les jeudis après-midi (samedi et dimanche étant jours d'étude). J'ai recommencé à faire du ski alpin quand mes deux enfants eurent l'âge d'en faire, dans les années 60. Mon équipement d'alors était un anachronisme sur les pentes du Mont Olympia ou à Belle-Neige, en amont de Val David. Je faisais antique! Au lieu de me changer en skieur moderne, vers la fin, je m'installais pour lire mes journaux et magazines dans ces cabanes-cantines, ou bien j'allais vagabonder dans les boisés sur des raquettes à neige. Plus tard, heureusement, s'amena la vogue du ski de randonnée.

Je veux toujours convaincre Raymonde de reprendre le ski de randonnée. Nos équipements s'empoussièrent dans la cave du chalet. Paresse du quinquagénaire? Oui! Au fond, je veux plutôt trouver un bon plan pour échapper carrément aux froids hivernaux. Je finirai par trouver. J'espère, secrètement, que la SRC offrira une retraite anticipée à ma brune. Le plus tôt possible. Pourtant... Elle aime tant son métier. Alors je crains, confusément, qu'elle refuse une telle offre, le jour venu. Assez. Laissons venir les choses. Oui, c'est ça, sois sage, bonhomme et tais-toi. Continue de lire l'épais King!

445

Il y a quatre jours, nous sommes donc allés de nouveau, passer le soir du vingt-quatre décembre chez les Faucher. Craignant d'avoir faim avant le début de la nuit «noëllesque», Raymonde avait préparé de légers spaghetti aux moules. Erreur! Nous avons fait peu honneur à l'excellent buffet de Françoise, minuit venu. Jean a lu ma fausse lettre ouverte sur *les râleurs gâtés à la SRC* et, le voyant prêt à se fâcher, Raymonde a crevé mon ballon: «C'est une lettre bidon! Claude n'a pas du tout l'intention de la publier!» Rigolade générale ensuite.

Catherine et Sophie, les filles du lieu, réveillonnent gaiement avec nous quatre. Deux belles filles, l'une actrice, l'autre en stages payés pour devenir cinéaste. Cette Catherine trouve du boulot intéressant et instructif dans des équipes de tournage d'ici. Les deux fils, mariés et pères de famille, sont absents. S'amènera à la fin du réveillon le fils du commentateur Pierre Nadeau, blond, visage du jeune homme décidé, souriant à la vie. Sa compagne, blonde aussi, une Française qui fait dans le design. Nous en venons à parler du grand-papa, Jean-Marie Nadeau. Je sors le peu que je sais sur cet avocat, indispensable penseur libéral quand nous étions tous sous la férule duplessiste. Ce petit-fils Nadeau m'écoute alors avec une attention totale. Il racontera que, bébé, il avait éprouvé une sorte d'osmose bienfaisante entre lui et ce pépère pas ordinaire, mort trop tôt dans un accident de voiture. Plus tôt, après le visionnement des drôles polissonneries de RBO à TM, la fidèle Françoise a téléphoné au nonagénaire François Rozet, pas assez bien pour être venu à sa boustifaille traditionnelle. Elle m'a tendu le récepteur et je n'ai pas su trop quoi dire à ce doyen des acteurs. En raccrochant, je m'en suis voulu. Je ne trouvais pas les bons mots et alors, j'ai songé soudainement à papa, nonagénaire lui aussi, en 1986, ayant perdu l'usage d'un œil, rôdant dans la solitude, sa Germaine hospitalisée de façon permanente. J'en ai eu des picotements. Du côté du cœur.

Je m'ennuie de lui. Je voudrais qu'il soit encore vivant, je ferais mieux, tellement mieux, je ferais beaucoup plus pour que ses derniers jours soient plus... Plus quoi, Seigneur? J'écris ceci et je me souviens soudain qu'il aurait refusé ces attendrissements, mon cher sauvage de père, dédaignant (en apparence?) toute sentimentalité humaine.

De chétives royalties...

Raymonde revient des commissions, sans doute en vue du petit souper de la veille du jour de l'an, avec les Faucher. Ils viendront de leur Lac Marois, pas loin d'ici. Et aussi en vue du lendemain quand arriveront ici mes cinq petits galopins et leurs parents. Déjà, j'ai un peu peur de cette journée, tout simplement parce que je sais Raymonde plutôt inconfortable, se proclamant inapte devant ces cinq marmots énergiques. Que faire? Les amener, avant ou après le repas, glisser sur les pentes du terrain? Ne pas la laisser seule? L'entraîner dehors avec eux? Et la cuisine? Dilemme. Envoyer alors les parents faire glisser leurs mômes? Tout le monde dehors, quoi, sauf nous deux? Ça ne se fait pas. Le papi en est plutôt songeur, savez-vous. Questionnée, Raymonde me répète qu'avec ce papi redevenant lui-même un enfant en folie, il ne lui reste que bien peu de moyens comme animatrice. Elle a raison. J'ose prendre une autre bonne résolution de nouvelle année: faire de l'espace, laisser un peu de place à Raymonde, quand viendront mes jeunes trépigneurs.

Le ciel s'est subitement couvert de nuages. Fin du lac aveuglant, dès lors. Soudain, une coupure du journal d'hier me tire l'œil. Je me penche et je lis: « *Les seuls racistes, les vrais, sont les émigrants québécois alliés pour la plupart à la minorité anglaise. Qu'y pouvons-nous? Ils sont venus en Amérique, pas au Québec.*» C'est ma signature qui est imprimée sous des mots dans *La Presse*, via

447

sa *Boîte aux lettres*. L'homme-de-lettres sévit encore, le misérable monomaniaque? Je ne regrette pas ce petit article qui ridiculise les excités-de-l'affichage ceux qui se dissimulent la seule et vraie question, la seule vraie solution. « *Un sujet tabou, tant nous craignons de passer pour xénophobes*», ai-je écrit aussi. La vérité. Qui est incommodante. Je m'en fiche. La vérité: les émigrants nous refusent culturellement. Il faut vite les questionner. Et nous questionner lucidement, nous aussi.

Trois chèques dans la boîte, route rurale no 1. Deux de six dollars et un de quatorze. Viande à chien! C'est payant, hein, les droits d'auteur? Toujours la même envie d'éclater de rire quand je reçois, à chaque fin d'année, ces chétives *royalties*. Et puis je me calme, me disant que c'est mieux que rien! Savoir que certains anciens livres se vendent tout de même encore un peu! Le doyen en B.D., Albert Chartier, m'envoie ses bons vœux du nouvel an et une planche de ses dessins avec son *Onésime*. Carte de souhaits aussi de ma cadette Nicole et de son Louis-demari, dont j'ai oublié, au printemps dernier, de transcrire ici la formidable part à la *rôtisserie* familiale de Raynald lors de la Saint-Jean. Le petit Vézina narrait, avec esprit, avec un humour étonnant, une certaine célèbre journée quand, au chalet de Pointe-Calumet, il avait fallu débloquer la fosse des excréments. Ce fut un morceau, je vous jure, digne du grand Jarry quand son *Ubu* était roi. J'oubliais: des lettres circulaires, accompagnant les maigres chèques des Éditions La Presse, m'apprennent que ma trilogie (*Le petite patrie, Sainte-Adèle-la-vaisselle* et *Pointe-Calumet boogie-woogie*) passe aux mains d'un autre éditeur (Sogides) puisque La Presse ne veut plus éditer à l'avenir que des livres sur le monde de l'information et dit donc *adieu à la fiction*. Bon, bon! Déménagez mes petits enfants de papier, laissez-vous faire, c'est pour votre bien à tous!

Toujours dans mon courrier, une lettre de A.D., de la ville de Québec, pour me remercier de mon appui dans une demande de bourse à Ottawa. Une recommandation que j'ai eu la faiblesse d'accorder alors que je ne suis en rien certain des talents de cette aspirante-auteure. Gageons qu'elle obtiendra cette aide et qu'elle grossira sans doute le régiment énorme, *hénaurme* écrirait Jarry, des illusionnés culturels. P.D., de Pointe-aux-Trembles, m'écrit de nouveau et me questionne encore à propos de son bizarre projet: il souhaiterait publier des hommages hagiographiques sur son obsession bien-aimée, feu Judy Garland. Il semble s'être nommé grand président québécois de son funèbre fan-club. Grand bien lui fasse, Seigneur! Tout auteur qui s'exprime sur la place publique trouve ainsi des zélateurs doux-dingues sur son chemin. Je reçois donc une longue lettre manuscrite de H. L-C. me racontant, en anglais!!! ses déboires de jeune fille, ses déceptions de femme adulte, ses craintes de... grand-mère. Étranges confidences et en bout de confession, une sorte d'appel désespéré. J'avais tenté, après avoir reçu sa première missive, de calmer cette anxieuse ténébreuse. En vain, semble-t-il. Je reste toujours un peu mystifié quand je constate que des êtres troublés s'adressent à un romancier plutôt qu'à tous ces psys patentés et formés, eux pour aider ces grands angoissés. Surtout que, désormais, il est si facile de recourir à ces spécialistes via le moindre CLSC. Autre lettre circulaire. L'actrice et animatrice Louise Deschâtelets m'invite à joindre une certaine loterie patronnée par le fin gourmet Gérard Delage. Mystère!

Toute une page de journal, ce matin, avec dix grandes photos, pour compiler les grands disparus de 1988. Chaque année, si vous avez un certain âge comme on dit, ces deuils vous concernent davantage. Quant à moi, trois de ces visages me dévisagent avec insistance. Jean Marchand, Jean Gascon et Félix Leclerc. Marchand. Je l'avais tant estimé, fin 58, début 59, quand il nous soutenait le moral par ses harangues fougueuses de chef de la grève à Radio-Canada. Cet homme incarnait alors, à mes yeux de jeune artiste de vingt-huit ans, l'intègre chevalier moderne combattant pour plus de justice, le défenseur audacieux des droits des travailleurs. Ce qu'il était réellement. Plus tard, embarqué par les conseillers du chef libéral Pearson, il est devenu, je n'en revenais pas, le redoutable envoyé d'Ottawa pour arroser nos feux ardents de militants indépendantistes. Devenu partisan aveuglé du centralisateur obsédé Trudeau, il se changea même en démagogue déboussolé durant la crise d'octobre 1970. Un jour de 1978, je l'ai vu sortir du building à condos, Beekman, de Surfside en Floride. Il marchait vers la mer, courbé, le front soucieux, sans voir personne. Un instant, je me suis dit que je devais aller saluer ce compatriote, puis je me suis ravisé; aucun vrai Québécois n'a à saluer ce pénible ex-leader syndical, habile et sincère tribun populaire qui a malicieusement tourné en cinglé criant au loup-garou au plus fort de ce vent de folie d'octobre 1970... Le téléphone sonne! Excusez...

*30 décembre 88*

Chaque année, son cortège mortuaire...

Hier, qu'est-ce que je disais? Ah oui, hier après-midi, ce soudain coup de fil. Qui était-ce? Ma fille: «On est à trois rues de chez vous, papa. On fait donner une leçon de ski à David et Laurent sur les Côtes 40-80. Tu veux venir voir ça?»

J'y suis allé. Éliane m'apparaît en combinaison de skieuse, elle me semble toute rajeunie, presque l'adoles-

450

cente que je conduisais, l'hiver venu, le samedi matin, aux pentes de La Marquise! Marco est au pied d'une arbalète-remontée, caméscope 8mm au poignet, vidéotisant ses deux skieurs. Bébé Gaby m'aperçoit, ouvre les bras et, marchant en pingouin tant on l'a emmitouflé chaudement, vient se jeter dans mes bras. Je lui offrirai du chocolat à la cantine de ce parc d'hiver municipal, puis je conduirai Gabriel au chalet pour permettre aux parents de dévaler ces pentes pas trop raides, sises en plein milieu du village, telle La Marquise dans Saint-Sauveur.

En fin d'après-midi, la petite troupe remplit le portique, salutations à Raymonde qui achève de dresser la table pour la venue des Faucher tantôt, refus d'un café, ou d'autre chose, et les Barrière repartent vers Ahuntsic, leurs joues toutes roses font plaisir à voir.

Je reviens à mes moutons d'hier, avant le coup de fil. À mes morts de 1988. Donc, sur cette plage immense, près de Bal Harbour, je m'étais détourné de Jean Marchand, mort fin août de cette année. Je l'ai fui et puis je me jugerai «peut-être trop rancunier». Trois autres disparus que j'ai croisés de leur vivant. Guy Sanche, mort au début de cette année, devenu bonimenteur quotidien sur des propos de Michel Cailloux, malheureux peut-être de n'être que ce funambule enfantin et sombrant, hélas, dans des excès malheureux qui finirent par altérer sa santé. Jean Gascon nous a quittés à jamais et quand j'ai appris la triste nouvelle, je me suis rappelé un faste gala-dîner de La Presse, où nous étions à la même table. J'avais découvert alors un étonnant vieux gamin, plein d'espiègleries, un farceur tout modeste que j'avais longtemps perçu à tort comme un grave et sérieux «homme de théâtre». Ce midi-là, j'avais regretté que le sort ait fait que jamais nos routes ne s'étaient croisées. Jeune, j'avais composé une pièce *sur mesure* (croyais-je) pour lui, Gascon, et les principaux membres permanents de sa jeune et déjà solide troupe, le TNM. Gascon m'avait envoyé une aimable lettre m'expliquant fort poliment que j'avais du talent... Mais pas assez encore pour sa prestigieuse bande, hélas! À part un ou deux André Langevin, à cette époque, les affiches du TNM ne se réclamaient à peu près jamais des dramaturges d'ici. C'était courant, là comme ailleurs, illustrant assez le mépris de nos aînés (et leur désintérêt) pour la culture québécoise à faire naître ou à faire s'épanouir.

Félix Leclerc est mort lui aussi. Le patriarche de nos poètes-chanteurs. J'ai publié deux trop brefs articles lors de ce grand malheur. Un choc pour une grande part de la population. Les rudes *cantiques* du barde de l'Ile d'Orléans avaient su séduire, dès la fin des années quarante, les étudiants en art que nous étions. Le grand public était plus que réticent et il faudra le phénoménal succès, le triomphe de Félix en France, pour que, soudainement, les nôtres l'acceptent enfin comme un créateur souverain qui allait même influencer les vedettes de Paris, de Brassens à Brel. Ce sordide colonialisme fait encore parfois des ravages, mais j'en parlerai ailleurs.

Dernièrement, à l'est de Sainte-Rose, à Auteuil, décès du peintre surréaliste Alfred Pellan. J'ai souvent eu à côtoyer, à interviewer aussi, ce dessinateur impétueux avec ses coloriages enfantins. Pellan, pourtant fort bien coté chez les gens avertis, n'a jamais réussi à populariser sa manière. Il était un faux naïf. Il aurait peut-être fallu, pour qu'il soit consacré véritable peintre primitif, qu'il réussisse à oublier les leçons théoriques qui lui furent administrées quand il était cet étudiant brillant, ce boursier studieux, ce professeur rigoureux pour qui *l'artisanat* de son art importait trop. Il manquait aux ouvrages joyeux de Pellan la liberté, l'ingénuité, la légèreté de Mirò, de Chagall, et ici, de Dallaire, si longtemps moins réputé que lui.

452

Ce matin encore, du beau soleil, du beau bleu au ciel laurentien, puis soudain, des nuages partout. Changement de décor subit. L'éclairage stimulant du soleil disparaît et nous sommes plongés dans une lumière tamisée et grise. C'est triste. Demain, samedi, dernier jour de l'année. Viendrai-je, ici, écrire mes derniers mots? Les dernières paroles d'un pauvre petit christ de papier mâché? Pas sûr. Je veux dresser un arbre de Noël puisque tout mon petit monde viendra fêter avec Raymonde et moi ce tout premier jour d'une neuve année, début de la matière du tome III. J'ai hâte, dès la fin de cette première semaine de 1989, d'aller porter le gros paquet de ces pages du journal chez Guérin. J'espère que ce tome II sera dans les librairies dès le tout début du printemps 89, qu'il n'y aura pas de retard comme pour le tome I. Je me promets d'être ferme et même un peu rude si pleuvent de nouveau ces excuses vagues dont les chers éditeurs ont le secret.

Petite cérémonie des adieux...

Hier soir, le bon « boeuf bourguignon » de Raymonde et l'excellent vin rouge apporté par les Faucher ont fait de notre rencontre une très agréable pause de fin d'année. Nous avons échangé des secrets. Des graves et des légers. Nous avons parlé un peu de nos enfances, c'est inévitable, ma foi, chaque fin d'année. Nous avons ri aussi. Je découvre que cette comédienne, apte à jouer les plus difficiles tragédies du grand répertoire, Françoise, est aussi une femme qui adore badiner, qui apprécie l'humour, même un peu trivial. Elle peut très bien faire des galéjades avec esprit, frivolité qu'on n'imagine guère chez ces artistes au talent assez riche pour jouer les drames les plus sombres, qu'ils soient de Claudel ou de Lorca. Je ne sais pas trop pourquoi, on a voulu revoir, sur vidéo, cette curieuse émission de TQS où j'étais l'invité de Clémence

Desrochers et au cours de laquelle on m'a mis en présence, en ondes, avec une contemptrice naïve du nom de Micheline Lafrance. Je venais de publier (le tome *zéro* de mon journal, en somme), *Une saison en studio*. Plaisir de Raymonde en voyant Suzanne Lévesque river son clou à cette Lafrance qui avait osé dénoncer mon travail (à ses yeux un désastre), dans une longue lettre démente envoyée à mes employeurs d'alors. Oublions le passé. Recouvrons vite ces heures grises du manteau brillant des festivités en cours. J'ai résumé du mieux que j'ai pu l'énorme Stephen King. Ce matin, j'ai terminé ce baroque récit animiste, quasi infantile, bourré d'images de tous les célèbres films d'horreur des dernières années. Je sors plutôt insatisfait des mille pages de *Ça*. King, à partir d'une idée fort prometteuse, «s'enfarge» souvent dans de trop longs chapitres encombrants, aux effets répétitifs, et cette grosse brique en est alourdie. Malgré ça, plein de petits bonheurs de lecture à l'occasion, ce qui fait que, stimulé par quelques trouvailles vraiment originales, vous vous retrouvez à la page trois cent cinquante. Alors, vous vous obligez à continuer. Vous vous dites que toutes ces heures de lecture parfois impatiente doivent vous conduire vers une certaine satisfaction. Vous continuez. Vous continuez. Voici la page quatre cent. Cinq cent. Voici la page six cent. Non, là, trop tard pour arrêter, malgré votre irritation devant ce King manipulateur et souvent maladroit, ce ton mélodramatique, ce tas d'invraisemblances et ces *deus ex machina* trop pratiques. Vous voilà devenu, à défaut d'un lecteur subjugué, un examinateur attentif. Bref, je me suis rendu jusqu'à ce *happy end* plutôt moche alors qu'au départ, j'avais cru m'embarquer dans un ouvrage de vraie littérature. On peut imaginer pourtant que les dizaines de millions de lecteurs de King sont restés fidèles à l'illustre pondeur de visions sataniques à faire dresser les cheveux sur la tête. Quand un romancier de ce calibre publie pour la énième fois, il se trouve à l'abri des critiques, et c'est tant mieux pour Stephen King. J'ai tellement préféré à ce labyrinthe malodorant (*Ça* se déroule en grande partie dans les égouts) plusieurs des brèves et brillantes nouvelles de son *Brume*. C'est clair. Un tel livre est un scénario de plus offert aux Spielberg et cie d'Hollywood. Oui, un jour, le film se fera, ou une mini-série de télé. Le trop long récit de ces *retrouvailles* d'enfants vieillis se fera charcuter et, ma foi, je gagerais que *Ça* s'en portera mieux.

Parlant télé, étrange papier ce matin dans les journaux. La télé serait abrutissante! Elle nous empêcherait de développer nos capacités! Transformerait ses adeptes en *zombis,* en légumes! Qui parle? Un nostalgique des cultures classiques anciennes? Non. Un bagnard. Un détenu dans une prison du Wisconsin, à Oshkosh. Un certain Adrian Lomax qui réclame que les autorités de son pénitencier interdisent le «meuble» populaire. Lui, il est devenu, en cellule, un traducteur d'ouvrages en langue espagnole! Surprenante, cette lucidité. Son directeur a rétorqué que la télé est un puissant agent pacificateur des prisonniers. Oh! Oh! genre camisole chimique dans les asiles? Camisole cathodique, la télé? Ça m'a secoué!

Ailleurs, l'analyste Daniel Latouche se dit plutôt étonné que pas un seul écrivain ou intellectuel du Canada anglais n'ait pris la parole pour défendre notre essentielle loi 101, rempart (incertain) contre la terrible et fatale réalité de n'être que 2% de francos en Amérique du Nord. Il a bien raison. En effet, c'est une constatation de l'indifférence des anglos à l'égard de notre culture sans cesse menacée. Une honte pour eux.

Grand malaise en ce moment: fin d'un tome. Nous allons au nouveau resto *La Bruyère* à quatre pâtés de maisons d'ici avec nos voisins, les Jodoin. Demain, préparatifs du Jour de l'an. Sans doute pas de temps libre pour une solide conclusion, une sorte d'épilogue à tant de jasettes journalières. Alors, oui, un malaise. Mais, j'y songe, je suis déformé par ma pratique romancière. Dans un journal, pas besoin de dénouement bien dramatique. Pas de *happy end* comme dans le gros *Ça* de King. Mais non! Où avais-je la tête? Je ne dois aussi simplement qu'en ce treize septembre 1987, que raconter les faits d'un seul jour ou de quelques-uns. C'est fait? Bien. Ça suffit, comme dans l'expression: À chaque jour suffit sa peine. Un véritable journal, ce n'est que ça. Ce n'est que noter, par exemple, que ce midi, avec un peu de honte bête, je suis allé porter mon très vieux, très usé capot de chat sauvage (dont Jacques Ferron aimait se moquer jadis) à *L'Atelier de la fourrure,* à mi-côte de la rue Morin, qu'ensuite je suis allé m'asseoir (oui, moi!) chez le coiffeur du coin de la rue Valiquette et que j'ai réclamé subitement « court, très court, s'il vous plaît! » C'est fini, la tête broussailleuse à la Vigneault. Raymonde a poussé un cri en me voyant rentrer de chez ce Figaro raseur émérite: « Claude! Seigneur! t'as l'air un peu militaire! On dirait James Bond! » Elle a ri. Je me suis regardé dans l'ovale miroir de l'entrée. Ouais, ça m'a rajeuni et j'ai l'air plus dur. Eh bien, ce sera ça la nouvelle année, tiens, je me fais une prédiction, pauvre astrologue: je serai, en 1989, plus jeune (ah, redevenir un enfant!) et plus dur. Excepté pour ma brune. Mon amour.